KB075623

2024년 개정

한 권으로 끝내는

인간공학기술사 핵심정리

인간공학기술사 추철웅
인간공학기술사 오영찬
인간공학기술사 양병철
인간공학기술사 표순욱
인간공학기술사 김재형
인간공학기술사 라동선
인간공학기술사 허재익
인간공학기술사 김홍대

2024년 개정

한 권으로 끝내는
인간공학기술사 핵심정리

발 행 | 2024년 8월 12일
편 저 | 인간공학기술사 추철웅, 오영찬, 양병철, 표순욱, 김재형, 라동선, 허재익, 김홍대
펴낸이 | 한건희
펴낸곳 | 주식회사 부크크
출판사등록 | 2014.07.15.(제2014-16호)
주 소 | 서울특별시 금천구 가산디지털1로 119 SK트윈타워 A동 305호
전 화 | 1670-8316
이메일 | info@bookk.co.kr
ISBN | 979-11-419-0059-5

www.bookk.co.kr

목차 | Contents

Chapter 01 인간기계 시스템

Chapter 02 인간 정보처리 체계

Chapter 03 인간 제어 특성

Chapter 04 작업 설계 및 개선

Chapter 05 인적오류

Chapter 06 UI/UX

Chapter 07 작업생리학

Chapter 08 산업심리학 및 관계법규

Chapter 09 근골격계 질환 예방을 위한 작업관리

인간공학기술사 출제기준 및 빈도분석

□ 필기시험

직무 분야	안전 관리	중직무 분야	안전 관리	자격 종목	인간공학 기술사	적용 기간	2023.1.1. ~ 2025.12.31

○ 직무 내용

작업자의 근골격계 질환 요인분석 및 예방, 기계, 공구, 작업대, 시스템 등에 대한 인간공학적 적합성 분석 및 개선, 안전보건경영시스템 관련 인증을 위한 업무, 작업자 인적오류에 의한 사고 분석 및 작업환경 개선, UI/UX, 사업장 자체의 인간공학적 관리규정 제정 및 지속적 관리 등

검정방법	단답형/ 주관식 논문형	시험시간	4교시, 400분(1교시당 100분)

시험과목	주요항목	세부항목	출제빈도(회)
인간공학 개론, 작업생리학, 산업심리학, 관계법규, 근골격계 질환 예방을 위한 작업관리 등 인간공학 기술에 대한 분석, 계획, 설계, 시행에 관한 사항	1. 인간/기계 시스템	1. 인간공학적 접근 - 인간공학의 정의	5
		2. 연구절차 및 방법론	8
		3. 인간/기계시스템의 개요	7
		4. 표시장치	17
		5. 조종장치	9
	2. 인간 정보 처리 체계	1. 정보처리 과정 및 능력	27
		2. 정보이론	8
		3. 신호검출이론	5
	3. 인간 제어 특성	1. 인간의 감각기능	23
		2. 육체적 작업 및 수작업	0
		3. 운동 능력	0
		4. 인간의 체계 제어 특성	3
		5. 수작업 및 수공구 디자인	5
		6. 데이터 입력 장치	0

시험과목	주요항목	세부항목	출제빈도(회)
인간공학 개론, 작업생리학, 산업심리학, 관계법규, 근골격계 질환 예방을 위한 작업관리 등 인간공학 기술에 대한 분석, 계획, 설계, 시행에 관한 사항	4. 작업 설계 및 개선	1. 인체측정 및 응용 인체측정치를 이용한 디자인 원칙	10
		2. 작업공간 설계 및 배치원칙	5
		3. 유니버설디자인	5
	5. 인적오류	1. 인적오류 분류 체계	10
		2. 인적오류 확률에 대한 추정	8
		3. 인적오류 예방	12
	6. UI/UX	1. UI/UX, usability 개요	5
		2. 사용성 평가	16
		3. 사용자 중심 디자인	7
		4. 감성공학	1
	7. 작업생리학	1. 인체 구성요소	13
		2. 작업 생리	8
		3. 생체역학	13
		4. 작업 부하 및 생체 반응 측정	5
		5. 작업환경평가 및 관리	16
	8. 산업심리학 및 관계법규	1. 산업심리학	13
		2. 안전보건관리 - 사고·재해 조사 - 안전보건관리체제확립 - 산업재해관리	22
		3. 안전보건 관련 법규 및 제조물 책임법 등	15
	9. 근골격계 질환 예방을 위한 작업관리	1. 작업관리 개요	6
		2. 근골격계 질환 개요	6
		3. 공정 및 작업분석	13
		4. 작업측정	11
		5. 유해요인 조사 및 평가	19
		6. 근골격계 질환 예방관리	16

Chapter

01

인간기계시스템

Chapter

01 인간공학의 정의

1. 인간공학의 초점, 목표 및 접근방법의 세 관점에서 정의

[2005년 4교시 2번] [2011년 1교시 1번] [2013년 1교시 1번] [2015년 1교시 9번]

1) 정의

인간이 사용하는 제품이나 환경을 설계하는 데 인간의 특성에 관한 정보를 응용함으로써, 편리성과 안전성, 효율성을 높이고자 하는 학문

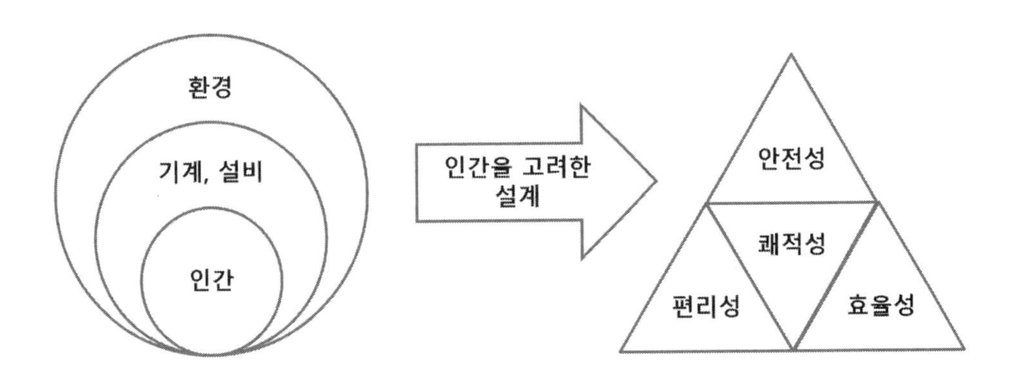

2) 초점

인간이 사용하는 제품, 설비, 환경 등을 설계하는데 초점이 있으며, 상호작용에 관심을 둠

- 인간과 인간이 작업과 일상생활에서 사용하는 제품, 기구/장비, 시설, 절차, 환경을 설계하는 과정에서 이들 시스템과 인간의 상호작용에 초점
- 공학이 기능적 효율성에만 중점을 두고 있지만, 인간공학은 시스템의 설계에 있어서 인간 요소를 고려

3) 목표

안전성, 편리성, 효율성의 제고로 좀 더 쾌적한 삶을 추구함

- '기능적 효과 및 효율'과 '인간 가치'를 향상
  - ① 기능적 효과 및 효율
    - 사용 편의성 증대, 정확성 제고, 반응시간 경감, 사고나 오류감소, 생산성 향상
  - ② 인간 가치 향상
    - 직무 만족도 및 생활의 질, 쾌적감 증가, 안전 향상, 스트레스 및 피로 감소 수용자의 **수용도 향상**

4) 접근방법

인간의 신체적, 인지적 특성과 한계를 체계적으로 반영하여 설계함

- 제품, 기구, 환경을 설계하는 과정에서 인간의 능력, 한계, 특성, 행동에 관한 정보 등을 시스템의 설계에 체계적으로 적용
- 여기에는 인간에 관련된 정보와 제품, 환경 등에 의한 인간의 반응 특성에 관한 연구가 포함

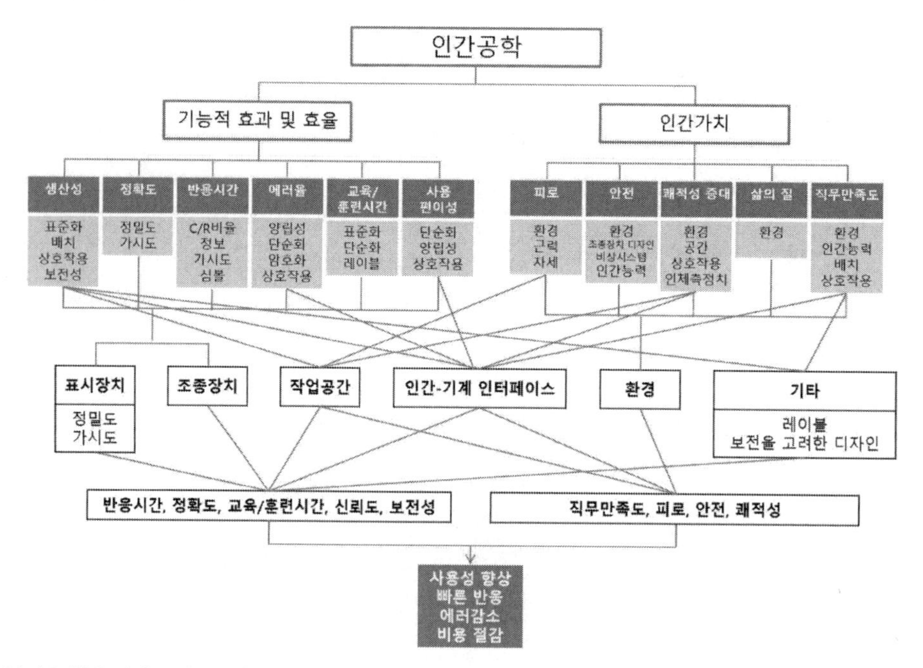

인간공학은 '기능적 효과 및 효율'과 '인간 가치'를 향상

2. 인간공학의 필요성

[2017년 1교시 1번] [2022년 1교시 1번]

- 제품이나 작업장의 설계 단계에서부터 인적요소를 체계적으로 고려하지 않으면 사용자의 실수를 유발하거나 불편함, 불만, 심지어 심각한 재산과 인명 피해를 발생시킬 가능성이 큼
- 또한, 잘못 설계된 제품이나 작업장을 사후에 수정, 복구하려면 엄청난 시간과 비용을 감수해야 함
- 이에 대한 최선의 해결책은 제품, 기계, 도구, 작업환경의 설계 단계에서 인적요소를 고려해 주는 것
- 이러한 인간공학적인 작업환경 조성은 장기적으로 발생하는 비용 감소와 생산성 향상으로 연결

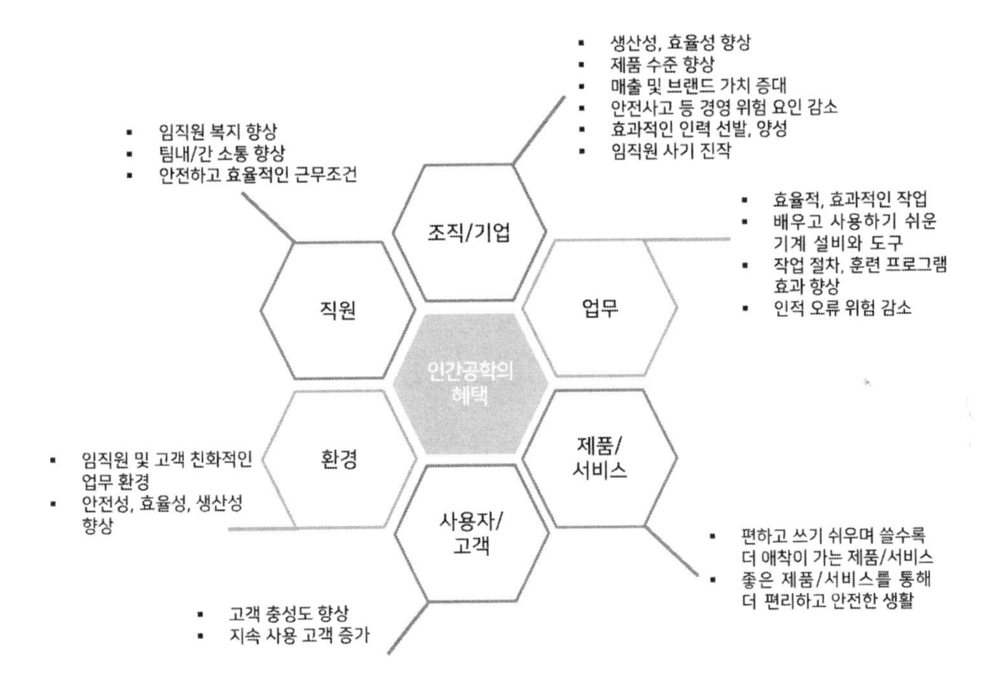

3. 비용 측면과 생산성 측면 기대효과

비용	생산성
산재손실 비용의 감소	직무 만족도의 향상
기업 이미지 향상	제품과 작업의 질 향상
국제적 경쟁력의 확보	이직률 감소
판매량 증가	작업손실 시간의 감소
훈련비용 감소	노사 간의 신뢰 구축
고객지원비용 감소	사용자 에러 감소
개발비용 감소	서비스 질 향상
유지비용 감소	고객 이탈 감소

생산성은 입력 대비 출력의 효율을 살펴보는 것으로 과거 대량생산 시대에는 얼마나 생산하느냐가 중요했으나 현재는 얼마만큼 투입해서 얼마나 생산했는지를 효율을 고려하는 생산성의 중요성이 주목받고 있으며 산출 식은 아래와 같다.

생산성 산출 식 = 산출량(생산 급부량) ÷ 생산요소 투입량

1) 노동생산성 = 생산 급부량 ÷ 노동시간 투입량
노동생산성은 만들어진 제품의 표준시간을(생산 급부량=표준공수) 기준으로 이를 만들기 위해 투입한 사람 노동시간을 비교하는 것으로 인간공학의 동작경제 원칙은 투입되는 노동 비용을 절감하는 활동이며 또한, 인간공학의 표준시간 산출 기법은 생산 급부량을 판정하기 위한 기준 잣대를 만드는 중요한 활동에 해당함

2) 설비 생산성 = 생산 급부량 ÷ 설비시간 투입량
설비 생산성은 만들어진 제품의 표준시간을(생산 급부량=가치가동시간) 기준으로 이를 만들기 위해 투입된 설비의 부하 시간을 비교하는 것이다. 설비의 오조작 등을 방지하기 위한 인간공학의 휴먼에러 개선 활동은 설비 오조작으로 인한 불량 발생 등 품질 실패·폐기 비용 및 고객 기회비용을 절감할 수 있는 활동임

3) 원재료 생산성 = 생산 급부량 ÷ 원재료 투입량
생산된 제품의 표준 원재료 양과 실제 투입된 원재료 양을 비교하는 것으로 웨버의 법칙은 사람의 신체 부위별로 민감도가 다르다는 웨버비를 발견하였고, 이를 이용하여 질소가 많이 들어간 부피가 큰 과자봉지를 디자인 한 경우, 무게를 줄여도 부피가 커져서 웨버비가 높은 시각적 요인으로 인해 과자가 많아졌다고 착각하게 되는 바람직하지 않은 일종의 원재료 비용 절감 활동임

4. 인간공학의 철학적 배경

[2017년 1교시 1번]

- 수많은 기계와 설비들이 발명되고 만들어지면서부터는 기계에 맞는 특별한 작업자를 구하는 것이 점점 어려워졌고, 어려운 적응 훈련을 받으려는 사람은 줄어들게 됨
- 이렇게 되면서 인간을 기계 또는 일에 맞추려는 생각은 기계와 일을 인간에게 맞추려는 방향으로 점차 변하게 되었음
- 즉 기계 중심의 설계에서 인간 중심의 설계로 다시 인간-기계시스템 중심의 설계변화가 이루어 짐

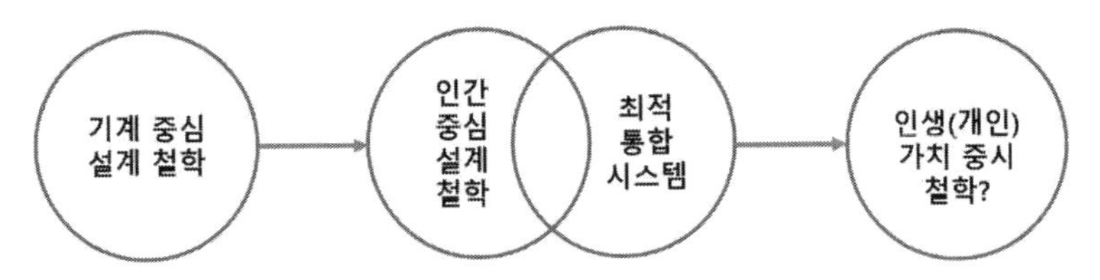

- 최적 통합시스템
  - 시스템 관점에서 인간과 기계를 적절히 결합
  - 시스템의 목표를 가장 효율적으로 달성하는 것을 목표

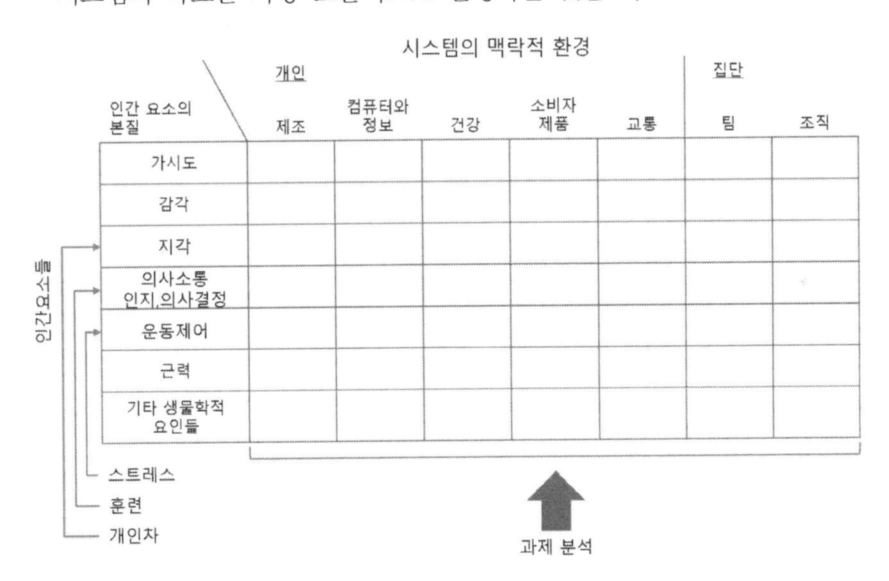

인간공학이 적용될 수 있는 맥락적 환경들에서 인간의 수행과 관련된 문제들을 기술할 수 있는 인간공학적 주제의 행렬 표

인간공학적 연구들은 행렬 표 각각의 칸 혹은 여러 칸의 조합 안에 포함될 수 있다.

5. 인간공학의 연구영역

[2006년 1교시 1번]

인간공학은 그 적용대상이 인간이 사용하는 제품이나 소속된 시스템 전체에 걸쳐 있으므로 그 접근 방법이 다학제적인 성격을 가진다. 인간공학에서 활용하는 주요 학문 분야는 인체계측학, 생체역학, 작업 생리학, 산업심리학, 인지공학, 감성공학, 환경공학, 산업디자인, HCI(인간-컴퓨터 인터페이스), 작업관리, 제어공학 등을 들 수 있다.

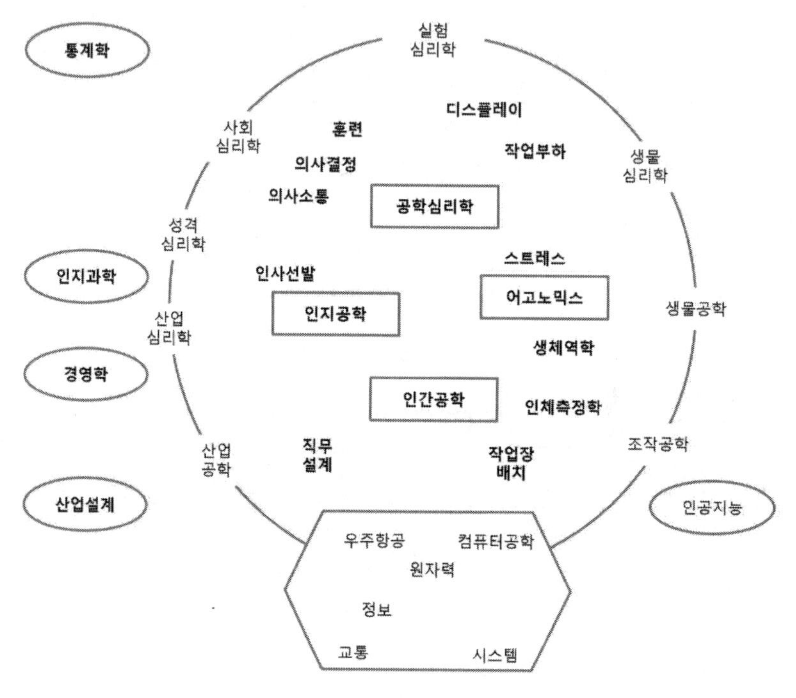

인간공학 (원 안의 가운데)과 다른 관련 학문 분야들의 관계

여러 학문 분야 중에서 심리학과 더 밀접한 분야들은 그림의 위쪽에, 공학과 더 밀접한 분야들은 그림의 아래쪽에 제시되어 있다.

Chapter

02 연구절차 및 방법론

1. 실험설계를 위한 종속변수(dependent measure)와 독립변수(independent measure)

[2009년 2교시 3번] [2011년 4교시 2번] [2012년 2교시 2번] [2014년 1교시 7번] [2018년 2교시 4번] [2024년 3교시 4번]

1) 독립변수

조명, 기기의 설계, 정보 경로, 중력 등과 같이 조사 연구되어야 할 인자로써 다른 변수에 영향을 주는 변수(원인)이다.

변수 유형	예시
과업 관련 변수	작업시간, 작동하는 기계의 종류
환경 관련 변수	조명의 조도
피실험자 관련 변수	성별, 신장, 숙련도

2) 종속변수

독립변수의 가능한 '효과'의 척도이다. 반응시간과 같은 성능의 척도일 경우가 많으며, 다른 변수에 영향을 받는 변수(결과)이다.

2. Standard 와 Guideline 의 차이점

- Standard : 기준으로서 절대적인 판단의 근거
- Guideline : 참고사항으로서 절대적인 기준보다는 연구평가의 방향성을 제시하는 성격임

운전 중 휴대전화 사용은 매우 위험할 것으로 여겨진다. 이를 확인하기 위해 실험을 하기로 했다. 실험계획은 다음과 같았다.

> 실험을 위해 20대 남자 5명의 피실험자를 선발했다. 이들에게 차례로 동일한 승용차를 시속 50km로 주행하게 하고, 운전 중 휴대전화를 사용하게 하거나 사용하지 않도록 했다. 사용 여부의 순서는 무작위(random)로 했다. 주행 중 돌발상황을 연출해 급제동을 하도록 했다. 피실험자에게는 심박 수 측정기를 부착해 운전 전과 돌발상황 후의 심박 수의 변화를 측정했으며, 동시에 브레이크(brake)를 밟기까지의 반응시간(response time)을 측정했다.

[2007년 2교시 3번]

(1) 이 실험의 목적과 관련하여 귀무가설(H_0)과 대립가설(H_1)을 세우시오.

- 귀무가설(H_0) : 휴대전화를 사용할 때의 심박 수 변화와 반응시간
  = 휴대전화를 사용하지 않을 때의 심박 수 변화와 반응시간
- 대립가설(H_1) : 휴대전화를 사용할 때의 심박 수 변화와 반응시간
  ≠ 휴대전화를 사용하지 않을 때의 심박 수 변화와 반응시간

(2) 이 실험계획의 독립변수, 종속변수, 통제변수(혹은 제어변수)를 제시하시오.

- 독립변수 : 휴대전화의 사용 여부
- 종속변수 : 운전 전과 돌발상황 후의 심박 수 변화, 브레이크를 밟기까지의 반응시간
- 통제변수 : 성별(모두 남성), 동일한 승용차, 동일한 속도(50km/hr), 동일한 돌발상황

(3) 이 실험의 가설을 검정하기 위한 적절한 통계적 검정 방법을 적고 그것을 선택한 이유를 적으시오.

휴대전화를 사용한 집단과 사용하지 않은 집단을 대상으로 하여 쌍체비교를 실시한다. 즉, T-test를 통하여 두 집단 간에 심박 수 변화와 반응시간에 대한 차이가 있는지를 검정한다.

3. 인간공학의 연구방법을 조사연구, 실험연구, 평가연구로 나눌 때 각 연구방법의 목적

1) 조사연구

- 대상 집단의 속성이나 태도에 대한 특성을 알아보기 위해 수행
- 설문조사나 인터뷰 조사를 통해 연구 시행

2) 실험연구

- 제품의 물리적 성능, 제품 사용과 관련한 인간성능, 생리적 변화, 주관적 반응 등을 측정 혹은 평가하는 과정
- 실험연구의 척도
  - 인간 성능지표 : 속도(작업수행시간), 정확도(에러 발생률)
  - 생리적 지표 : 심박 수, 산소소모량, 뇌파, 눈 깜박임, 발한량
  - 주관적 반응 : 선호도, 만족도
- 실험연구의 종류

실험실평가	모의환경 (시뮬레이션) 평가	현장평가
변수 통제 용이 사실성, 현장감 부족 안전확보, 저비용	변수 통제 용이 사실성 확보 (현장과 유사) 안전확보, 고비용	변수 통제 곤란 현장감 확보 안전문제

3) 평가연구

- 체계 성능에 대한 인간-기계시스템이나 제품 등을 평가

4. 현장연구와 실험실 연구의 장·단점

[2012년 1교시 1번]

구분	현장연구	실험실연구
장점	현실성이 높음	실험조건 제어 용이
	결과의 일반화 용이	정확한 자료수집 가능
단점	과도한 실험 비용	현실성 낮음
	실험조건 제어가 어려움	결과의 일반화 어려움

5. 피실험자 내 실험, 피실험자 간 실험

[2007년 1교시 1번]

1) 피실험자 내 (within subject)
실험하고자 하는 특성을 알아내기 위해, 동일인을 상대로 실험조건을 달리함에 따라 변화하는 개인의 특성을 연구하는 경우

- 같은 피험자가 어떤 독립변인의 모든 수준을 경험하게 될 때, 그 독립변인은 피험자 내 변인이라고 함
- 피험자 내 설계는 실험조건들 사이의 통계적으로 유의미한 차이를 더 쉽고 민감하게 찾을 수 있게 해줌
- 실험에 참여할 수 있는 피험자의 수가 제한이 있을 때에도 이점이 있음

2) 피실험자 간 (between subject)
군간이나 집단의 개개의 특성, 즉 서로 다른 개인들 간의 차이를 나타내는 특성을 연구하는 경우

- 피험자 간 변인은 각각의 실험조건별로 다른 피험자 집단을 대상으로 실시하는 실험
- 피험자 간 설계에서는 모든 독립 변인들이 피험자 간 변인들이므로 독립 변인들의 각 조합이 다른 피험집단에 의해 실시
- 피험자 간 설계는 연구의 관심 분야 중 하나 이상의 조건들 속에서 피험자들이 어떠한 수행을 보이는지 관찰하고자 할 때 가장 일반적으로 사용되는 설계 방법

아래 실험조건을 같은 사람이 수행할 경우 '실험자 내 실험'
조건별로 실험집단을 달리 설정할 경우 '실험자 간 실험'이 된다.

	한산한 교통	혼잡한 교통
휴대전화 비사용	한산한 교통 조건에서 운전하면서 휴대전화 사용하지 않음	혼잡한 교통 조건에서 운전하면서 휴대전화 사용하지 않음
휴대전화 사용	한산한 교통 조건에서 운전하면서 휴대전화를 사용함	혼잡한 교통 조건에서 운전하면서 휴대전화를 사용함

◆ 운전 연구에 대한 가상 자료

휴대전화 사용 여부	한산한 교통	혼잡한 교통
휴대전화 비사용	2.1	2.1
휴대전화 사용	2.2	5.8

* 데이터는 피험자들이 차선을 넘어간 횟수(평균)

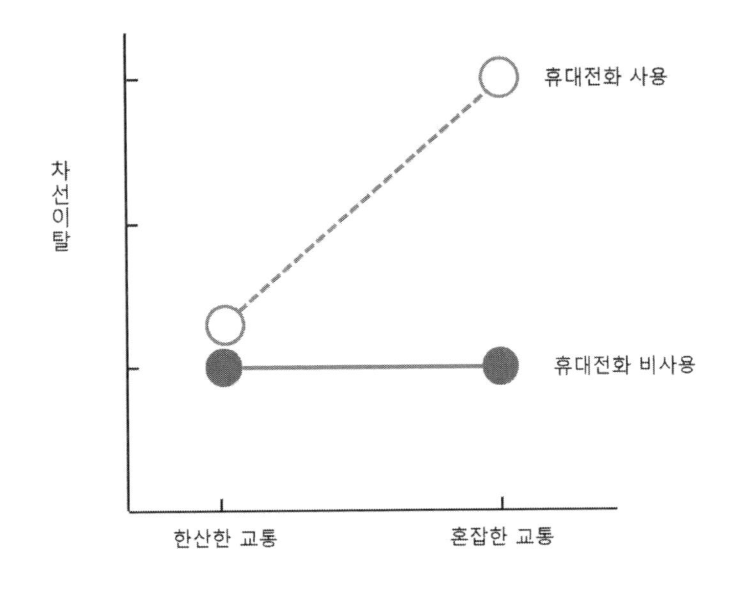

모든 변인을 고려할 때, 운전 중 휴대전화의 사용은 교통이 혼잡한 조건인 경우에만 운전 수행을 감소시킨다. 그림에서 보이는 것처럼 조건들의 조합에 따른 각각의 칸이 갖는 평균치를 연결한 선분이 평행하지 않을 경우, 두 독립 변인들 사이에 어떤 유형의 상호작용이 있다. 요인설계는 두 독립 변인들 사이의 상호작용을 연구자들이 평가해볼 수 있도록 해주기 때문에 기초 연구나 응용 연구 모두에서 자주 사용되는 실험설계 방법이다.

6. 기준(평가척도)의 유형

[2013년 1교시 5번] [2016년 1교시 1번]

1) 인간 기준

작업 실행 중 인간의 행동과 응답을 다루는 기준

◆ 성능 척도
- 빈도 척도
- 강도 척도
- 지속성 척도

◆ 생리학적 지표 : 신체활동에 관한 육체적, 정신적 활동의 정도 측정
- 심장 활동 지표 : 심박 수, 혈압 등
- 호흡 지표 : 호흡률, 산소소비량 등
- 신경 지표 : 뇌전위, 근육 활동 등
- 감각 지표 : 시력, 청력, 눈 깜박이는 속도 등

◆ 주관적 반응
- 사용자의 선호도와 같이 피실험자의 의견, 판단, 평가 지표

◆ 사고빈도 : 사고나 상해 발생 빈도가 적절한 기준

2) 시스템 기준(system criteria)

시스템의 성능이나 산출물(output)에 관련되는 기준

◆ 시스템의 예상수명, 신뢰도, 정비도, 가용도, 운용비, 소요 인력

7. 주관적 만족도(척도)가 실용적인지 여부

사용성 평가나 실험연구 등에서 사용되는 주관적 척도는 저렴하고 사용하기 편리한 장점이 있고 평가 및 연구내용과 연관 있는 타당하고도 신뢰할 만한 정보를 제공해 준다. 그러나 주관적 척도들은 작업자의 작업장에 대한 만족, 동기 및 정서적 요인들과 같은 다른 요인들에 의해 영향을 받을 수 있다.
따라서 주관적 측정치들을 사용하거나 분석을 하는 데에는 주의를 기울여야 하며 대상 연구에 대한 포괄적인 이해를 위하여 주관적 평가기법과 객관적 평가기법을 함께 사용하기도 한다.

8. 평가척도가 갖추어야 하는 일반적인 요건

[2005년 3교시 5번] [2016년 1교시 10번] [2020년 1교시 7번]

1) 실제적 요건
- 현실성을 가져야 하며, 실질적으로 이용하기 쉬워야 한다.
- Meister(1985)가 제시한 6가지 요건
  - ① 객관적
  - ② 정량적
  - ③ 강요적이지 않을 것
  - ④ 수집이 쉬울 것
  - ⑤ 특수한 자료수집 기반이나 기기가 필요 없을 것
  - ⑥ 돈이나 실험자의 수고가 적게 들 것

2) 타당성 및 적절성
- 시스템의 목표(goal)를 잘 반영하여야 한다.

3) 신뢰성
- 실험 반복에 대한 일정한 결과를 나타내어야 한다.

4) 무 오염성
- 측정하고자 하는 변수가 아닌 다른 변수들에 의해 영향을 받지 않아야 한다.

5) 측정의 민감도
- 기대되는 차이에 적합한 정도의 단위로 측정이 가능해야 한다.

9. 변량분석 (analysis of variance, ANOVA)

두 집단 설계에서 대체로 사용되는 추론 통계는 t-검증, 두 집단 이상에 대해서는 변량분석(ANOVA)을 쓴다.
두 검증 모두 하나의 점수를 산출해 내는데 t-검증은 t 값이라는 통계치를 ANOVA의 경우는 F값이라고 불리는 통계치를 얻게 된다. 가장 중요한 것은 특정한 데이터의 집합에 대해 어떤 효과나 차이 없이 t나 F값을 우연이 얻을 수 있는 확률 P를 확인할 수 있다는 점이다.
P가 작을수록 얻은 결과는 더 유의하고, 독립변인이 실제로 차이를 가져왔다는 확신의 정도도 더 커진다.

① 평균치들 사이의 차이가 클수록
② 한 조건 안에서 관찰치들 사이의 변산성(표준편차)이 작을수록
③ 실험에 포함된 표본 크기가 클수록 P값은 작아진다.

대체로 P값이 0.05보다 작으면 결과가 우연에 기인한 것이 아닌 독립변인의 효과에 기인한 것이라고 결론 내릴 수 있다고 가정

- 1종 오류 : 차이가 우연에 기인한 것이었는데도 독립변인이 효과가 있다고 잘못 결론 내리는 것
- 2종 오류 : 실제로는 실험적 조작이 효과가 있는데도 불구하고 효과가 없다고 결론 내리는 것

Chapter
03 인간/기계시스템의 개요

1. 인간-기계시스템

[2011년 1교시 5번]

어떠한 환경 속에서 인간과 기계가 특정한 목적을 수행하기 위하여 결합된 집합체를 인간-기계시스템이라고 한다. 즉, 인간-기계시스템이란 인간과 기계에 각각의 역할과 기능을 주고, 공통의 목표인 작업이나 직무를 수행하기 위하여 유기적인 정보의 흐름 과정이 존재하는 집합체를 뜻한다.

인간-기계시스템의 효율성은 인간의 특성에 맞게 시스템이 설계되고, 운용되느냐에 의해 좌우된다. 이는 일반적인 인간-기계시스템의 설계나 구성이 인간의 특성을 충분히 고려해서 사용자에게 맞게 설계되어야 한다는 것을 의미한다.

다음 제시된 상황에서 인간-기계 인터페이스 체계에 일어나는 활동을 단계별로 설명하시오. [2020년 2교시 1번]

자동차(승용차) 운전자가 서해안고속도로를 시속 120km/hr로 운행하고 있었다. 과속카메라를 보고 속도를 줄이기 시작했다. 서해안고속도로 제한속도는 110km/hr이다.

운전자가 자동차의 속도를 조절하는 인간-기계시스템을 예로 들어보면, 자동차의 속도가 자동차의 속도 표시장치인 속도계에 나타나면 인간은 감각기관인 눈을 통하여 속도를 감지하게 되고, 중추 신경계에서 정보처리를 통하여 속도가 빠르다고 해석되면 발로 자동차의 조종장치인 브레이크를 밟게 된다. 조종장치의 조절에 따라 자동차는 반응하게 되고 속도가 줄어든 결과는 다시 표시장치인 속도계에 나타나 일련의 정보 링크가 형성된다. 이러한 자동차와 인간의 상호작용에 따라 적당한 속도를 유지하고자 하는 목표가 성취되는 것이다.

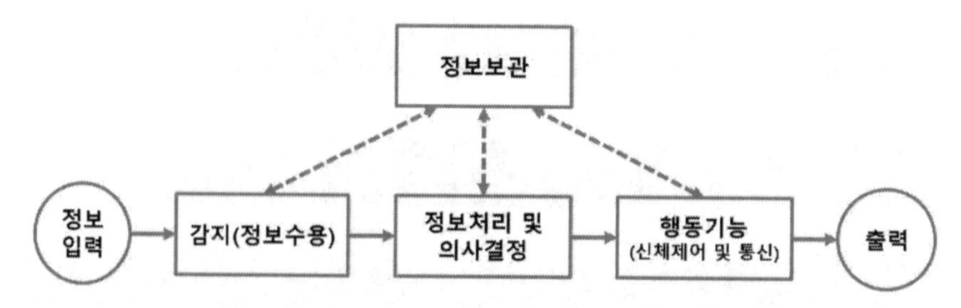

- 정보입력 : 자동차 계기판에 현재 속도(120km/h) 표시
- 감지 : 눈을 통해 시각 정보(계기판, 감시카메라) 감지
- 정보처리 및 의사결정 : 중추 신경계 정보처리를 통하여 현재 속도(120km/h)가 제한속도(110km/h)보다 빠른 것을 인지
- 행동 기능 : 가속 페달을 밟고 있던 발을 떼서 브레이크 페달을 밟음
- 출력 : 브레이크 작동으로 인해 속도가 줄어듦

2. 인간-기계시스템(MMS)의 3 요소

[2006년 1교시 7번] [2017년 4교시 5번] [2021년 1교시 4번] [2023년 4교시 2번]

1) 인간-기계시스템

인간과 기계에 각각의 역할과 기능을 주고, 공통의 목표를 성취하기 위하여 유기적인 정보의 흐름 과정이 존재하는 집합체

2) 인간기계 인터페이스 혹은 사용자 인터페이스(UI)

인간-기계시스템에서 사용자가 보고 조작하는 정보의 상호작용이 이루어지는 공간

3) 신체적 인터페이스, 인지적 인터페이스, 감성적 인터페이스로 구분

- 신체적 인터페이스
  - 제품의 모양과 크기 등 물리적 특성에 관한 설계를 할 때 신체의 역학적 특성과 인체측정학적 특성을 고려
  - 인간의 신체적 특징과 같은 인체측정학적 자료가 원천
- 인지적 인터페이스
  - 사용자의 행동에 관한 특성 정보를 설계에 반영
  - 인간의 인지적 특성을 다루는 산업심리학 자료가 원천

◆ 감성적 인터페이스

- 즐거움이나 기쁨을 느끼게 하는 감성 특성에 관한 정보를 고려

<키보드의 인터페이스 디자인>

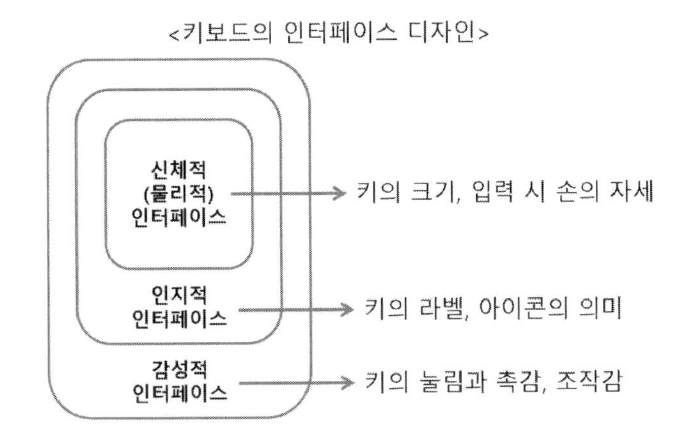

3. 인간-기계시스템(MMS)의 기본기능 4 가지

[2006년 1교시 7번] [2017년 4교시 5번] [2021년 1교시 4번]

1) 정보의 감지 (정보의 수용)

◆ 인간 : 시각, 청각, 촉각과 같은 여러 종류의 감각기관이 사용된다.

◆ 기계 : 전자, 사진, 기계적인 여러 종류가 있으며, 음파탐지기와 같이 인간이 감지할 수 없는 것을 감지하기도 한다.

2) 정보의 보관

인간기계 시스템에서의 정보보관은 인간의 기억과 유사하며, 여러 가지 방법으로 기록된다. 또한, 대부분은 코드화나 상징화된 형태로 저장된다.

◆ 인간 : 인간에 있어서 정보보관이란 기억된 학습 내용과 같은 말이다.

◆ 기계 : 기계에 있어서 정보는 펀치카드, 형판, 기록, 자료표 등과 같은 물리적 기구에 여러 가지 방법으로 보관할 수 있다. 나중에 사용하기 위해서 보관되는 정보는 암호화되거나 부호화된 형태로 보관되기도 한다.

3) 정보처리 및 의사결정

정보처리란 수용한 정보를 가지고 수행하는 여러 종류의 조작을 말한다.
인간이 정보처리를 하는 경우에는 의사결정이 뒤따르는 것이 일반적이다.
자동화된 기계장치를 사용하는 경우에는 가능한 모든 입력 정보에 대해서 미리 프로그램으로 구성된 방식에 따라 반응하게 된다.

- 인간 : 그 과정의 복잡성에 상관없이 행동에 관한 결정으로 이어진다.
- 기계 : 정해진 절차에 의해 입력에 대한 예정된 반응으로 이루어진다.

4) 행동 기능

- 시스템에서의 행동 기능이란 결정 후의 행동을 의미한다.
- 이는 크게 어떤 조종기의 조작이나 수정, 물질의 취급 등과 같은 물리적인 조종 행동과 신호나 기록 등과 같은 전달 행동으로 나눌 수 있다.

4. 인간-기계시스템 설계절차 6 단계

[2011년 1교시 5번]

1단계 - 목표 및 성능 명세 결정
2단계 - 시스템의 정의
3단계 - 기본설계
4단계 - 인터페이스 설계
5단계 - 촉진물 설계
6단계 - 시험 및 평가

5. 인간-기계시스템(MMS)에서 인간의 기능과 기계의 기능

[2023년 4교시 2번]

1) 수동 시스템(manual system)
   - 기계는 수공구, 기타 보조물로 구성
   - 인간의 신체적인 힘을 동력원으로 사용하여 작업을 통제

2) 반자동(기계) 시스템(semi-automatic system)
   - 공작기계와 같이 고도로 통합된 부품들로 구성
   - 기계가 동력을 담당하고 인간은 일반적으로 제어장치를 이용하여 조정하는 역할

3) 자동 시스템(automatic system)
   - 기계가 감지, 정보처리 및 의사결정, 행동을 포함한 모든 임무를 수행
   - 기계가 동력원과 조작자 역할까지 담당
   - 대부분의 자동 체계는 폐회로 시스템 (Closed-loop : 센서에 의한 feedback)
   - 인간은 주로 감시, 프로그램, 유지보수 등의 기능을 담당

※ 인간-기계시스템의 구분

구분	수동 시스템	기계화 시스템	자동화 시스템
구성	수공구 및 기타 보조물	동력 기계	동력기계화 시스템 고도의 전자회로
동력원	인간	기계	기계
인간의 기능	동력원으로서 작업 통제	표시장치로부터 정보 얻어 조정장치로 기계통제	감시 및 정비유지 프로그래밍
기계의 기능	인간의 통제 받아 제품 생산	동력원을 제공 인간의 통제 아래 제품 생산	감시, 정보처리, 의사결정 및 행동의 프로그램에 의해 수행
예	목수와 대패 대장장이와 화로	Press 기계 milling M/C	로봇, 무인공장, NC 기계

6. 개회로 시스템, 폐회로 시스템

[2024년 1교시 9번]

- 시스템은 정보의 피드백 여부에 따라 개회로(Open-Loop) 시스템과 폐회로(Closed-Loop) 시스템으로 구분
- 시스템의 출력에 관한 정보가 다시 입력에 되돌려 주는 과정이 연속적으로 존재하느냐에 의해서 두 시스템은 구분

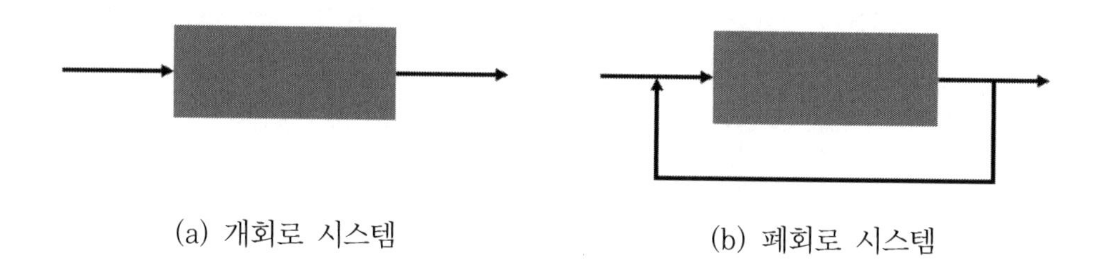

(a) 개회로 시스템　　　(b) 폐회로 시스템

1) 개회로 (Open-Loop) 시스템
   - 일단 작동되면 더는 제어가 안 되거나 제어할 필요가 없는 미리 정해진 절차에 의해 작업이 진행되는 시스템
   - 사례 : 세탁기를 가동하는 것

2) 폐회로 (Closed-Loop) 시스템
   - 현재 출력과 시스템 목표와의 오차를 연속적으로 또는 주기적으로 피드백 받아 시스템의 목적을 달성할 때까지 제어하는 시스템
   - 사례 : 차량 운전과 같이 연속적인 제어가 필요한 것

Chapter

04 표시장치

1. 시각적 표시장치_정량적 장치와 정성적 장치의 종류와 특성

[2005년 3교시 2번] [2011년 2교시 1번] [2013년 4교시 1번] [2016년 3교시 6번] [2018년 4교시 4번] [2019년 2교시 1번] [2020년 1교시 9번]

가. 정량적 표시장치

정량적 표시장치는 온도와 속도 같이 동적으로 변화하는 변수나 자로 재는 길이와 같은 정적변수의 계량 값에 관한 정보를 제공하는 데 사용된다.
예) 속도계, 전력계 등

1) 정량적인 동적 표시장치 3가지
- 동침형(moving pointer) : 눈금(Scale)이 고정되고 지침(Pointer)이 움직임
- 동목형(moving scale) : 지침이 고정되고 눈금이 움직임
- 계수형 : 전력계나 택시요금 계기와 같이 기계, 전자적으로 숫자가 표시되는 형식

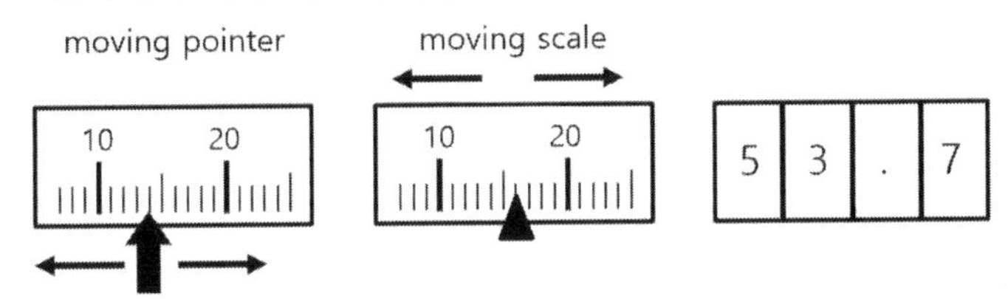

구분	동침형	동목형	계수형
장점	변화율 (방향과 속도) 판독 가능		정확한 판독
	목표치와 차이 판독 유리	동침형에 비해 좁은 창 면적	
단점	정확한 수치 판단에 내삽(interpolation)이 필요		변화율, 차이판독 어려움

2) 정량적 눈금의 세부 특성

- 눈금의 길이

눈금 단위의 길이란 판독해야 할 최소 측정 단위의 수치를 나타내는 눈금 상의 길이를 말하며, 1.3~1.8mm를 권장한다.

※ 눈금 중심 간 최소 간격 (판독거리 0.71m 기준)

- 눈금의 표시

일반적으로 읽어야 하는 눈금 단위마다 눈금 표시를 하는 것이 좋으며, 여러 상황에서 1/5 또는 1/10 단위까지 내삽을 하여도 만족할만한 정확도를 얻을 수 있다.

- 눈금의 수열

일반적으로 0, 1, 2, 3,…처럼 1씩 증가하는 수열이 가장 사용하기 쉬우며, 색다른 수열은 특수한 경우를 제외하고는 피해야 한다.

- 지침 설계

① (선각이 약 20°되는) 뾰족한 지침을 사용하라.

→ 지침 끝은 20° 정도로 각이 져야 하며 끝은 편편하게 되어 세부 눈금의 간격과 같아야 한다.

② 지침의 끝은 작은 눈금과 맞닿되 겹치지 않게 하라.

→ 모든 표시장치는 지침의 끝이 명확하게 세부 눈금까지 닿을 수 있도록 해야 한다.

③ (원형 눈금의 경우) 지침의 색은 선단에서 지침의 중심까지 칠하라.

④ (시차를 없애기 위해) 지침을 눈금면과 밀착시키라.

→ 지침은 시차를 최소화하기 위하여 눈금판에 가깝게 위치해야 한다.

⑤ 지침의 폭은 눈금의 폭보다 넓어서는 안 된다.

정상조명에서 5m 거리에서 볼 수 있는 아날로그 시계를 디자인하고자 할 때, 시계의 눈금 단위를 1분(') 간격으로 표시한다면 눈금 표시 중심 간의 최소 간격을 구하고, 설명하시오.
[2014년 1교시 13번]

표시장치의 눈금 중심 간 최소 간격 (판독거리 0.71m 기준)

- 정상조명에서는 1.3mm,
- 낮은조명에서는 1.8mm 이상이 권장됨

 1분 간격의 눈금 단위 길이를 X라 하면

 1.33mm : 0.71m = Xmm : 5m

$$X = \frac{1.33\text{mm} \times 5\text{m}}{0.71\text{m}} = 9.155\text{mm}$$

나. 정성적 표시장치

- 정성적 정보를 제공하는 표시장치는 온도, 압력, 속도와 같이 연속적으로 변하는 변수의 대략적인 값이나 변화추세, 비율 등을 알고자 할 때 주로 사용한다.
- 정성적 표시장치는 색을 이용하여 각 범위 값들을 따로 암호화하여 설계를 최적화시킬 수 있다.
- 색채 암호가 부적합한 경우에는 구간을 형상 암호화할 수 있다.
- 정성적 표시장치는 상태 점검, 즉 나타내는 값이 정상상태인지 아닌지를 판정하는 데도 사용한다.
- 연료량 게이지 등에 사용된다.

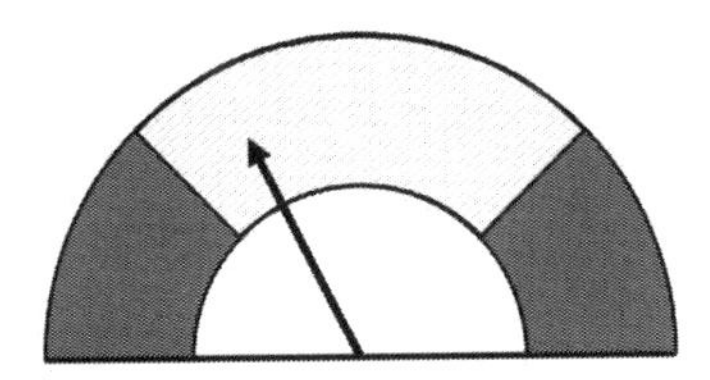

- 변수 상태 범위 식별
- 바람직한 범위 유지
- 변화추세, 비율 파악

<정량적 자료를 정성적으로 판단>

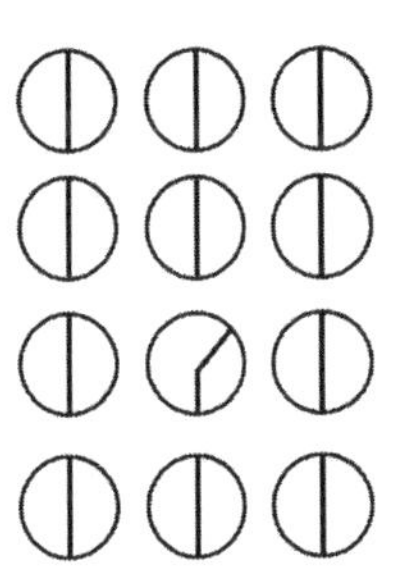

<상태 점검>

다. 묘사적 표시장치

- 묘사적 표시장치는 항공기 표시장치와 게임 시뮬레이터의 3차원 표현장치 등과 같이 배경에 변화하는 상황을 중첩하여 나타내는 표시장치로 상황을 효과적으로 파악하는 데에 목적이 있다.

◇ 활용사례

- 항공기 이동형 표시장치
  - 항공기 밖에서 안을 보는 외견형
  - 지면이 고정되고 항공기가 이에 대해 움직이는 형태
- 지평선 이동형 표시장치
  - 항공기 안에서 밖을 보는 내견형
  - 항공기가 고정되고, 지평선이 이에 대해 움직이는 형태
  - 대부분 항공기의 표시 방법
- 보정추적 표시장치 : 목표와 추종요소의 상대적 위치의 오차만 좌표계에 표시
- 추종추적 표시장치 : 목표와 추정요소의 이동을 좌표계에 모두 표시, 상대적으로 더 우월함

  예) 항공기 이동형 표시장치, 좌표계, 레이더 등

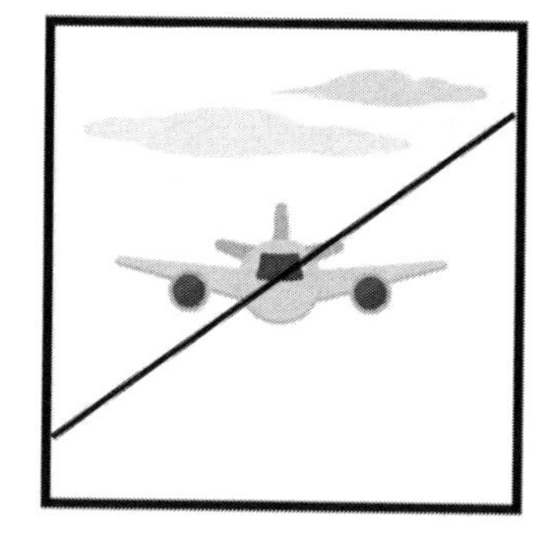

라. 상태 표시장치

- 시스템의 현재 상황 혹은 상태에 대한 정보
- 엄밀한 의미에서 상태 표시장치는 on-off 또는 교통신호의 멈춤, 주의, 주행과 같이 별개의 이산적 상태를 나타낸다. 그리고 정량적 계기가 상태 점검 목적으로만 사용된다면, 정량적 눈금 대신에 상태표시기를 사용할 수 있다.

  예) 신호등, 멀티탭 전원 스위치

2. 시각 정보 전달의 유효성 결정 요인

[2007년 1교시 3번] [2023년 4교시 1번]

1) 명시성 (Legibility)

- 두 색을 서로 대비시켰을 때 멀리서 또렷하게 보이는 정도
- 명도, 채도, 색상의 차이가 클 때 명시성이 높아짐
- 노랑과 검정의 배색은 명시성이 높아 교통 표지판에 많이 사용됨

2) 가독성 (Readability)

- 얼마나 더 편리하게 읽을 수 있는가 하는 정도
- 활자 모양, 체, 크기, 행 간격, 자간 등

※ 가시성, 시인성, 가독성의 차이

- 가시성 (Visibility) [갉 vs 갉]
  - 배경에서 문자나 표식을 검출해 낼 수 있는 정도
  - 좌측의 글자는 시각적으로 검출되기 어려우며, 우측 글자는 가시적
- 시인성 (Legibility) [갉,낡 vs 갉,낡]
  - 문자나 표식을 구분할 수 있는 정도
  - 좌우 모두 가시적이기는 하나, 우측 글자 집합이 좌측에 비해 구분이 잘 됨
- 가독성 (Readability) [갉들은 vs 닭들은]
  - 문자나 표식을 통해 정보의 내용을 쉽게 인식할 수 있는 정도
  - 좌, 우 모두 시인성은 문제없으나, 문장을 읽을 때 의미 없는 좌측보다 우측이 더 잘 읽힘

3. 가독성에 영향을 미치는 요인

[2012년 3교시 2번] [2017년 1교시 2번] [2019년 1교시 6번] [2023년 2교시 4번] [2024년 2교시 4번]

인쇄물의 가독성(읽힘)은 활자 모양, 활자체, 크기, 대비, 행 간격, 행의 길이, 주변 여백 등 여러 가지 인자의 영향을 받는다.

1) 획폭비

- 문자-숫자의 획 폭은 보통 문자나 숫자의 높이에 대한 획 굵기의 비율로 나타낸다.
- 회폭비는 높이에 대한 획 굵기의 비로 양각은 1:6~1:8, 음각은 1:8~1:10으로 한다. 투명한 유리창에 비치는 디지털 숫자의 경우 1:8~1:10으로 설계한다.

2) 종횡비

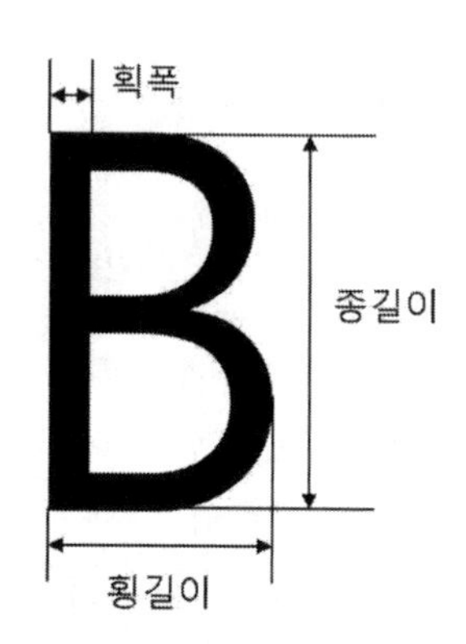

- 문자-숫자의 폭 대 높이의 관계는 통상 종횡비로 표시된다.
- 숫자의 경우 약 3:5를 표준으로 권장하고 있다.
- 횡종비 = 횡 길이 : 종 길이
  - 영문 = 0.6 : 1 ~ 0.7 : 1
  - 한글, 대문자 = 1.1 : 1

3) 서체

- 가시도, 가독성과 이해도를 높이기 위해서 흘림체보다는 고딕체로 설계

4) 글자 크기

- 글자 크기는 전방화면을 가리지 않는 범위에서 가능한 큰 글자 크기로 설계

5) 글자의 밀도

- 글자 밀도는 사용자가 한눈에 볼 수 있는 정도로 설계

※ 명시성 : 두 색을 서로 대비시켰을 때 멀리서 또렷하게 보이는 정도를 말한다. 명도, 채도, 색상의 차이가 클 때 명시성이 높아진다. 특히, 노랑과 검정의 배색은 명시성이 높아 교통 표지판에 많이 쓰인다.

4. 광삼현상 (Irradiation)

- 흰 모양이 주위의 검은 배경으로 번져 보이는 현상 (휘도대비의 일종)
- 명도가 높은 대상은 확산하는 경향이 크다고 판단
- 광삼효과는 상황에 따라 가독성에 도움을 줄 수도 있지만, 반대로 가독성에 방해가 될 수도 있음
- 글자 크기가 약 22~24pt에서 광삼효과가 뚜렷하게 일어나기 시작
- 글자 굵기에서는 볼드체가 일반체에 비해 광삼효과가 더 잘 일어남

ABCD

ABCD

※ 흑백 바둑알의 크기

- 백돌 지름 (21.810mm)
- 흑돌 지름 (22.119mm)
- 흑돌이 커야 하는 이유

  광삼현상으로 인해 같은 크기로 만들면 백의 집이 더 커 보이는 착시현상이 나타날 수 있기 때문이다.

5. 시각 디스플레이 중에서 HMD(Head Mounted Display)

[2006년 1교시 9번]

보안경이나 헬멧형 기기로 눈앞에 있는 스크린을 보는 영상장치. 주로 가상현실감을 실현하기 위하여 개발되었다. 양쪽 눈에 근접한 위치에 액정 등의 소형 디스플레이가 설치되어 시차를 이용한 입체 영상을 투영한다. 이용자의 머리를 향하고 있는 방향을 자이로센서 등으로 검출, 움직임에 대응한 영상을 강조함으로써 3차원 공간에 있는 것 같은 체험이 가능하도록 한 것도 있다. 미국 매사추세츠 공과대학(MIT)의 인공지능(AI) 연구자 마빈 민스키(Marvin Minskey)가 1963년에 개발한 것이 최초의 것으로 알려져 있다. 현재는 우주개발, 원자로, 군사기관이나 의료기관에서 사용하기 위한 것과 업무용이나 게임용 등 각종 개발이 진행되고 있다.

6. 청각 표시장치의 경계 및 경고 신호 설계에서 권장되는 지침

[2009년 1교시 4번] [2021년 1교시 11번]

- 경보가 항상 배경소음과 함께 청취 되므로 경보에 반응해야 하는 모든 사용자의 청취 위치에서 배경소음보다 30dB 이상 크거나 몇 개의 각기 다른 주파수로 설계하여 모든 사용자가 청취 및 식별을 할 수 있게 해야 한다.
- 신체의 청각기관이 수용할 수 있는 위험 수준(85~90dB) 이상으로 제시되어서는 안 되므로 주변 소음이 위험 수준에 가까운 크기로 존재한다면 더 낮은 주파수 범위 안에서 경보음을 제시하여 경보가 제대로 식별될 수 있게 해야 한다.
- 경보 자체가 사람을 너무 놀라게 해서는 안 된다.
- 경보는 다른 신호들(동시에 들리는 다른 경보 포함)의 처리나 경보를 다루는 데 필수적인 의사소통을 방해해서는 안 된다.
- 경보는 청취자에게 위급상황에 대한 정보를 전달할 수 있어야 하며, 경보를 식별한 후 청취자가 취해야 할 적합한 행위가 무엇인지도 알려줄 수 있어야 한다. 그러나 이러한 경고는 인간이 가지고 있는 절대 판단의 한계가 있으므로 음높이와 같이 한 차원에만 차이를 두고 경보음을 발생한다면 최대 4개 정도의 다른 경보를 사용할 수 있다.
  - 소리의 고저 : 기본적 고저 혹은 주파 대역의 높고 낮음
  - 소리의 엔벨로프 : 상승하는 소리나 일정하게 들리는 소리
  - 소리의 리듬 : 같은 박자의 "다다다"나 박자가 다른 "다따다따"
  - 소리의 음색 : 호른과 플루트 소리와 같이 구분되는 소리의 음색

7. 비음성 사운드(Non-Speech Sound)를 활용한 인터페이스

[2014년 1교시 9번]

가. 비음성 사운드(Non-Speech Sound)

비음성 방식은 사람의 음성이 아닌 소리를 이용하며, 청각 아이콘(Auditory Icon)과 이어콘(Earcon) 등이 있다.

1) 청각 아이콘

- 일상생활에서 들리는 소리를 이용하여 인터페이스를 구성
- 컴퓨터 휴지통을 사용할 때, 종이 구기는 소리 등의 실제 소리를 활용
- 표현하고자 하는 대상과 직관적으로 관련이 있는 유사한 소리를 이용하는 방식이기 때문에 기억하기 쉽다.

2) 이어콘

- 사용자에게 피드백을 주기 위해 사용하는 것으로 단순음을 합성하여 제작
- 인공적인 소리를 임의로 이용하여 표현하는 방식으로 직관적인 연결고리가 없으므로 학습이 요구된다.
- 짧고 간단해야 하며 이해하기 쉬워야 한다.
- 체계적이고 계측적으로 여러 이어콘을 생성할 수 있는 장점이 있다.

※ 아이콘과 이어콘

이어콘(소리)은 시간에 걸쳐 발생하는 사상(event)을 나타낼 때 가장 부합하는 반면, 아이콘은 공간상에 존재하는 위치(location)를 나타내는 데 부합한다.

나. 비음성사운드가 효과적으로 사용될 수 있는 상황 3가지

1) 청각 신호의 근사성을 이용하여 2단계의 신호를 줄 때

- 안내방송을 할 때, 주의음을 먼저 보낸 후 음성 정보 전달

2) 비음성 사운드 자체가 단순한 정보를 전달

- "땡"은 불합격, "딩동댕"은 합격을 의미
- 사이렌 소리는 위험이나 경고를 의미

3) 조작에 따른 피드백으로서의 사운드

- 카메라 셔터음
- 버튼을 누를 때 '딸깍' 소리는 제대로 눌러졌음을 피드백

8. 인간-기계시스템에서 청각 장치와 시각 장치 사용의 특성

[2005년 1교시 5번] [2008년 1교시 3번] [2019년 3교시 6번] [2024년 1교시 10번]

청각 장치가 이로운 경우	시각 장치가 이로운 경우
전달정보가 간단하고 짧은 경우	전달정보가 복잡하고 긴 경우
전달정보가 후에 재참조 되지 않는 경우	전달정보가 후에 재참조 되는 경우
전달정보가 시각적인 이벤트를 다루는 경우	전달정보가 공간적인 위치를 다루는 경우
전달정보가 즉각적인 행동을 요구하는 경우	전달정보가 즉각적인 행동을 요구하지 않을 경우
수신자의 시각 계통이 과부하 상태인 경우	수신자의 청각 계통이 과부하 상태인 경우
수신장소가 너무 밝거나 암조응 유지가 필요한 경우	수신장소가 시끄러울 경우
직무상 수신자가 자주 움직이는 경우	직무상 수신자가 한곳에 머무르는 경우

9. 촉각적 표시장치_햅틱(Haptic) 정의 및 인터페이스 활용 예

[2014년 2교시 3번] [2020년 2교시 2번]

- 햅틱이란 사람의 피부가 물체에 닿아서 느끼는 촉감과 관절과 근육이 움직일 때 느껴지는 근 감각적인 힘의 두 가지를 모두 합쳐서 부르는 말
- 사용자에게 힘, 진동, 모션을 적용함으로써 터치의 느낌을 구현하는 기술
- 컴퓨터의 기능 가운데 사용자의 입력 장치인 키보드, 마우스, 조이스틱, 터치스크린에서 힘과 운동감을 촉각을 통해 느끼게 함
- 원격 의료도구, 항공기나 전투기 시뮬레이터, 첨단 오락기기
- 시각, 청각과는 달리 피부감각의 정보 표현 방법은 아직 체계화되고 표준화된 형태가 없음
- 피부를 통한 자극 전달 속도는 20ms로 시각과 비교하여 5배 빠르고, 신체 전반에 분포하기 때문에 웨어러블 장비 등의 보급을 고려할 때 정보의 인지와 표현을 위한 필수 통신 채널로 여겨짐

※ 촉각적 표시장치 사용 예

- 조종사들이 두 개의 다른 제어장치(랜딩기어와 보조 날개 제어장치)를 서로 자주 혼동하는데 촉감각을 독특하게 재설계하여 문제 해결
- 브라유 점자를 통해 시각장애인들에게 공간적, 상징적 정보를 모든 전달할 수 있는 것처럼, 촉감각은 시각이나 청각이 손상된 사람들에게 정보를 전달해주는 대체 경로로 충분히 활용될 수 있음
- 가상 환경에서 가상적 대상을 조작할 때 손가락에 전기적 자극을 제시하여 만지거나 느끼는 것에 대한 인공적 감각 제공
- 시각 부담이 높은 상황에서 촉각 디스플레이는 경고 등 오퍼레이터의 주의 환기에 효과적

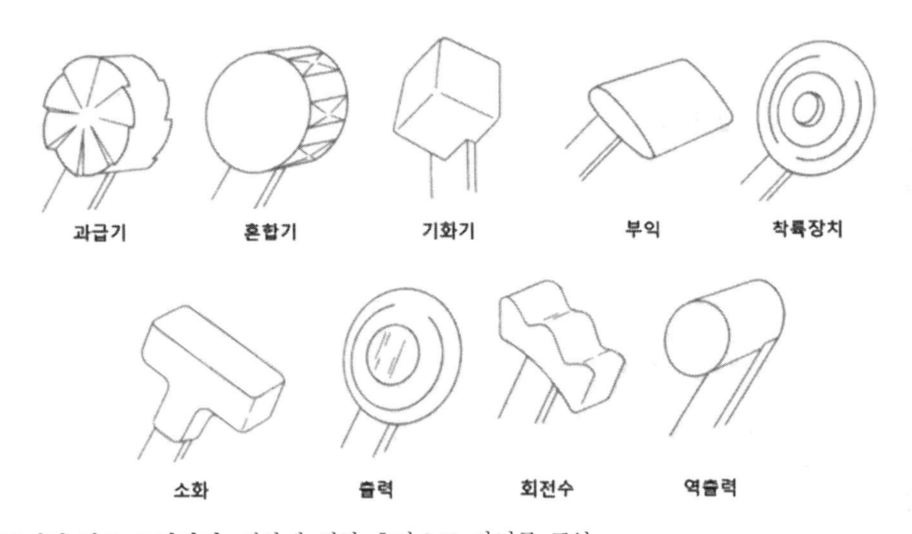

항공기의 각종 조작장치. 형상에 의한 촉각으로 장치를 구분

10. 후각적 표시장치

후각으로서의 사용성 척도는 널리 사용되지는 않는데 그 이유는

1) 냄새의 분산을 제어하기가 힘들며
2) 사람마다 민감도가 다르고
3) 코가 막히면 민감도가 떨어지며
4) 시간이 지나면 냄새에 순응되어 냄새를 맡을 수 없게 되기 때문이다.

이로 인하여 사용성 척도 부분에서는 신뢰성이 떨어진다고 볼 수 있다. 따라서 후각을 이용한 사용성 평가 참고 자료로만 활용할 뿐, 절대적인 기준으로 설정하지 않는 것이 좋다고 판단된다.

후각에 의한 정보 전달의 예로는 천연가스에 냄새나는 물질을 첨가하여 가스가 누출되는 것을 감지하거나, 지하 갱도에 있는 광부들에게 긴급 대피 상황이 발생하는 경우, 악취를 환기구로 주입함으로써 긴급 정보 전달 수단으로 사용하기도 한다.

[관련 기출문제]

인간-기계시스템의 설계 시 정보의 피드백(feedback)은 효과적인 제어가 이루어졌는지 확인하는 중요한 과정이다. 이러한 피드백 과정은 다양한 인간의 감각기관을 통해 인체로 전달되는데 다음 제시된 감각기관을 이용한 피드백 과정을 사례를 들어 설명하시오. [2012년 4교시 6번]

1) 촉각적 피드백
- 전화기의 번호 버튼, 키보드의 키 등을 누를 시 버튼, 키의 유격을 사용자가 촉각으로 느낄 수 있음
- 핸드폰의 진동 알림
- 게임 콘솔의 컨트롤러가 제공하는 진동, 떨림 등의 햅틱 피드백

2) 후각적 피드백
- BMW사의 고성능 M 시리즈를 표현한 향수
- 영화관에서 향기와 냄새를 이용한 영화의 정보 전달
- 부탄가스 또는 LPG 가스가 누출될 경우 냄새를 통하여 누출 여부를 알려주기 위하여 냄새나는 물질을 첨가

11. 피츠의 법칙 (Fitts' Law)

[2005년 1교시 10번] [2007년 4교시 2번] [2014년 4교시 2번] [2020년 2교시 1번]

피츠의 법칙 (Fitts' Law)

인간의 행동에 대해 속도와 정확성 간의 관계를 설명하는 기본적인 법칙

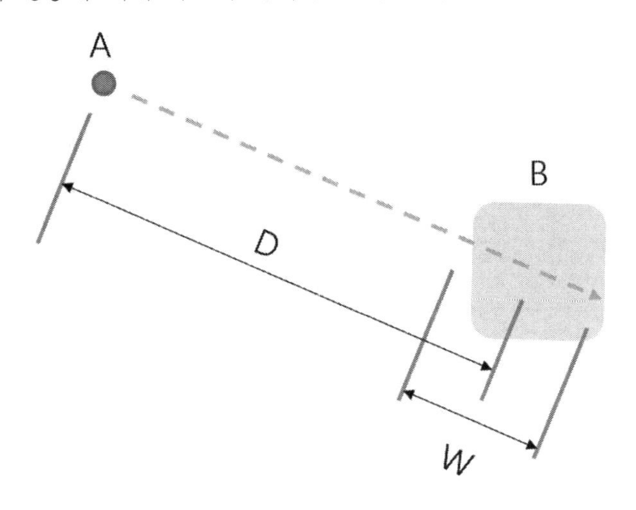

피츠의 법칙이란, 목표물의 크기가 작고 움직이는 거리가 증가할수록 운동시간(MT)이 증가한다는 것으로, 정확성이 많이 요구될수록 운동 속도가 느려지고(MT 증가), 속도가 증가하면 정확성이 줄어든다. 더 빨리 수행되는 운동일수록 정확도가 떨어지는 경향성을 말하는 원리이다.

떨어진 영역을 클릭하는데 걸리는 시간은, 영역까지의 거리와 영역의 폭에 따라 달라지는데, 멀리 있을수록, 버튼이 작을수록 클릭하는데 시간이 더 많이 걸린다.

$$T = a + b\log_2\left(\frac{2D}{W}\right)$$

- T : 신호에 따라 동작을 실제로 실행하는데 걸리는 시간
- D : 대상 물체의 중심까지 거리
- W : 움직이는 방향을 축으로 하였을 때 측정되는 목표물의 폭
  (a와 b는 실험 상수로서 상황이 정해지면 그에 따라 실험 결과로 정해짐)

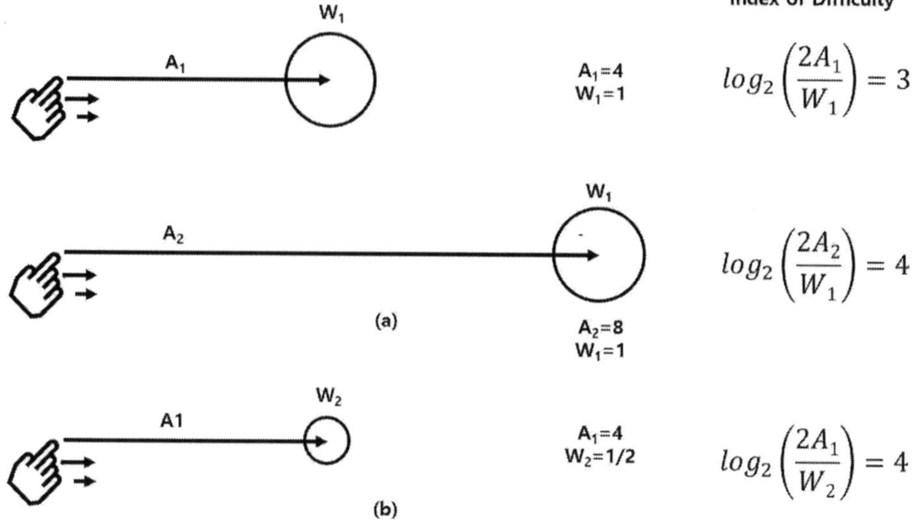

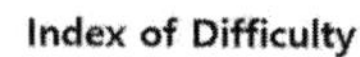

동작 소요 시간에 대한 피츠의 법칙 예시

(a) 동작 진폭이 A1→A2로 됨에 따라 동작 진폭이 두 배가 되는 것을 보여주고 있다.

(b) 표적의 너비가 W1→W2로 변화되어 표적 정확성을 두 배로 요구하고 있는 것을 보여주고 있다.

그림의 오른쪽에는 난이도 지수를 계산하는 방법을 제시하고 있는데,

동작 시간은 난이도 지수에 직접적으로 비례한다.

Chapter

05 조종장치

1. 손 조작 제어장치의 종류

[2023년 3교시 1번]

◆ 종류

1) 단속(불연속) 조종장치

누름단추(Push button), 토글스위치(Toggle switch), 로터리스위치(Rotary switch)

2) 연속조종장치

노브(Knob), 크랭크(Crank), 핸들(Wheel), 레버(Lever), 페달(Pedal)

조종장치는 제어 정보를 어떤 기구나 체계에 전달하는 장치이며, 크게 이산형과 연속형으로 구분된다. 전원 스위치 On/Off와 같은 형식은 이산형에 속하며, 자동차 핸들이나 조이스틱과 같은 형식은 연속적인 정보를 전달하는 연속형에 속한다.

(a) 이산적인 정보를 전달하는 장치

(b) 연속적인 정보를 전달하는 장치

2. 조종-반응 비율(C/R 비)

[2005년 2교시 1번] [2007년 4교시 2번] [2010년 3교시 6번] [2013년 1교시 9번]
[2015년 2교시 6번] [2017년 4교시 1번] [2021년 3교시 6번] [2024년 3교시 4번]

- 조종-반응 비율(C/R비)은 조종-표시장치 이동비율(C/D비:control-display ratio)
- C/R 비가 작으면 조종장치를 조금만 움직여도 표시장치의 지침이 많이 움직이므로 이동시간이 작아지지만, 상대적으로 조심스럽게 제어해야 하므로 조종시간이 많이 걸림
- C/R비가 크면 표시장치의 지침을 조금 이동시키기 위해 조종장치를 여러 번 돌려야 하므로 이동시간이 많이 걸리지만, 특정 위치에 지나침이 없이 곧바로 잘 맞출 수 있으므로 조종시간은 적게 걸림

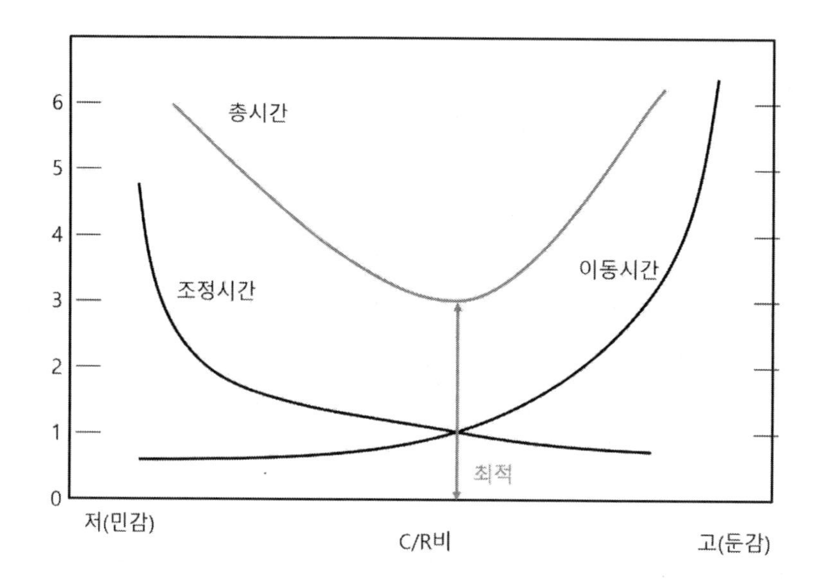

$$C/R\text{비} = \frac{(\frac{a}{360})\times 2\pi L}{\text{표시장치 이동거리}}\ (L: \text{지레의 길이}, a: \text{조종장치가 움직인 각도})$$

[계산문제]

1. 다음 C/R 비율을 구하시오.

1) 조종장치를 4cm 움직일 때 반응(또는 표시) 장치가 20cm 움직일 경우

$$C/R비 = \frac{조종장치의\ 움직인\ 거리}{표시장치의\ 반응\ 거리} = \frac{4cm}{20cm} = 0.2$$

2) 노브(Knob) 조종장치를 5회전 시켰을 때, 반응(또는 표시) 장치가 15cm 움직일 경우

$$C/R비 = \frac{1}{1회전시\ 움직인거리} = \frac{1}{3} = 0.33$$

3) 길이가 10cm인 레버(Lever)를 36° 움직일 때 반응(또는 표시) 장치가 10cm 움직일 경우

$$C/R비 = \frac{(\frac{a}{360}) \times 2\pi L}{표시장치\ 이동거리} = \frac{(\frac{36}{360}) \times 2 \times 3.14 \times 10cm}{10cm} = 0.628$$

2. 조종장치의 손잡이 길이가 5cm이고, 90°를 움직였을 때 표시장치에서 4cm가 이동하였다. C/R 비율을 구하시오.

$$C/R비 = \frac{(\frac{a}{360}) \times 2\pi L}{표시장치\ 이동거리} = \frac{(\frac{90}{360}) \times 2 \times 3.14 \times 5cm}{4cm} = 1.96$$

3. 노브(Knob)와 레버(lever)의 최적 C/R 비

- 노브의 최적 C/R비는 0.2~0.8이다.

$$C/R비 = \frac{조종장치의\ 움직인\ 거리}{표시장치의\ 반응\ 거리} = \frac{노브\ 회전수}{표시장치\ 이동거리}$$

- 레버의 최적 C/R비는 2.5~4.0이다.

$$C/R비 = \frac{조종장치\ 이동거리}{표시장치\ 이동거리} = \frac{(\frac{a}{360}) \times 2\pi L}{표시장치\ 이동거리}$$

(L : 지레의 길이, a : 조종장치가 움직인 각도)

- 최적 C/R비에 영향을 미치는 매개변수
  제어장치의 종류, 표시장치의 크기, 제어 허용오차 및 지연시간 등

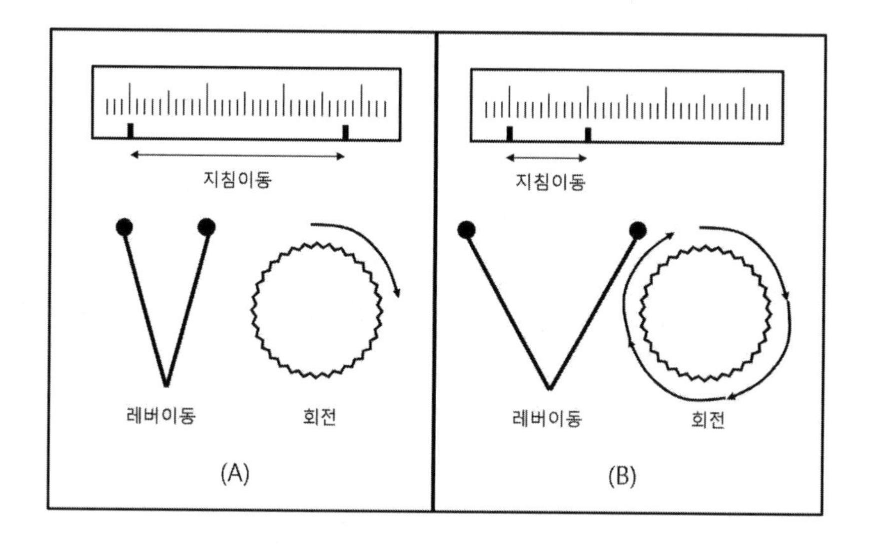

구분	A	B
C/R비	작다	크다
민감도	민감하다	둔감하다
미세조종시간	길다	짧다
이동시간	짧다	길다

[관련 기출문제]

어떤 작업자가 다음 그림과 같은 길이기 12cm인 레버(lever)를 30° 회전하면 표시장치 지침이 2.5cm를 이동하는 통제 기기를 조작하고 있다.
통제 기기의 C/R비를 산출하고 적합성 여부를 판정하시오.

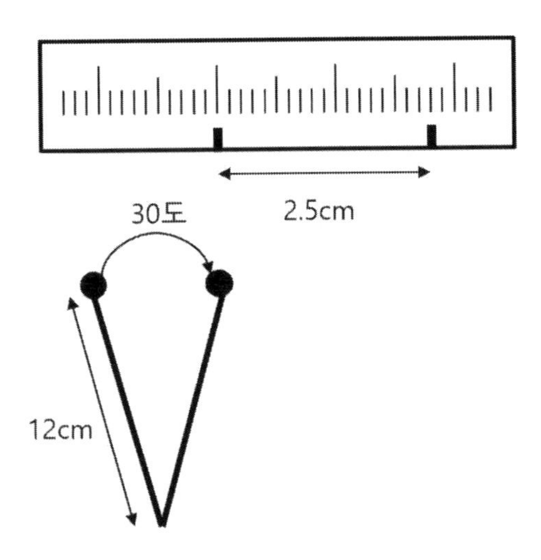

$$C/R비 = \frac{(\frac{a}{360}) \times 2\pi L}{표시장치\,이동거리} \quad (L: 지레의\,길이, a: 조종장치가\,움직인\,각도)$$

$$= \frac{(\frac{30}{360}) \times 2 \times 3.14 \times 12cm}{2.5cm} = 2.5$$

- 레버의 최적 C/R비인 2.5~4.0 범위에 포함되므로 적합하다.

4. 코딩(암호화)의 종류

[2014년 2교시 3번] [2016년 3교시 5번] [2018년 4교시 6번] [2020년 3교시 4번] [2022년 2교시 3번]

조종장치 사이의 차별성을 높이기 위해, 조종장치를 암호화하고자 한다면, 암호 적용 방식은 시스템 전체에 있어서 통일되어야 한다.

- 이미 사용된 암호의 종류
- 사용될 정보의 종류
- 수행될 과제의 성격과 수행 조건
- 사용 가능한 암호화 단계나 범주
- 암호의 중복 혹은 결합에 대한 필요성
- 암호화 방법의 표준화

1) 색 암호화

가. 서로 관련된 조종장치와 표시장치를 색 암호화할 때는 같은 색을 사용하여야 한다.

나. 조종장치의 색은 패널 배경과 조종장치 사이에 대비 효과가 나타나도록 선택하여야 한다.

다. 비상용 조종장치 : 모든 비상용 조종장치는 적색으로 암호화하여야 한다. 이러한 비상용 조종장치를 시각적으로 강조하기 위하여 중요도가 낮은 기타 조종장치에는 색 암호화의 사용을 최소로 하여야 한다.

2) 형상 암호화

가. 조종장치는 시각적 뿐만 아니라 촉각으로도 구분 가능해야 하며, 날카로운 모서리가 없어야 한다.

나. 조종장치에 대한 형상 코딩의 주요 용도는 촉감으로 조종장치의 손잡이나 핸들을 식별하는 것이다.

다. 조종장치를 선택할 때에는 일반적으로 상호 간에 혼동이 안 되도록 해야 한다. 이러한 점을 염두에 두어 15종류의 꼭지를 고안하였는데 용도에 따라 크게 다회전용, 단회전용, 이산 멈춤 위치용이 있다.

라. 사용자가 조종장치를 촉각으로만 구별할 때 조종장치의 형상은 날카로운 모서리가 없어야 하며, 적어도 다음의 치수는 되어야 한다.

높이	너비	깊이
12mm 이상	12mm 이상	6mm 이상

3) 크기 암호화

가. 사용자가 적절한 조종장치를 선택하기 전에 촉감으로 구별하지 못할 때는 조종장치의 크기를 단지 두 종류 혹은 많아야 세 종류만 사용하여야 한다. (지름 1.3cm, 두께 0.95cm 차이 이상이면 촉각에 의해서 정확히 구별할 수 있다)

나. 조종장치를 절대적 크기에 의해서만 식별할 때는 조종장치의 크기를 세종류 이상 사용하여서는 안 된다. 다른 기기에서 같은 작용을 하는 조종장치는 같은 크기로 하여야 한다.

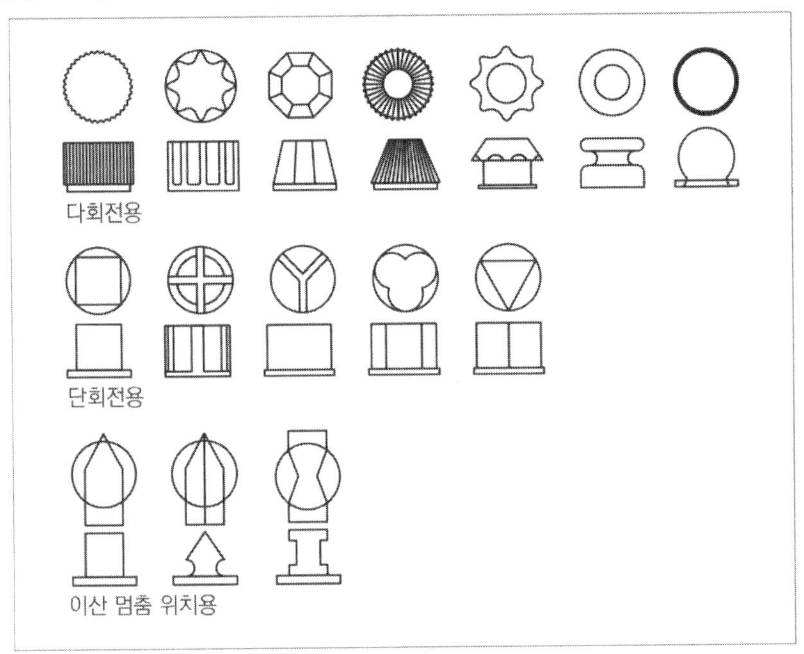

만져서 혼동되지 않는 꼭지들(Hunt, 1953)

다. 크기의 식별 : 크기로 암호화를 할 때는 사용자가 크기를 혼동하지 않도록 충분히 차이를 주는 것이 중요하다.

- 사용자들은 조종장치의 크기를 두 종류 혹은 세 종류로 식별할 수 있다.
- 더 많은 단계가 요구될 경우 다른 암호화 방법을 사용하여야 한다.
- 13mm에서 100mm 사이의 지름을 가진 꼭지를 암호화할 때, 각 손잡이의 지름은 다음 작은 것보다 최소한 20% 이상 커야 한다.

라. 조종장치는 장갑을 착용하고도 사용할 수 있어야 한다.

4) 촉감 암호화

가. 조종장치는 표면의 촉감을 달리하는 코딩을 할 수 있다.

나. 흔히 사용되는 표면가공 중 매끄러운 면, 세로 홈, 깔쭉면 표면의 3종류로 정확하게 식별할 수 있다.

5) 위치 암호화

가. 유사한 기능을 가진 조종장치는 모든 패널에서 상대적으로 같은 위치에 있어야 한다.

나. 사용자는 조종장치가 그들의 정면에 있을 때 위치를 좀 더 정확하게 구별할 수 있다.

다. 사용자가 조종장치를 볼 수는 없지만, 맹목 위치 동작으로 운영할 때는 위치 암호화가 가장 효과적인 암호화 방법이다.

6) 작동방법에 따른 암호화

- 작동방법에 따라서 조종장치를 암호화하면 각 조종장치는 고유한 작동방법을 갖게 된다.
- 예를 들면 하나는 밀고 당기는 종류이고, 하나는 회전식인 경우이다.

5. 동심 다단 꼭지형 제어장치의 암호화

※ 동심다단(동일축상에 여러 층의 노브가 장착된 제어장치) 꼭지형 제어장치의 암호화 방법

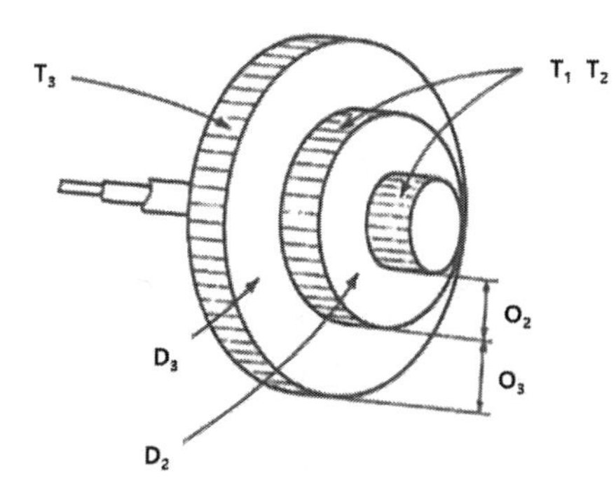

- 두께 T_1, $T_2 \geq 1.9$cm
- 두께 $T_3 \geq 0.6$cm
- 지름 $D_2 \geq 3.8 \sim 6.3$cm
- 지름 $D_3 \geq 7.6$cm
- $O_2 \geq 1.3$cm
- $O_3 \geq 1.6$cm

Chapter

02

인간정보처리체계

1. 정보처리과정 및 능력
2. 정보이론
3. 신호검출이론

Chapter

01 정보처리과정 및 능력

1. 인간의 정보처리 과정

[2012년 4교시 2번] [2017년 1교시 4번] [2017년 3교시 4번] [2019년 2교시 2번] [2021년 3교시 1번] [2022년 1교시 5번]

인간의 정보처리 과정은 감각기관에 의한 감각 보관, 인식, 단기보관(기억), 인식을 행동으로 옮김(반응선택), 반응의 제어, 발효기의 행동 등의 기능과 더불어 장기 보관 및 경로의 관련 기능들을 보여준다.

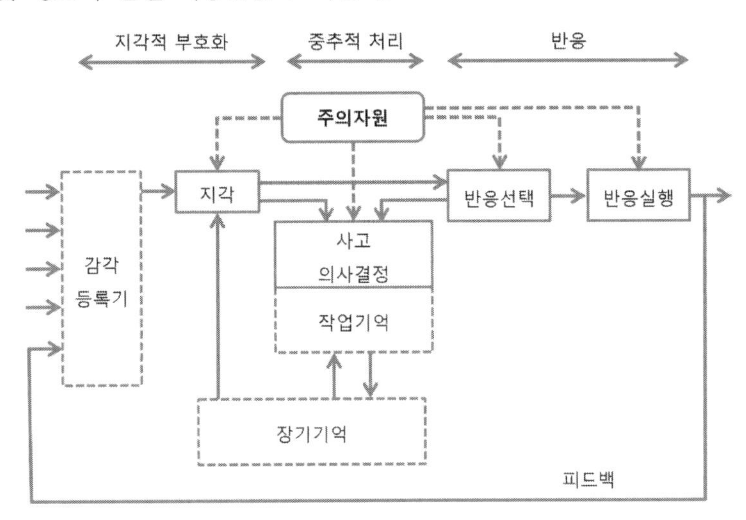

인간의 정보처리 과정은 지각(선택, 조직화, 해석), 인지, 행위의 3단계를 거친다. 시각적, 청각적, 물리적 자극에 관한 정보가 신체의 감각기관에 감지되면 인간은 이들 정보에 대한 해석을 통하여(지각 단계) 의사결정을 하고(인지 단계), 신체활동 기관에 명령하여 행동하게 된다(행위단계).
이들 과정 전반에서 기억이 상호작용하여 영향을 미치게 된다.

2. 감각 과정

- 물리적, 화학적 자극 등을 감각기관을 통해 수용하고 자극의 크기를 파악하는 과정
- 시각, 청각, 후각, 촉각, 미각 등의 자극은 인간의 감각 수용기를 통하여 감지
- 감각 보관
  - 자극이 사라진 후에도 순간적으로 감각기관에 감각이 지속되는 것으로 시각적 잔상이나 청각적인 잔상 등이 존재
  - 감각 보관은 빠르게 사라지고 새로운 자극으로 대체됨

3. 지각

1) 감각을 통해 처리된 정보의 배열(시각적인 것)이나 순서(청각적인 것)의 의미를 추출하는 과정

- 지각처리방법

  ① Bottom-up 처리 : 감각된 정보가 확실할수록 감각정보 위주로 지각

  ② Top-down 처리 : 장기기억에 의한 기대가 높을수록 감각정보보다 기억을 위주로 지각
- 입력 정보들은 선택, 조직, 해석하는 과정을 통하여 자극을 감지하고 의미를 부여함으로써 종합적으로 해석된다.

2) 지각은 "① 상향적 세부 특징 분석, ② 단위화(unitization), ③ 하향처리"의 세 가지 과정이 동시에 발생하며 진행됨

- 선택 : 많은 감각적 정보 중에서 필요한 것만 골라 흡수하는 기능
- 조직화 : 선택된 지각대상은 지각형성 과정을 통하여 조직화 됨
  일반적으로 조직화 되는데 집단성, 폐쇄성, 단순성 등의 원리가 적용
- 해석 : 자극을 해석하고 의미를 파악하는데 해석작용 과정에는 여러 가지 착오나 착시현상 등이 개입될 수 있음

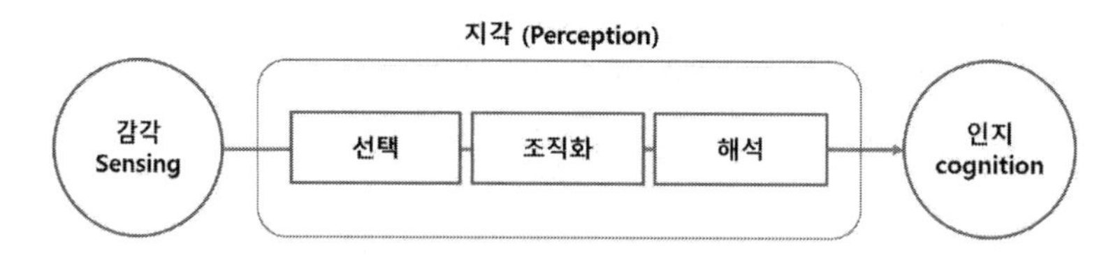

4. 상향처리 하향처리

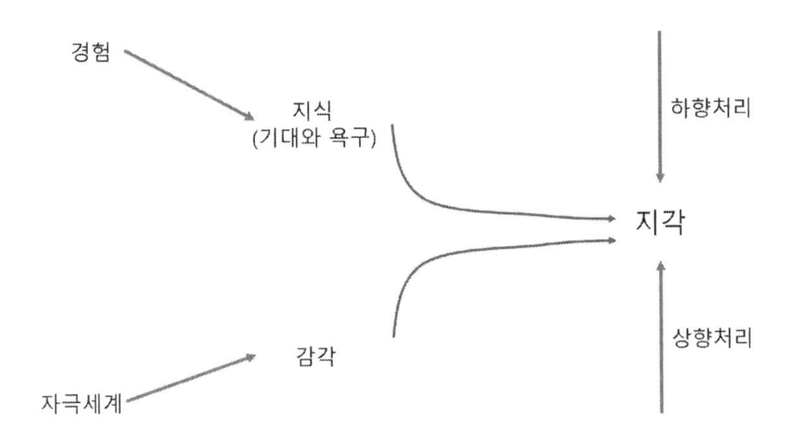

1) 상향처리 (bottom-up processing)

- 아래에서부터 위로의 처리
- 자극 처리의 하위수준에서 지각에 관여하는 고차적인 뇌 영역 쪽으로의 지각
  ex) 시력의 상실은 상향처리를 저하하는 요인
  높은 대비 민감도는 상향처리의 향상을 가져옴

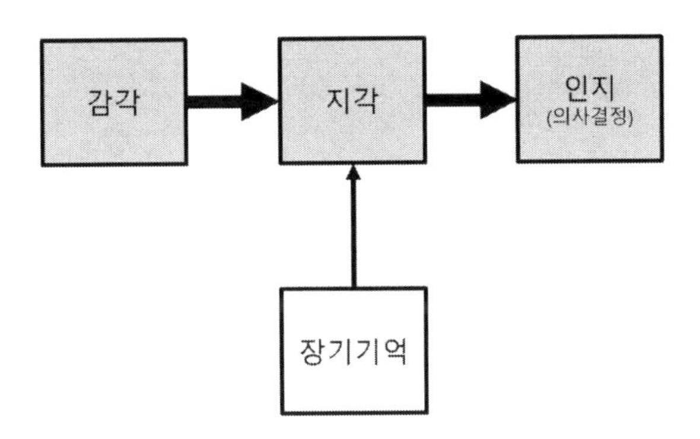

2) 하향처리 (top-down processing)

- 위로부터 아래로의 처리
- 하향처리에 의한 지각은 "무엇이 거기에 있어야 하는가"에 대한 우리의 지식 (그리고 욕구)에 기초한 지각

ex) "작동을 마쳤으면 시스템을 끄시오" 와 같은 지시문을 읽을 때, 지시문이 말하고자 하는 내용을 충분히 추측할 수 있으므로 일부 단어가 파손되어 사라졌거나 낮은 대비로 제시되어도 충분히 지각할 수 있음

- 감각기관을 통해 전해진 자극이 지각되는 과정에서 장기기억에 저장된 이전 지식의 도움으로 감각된 것에 대해 의미 있는 해석이 주어짐

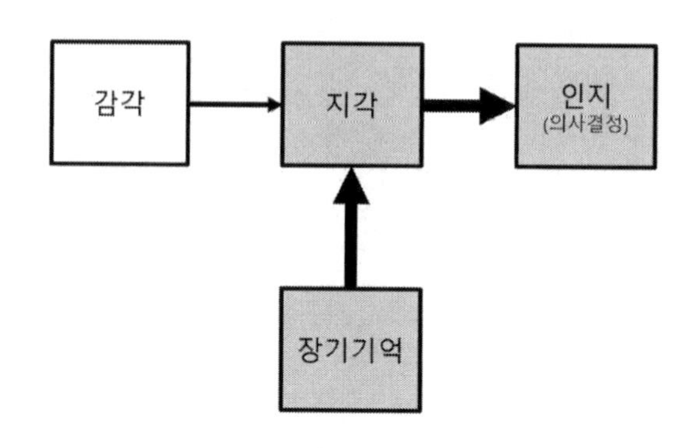

인간의 지각과정 1. 선택

5. 칵테일 파티 효과(cocktail party effect)

[2010년 1교시 6번] [2020년 1교시 5번] [2022년 1교시 4번]

- 청각의 선택적 주의
- 파티의 참석자들이 시끄러운 주변 소음이 있는 방에 있음에도 불구하고 대화자와의 이야기를 선택적으로 집중하여 잘 받아들이는 현상에서 유래한 말
- 다수의 음원이 공간적으로 산재하고 있을 때 그 안에 특정 음원에 주목하게 되면 여러 음원으로부터 분리되어 특정 음만 듣는 심리 현상
- 사람은 정보처리 능력에 한계가 있기 때문에 수많은 정보를 선택적으로 받아들여 처리하며, 많은 정보 중에서 의미 있는 정보만을 선택적으로 지각하여 받아들이는 선택적 지각 현상을 의미함

인간의 지각과정 2. 조직화

6. 게슈탈트(Gestalt)의 4 가지 원칙

[2014년 2교시 5번] [2022년 1교시 7번]

1) 게슈탈트 (gestalt)

- 구성 형태 전체 등을 의미하는 독일어로 사람이 정보를 인식할 때 형태나 관계로 지각하려는 경향성

2) 게슈탈트 조직화 원리

- 많은 감각 정보(시각, 청각 등) 중 필요한 것만 골라 흡수하여 선택된 지각 대상의 조직화 원리

① 근접성 : 가까이 있는 요소들을 하나의 집단이나 덩어리로 지각
② 유사성 : 비슷한 요소들을 하나의 그룹이나 덩어리로 지각
③ 연속성 : 본래의 추세를 유지하는 방향으로 지각되는 경향
④ 폐쇄성 : 불완전한 형태나 패턴을 채워서 완전한 패턴이나 형태로 지각하려는 경향

근접성	유사성	연속성	폐쇄성
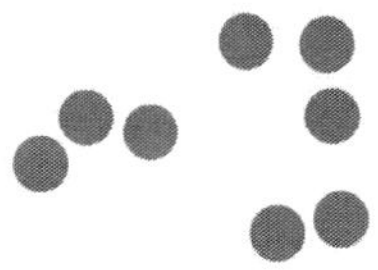	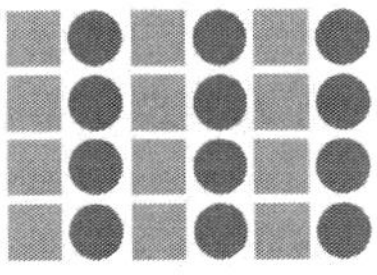	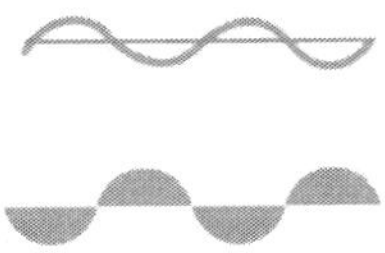	

7. 맥락효과(context effect)

[2014년 1교시 8번]

처음에 주어진 정보에 의하여 나중에 수용되는 정보의 맥락이 구성되고 처리 방식이 결정되는 것

- 사전에 노출되는 단서들에 의하여 인식이 편향되는 효과로서, 맥락이 과정에 영향을 미치는 하향식 처리방식
- 세부적으로 맥락효과는 유인 효과, 타협 효과, 범주화 효과 등을 포함하는 개념
- 맥락효과는 감각 대상을 관찰자의 심리상태나 주변 상황과 맥락적 관계로 지각하는 현상을 의미
- 동일한 대상도 주변 상태에 따라 다르게 지각하게 되며, 친숙하지 않거나 모호한 대상일수록 주변 상황과 연관하여 형태를 지각하려는 경향을 보이게 됨
- 그림1은 주변 글자에 영향을 받아 6으로도 b로도 지각됨
- 그림2는 세로로 읽으면 13으로 가로로 읽으면 B로 지각됨

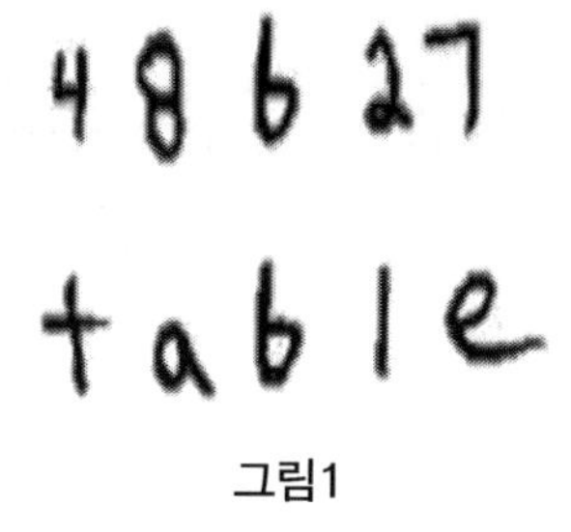

그림1

그림2

8. 확증편향

- 주어진 여러 가설을 평가할 때 정보가 더 진단적임에도 불구하고 자신의 가설을 확증해주는 정보들만 찾으려는 경향
- 원래 가지고 있는 생각이나 신념을 확인하려는 경향성이다. 흔히 하는 말로 "사람은 보고 싶은 것만 본다"와 같은 것이 바로 확증편향
- 반대증거를 찾지 않는 이유
  - 진실이라고 믿고 싶은 것은 더 쉽게 믿고 사실이 아니기를 바라는 것은 잘 믿지 않는데 이는 인간 본연의 습성 때문임
  - 본능적으로 자신의 신념을 지지하는 정보에 관심을 더 가짐
  - 부정적 정보보다는 긍정적 정보를 더 편안하게 느끼게 하는 '긍정적 편향'
  - 가설의 타당성을 설명하는 과정에서 가설을 진리라고 확신하게 되는 성향이 강화됨
  - 인간은 오류를 범하려 하지 않으려는 경향이 있음. 정보의 수집은 기존의 신념을 확인하고 강화하는 것뿐만 아니라 오류는 피하고자 하는 바람을 포함함

9. 휴먼에러 예방을 위한 지각의 특성 활용

- 사람은 70% 이상의 자극을 '시각'을 통해 얻는다.
- 긴급한 상황 정보는'시각+청각 정보'로 전달하는 것이 바람직하다.
- 안전표지판, 긴급정지 버튼 등은 작업자의 '선택적 주의'를 끌 수 있도록 설계, 게시되어야 한다.
- 스위치는 배열의 규칙, 작동방법 등에서 통일성과 일관성을 가지며, 가급적 작업자의 '기대감'을 거스르지 않는 방향으로 설계되어야 한다.

10. 단기기억

1) 단기기억

- 감각 보관에서 주의 집중으로 기록된 방금 일어난 일에 대한 정보와 장기기억에서 인출된 관련 정보를 의미
- 현재 또는 최근의 정보를 잠시 기억하는 것뿐만 아니라, 실제로 작업하는 데 필요한 일시적인 정보라는 의미로 작업기억(working memory)이라고도 함
- 사람의 단기기억 용량은 매우 한정되어 있음

2) chunking

[2015년 1교시 13번] [2018년 3교시 3번]

※ 정보처리 과정에 단기기억의 용량을 늘리는 방법

- 입력 정보를 의미 있는 단위의 chunk를 배합하고 편성하는 것
- 단기기억은 7±2가 경로 용량이며, 식별능력을 높이기 위하여 의미 덩어리를 만들어 기억하면 편리
- 전화번호를 숫자를 나열하면 외우기 어렵지만 3~4단위로 나누어서 읽으면 쉽게 기억할 수 있음
  - 전화번호를 2182133으로 기억하는 것보다 218-2133과 같이 두 개의 단위로 나누면 쉽게 기억할 수 있음
  - 'LGIBMSAMSUNGAPPLE'는 의미가 없지만, 'LG, IBM, SAMSUNG, APPLE' 은 사용자가 쉽게 기억할 수 있음

3) 경로 용량

[2013년 2교시 3번] [2016년 1교시 3번] [2024년 4교시 4번]

절대 식별에 근거하여 정보를 신뢰성 있게 전달할 수 있는 전달된 정보량으로 단기기억에 의해 전달할 수 있는 최대 가지 수

11. Miller 의 신비의 수 'Magical number 7±2'

- Miller의 선택 반응 실험 결과 인간의 절대적 판단에 의한 단일 자극의 판별 범위는 보통 7±2(다섯에서 아홉 가지)
- 절대 식별 과제에서 많은 정보가 제시되더라도 인간은 최대 7±2개 (약 2.8bit)의 정보량만을 전달할 수 있음 (단기기억 용량의 한계 때문에)
- 인간이 신뢰성 있게 정보를 전달할 수 있는 기억은 5가지 미만이며, 감각에 따라 정보를 신뢰성 있게 전달할 수 있는 한계 개수는 5~9가지
- 단일 자극이 아니라 여러 차원을 조합하여 사용하는 경우에는 신뢰성 있게 처리할 수 있는 자극 판별의 수가 증가함

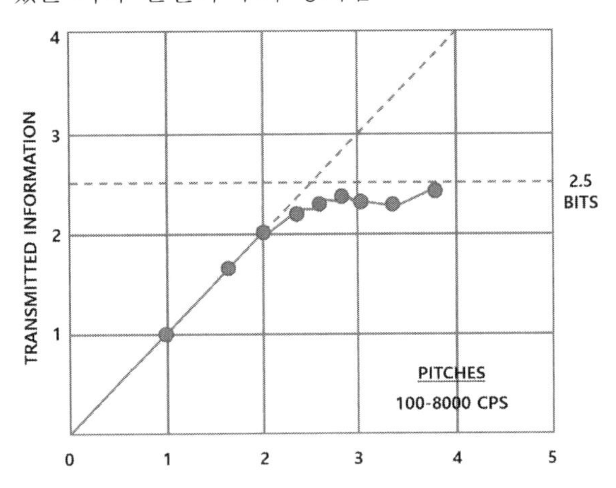

12. 장기기억

- 단기기억이 암호화되어 저장된 영구적 기억
- 장기기억은 저장된 정보가 평상시에는 의식으로부터 단절되어 있다가, 정보처리가 이루어질 때 관련된 정보가 의식 수준으로 인출
- 장기기억은 과거에 대한 기억으로 기억내용이 의미가 있거나 이미 알고 있는 것과 들어맞을 때 저장과 인출이 용이
- 단기기억을 장기기억으로 이전시키려면 입력된 정보를 마음에서 되뇌는 활동인 리허설(rehearsal)이 필요

13. 리허설 (rehearsal)

입력된 정보를 마음에서 되뇌임

1) 유지 리허설 : 기억하고자 하는 정보를 추가적인 분석 없이 단순히 반복하는 리허설

2) 정교화 리허설 : 정보에 대하여 더 깊고 의미 있는 분석을 실행하여 기억에 남기는 방법

14. 의사결정

1) 의사결정 과제란?

① 수많은 대안 중에서 한 가지를 선택하고,

② 그러한 선택에 대해 사용할 수 있는 어느 정도의 유용한 정보가 있으며,

③ 처리 시간이 비교적 길고(1초 이상),

④ 그 선택이 불확실성과 연합되어 있을 때(즉 어느 선택이 최선의 선택인지 분명하지 않을 경우) 이 과제를 의사결정이라고 함

2) 의사결정은 일반적으로 세 가지 단계로 구분됨

① 의사결정에 필요한 정보나 단서들을 획득하고 지각하는 단계

② 의사결정의 현재와 미래 상태에 비추어 그러한 단서들이 무엇을 의미하는지에 대한 가설들을 생성하고 상황을 평가하는 단계

③ 추론된 상태 및 상이한 산출이 갖는 비용과 가치에 기초하여 취해야 할 행위를 계획하고 선택하는 단계

※ 인지 과정

- 인간의 정보처리 과정에는 작업기억(단기기억), 장기기억 등이 동원되며, 지각된 정보를 바탕으로 계산, 추론, 유추 등을 통하여 어떻게 행동할 것인지 의사결정을 하는 과정을 인지 과정이라 한다.

15. 인간의 반응시간

[2007년 1교시 5번] [2017년 3교시 5번]

1) 단순 반응시간
- 하나의 특정 자극에 대하여 반응을 하는데 걸리는 시간으로 약 0.2초 정도 걸린다.
- 달리기 총성 → 달린다

2) 선택 반응시간
- 여러 개의 자극을 제시하고 각각의 자극에 대하여 반응을 할 과제를 준 후에 자극이 제시되어 반응할 때까지의 시간을 의미한다.
- 선택반응시간이 단순반응시간보다 길다.
- 선택반응시간은 자극의 정보량에 비례
- 신호등(적, 녹) → 반응(정지, 진행)

3) 인지 반응시간
- 여러 가지의 자극이 주어지고 이 중에서 특정한 신호에 대해서만 반응할 때 걸리는 시간을 의미
- 품질검사 : 제품 가운데 불량품 제거

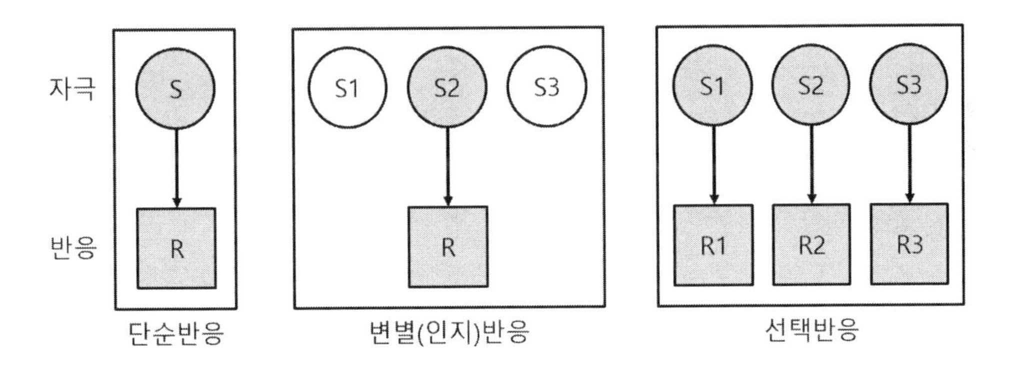

16. Hick’s law

[2007년 3교시 6번] [2009년 1교시 13번] [2017년 1교시 11번] [2017년 3교시 5번] [2018년 1교시 11번]

Hick-Hyman의 법칙에 의하면 인간의 반응시간(RT : Reaction Time)은 자극 정보의 양에 비례한다.

$$RT(\text{선택반응시간}) = a + b \log_2 N \quad (N: \text{자극의 수})$$

- 선택반응시간 (RT : Reaction Time)은 자극의 정보량에 비례
- 선택반응시간은 일반적으로 선택 대안의 수(N)가 증가할수록 비례하여 증가
- 디자인의 단순화를 강조하는 원리
- Hick-Hyman의 법칙이라고도 불림

다음 그림과 같은 작업자 A, B가 순서대로 앉아서 작업을 수행중이다. 작업자 A는 양품과 불량품을 선별한다. 불량률은 50%이다. 선별된 양품만 작업자 B에게 전해진다. 작업자 B는 양품을 1, 2, 3, 4 등급으로 각각 구분한다. 각 등급의 비율은 25%이다. 두 작업에 대한 반응시간은 Hick의 법칙($RT = a + b \log_2 N$)으로 알려져 있다.

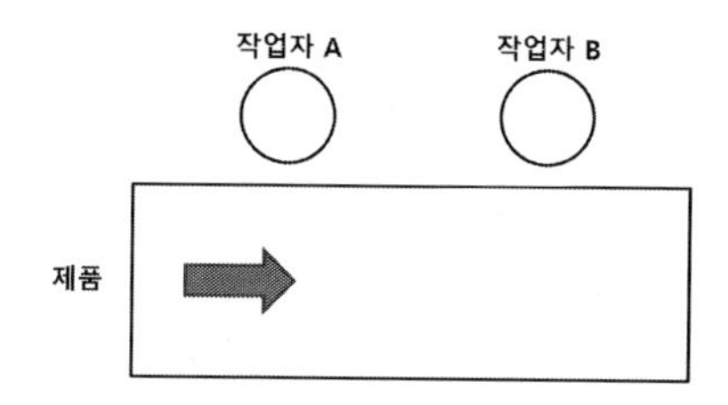

(1) 제품 1개에 대한 A, B의 반응시간을 비교하면 누가 얼마나 더 빠른가?

a, b는 상수이므로 자극정보의 수(N)로 계산을 하면, 작업자 A의 반응시간은 $\log_2 2=1$, 작업자 B의 반응시간은 $\log_2 4=2$로 작업자 A가 B보다 2배 빠르다.

(2) 1일 100개가 생산라인에 투입된다면 A, B 중 1일 누적 반응시간이 누가 얼마나 더 긴가?

작업자 A의 반응시간은 $\log_2 200=7.64$, 작업자 B의 반응시간은 $\log_2 400=8.64$로 작업자 B가 A보다 더 길다.

17. 절대식별과 상대식별

[2023년 1교시 6번]

자극이 인간의 감각기관에 감지되어 이를 식별하는 방법은 절대식별(Absolute Judgments)과 상대식별(Relative Discrimination) 형태로 구분

◆ 절대식별 (Absolute Judgments)

어떤 부류에 속하는 신호가 단독으로 제시되었을 때 이를 얼마나 잘 식별하느냐를 나타내는 것으로 상대적인 비교 대상 또는 기준 대상이 없는 경우

◆ 상대식별 (Relative Discrimination)

두 가지 이상의 신호가 공간적 혹은 시간상으로 근접하게 제시되었을 때 이를 비교·판단하는 경우

예) 피아노 건반을 임의로 하나 눌러 놓고 그 음계를 답하도록 하는 경우는 절대식별, 2개의 건반을 차례대로 들려준 후 어떤 음이 높은음인지를 구분하도록 하는 경우는 상대식별

※ 인간의 절대식별 능력

자극		평균 식별 수	bit수
시각	물체 크기	5~7	2.3~2.8
	선의 길이	7~8	2.6~3.0
	밝기	3~5	1.7~2.3
청각	음량(순음)	4~5	2.0~2.3
	주파수	4~7	2.0~2.7
	지속시간	2~3	1.0~1.7
	음량과 주파수	9	3.17
미각	짠 맛	4	2.0

인간의 절대 식별능력은 자극 차원에 따라 약간씩 차이가 있으나 보통 7±2개로써, 단일차원 자극에 대한 인간의 절대 식별 범위는 예상외로 적다는 것을 알 수 있다. 이와는 반대로 인간의 상대식별 능력은 절대식별 능력보다 훨씬 크며, 인간의 식별능력을 높이는 방법은

① 자극 제시를 절대 식별보다는 상대식별 방식으로 제시하거나,
② 자극의 차원을 증가시키거나,
③ Chunking을 사용하도록 하는 방법 등이 있다.

예를 들어 시각과 청각 정보 관련 인간의 식별력은 아래 표와 같이 시각과 청각 정보를 동시에 주는 경우 식별력이 높아지는 것을 알 수 있다.

이것은 주로 다차원으로 정보를 줌으로써 인간의 식별력을 높이는 것이 필요한 경우 설계에 적용된다.

※ 단일 자극과 다차원 자극의 식별능력
ex) 알람 설계 : 시각(붉은 점멸 불빛) + 청각(사이렌)

자극 구분	옳은 반응 비율
시각	89%
청각	91%
시각+청각	95%

18. Weber 의 법칙

[2007년 1교시 2번] [2011년 2교시 2번] [2014년 1교시 11번] [2015년 4교시 1번]
[2019년 1교시 11번] [2020년 4교시 2번] [2022년 3교시 5번] [2023년 1교시 6번]

물리적 자극을 상대적으로 판단하는 데 있어 특정 감각의 변화감지역은 기준 자극의 크기에 비례한다. 웨버의 비가 적을수록 감각의 분별력이 뛰어나다.

$$\text{웨버의 법칙} = \frac{\text{변화감지역}}{\text{기준 자극의 크기}}$$

감각	weber비	분별력
시각	1/60	높음 ↑
무게	1/50	
청각	1/10	
후각	1/4	↓ 낮음
미각	1/3	

◇ 변화감지역 (JND : Just noticeable difference)

- 자극 사이의 변화를 감지할 수 있는 두 자극 사이의 가장 작은 차이 값
- 변화감지역이 작을수록 감각의 변화를 검출하기 쉽다.
  - 무게 감지 : 웨버의 비가 0.02라면 100g을 기준으로 무게의 변화를 느끼려면 2g 정도면 되지만, 10kg의 무게를 기준으로 한 경우에는 200g이 되어야 무게의 차이를 감지할 수 있다.

<비 감각적 측면>

- 마케팅 : 제품의 가격과 관련한 소비자들의 웨버의 비를 조사하여 변화감지역 내에서 제품가격을 인상한다면 소비자가 가격이 인상된 것을 쉽게 지각하지 못한다.
- 제조과정 : 맥주 제조업체들은 계절에 따라 원료의 점도와 효소의 양을 변화감지역의 범위 안에서 조절함으로써 소비자가 맥주의 맛이 사계절 동일하다고 느끼게 한다.

19. 페히너(Fechner) 법칙

[2015년 4교시 1번]

- 주어진 자극에 대한 감각의 강도는, 자극의 강도의 대수에 정비례한다.
- 인간의 감각 크기는 자극의 크기에 로그에 비례하여,
  L:감각의 크기, E:자극의 크기, K:상수로 하면 L=KlogE
  라는 관계가 있다고 한다.

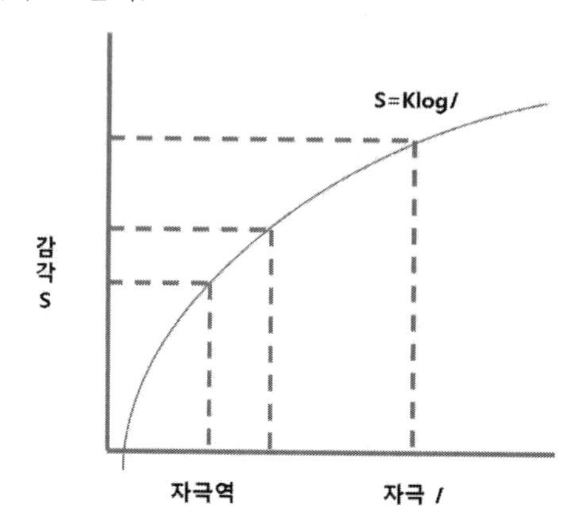

- 일상생활 중 느낄 수 있는 현상
  ① 악취농도를 느끼는 체감은 점점 증가하다가 어느 시점부터는 그 체감이 증가하지 않음
  ② 단맛이 점점 증가하다 특정 시점부터는 일정해지는 것

Chapter

02 정보이론

1. 정보이론

[2019년 3교시 2번]

1) 정보의 정의

관찰이나 측정을 통하여 수집한 자료를 실제 문제에 도움이 될 수 있도록 정리한 지식 또는 그 자료

2) 1 bit의 의미

- bit : 동일 확률을 갖는 2개의 신호가 있을 때 갖는 정보량
- 대안이 2가지일 경우 정보량은 1bit

3) 확률이 같은 4가지 대안의 정보량

- 실현 가능성이 같은 n개의 대안이 있을 때 총 정보량 : $H = \log_2 N$
- 실현 가능성이 같은 4개의 대안이 있을 때 총 정보량 : $H = \log_2 4 = 2$
  - 동전 던지기 : 앞과 뒤 = $H = \log_2 2 = 1$
  - 신호등 : 적, 녹, 황 (동일 확률 가정) → $H = \log_2 3 = 1.59$

4) 중복률 (Redundancy)

- 중복해서 여러 번 같은 데이터를 송신하는 것
- 대안의 발생 확률이 같지 않기 때문에 정보량의 최댓값에서 감소

5) 밴드 폭 (Bandwidth)

- 특정한 기능을 수행할 수 있는 주파수의 범위
- 일반적으로 밴드 폭(Bandwidth)은 1초당 수용할 수 있는 정보량

2. 자극 정보량과 반응 정보량의 자극-반응관계

[2008년 2교시 4번], [2013년 1교시 7번], [2019년 3교시 2번], [2021년 3교시 2번]
[2023년 3교시 5번]

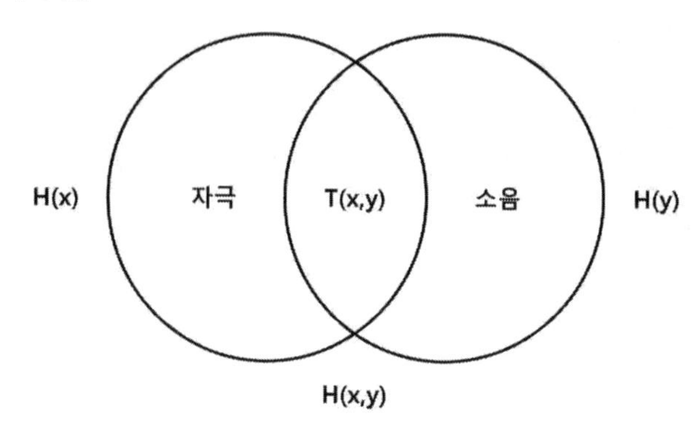

- H(x) : 자극 정보량 (stimulus information)
- H(y) : 반응 정보량 (response information)
- H(x,y) : 자극과 반응 정보량의 합
- T(x,y) : 전달 정보량
- 전달된 정보량 T(x ,y) = H(x) + H(y) - H(x,y)
- 손실 정보량 : H(x) - T(x,y)
- 소음 정보량 : H(y) - T(x,y)

[관련 기출문제]

자극과 반응 실험에서 카드 모양이 스페이드(♠)면 1번 키, 다이아몬드(♦)는 2번 키, 하트(♥)는 3번 키, 클로버(♣)는 4번 키를 누르기로 약속했다. 이에 따라 키를 누르는 실험을 총 100회 실시하였을 때의 결과는 다음 표와 같다.
제대로 전달된 정보량, Equivocation, Noise 정보량을 구하시오.

반응 자극	1번	2번	3번	4번
♠	25			
♦		50		
♥				
♣				25

$$H(X) = 0.25\log_2(1/0.25)+0.5\log_2(1/0.5)+0\log_2(1/0)+0.25\log_2(1/0.25)$$
$$= 1.5\text{bit}$$
$$H(Y) = 0.25\log_2(1/0.25)+0.5\log_2(1/0.5)+0\log_2 1/0)+0.25\log_2(1/0.25)$$

Chapter

03 신호검출이론

1. 신호검출이론(SDT, Signal Detection Theory)

[2005년 2교시 2번] [2008년 4교시 4번] [2009년 2교시 1번] [2018년 1교시 4번] [2019년 3교시 1번] [2020년 2교시 5번] [2021년 4교시 1번]

- 소리의 강도는 연속선상에 있으며, 신호가 나타났는지 아닌지를 결정하는 반응 기준은 연속선상의 어떤 한 점에서 정해지며, 이 기준에 따라 네 가지 반응 대안의 확률이 결정된다.
- 판정자는 반응기준보다 자극의 강도가 크면 신호가 나타난 것으로 판정하고, 반응기준보다 자극의 강도가 작으면 신호가 없는 것으로 판정한다.

자극 판정	소음+신호(S)	소음(N)
신호 발생(S)	적중 (Hit) P(S/S)	허위경보 (False Alarm) P(S/N), 1 종 오류
신호 없음(N)	신호 검출 못함 (Miss) P(N/S), 2 종 오류	정기각 (Correct Rejection) P(N/N)

- 신호의 정확한 판정, 적중 (Hit) : 신호가 나타났을 때 신호라고 판정, P(S/S)
- 허위경보 (False Alarm) : 잡음을 신호로 판정, P(S/N), 1종 오류
- 신호 검출 못함 (Miss) : 신호를 잡음으로 판정, P(N/S), 2종 오류
- 잡음을 제대로 판정 (Correct Rejection) : 잡음을 잡음으로 판정, P(N/N)

※ 자극의 역치가 감소할 때 증가하는 것 2가지

- 신호의 정확한 판정, 적중 (Hit) : 신호가 나타났을 때 신호라고 판정, P(S/S)
- 허위경보 (False Alarm) : 잡음을 신호로 판정, P(S/N), 1종 오류

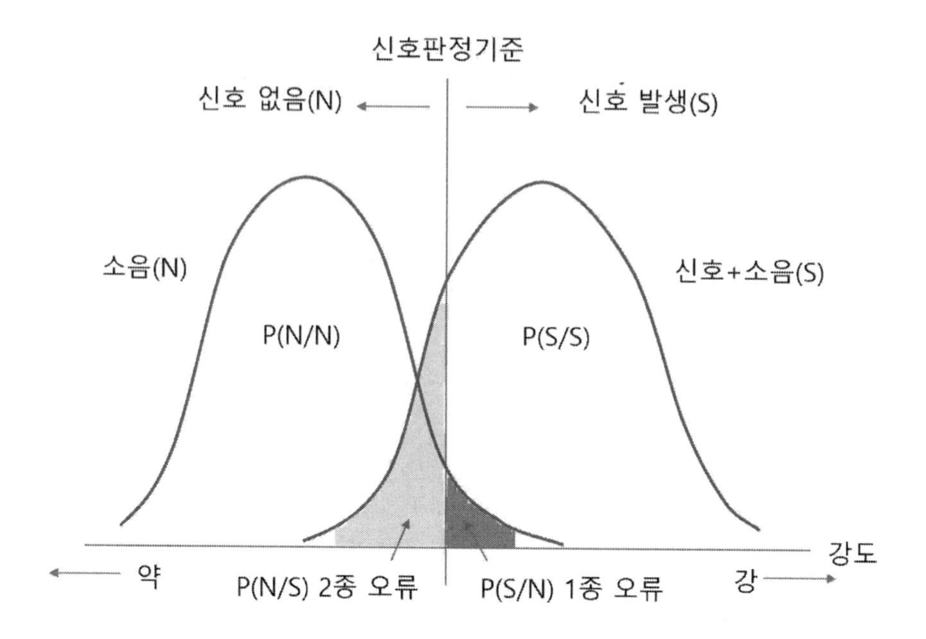

- 신호검출이론에서 신호를 소음으로부터 구분해내는 정도를 민감도(sensitivity) d'라하고, 2종 오류(신호 검출 못함) 확률과 1종 오류(허위경보) 확률의 비를 반응편중(response bias) ß라 한다.

$$\beta = \frac{P(N/S)}{P(S/N)} = \frac{2\text{종 오류}}{1\text{종 오류}}$$

- 민감도는 신호의 평균과 소음의 평균 차이가 클수록, 변동성(표준편차)이 작을수록 민감하다.

- 반응편중은 신호를 관측하는 관측자의 반응성향을 나타낸다. 반응편중이 1보다 작은 경우는 모험적인 의사결정을, 1보다 큰 경우에는 보수적인 의사결정의 경향을 나타낸다.

1) 판정기준선이 오른쪽(강도가 높은 쪽)으로 이동할 때

판정자는 신호라고 판정하는 기회가 줄어들게 되므로 신호가 나타났을 때 신호의 정확한 판정은 적어지나 허위경보는 덜하게 된다. 보수적 판정에 해당한다.

2) 판정기준선이 왼쪽(강도가 낮은 쪽)으로 이동할 때

신호로 판정하는 기회가 많아지게 되므로 신호의 정확한 판정은 많아지나 허위경보도 증가하게 된다. 진취적, 모험적 판정에 해당한다.

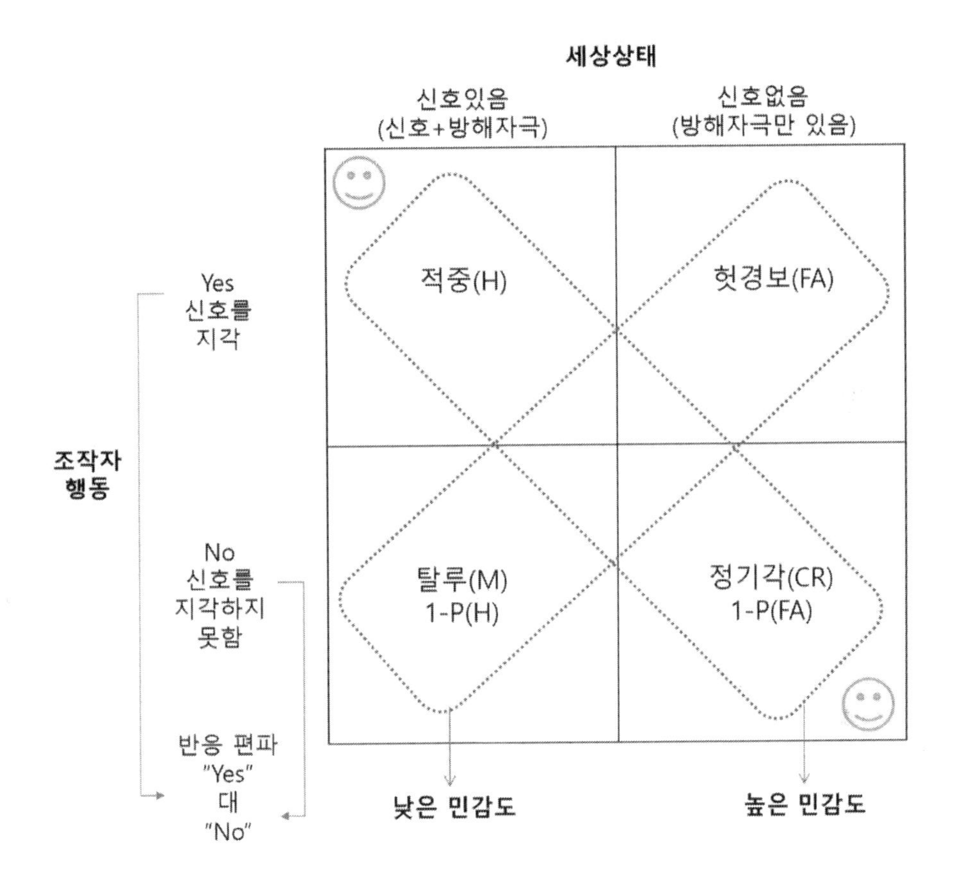

3) 작업자 1회 신호에 대한 기대비용(EC)

$$EC = V_{CN} \times P(N) \times P(N/N) + V_{HIT} \times P(S) \times P(S/S) \\ - C_{FA} \times P(N) \times P(S/N) - C_{MISS} \times P(S) \times P(N/S)$$

P(N) : 잡음이 나타날 확률

P(S) : 신호가 나타날 확률

V_{CN} : 잡음을 제대로 판정했을 경우 발생하는 이익

V_{HIT} : 신호를 제대로 판정했을 경우 발생하는 이익

C_{FA} : 허위경보로 인한 손실

C_{MISS} : 신호를 검출하지 못함으로써 발생하는 손실

Chapter

03

인간제어특성

1. 인간의 감각기능
2. 인간의 체계 제어 특성
3. 수작업 및 수공구디자인

Chapter

01 인간의 감각기능

1. 눈의 구조

[2010년 2교시 2번] [2010년 4교시 1번]

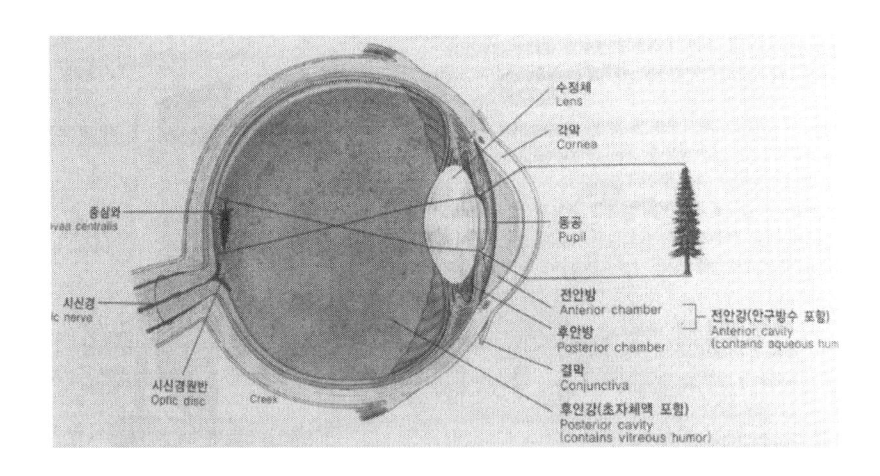

물체로부터 나오는 반사광은 동공을 통과하여 수정체에서 굴절되고, 망막에 초점이 맞추어진다. 망막은 광 자극을 수용하고 시신경을 통하여 뇌에 임펄스를 전달한다.

인간의 시각작용은 그 원리가 카메라와 매우 흡사하다.

1) 각막

눈의 가장 바깥쪽에 있는 투명한 무혈관 조직, 안구를 보호하는 방어막 역할 및 광선을 굴절시켜 망막으로 도달하게 하는 창의 역할. 시각 과정의 첫 단계

2) 동공

홍채 중앙에 구멍이 나 있는 부위. 원형이며 홍채 근육으로 인해 크기가 변함

3) 수정체

- 모양체근으로 둘러싸여 있어서 긴장하면 두꺼워져서 가까운 물체를 볼 수 있게 되고, 긴장을 풀면 납작해져서 원거리에 있는 물체를 볼 수 있게 됨
- 노년으로 되어감에 따라 수정체의 탄력이 떨어지면서 수정체의 조절력이 감퇴하는 것이므로 가까운 곳이 보기 힘들어지는 것을 노안이라고 함

4) 홍채

- 어두우면 커지고, 밝으면 작아져서 들어오는 빛의 양을 조절하는 조리개 역할

5) 망막

- 안구 뒤쪽 2/3를 덮고 있는 투명한 신경조직, 카메라의 필름에 해당
- 원추체, 간상체로 되어있음

2. 인간의 눈이 가지고 있는 능력

1) 조절능

- 서로 다른 거리에서 보이는 대상들의 이미지들이 망막 상에 초점이 맞춰지도록 수정체의 모양을 바꾸는 능력

2) 시력

- 사물의 형태를 자세히 식별하거나 표적의 모양을 구분할 수 있는 능력
- 탐지될 수 있는 최소 시각도 (호의 분)의 역수 값으로 표현
- 1.0의 시력은 관찰자가 호의 1분 (즉 1도의 1/60)의 시각도를 분석할 수 있다는 것을 의미

3) 대비 감도

- 밝은 공간의 영역과 어두운 공간 영역이 '겨우' 탐지될 수 있는 최소 대비의 역수
- 이 최소값 이하에 해당하는 대비 수준에서 두 영역은 동질적으로 보임
- 주어진 시각 자극에 대한 대비는 전형적으로 밝은 곳과 어두운 곳의 조도 차이와 두 조도값을 합한 값의 비율로 표현됨

4) 색 식별

- 색을 지각하는 것을 의미하며, 망막의 원추세포에 의해 일어난다.
- 적, 녹, 청의 삼원색에 대응하는 빛의 파장 범위에 민감하다.
- 색을 인식하려면 원추세포가 활성화되어야 하므로 어두운 상황에서는 그 기능이 감소하게 된다.

3. 순응(adaptation) : 빛에 대한 눈의 감도 변화

[2006년 4교시 3번] [2016년 4교시 5번] [2018년 1교시 8번] [2019년 4교시 1번]
[2021년 3교시 3번] [2022년 1교시 2번]

가. 순응(Adaptation)

- 새로운 광도 수준에 대한 적응, 동공의 축소, 확대에 의해 이루어짐
- 순간 어두워지면 아무것도 보이지 않다가 일정 시간 뒤 보이거나, 밝은 곳에 노출되면, 눈이 부셔 보기 힘들다가 일정 시간이 지나면 점차 사물 형상을 구분하는 것처럼 동공의 확대, 축소하는 기능에 의하여 발생
- 명순응이 암순응보다 빠르다.

나. 순응의 구분

1) 암순응과 간상세포

밝은 곳에서 어두운 곳으로 이동 시, 순간적으로 원추세포의 작동이 멈추어 사물 식별이 어렵다가, 점차 간상세포가 작동하는 과정

- 암순응은 밝은 곳에서 어두운 곳으로 들어갈 때의 적응으로 동공이 확대되어 빛의 양을 늘림
- 어둠 속에서 순응은 2단계로 발생

구분	시간	주체
1단계	약 5 분	원추체
2단계	약 30~40 분	간상체

- 간상세포는 어두울 때 기능이 작동되며, 명암을 구분함
- 간상세포는 막대 모양으로 망막 전체에 분포

2) 명순응과 원추세포

어두운 곳에서 밝은 곳으로 이동 시, 순간적으로 간상세포의 작동이 멈추어 사물 식별이 어렵다가, 원추세포가 동작하는 과정

- 명순응은 어두운 곳에서 밝은 곳으로 들어갈 때의 적응으로 동공이 축소되어 빛의 양을 줄임
- 명순응은 몇 초밖에 안 걸리며 넉넉잡아 1~2분 소요
- 원추세포는 밝을 때 기능이 작동되며, 색을 감지 구분함
- 원추세포는 원추 모양으로 망막의 황반에 밀집되어 있음

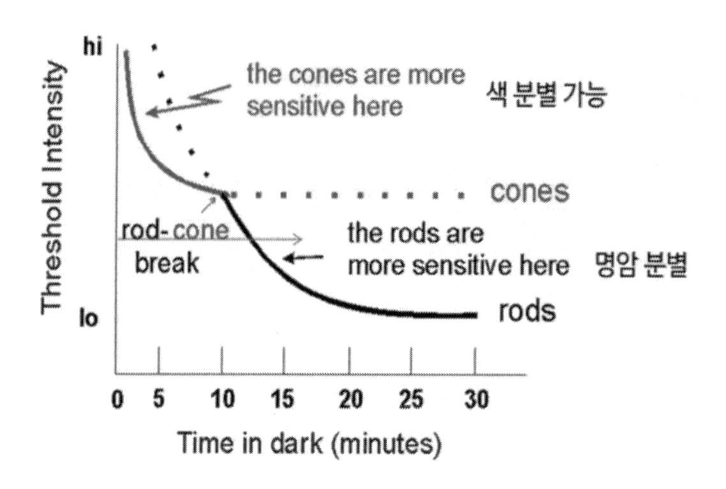

4. 시식별에 영향을 미치는 요인

[2005년 4교시 1번] [2006년 2교시 5번] [2007년 3교시 2번] [2008년 1교시 1번]
[2009년 4교시 3번] [2012년 2교시 3번] [2014년 3교시 6번] [2015년 1교시 11번]
[2018년 1교시 1번]

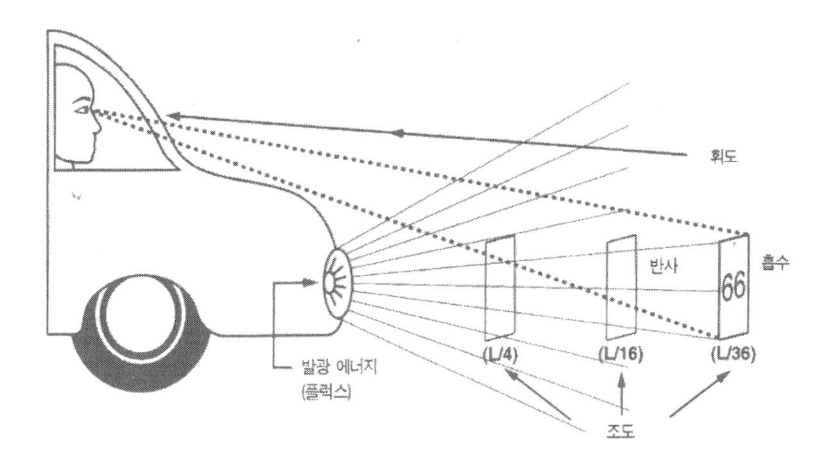

1) 광도(luminous) : 광원 자체의 고유 밝기 또는 빛의 세기. 단위 칸델라(cd)
   - 1칸델라는 촛불 1개의 빛의 세기

2) 광속(광량) : 광원에 의해 초당 방출되는 빛의 전체 양 단위 : lm(루멘)]
   - 1루멘은 1칸델라의 광원에서 1m 떨어진 구면 위에 1㎡의 면적을 1초 동안 통과하는 빛 에너지양

3) 조도(illuminance) : 빛을 받는 면의 단위면적이 단위시간에 받는 광량

- 빛의 밀도. 어떤 광원으로부터 일정 거리 떨어진 곳에서의 밝기로써 1cd의 광원으로부터 1m 떨어진 곳의 조도는 1lumen/㎡로 1lux라 한다.

$$조도 = \frac{광량}{거리^2}$$

4) 휘도 : 단위 면적당 표면에서 반사 또는 방출되는 광량을 말함

[단위 : L(람버트)]

5) 반사율(reflections) : 표면으로부터 반사되는 비율로서 휘도와 조도의 비율

- 검은색 표면은 도달하는 대부분의 조도를 흡수하기 때문에 휘도가 거의 없지만, 흰색 표면은 대부분 반사함
- 추천반사율은 천정은 80~90%, 벽은 40~60%, 가구는 25~45%, 바닥은 20~40%

$$반사율(\%) = \frac{광도}{조도} = \frac{cd/m^2 \times \Pi}{lux}$$

6) 대비

과녁과 배경 사이의 광도대비라 한다.

광도대비는 보통 과녁의 광도(L_t)와 배경의 광도(L_b)의 차를 나타내는 척도이다.

7) 광도비

시야 내에 있는 주시 영역과 주변 영역 사이의 광도의 비를 광도비라 하며, 사무실 및 산업 상황에서의 추천 광도비는 보통 3:1이다.

8) 과녁의 이동

과녁이나 관측자(또는 양자)가 움직일 경우에는 시력이 감소한다. 이런 상황에서의 시식별 능력을 동적 시력이라 한다. 예를 들어, 자동차를 운전하면서 도로변에 있는 물체를 보는 경우에 동적시력이 활동한다.

9) 휘광

휘광(눈부심)은 눈이 적응된 휘도보다 훨씬 밝은 광원이나 반사광으로 인해 생기며, 가시도와 시성능을 저하시킨다. 휘광에는 직사휘광과 반사휘광이 있다.

<계산문제>

1. 1cd의 점광원으로부터 다음과 같은 곡면에 비추는 조도(illuminance)는?
[2005년 4교시 1번]

$$조도 = \frac{광량}{구의\ 표면적}$$

1) 1m 떨어진 곡면의 1m²에 비추는 조도는?

$$1m에서의\ 조도 = \frac{4\pi lumen}{4\pi d^2} = 1lumen/m^2 = 1lux$$

2) 1m 떨어진 곡면의 0.5m²에 비추는 조도는?

조도는 단위면적(m²)당 광량이므로 거리가 1m에서의 밀도인 조도는 1lux로 같다.

3) 2m 떨어진 곡면의 1m²에 비추는 조도는?

$$2m에서의\ 조도 = \frac{4\pi lumen}{4\pi(2m)^2} = \frac{1}{4}lumen/m^2 = \frac{1}{4}lux$$

4) 2m 떨어진 곡면의 0.5m²에 비추는 조도는?

조도는 단위면적(m²)당 광량이므로 거리가 2m에서의 밀도인 조도는 1/4lux로 같다.

5) 0.5m 떨어진 곡면의 0.5m²에 비추는 조도는?

$$\frac{1}{2}m에서의\ 조도 = \frac{4\pi lumen}{4\pi(1/2m)^2} = 4lumen/m^2 = 4lux$$

2. 작업장 안전표지판의 배경반사율이 80%이고, 표적(안전표지)의 반사율이 10% 일 때 배경에 대한 표적의 광도대비를 구하시오.

$$대비(\%) = 100 \times \frac{L_b - L_t}{L_b}$$

L_t=과녁의 광도, L_b=배경의 광도

$$대비(\%) = 100 \times \frac{80-10}{80} = 87.5\%$$

5. 최소 가분 시력

[2010년 1교시 2번] [2013년 3교시 1번] [2023년 1교시 1번] [2024년 1교시 8번]

인간의 시력을 측정하는 방법에는 여러 가지가 있으나 가장 보편적으로 사용되는 것은 최소가분 시력(minimal separable acuity)으로, 이는 눈이 식별할 수 있는 표적의 최소공간을 말한다.

시각은 보는 물체에 의한 눈에서의 대각인데, 일반적으로 호의 분이나 초 단위로 나타낸다. (1°=60′=3600″). 시각에 대한 개념은 다음 그림과 같으며, 시각이 10° 이하일 때는 다음 공식에 의해 계산된다.

$$시각 = \frac{(57.3)(60)\ H}{D} \qquad 시력 = \frac{1}{시각}$$

[관련 기출문제]

그림은 물체의 거리와 높이에 따른 시각을 나타낸 것이다. 표지판의 문자 높이 크기는 시각이 15~22′ 정도 내에 있기를 권장하고 있다. 최적 시각이 20′라고 하였을 경우 10m 떨어진 곳에서 최적의 조건으로 볼 수 있는 글씨의 크기(L)를 구하시오.

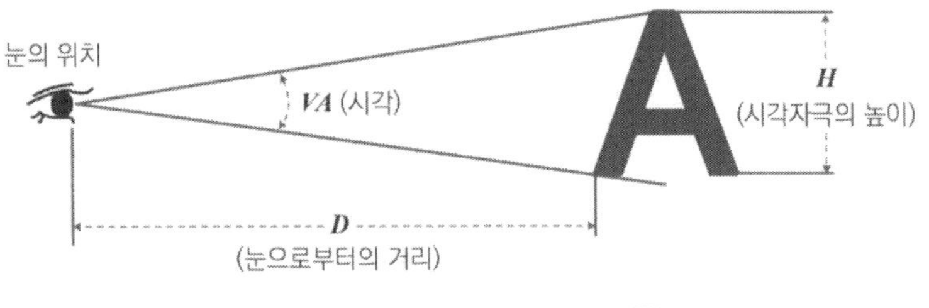

$$시각(') = \frac{57.3 \times 60 \times H}{D}$$

H : 시각 자극(물체)의 크기(높이)

D : 눈과 물체 사이의 거리

(57.3)(60) : 시각이 600\` 이하일 때 라디안(radian) 단위를 분으로 환산하기 위한 상수

$$20' = \frac{57.3 \times 60 \times H}{10m}$$

$$H = \frac{200}{57.3 \times 60} = 0.058m = 5.8cm$$

6. 시력과 대비 감도에 영향을 미치는 요인

[2009년 2교시 5번]

※ 대비 민감도(contrast sensitive, CS)
밝은 공간 영역과 어두운 공간 영역이 '겨우' 탐지될 수 있는 최소 대비의 역수로 정의

변인	효과	예시
낮은 대비	가시도 낮아짐	회색 바탕에 검은색
낮은 조도	대비 민감도 낮아짐	좋지 못한 조도에서 지도를 보는 것
비대칭적인 대비	흰색 바탕의 검은색이 검은색 바탕의 흰색보다 더 좋음	그래프의 설계
공간 빈도	3C/D 에서 최적의 대비 민감도	주어진 관찰 거리에서 이상적인 글자체의 크기
시각적 조절	대비 민감도 낮아짐	야간 운전 중에 지도를 보는 것
운동	대비 민감도 낮아짐	움직이면서 도로표지를 보는 것

1) 대비
회색 바탕의 검은색과 같이 낮은 대비는 가시도를 낮게 만든다.

2) 조도
낮은 조도는 대비에 대한 민감도를 감소시키고, 낮은 빈도에서보다는 (추상체의 영향을 받는) 높은 공간 빈도의 경우에 민감도를 더 감소시킨다.
이는 낮은 조도에서 작은 글자를 읽기 어려운 것을 설명해준다.

3) 비대칭적 대비
그래프의 설계는 흰색 바탕에 검은색이 검정 바탕의 흰색인 경우보다 시력과 대비 감도를 좋게 하므로 비대칭적인 대비를 피해야 한다.

4) 공간 빈도

1도의 시각도(cycle/degree)를 차지하는 밝음과 어두움의 주기 수. 주어진 관찰 거리에서 이상적인 글자체의 크기가 존재하며 3c/d에서 최적의 대비 민감도를 가진다.

5) 시각적 조절

야간 운전 중에 지도를 보는 것이나 노화에 따라 시각 능력이 저하된 상태에서 글자를 읽을 때 대비 민감도가 떨어진다.

6) 운동

움직이면서 지도를 보는 등 관찰자 자체나 관찰 대상이 움직이는 경우 대비 민감도가 떨어진다.

7. 터널의 진입 전과 후의 인간의 시각 기능 변화에 따라 조명 설치

[2006년 4교시 3번] [2016년 4교시 5번] [2018년 1교시 8번] [2019년 4교시 1번]

1) 암순응

밝은 곳에서 어두운 곳으로 이동 시, 순간적으로 원추체포의 작동이 멈추어 사물 식별이 어렵다가, 점차 간상세포가 작동하는 과정

2) 조명 설치 시 고려사항

- 터널 내부의 조명을 500lux 정도 될 수 있도록 조명을 설치한다.
- 터널 외부의 조명환경이 변화함에 따라 터널 내부와 외부의 휘도 비율을 유지하기 위해 종종 단계조정을 시행할 필요가 있다. 단계조정은 조명기구의 수와 램프의 소비전력을 각 단계 내에서 조정하거나 시스템의 회로설계를 바꿈으로써 가능하다.
- 경계부와 이행부 구간 사이의 급격한 휘도차로 인해 터널 벽면에 진한 그림자가 생기는 현상을 방지하기 위하여 휘도를 단계적으로 낮추거나 조명기구의 간격을 점진적으로 길게 하는 방법을 채택한다.
- 눈이 터널 휘도에 적절히 순응하기 위해서는 터널 내부 표면의 휘도가 균등할 필요가 있음. 터널의 휘도는 포장도로, 벽면, 천장의 영향을 받으며 터널 내부의 휘도 상태를 고려하여 조명을 설치한다.

8. 깊이에 대한 회화적 단서들

[2018년 2교시 5번]

1) 상대적 크기 (relative size)

만일 두 개의 같은 크기를 갖는 대상들(예:그림에서의 두 대의 트럭)이 있다면, 더 작은 시각도(그림에서 멀리 있는 트럭)를 차지하는 대상이 더 멀리 있을 것이라는 지식에 바탕을 둔 단서

2) 직선 조망 (linear perspective)

좀 더 먼 지점으로 뻗어 있는 평행선들의 수렴(예:도로)을 나타낸다.

3) 중첩 (interposition)

더 가까이 있는 대상들을 더 멀리 있는 대상들의 윤곽을 가리는 경향이 있다. (도로변의 두 건물)

4) 빛과 그림자

3차원 대상들은 빛에 의해 그림자를 만들고, 자신들의 표면에도 밝은 부분과 어두운 부분을 차별적으로 만드는 경향이 있다. 이러한 그림자들은 대상의 위치나 3차원 형태에 관한 정보를 제공한다.

5) 표면결 구배 (texture gradient)

시각으로 본다면 결이 있는 모든 표면은 표면결 밀도(공간 빈도)에서의 변화를 보인다. (예:그림에 제시된 미국 아이오와주의 전형적인 옥수수밭) 더 조밀한 표면결은 더 멀리 떨어져 있는 영역을 말하고, 시각도 단위당 표면결의 변화량은 시선에 대한 기울기 각도를 알려준다.

9. 소음 방지 대책

[2014년 2교시 1번] [2015년 3교시 2번] [2016년 3교시 2번]

분류	방법	예시
소음원 대책	진동량과 진동 부분의 표면을 줄임 장비의 적절한 설계, 관리, 윤활 차음벽 설치 노후부품 교환 덮개, 장막 사용 탄력성 있는 재질의 공구 사용	부조합 조정, 부품 교환 저소음형 기계의 사용 방음커버 소음기, 흡음덕트 방진 고무 사용 제진재 장착 소음기, 덕트, 차음벽 사용 자동화 도입
전파경로 대책	소음원을 멀리 이동시킴 흡음재를 사용하여 반사음을 억제 소음기, 차음벽 이용	변경배치 차폐물, 방음창, 방음실 건물 내부 흡음처리 소음기, 덕트, 차음벽 이용
수음자 대책	방음용구 착용 (귀마개, 귀덮개 착용) 노출 시간 단축 및 적절한 휴식	방음 감시실 작업일정의 조정, 원격조정 귀마개, 귀덮개

10. 은폐 효과 (Masking Effect)

[2005년 1교시 6번] [2024년 1교시 11번]

- 음의 한 성분이 다른 성분의 청각 감지를 방해하는 현상을 말한다. 즉, 은폐란 한 음(피 은폐음)의 가청 역치가 다음 음(은폐음) 때문에 높아지는 것을 말한다.
- 산업 현장에서 소음(은폐음)이 발생할 때 신호 검출의 역치가 상승하며 신호가 확실히 전달되기 위해서는 신호의 강도는 이 역치 상승분을 초과해야 한다.
- 은폐 효과는 은폐음과 피은폐음의 종류 즉, 순음, 복합음, 백색소음, 음성 등에 따라 달라진다.

1) 은폐음이 소음인 경우

- 순음의 역치가 주파수에 따라 15~30dB 정도 증가
- 높은 진동수에서 더 큰 증가
- 피은폐음을 듣기 위해서는 피은폐음의 수준이 은폐 효과만큼 높아야 함

2) 은폐음이 순음인 경우

- 은폐음과 그 배음들의 진동수 주위에서 은폐 효과가 강하게 나타남
- 은폐음과 그 배음들의 진동수와 가까운 곳에서는 맥놀이(beat) 현상으로 인하여 은폐 효과가 현저히 감소 → 순음 신호가 잘 들림

낮은 수준(20~40dB)의 은폐음 경우에는 은폐 효과가 은폐음의 주위에 한정되나, 높은 수준 (80~100dB)의 경우에는 은폐음보다 높은 진동수까지 은폐 효과가 일어난다.

11. 소음과 관련된 명료도지수(Articulation Index)

[2006년 1교시 2번] [2008년 1교시 6번]

음 환경을 알고 있을 때의 이해도를 추정하기 위해 개발되었으며 말소리의 질을 결정하기 위해 많이 사용함

- 명료도지수를 계산하는 절차
  1. 말소리 정보가 분포하는 스펙트럼을 몇 개의 구간으로 나눈 후 각 구간에 따라 신호 대 소음의 비율을 계산
  2. 비율 값을 로그값으로 전환 (그림에서 두 번째 단계)
  3. 서로 다른 주파수 대역에 따라 서로 다른 가중치가 주어지는데, 말소리 신호에 상대적으로 더 영향을 미치는 대역 (즉 소음의 파워보다 말소리의 파워가 더 큰 구간)에 더 큰 가중치를 부여 (그림에서 세 번째 단계)
  4. 각각의 대역에 대하여 이 가중치를 말소리 대 소음의 로그 비율 값과 각각 곱한 후 합산하여 명료도지수를 산출

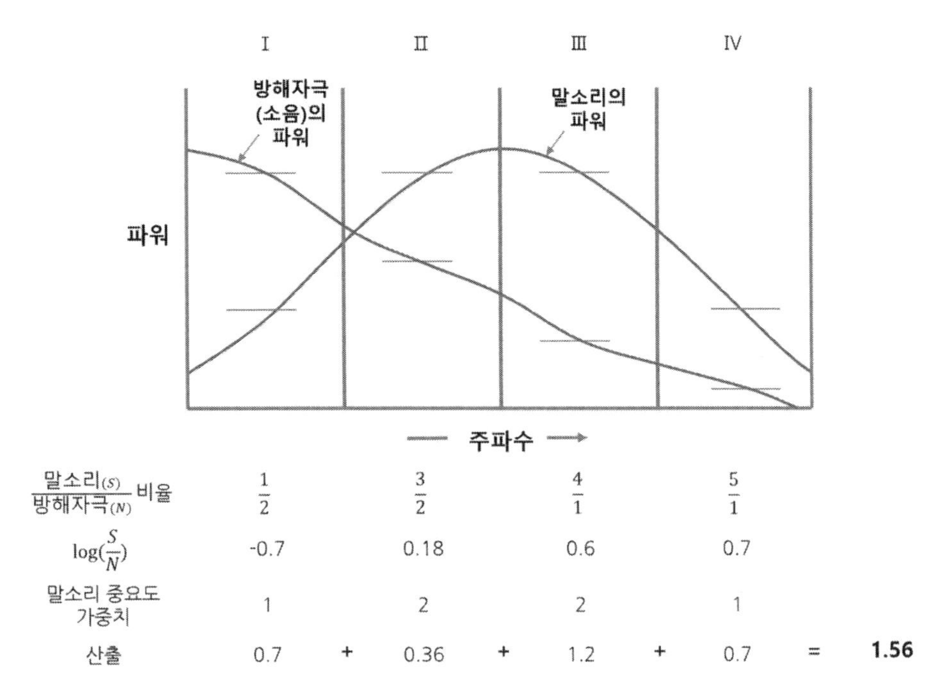

	Ⅰ		Ⅱ		Ⅲ		Ⅳ		
$\frac{\text{말소리}_{(S)}}{\text{방해자극}_{(N)}}$ 비율	$\frac{1}{2}$		$\frac{3}{2}$		$\frac{4}{1}$		$\frac{5}{1}$		
$\log(\frac{S}{N})$	-0.7		0.18		0.6		0.7		
말소리 중요도 가중치	1		2		2		1		
산출	0.7	+	0.36	+	1.2	+	0.7	=	**1.56**

명료도 계산 방식에 대한 도식적 표상. 여기에서의 말소리 스펙트럼은 네 개의 구간으로 분리되어 각각의 구간에서 말소리 신호에 기여하는 상대적 파워에 따라 가중치가 달리 주어졌다.

12. 음압 계측기에 사용되는 척도로 dB(A), dB(B), dB(C)

[2010년 2교시 3번]

- 음압 계측기(Sound Level Meter)에 의한 소음 레벨의 측정에는 A, B, C의 3특성이 있다.
- A는 40phon의 등청감 곡선과 거의 동일하도록 만들어진 곡선이며, B는 70phon, C는 평탄 특성이다.
- A가 인간 귀의 반응 특성에 가장 가까운 척도이다.

13. 주의 및 부주의의 특성

[2012년 3교시 5번] [2017년 1교시 12번] [2021년 2교시 1번] [2022년 1교시 4번] [2024년 4교시 2번]

가. 주의 : 선택성, 변동성, 방향성, 1점 집중성

1) 선택성

- 사람은 한 번에 여러 종류의 자극을 지각하거나 수용하지 못하며, 소수의 특정한 것으로 한정해서 선택하는 기능을 말한다.
- 주의력에 한계가 있어 주의력을 선택적으로 배분
- 주의력의 중복 집중의 곤란
  - 주의는 동시에 두 개 이상의 방향을 잡지 못한다.
  - 주의력의 한계가 있어 주의력을 선택적으로 배분

2) 변동성

- 주의력의 단속성(고도의 주의는 장시간 지속할 수 없다.)
- 주의는 리듬이 있어 언제나 일정한 수준을 지키지는 못한다.
- 주의력 수준의 고저가 주기(40~50분)적으로 변동

3) 방향성

- 한 지점에 주의하면 다른 곳의 주의는 약해진다.
- 주의의 초점이 존재해 그곳에는 주의 수준이 높으나 주변으로는 거리가 멀어질수록 저하
- 주의의 외향과 내향(개인의 내부 심리상태에 집중)
- 주의를 집중한다는 것은 좋은 태도라고 볼 수 있으나 반드시 최상이라고 할 수는 없다.
- 공간적으로 보면 시선의 초점에 맞았을 때는 쉽게 인지되지만, 시선에서 벗어난 부분은 무시되기 쉽다.

4) 1점 집중성

사람은 돌발사태에 직면하면 공포를 느끼게 되고 주의가 일점(주시점)에 집중되어 판단정지 및 멍한 상태에 빠지게 되어 유효한 대응을 못하게 된다.

나. 부주의 : 억측 판단, 근도 반응, 초조 반응, 생략행위

- 목적 수행을 위한 행동 전개 과정에서 목적에서 벗어나는 심리적, 신체적 변화 현상
- 주의의 저하나 주의가 산만해진 상태
- 부주의 현상은 의식 수준과 관계가 있으며 다음과 같은 경우 발생

① 의식 수준의 저하 및 파동
- 뚜렷하지 않은 의식의 상태로 심신이 피로하거나 단조로움 등에 의해서 발생
- 최대집중시간 40~50분

② 의식의 우회
- 의식의 흐름이 샛길로 빗나갈 경우로 작업 도중 걱정, 고뇌, 욕구불만 등에 의해서 발생
- 가정불화, 개인적 고민, 공상으로 인한 부주의

③ 의식의 단절
- 의식의 흐름에 단절이 생기고 공백 상태가 나타나는 경우 (의식의 중단)
- 의식은 깨어있으나 의식 흐름이 단절된 상태

④ 의식의 과잉
- 돌발사태, 긴급 이상 사태 직면 시 순간적으로 의식이 긴장하고 한 방향으로만 집중되는 판단력 정지, 긴급 장위 반응 등의 주의의 일점 집중 현상이 발생

1) 억측 판단
- 자의적인 주관적 판단, 희망적 관측을 토대로 위험을 확인하지 않은 채 괜찮을 것으로 생각하고 행동하는 것
- 교차로에서 신호를 기다리고 있던 자동차가 전방의 신호가 녹색으로 바뀌고 나서 출발하는 것이 아니라, 좌우의 신호가 적색으로 바뀌자마자 바로 출발하는 행동 등이 이것에 해당

2) 근도 반응

- 완곡한 방법을 취하지 않고 충동적으로 행동하는 일

3) 초조 반응

- 감지, 판단, 행동의 순서를 판단 없이 행동하는 것

4) 생략행위

- 지름길반응과 유사한 행동으로서 규칙 무시와 제멋대로의 판단에서 나오는 행동
- 예) 작업 시에 소정의 작업 용구를 사용하지 않고 가까이에 있는 다른 용도의 용구를 사용하는 것, 소정의 보호구를 사용하지 않는 것, 정해져 있는 작업 절차를 지키지 않는 것

※ 지름길반응 : 지나가야 할 길이 있음에도 불구하고, 가급적 가까운 길을 걸어 빨리 목적장소에 도달하려고 하는 행동

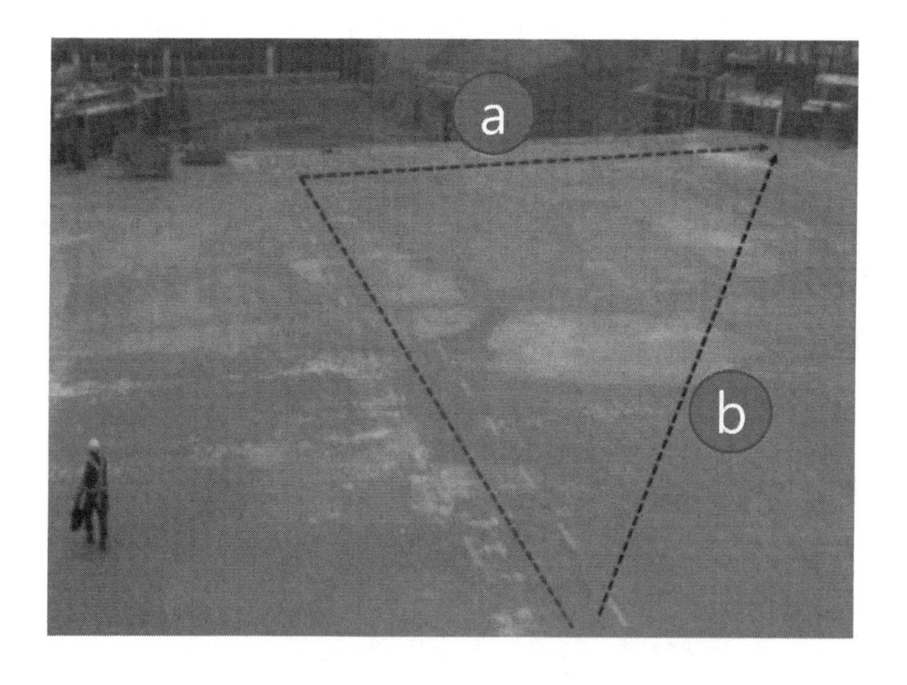

14. 주의의 넓이와 깊이

[2024년 4교시 2번]

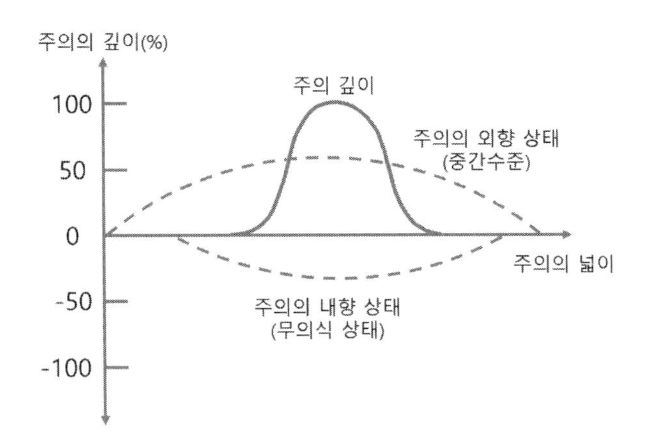

<주의의 집중과 배분>

- 주의를 강하게, 넓게 하면 주의의 범위가 좁아지고 약해짐
- 세로축에서 0 이하로 내려가면 주의의 깊이가 낮아지고, 가로축에서 우측으로 가면 갈수록 주의가 분산됨
- 중요한 일을 할 때는 그림과 같이 주의의 깊이가 깊어져야 함

15. 부주의 현상 대처방안

주의력이 떨어지는 부주의 현상은 의식 수준과 연관 관계가 높으며, 부주의에 의한 사고를 예방하려는 대처방안은 다음과 같다.

원인	대처방안
외적 원인	작업환경개선, 작업순서의 조절 및 개선 등
내적 원인	적성배치, 상담, 안전교육 및 훈련 시행 등
정신적 측면	주의력 집중훈련, 스트레스 해소 대책, 안전 의식의 재고, 작업 의욕의 고취 등
기능, 작업 측면	안전작업 방법의 교육, 표준작업의 습관화 시행, 적응력 향상을 위한 작업조건개선 등
설비, 환경 측면	설비공정의 공학적 안전화 추진, 표준작업 제도의 도입, 긴급 시 안전대책 수립 등

16. 체성감각

[2006년 1교시 10번] [2012년 1교시 13번] [2021년 1교시 7번]

눈, 코, 귀, 혀와 같은 감각기 이외의 피부, 근육 및 관절 등에서 유래하는 수용기를 체성감각(somatic sensation)이라고 함

- 체성감각의 수용기는 신체 전체에 분포
- 수용기의 밀도는 감각의 종류 및 부위에 따라 차이가 남
- 체성감각은 크게 피부감각과 심부감각으로 구분
  - 표면감각 또는 피부감각 : 피부에서 느끼는 촉각, 압각, 온각, 냉각 및 통각 등
  - 심부감각 : 근육, 건 및 관절 등에서 유래하는 감각 또는 위치감각 등

17. 시각 정보와 체성감각 정보의 차이점

[2006년 1교시 12번] [2021년 1교시 7번]

- 시각 정보는 빛에 의한 자극을 전기적 신호로 바꾸어 시신경을 통하여 뇌의 시상을 거쳐 대뇌피질의 후두엽에 있는 시각중추에 전달된다.
  그러나 체성감각 정보는 체성신경을 통하여 시상을 거쳐 감각중추로 전달된다.
- 시각 정보와 같은 특수 감각에 의한 정보는 중추신경계를 통해 대외에 전달되지만, 체성감각 정보는 말초신경계를 통하여 전달된다.
- 시각적 정보는 일반적 정보를 전달할 수 있으며 체성감각 정보는 특수한 경우의 정보, 예를 들어 온감, 통각 등의 정보만 전달할 수 있다.
- 체성감각 정보를 전달하기 위해서는 고가의 장비와 훈련이 필요하다.
- 가상현실, 게임 등에서 현실감을 높이기 위하여 체성감각 정보의 제시가 요구된다.

Chapter

02 인간의 체계 제어 특성

1. 근육의 대사

[2005년 1교시 2번] [2011년 1교시 8번] [2015년 4교시 5번] [2019년 1교시 12번]
[2021년 1교시 8번] [2024년 1교시 5번]

- 화학적으로 결합된 에너지를 기계적 에너지로 변환시키는 과정
- 근육이 움직이기 위해서는 에너지가 필요함. 즉 ATP 없이는 근수축을 위한 액틴 필라멘트가 미오신 필라멘트로 들어가는 작용을 할 수 없음
- 근육 내, 포도당이 분해되어 근육 수준에 필요한 에너지를 만드는 과정은 산소의 이용 여부에 따라 유기성 대사와 무기성 대사로 구분됨

- 유기성 대사 : 근육 내 포도당 + 산소 → (CO_2) + (H_2O) + 열 + 에너지
- 무기성 대사 : 근육 내 포도당 + 수소 → (젖산) + 열 + 에너지

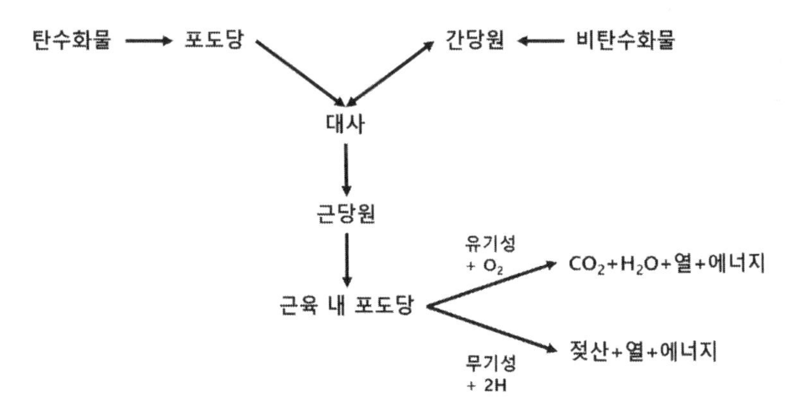

근육의 대사

2. 작업활동 중 인체의 에너지 체계

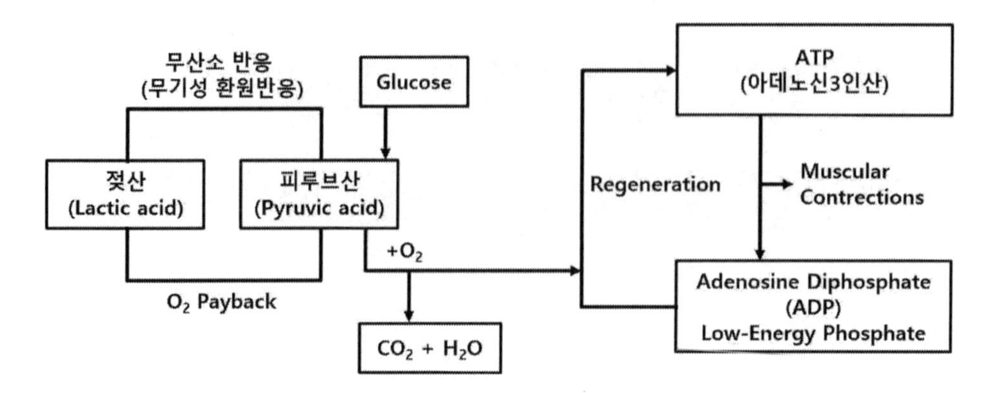

1) 피루브산 (Pyruvic acid)

다당류인 포도당이나 간당원은 혈당으로 분해되고 근육에서 혈당이 다시 피루브산으로 분해된다. 피루브산은 근육에 에너지를 공급하는 기본 당원으로 해당과정의 최종 생성물이다.

2) 무산소 반응 (무기성 환원반응)

인체 활동의 수준이 높은 경우 산소가 충분히 공급되지 않아 근육에서 무기성 환원반응이 발생하며, 이때 젖산이 축적된다.

3) 젖산 (lactic acid)

산소가 부족한 상태에서 피루브산이 수소전자(H^+)와 결합하여 생성된다. 젖산이 체내에 축적되면 피로감이 나타나며, 운동이 끝난 후에도 호흡이 정상으로 돌아오는 데 시간이 걸리는데 이것은 체내 젖산을 분해하기 위하여 체내에 산소(O_2)를 공급하기 위함이다.

4) CO_2 + H_2O

유기성 산화 과정, 피루브산이 산소(O_2)와 만나면 TCA회로 거쳐 전자전달계를 통하여 ATP를 생성하며 이 과정에서 CO_2와 H_2O가 생성된다. 산소가 충분히 공급되면 피루브산은 물과 이산화탄소로 분해되면서 많은 양의 에너지를 방출

5) ATP (아데노신3인산)

ATP에서 인산이 하나 더 빠지면 ADP(아데노신2인산)이 되며 근육에서 액틴이 미오신 필라멘트로 미끄러져 들어갈 때 일어난다. 음식물 등에서 섭취한 에너지를 이용하여 ADP는 ATP를 형성한다.

3. 무기성 대사과정

[2024년 1교시 5번]

◇ 과도한 작업이나 운동으로 인해 작업자의 체내에서 피로 물질이 형성되는 주요 무기성 대사과정은 무산소 환원 반응(anaerobic glycolysis)

◇ 무산소 환원반응은 산소 공급이 부족한 상태에서 에너지를 빠르게 생성하기 위해 주로 사용됨

◇ 무기성 대사과정

1) 포도당의 분해

- 무산소 환원 과정은 세포질에서 포도당이 분해되는 과정
- 포도당 한 분자는 두 분자의 피루브산(puruvic acid)으로 분해

2) 젖산 형성

- 산소가 충분하지 않으면 피루브산은 산화적 인산화 과정을 거치지 못하고, 대신 젖산으로 전환됨
- 젖산 탈수소효소(Lactate dehydrogenase) 효소의 작용으로 피루브산은 젖산으로 변환됨
- 이 과정에서 NAD+[1]가 재생성되어 다시 해당 과정에 사용될 수 있음

3) 에너지 생성

- 포도당 한 분자의 분해를 통해 총 2분자의 ATP가 생성됨
- 이는 무산소 조건에서 세포가 신속하게 에너지를 얻을 수 있는 방법임

◇ 피로 물질의 형성

◆ 젖산 축적

- 무기성 대사과정의 결과로 생성된 젖산은 근육 세포 내에 축적
- 젖산은 체내의 pH를 낮춰 근육의 산성도를 증가시키고, 이는 근육의 수축과 이완을 방해함
- 젖산 축적으로 인해 근육 피로, 통증, 경련 등이 발생할 수 있음

◇ 피로 회복 과정

◆ 젖산의 제거와 대사

- 젖산은 혈액을 통해 간으로 운반되어 글루코스 또는 글리코겐으로 다시 전환
- 산소가 충분히 공급되면, 젖산은 다시 피루브산으로 전환되어 에너지를 생성하는 데 사용됨

---

1) NAD+ (니코틴아마이드 아데닌 다이뉴클레오타이드, Nicotinamide Adenine Dinucleotide)는 세포 내에서 중요한 역할을 하는 보조 인자(coenzyme)로, 주로 산화-환원반응에서 전자 전달체로 기능

4. 산소 빚 (산소부채, Oxygen Debt)

[2006년 2교시 4번] [2011년 3교시 2번] [2013년 4교시 4번] [2015년 2교시 5번]

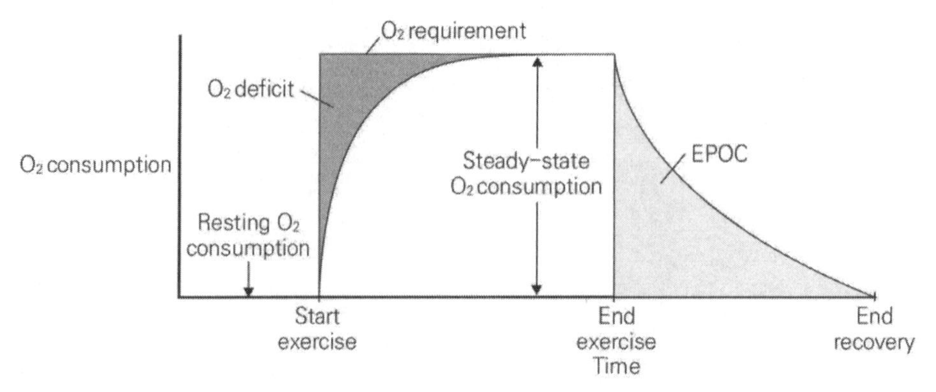

◇ EPOC(Excess Post-Exercise Oxygen Consumption)

과거에는 EPOC가 '산소 빚'이라 불림

- 평상시보다 활동이 많은 경우에는 산소의 공급이 더 많이 요구되기 때문에 작업자의 호흡수나 심박수가 많아짐
- 활동 수준이 더욱 높아지면 근육에 공급되는 산소의 양은 필요량보다 부족하게 되고 혈액에는 젖산이 축적됨
- 젖산이 체내에 축적되면 근육의 피로가 누적되고 종국에는 근육이 반응하지 않음
- 젖산의 제거 속도가 생성 속도에 미치지 못하면 작업이 끝난 후에도 남아있는 젖산을 제거하기 위하여 산소가 필요한데 이를 산소 빚 (Oxygen Debt)이라 함
- 산소 빚을 갚기 위하여 맥박과 호흡이 작업하기 이전 수준으로 바로 돌아가지 않고 서서히 감소하게 됨

5. 산소 최대섭취량 (MAP, Maximal Aerobic Power)

[2009년 1교시 9번]

- 최대 산소 소비능력
  - 작업의 속도가 증가하면 산소소비량이 선형적으로 증가하여 일정한 수준에 이르게 되고, 작업의 속도가 증가하더라도 산소소비량은 더 이상 증가하지 않고 일정하게 되는 수준에서의 산소소모량이다.
  - 최대산소소비능력은 개인의 운동역량을 평가하는데 활용된다.

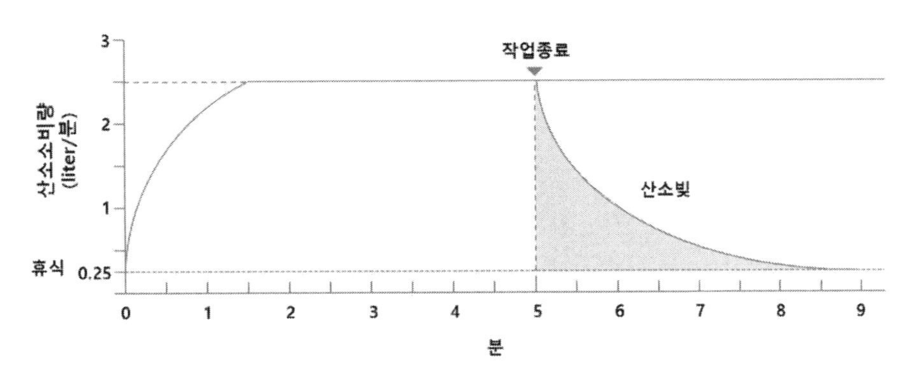

- 최대 산소 소비능력은 사람이 상압에서 공기를 호흡하면서 운동할 때의 산소 최대섭취량으로 정의한다. MAP 수준에서는 에너지 대사가 주로 혐기적으로 일어나며, 근육과 혈액 중의 락트산 수준이 급격하게 상승한다.
  개인의 MAP가 클수록 순환기 계통의 효능이 크다.
- 사춘기 이전의 남녀는 MAP에 큰 차이가 없다. 사춘기 후의 여성의 MAP는 평균적으로 남성의 65~75% 정도이다.
- 성별과 관계없이 18~21세 정도에 최고가 되었다가 점점 줄어든다. 65세 평균 MAP는 25세 때 수준의 70% 정도에 이른다. 또, 65세 남성의 MAP는 25세 여성의 MAP와 거의 같다.
- 유전인자가 MAP 결정에 중요한 역할을 하는 것으로 보이고, 매주 3회 30분 동안 육체적인 훈련을 하면 MAP는 10~20% 증가한다.

6. 기초대사율 (Basal Metabolic Rate)

생명 유지에 필요한 단위 시간당 에너지양

- 기초대사율은 체형, 나이, 성별 등 개인차에 따라 다름
- 일반적으로 신체가 크고 젊을수록, 여자보다는 남자의 기초대사량이 큼

구분	기초대사량	평균대사량	최대대사량	권고작업대사량 (NIOSH)
남자	1.2 kcal/min (1700kcal/day)	1.7 kcal/min (2400kcal/day)	15 kcal/min	5 kcal/min
여자	1.0 kcal/min (1400kcal/day)	1.4 kcal/min (2000kcal/day)	10.5 kcal/min	3.5 kcal/min

7. 체순환, 폐순환

[2011년 3교시 4번]

1) 체순환 (systemic circulation)

- 대순환이라고도 한다.
- 혈액이 심장으로부터 온몸으로 순환한 후 다시 심장으로 되돌아오는 순환로
- 좌심실에서 나온 혈액이 대동맥을 통하여 전신에 분포된 소동맥을 거쳐 모세혈관으로 가서 영양분과 산소를 말초조직에 공급하고, 탄산가스와 각종 노폐물을 취하여 정맥혈이 되어 상대정맥과 하대정맥을 통해 우심방으로 되돌아나오는 과정을 말한다.
- 체순환은 전신 순환혈량의 4/5에 해당

좌심실 → 대동맥 → 동맥 → 소동맥 → 모세혈관 → 소정맥 → 대정맥 → 상대정맥 → 하대정맥 → 우심방

2) 폐순환 (pulmonary circulation)

- 소순환이라고도 한다.
- 심장과 폐 사이의 순환로이며, 체순환과 비교하면 훨씬 짧다.
- 폐순환은 심장의 우심실에서 유출된 정맥혈이 폐동맥을 통하여 폐로 들어가서 폐포의 모세혈관에서 가스 교환을 하고, 산소를 받아들인 동맥혈을 폐정맥을 통하여 좌심방으로 보내는 과정
- 폐순환은 전신 순환혈량의 1/5에 해당

우심방 → 우심실 → 폐동맥 → 폐 → 폐정맥 → 좌심방

Chapter

03 수작업 및 수공구디자인

1. 수공구 설계의 인간공학적 원리

[2013년 4교시 5번] [2014년 4교시 5번] [2018년 2교시 3번] [2019년 1교시 3번] [2024년 3교시 3번]

1) 수공구의 무게

공구는 사용자가 한 손으로 쉽게 공구를 취급할 수 있어야 한다. 무게는 연속해서 반복적으로 사용하는 공구 무게는 1kg 이하이어야 하며, 대부분의 공구 무게는 2.3kg 이하로 설계되어야 한다.

2) 수공구의 손잡이

수공구의 손잡이는 사용자가 최대 힘을 내기 위해서 파워그립 형태의 지름이 32~45mm가 적당하고, 손잡이 길이는 100mm 이상이 좋다.

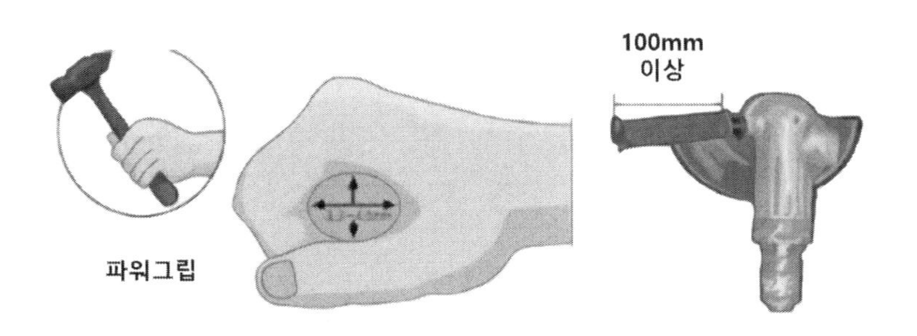

3) 손잡이의 형태

권총 모양의 손잡이는 힘이 수평으로(수직면에) 사용하도록 하고, 일자형 손잡이는 힘이 수직으로 가하도록(수평면에 사용) 해야 한다.

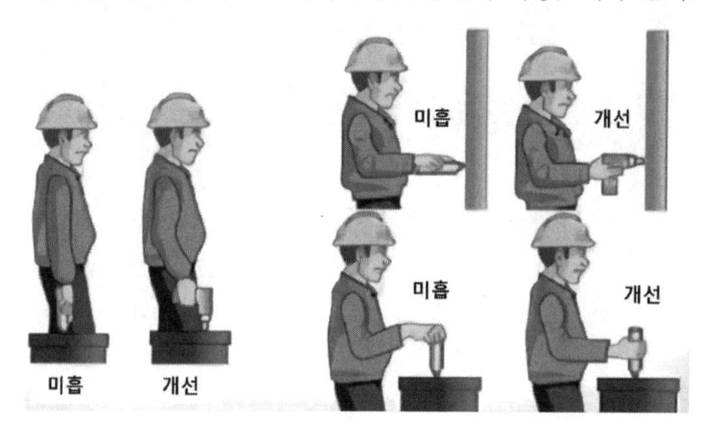

4) 수공구 손잡이 간의 간격

작업하기 좋은 수공구 손잡이 간의 간격은 50~65mm를 권장하고 있다.

5) 동력 공구의 방아쇠(제동장치)

한 손가락만을 사용하는 방아쇠가 아닌 적어도 세 손가락 또는 네 손가락을 사용하는 것으로 선택 또는 설계해야 한다.

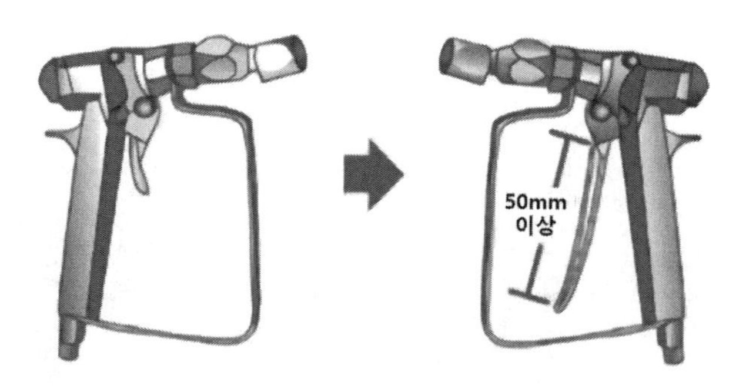

6) 손잡이 재질 및 질감

작업장 상황에 의해 불가능할 경우는 고무 재질 등으로 표면처리 하여 미끄러지거나 놓치는 현상 등을 방지하여야 하고, 비전도성의 손잡이 재질을 사용하도록 해야 한다.

7) 진동

동력 공구를 사용하는 작업에서는 진동이 적게 발생하도록 설계된 동력 공구를 구매하여 사용하도록 해야 하며, 또는 진동 방지 장갑을 착용하여 진동에 대한 노출을 최소화해야 한다.

2. 수공구 디자인의 인간공학적 원칙

[2014년 4교시 5번] [2018년 2교시 3번]

- 손목의 중립적 자세의 유지
- 손잡이(그립)
  - 지름, 길이에 인체측정치 고려
  - 손의 자세와 적용되는 힘 고려
- 손가락의 반복 동작 회피
- 접촉 스트레스의 최소화
- 올바른 방향으로 사용

[관련 기출문제]

다음 그림은 수공구를 사용하는 자세이다. 다음 물음에 답하시오.

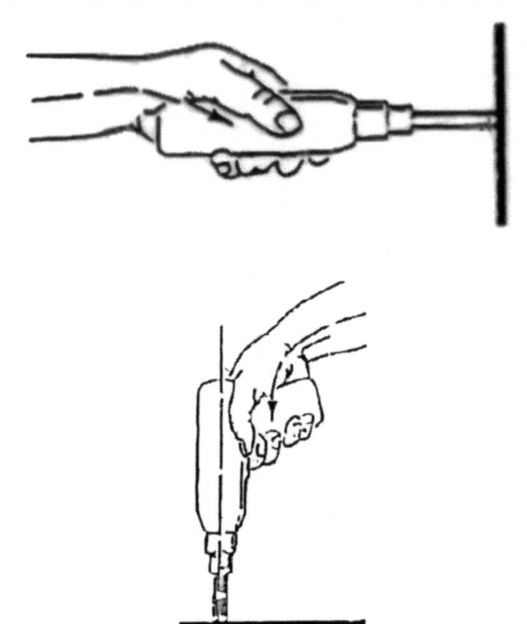

- 생체역학적 측면에서의 문제점

그림에서 작업자는 손목을 중립자세에서 벗어나 작업을 하고 있고,
이로 인해 과도한 생체역학적 스트레스로 인한 불편함, 통증, 피로, 질병/부상이 발생할 수 있다.

권총 모양의 손잡이는 힘이 수평으로(수직면에) 사용하도록 하고,
일자형 손잡이는 힘이 수직으로 가하도록(수평면에 사용) 해야 한다.

Chapter

04

작업 설계 및 개선

1. 인체측정 및 응용
2. 작업공간 설계 및 배치원칙
3. 유니버설디자인

Chapter

01 인체측정 및 응용

1. 구조적 치수, 기능적 치수

[2005년 1교시 8번] [2011년 2교시 4번] [2013년 2교시 1번] [2015년 1교시 11번] [2015년 2교시 4번] [2017년 1교시 3번] [2018년 1교시 10번] [2021년 1교시 3번]

1) 구조적 치수 (structural dimension)

- 형태학적 측정 또는 정적 측정
- 표준자세에서 움직이지 않는 피측정자를 마틴식 인체측정기로 구조적 치수를 측정하여 특수 또는 일반적 용품의 설계에 기초자료로 활용한다.
- 나체 측정이 원칙

2) 기능적 치수 (functional dimension)

- 동적 인체측정
- 상지나 하지의 운동, 체위의 움직임에 따른 상태에서 측정하는 것
- 동적 인체측정은 실제의 작업 혹은 실제 조건에 밀접한 관계를 갖는 현실성 있는 인체치수를 구하는 것
- 동적 측정을 하는 이유
  - 신체적 기능을 수행할 때, 각 신체 부위는 독립적으로 움직이는 것이 아니라 조화를 이루어 움직이기 때문
  - 정적 측정만으로는 실제 작업 혹은 실제 조건에서 밀접한 관계를 갖는 현실성 있는 인체치수를 구할 수 없음

    ex) 손 뻗침 (arm reach)을 측정하는 것은 팔 길이 만이 함수가 아니며, 어깨 움직임, 몸통 회전, 등 구부림, 손으로 수행하는 기능 등에 의해서도 영향을 받음

◆ 인체측정 시 주의사항
- 측정 목적을 명확히 해야 함
- 측정방법에 따른 측정 기구의 특성과 측정 정밀도 파악
- 통계적인 신뢰성 확보를 위해 충분한 수의 피실험자 확보

2. 백분위 수, percentile, % tile

[2022년 3교시 6번]

◆ 자료를 크기순으로 배열하여 100등분 하였을 때의 각 등분점
◆ 계측치를 작은 쪽에서부터 세어 몇%째의 값이 어느 정도인지를 나타내는 통계적 표시법
◆ 측정한 특성치를 순서대로 나열하였을 때 백분율로 나타낸 순서수 개념이다. 예를 들면 10% tile이란 순서대로 나열하였을 때 100명 중 10번째에 해당하는 수치를 의미한다.
◆ 10, 50, 90의 각각의 % tile 값은 작은 쪽으로부터 세어 각각 10%째, 50%째, 90%째의 수치에 대응하고 있다.

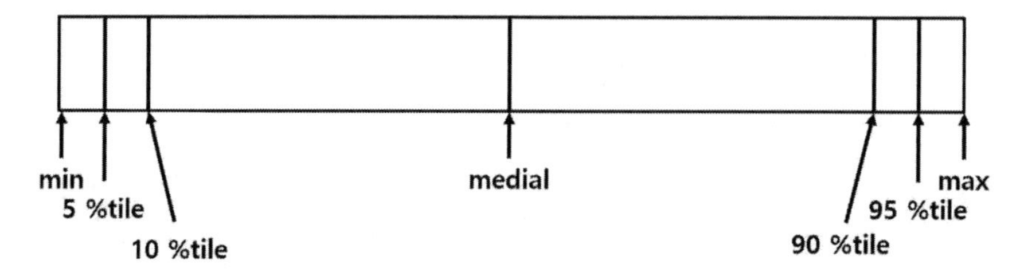

3. 인체측정치의 응용원리 3 가지

[2005년 1교시 8번] [2011년 2교시 4번] [2013년 2교시 1번] [2015년 1교시 11번] [2015년 2교시 4번] [2017년 1교시 3번] [2018년 1교시 10번] [2021년 1교시 3번] [2022년 3교시 6번]

1) 조절식 설계
◆ 물건이나 설비의 치수를 그것을 사용하는 개인의 신체 치수에 맞게 조절할 수 있도록 설계하는 원칙
◆ 가장 바람직한 설계원칙

- 자동차 좌석의 전후 조절, 사무실 의자의 상하 조절 등을 정할 때 사용한다.
- 조절범위 : 5%~95%까지의 90% 범위를 수용 대상
- 단점
  - 생산 비용이 증가
  - 고정식과 비교하면 제품의 견고성이 떨어짐

2) 극단치를 이용한 설계원칙
- 인체측정 특성의 최대치수 또는 최소치수 기준으로 한 설계
- 한 극단에 속하는 사용자를 대상으로 설계하면 거의 모든 사람을 수용할 수 있는 경우에 이용

① 최대 집단값에 의한 설계
- 통상 대상집단에 대한 관련 인체측정변수의 상위 백분위 수를 기준으로 하여 90, 95 혹은 99% 값이 사용된다.
- 95% 값에 속하는 큰 사람을 수용할 수 있다면, 이보다 작은 사람은 모두 수용
- 문, 탈출구, 통로 등과 같은 공간 여유를 정하거나 줄사다리의 강도 등을 정할 때 사용한다.

② 최소 집단값에 의한 설계
- 관련 인체측정 변수 분포의 1%, 5%, 10% 등과 같은 하위 백분위 수를 기준으로 정한다.
- 팔이 짧은 사람이 잡을 수 있다면 이보다 더 긴 사람은 모두 잡을 수 있다.
- 선반의 높이, 조종장치까지의 거리 등을 정할 때 사용된다.

③ 극단치를 구하는 방법

측정 자료가 [2]정규분포를 따르는 경우 각 백분위 수는 다음 식에 의하여 산출

1% tile = 평균 - (2.326×표준편차)

5% tile = 평균 - (1.645×표준편차)

95% tile = 평균 + (1.645×표준편차)

99% tile = 평균 + (2.326×표준편차)

※ 남녀가 공용으로 사용하는 경우에는 여성의 5% tile에서 남성의 95% tile을 사용하는 것이 일반적

---

2) 정규분포 (normal distribution)
도수분포곡선이 평균값을 중앙으로하여 좌우대칭인 종 모양을 이루는 것
ex) 신장의 분포, 지능의 분포 등

3) 평균치를 이용한 설계

- 최대치수나 최소치수, 조절식으로 설계가 부적절한 경우
- 인체측정학 관점에서 볼 때 모든 면에서 보통인 사람이란 있을 수 없다.
  따라서, 이런 사람을 대상으로 장비를 설계하면 안 된다는 주장에도 논리적 근거가 있다.
  - 미 공군 4,000명을 대상으로 피복 설계에 사용되는 10종류의 치수가 모두 평균에 속하는지를 조사한 실험 결과, 10개 치수 모두 평균에 포함된 사람은 1명도 없었음
- 평균 신장의 손님을 기준으로 만들어진 은행의 계산대가 키가 작은 사람 혹은 키가 큰 사람을 기준으로 해서 만드는 것보다는 대다수의 일반 손님에게 덜 불편할 것이다.
- 머무는 시간이 짧은 공공장소의 의자, 화장실 변기, 은행의 접수대 높이 등에 적용한다.

구분	극단치를 이용한 설계		조절식 설계	평균치를 이용한 설계
	최대 집단값에 의한 설계	최소 집단값에 의한 설계		
내용	대상 집단에 대한 인체측정 변수의 상위 백분위수를 기준으로 하여 90%, 95%, 99% 값을 사용	집단 대상에 대한 인체측정 변수의 하위 백분위수를 기준으로 1%, 5%, 10% 값을 사용	체격이 다른 여러 사람에게 맞도록 통상 여자 5%에서 남자 95%까지를 수용 대상으로 설계	극단치를 이용한 설계나 조절식 설계가 불가능한 경우 평균값을 기준으로 설계
사용 범위	문, 탈출구, 통로 등과 같은 공간여유를 정할 때 사용	선반의 높이, 조종장치 까지의 거리 등을 정할 때 사용	자동차 좌석의 전후 조절, 사무실 의자의 상하 조절 등	은행의 계산대 등

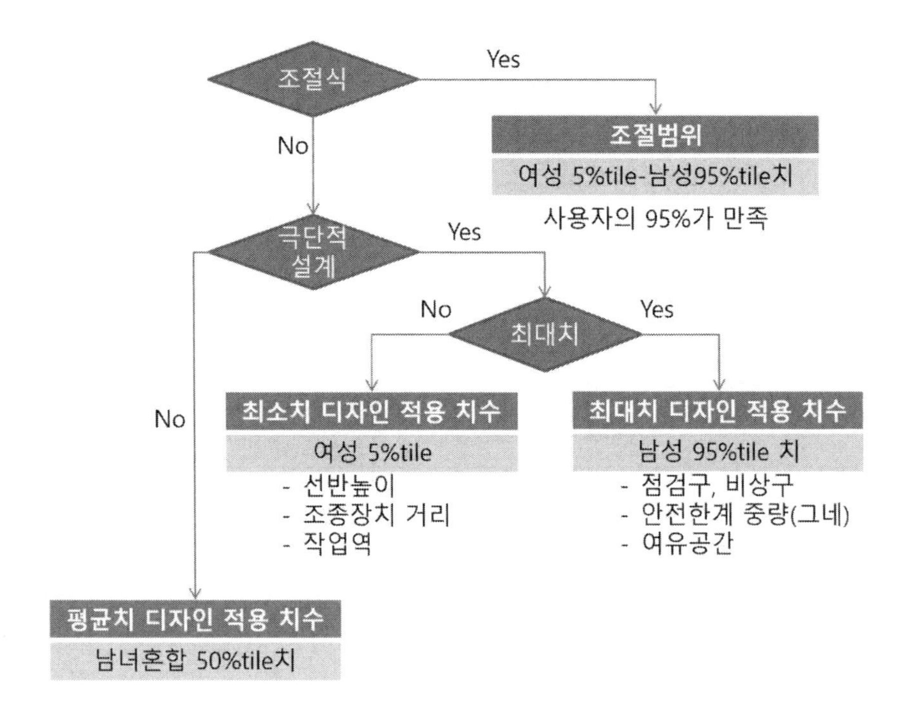

4. 설계에서 인체측정 자료의 이용

[2009년 3교시 4번]

1) 사용자 집단을 결정

- 서로 다른 연령 집단에 있는 사람은 신체적 특징이나 요구수준이 다르며, 성별, 인종 민족 사이에도 차이가 있으므로 이를 고려하여야 함

2) 해당하는 신체 부위를 결정

- 현재의 설계와 관련된 가장 중요한 신체 부위가 어디인지를 파악하고 설계에 반영
- 출입문을 설계할 때는 사용자의 키나 어깨너비 등이, 의자의 표면을 설계할 때는 엉덩이 너비가 가장 중요하게 고려

3) 전체 집단에 대해 그 제품이나 작업장을 사용할 수 있는 사람들의 비율을 결정

- 구성원 모든 사람이 사용할 수 있도록 한다면 좋겠으나 이는 재정적, 경제적, 설계상의 제약 때문에 많은 설계 장면에서 실용적이지 않고 바람직하지 못함
- 1%의 크거나 작은 사람을 위해 조절식 설계를 고려하면 설계의 전반적 구조를 변화시켜야 하며, 이는 매우 큰 비용이 소요됨
- 제약 범위 내에서 가능하면 많은 사람이 사용할 수 있도록 설계
  - 극단치를 이용한 설계, 조절식 설계, 평균치를 이용한 설계

4) 선택된 인체측정 치수들의 백분위 수를 결정

- 핵심이 되는 설계상의 문제는 '해당하는 치수의 어떤 백분위 수를 사용할 것인가?'를 결정하는 것
- 설계자들은 시스템이나 장치의 여러 치수를 결정할 때 상한계를 적용하는지 하한계를 적용하며 설계하는지를 분명히 해야 함
  - 굉장히 무거운 사람이 올라설 수 있을 만큼 발판이 튼튼해야 한다면 요구되는 강도의 최소값으로 남성 체중의 95번째 백분위 수나 99번째 백분위 수가 사용되어야 함
  - 공공장소에 설치되는 의자의 너비는 가장 큰 사람을 기준으로 설계하고, 깊이는 가장 작은 작업자를 기준으로 설계되어야 함

5) 필요하다면 인체측정표에서 얻은 원래의 자료를 수정하여 사용

- 측정된 신체 측정 자료는 옷을 벗은 상태에서(혹은 옷의 영향을 거의 배제하고) 측정된 것이므로 실제 작업현장에서의 상황을 고려하여 수정하여 반영하여야 함
- 고정된 자세에서 측정되었으므로 자연스러운 자세가 갖는 특징을 반영하여야 함

6) 설계의 평가에 실제 모형이나 시뮬레이터를 사용

- 표준화된 인체측정 조사방법으로 측정되었다 하더라도 직무를 수행하는데 요구되는 다양한 신체 부위 사이에 복잡한 상호작용이 있으므로 설계 요구사항들이 제대로 반영되었는지를 확인하기 위하여 실제 모형을 사용하여야 함

5. 의자 좌판의 높이를 설계

1) 좌판의 설계

- 좌면 높이
  - 원칙: 발이 바닥에 충분히 닿을 수 있어야 한다.
  - 조절식: '앉은 오금 높이' 5~95% 수용
  - 고정식: '앉은 오금 높이' 5% 기준 설계
- 좌면 너비
  - 원칙: 체격(엉덩이)이 큰 사람도 충분히 수용해야 한다.
  - '앉은 엉덩이 너비' 95% 기준 + 안락 여유치
- 좌면 깊이
  - 원칙: 등받이에 허리를 지지할 수 있어야 한다.
  - '앉은 엉덩이-오금길이' 5% 기준 설계
  - 너무 짧으면 엉덩이 압력 분산이 적어져 문제 (예: 교회 의자)

2) 등판의 설계

- 등판의 높이
  - 원칙: 목의 회전을 제한하면 안 된다.
  - '앉은 어깨높이' 50% 기준 설계
- 등판의 너비
  - 원칙: 등받이가 허리를 충분히 수용해야 한다.
  - '배꼽 수준 허리 너비' 95% 기준 설계
- 요추 지지대
  - 고정식 높이 : 앉은 팔꿈치 높이 (요추만곡점과 대략 일치) 50% 기준 설계
  - 조절식 높이 : 앉은 팔꿈치 높이 5~95% 수용 설계
  - 요추지지대 깊이 : 5cm

3) 팔걸이 설계

- 팔걸이 간 너비
  - 고정식 : 팔꿈치 사이 너비 50% 기준 설계
  - 조절식 : 팔꿈치 사이 너비 5~95% 수용 설계
- 팔걸이 높이
  - 고정식 : 앉은 팔꿈치 높이 50% 기준 설계
  - 조절식 : 앉은 팔꿈치 높이 5~95% 수용 설계

6. 작업공간 포락면과 파악한계

[2019년 1교시 7번]

- 작업공간 포락면
  - 사람이 작업하는데 사용하는 공간
  - 사람이 몸을 앞으로 구부리거나 구부리지 않고 도달할 수 있는 전방의 3차원 공간으로 Reach envelope 개념
- 파악한계

  작업자가 특정한 수작업 기능을 편히 할 수 있는 공간의 외곽 한계

7. 정상작업역과 최대작업역

[2019년 1교시 7번]

1) 정상작업역

위팔을 자연스럽게 수직으로 늘어뜨린 채, 아래팔만으로 편하게 뻗어 파악할 수 있는 구역 (34~45cm)

2) 최대작업역

위팔과 아래팔을 곧게 펴서 파악할 수 있는 구역 (55~65cm)

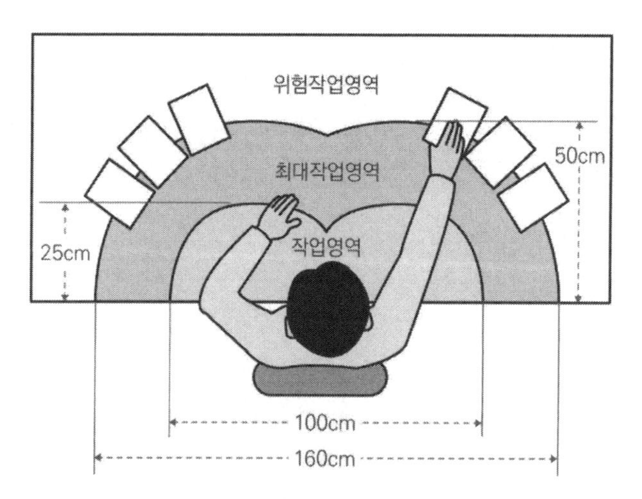

- 중요하고 사용빈도가 높은 도구, 부품 등은 정상작업영역에 배치
- 기타 나머지도 최소한 최대작업영역에는 배치

Chapter
02 작업공간 설계 및 배치원칙

1. 조종장치와 표시장치 배열과 관련된 원칙

[2005년 1교시 4번] [2011년 1교시 11번] [2015년 1교시 4번] [2016년 4교시 1번] [2018년 3교시 6번]

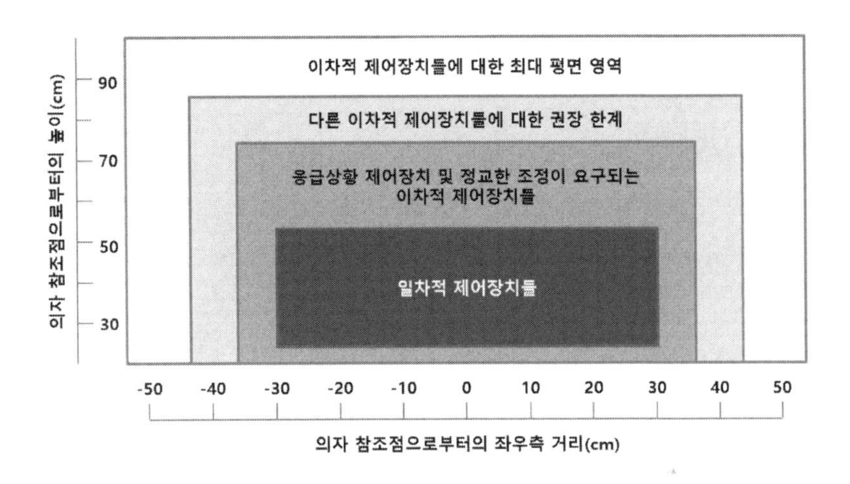

1) 중요도 원리

- 시스템의 목적을 달성하는데 상대적으로 더 중요한 요소들은 사용하기 편리한 지점에 위치
- 중요도의 수준에 따라 디스플레이와 제어장치들은 일차적인 것과 이차적인 것으로 구분
- 일차적 디스플레이는 일차 관찰영역에 근접하게 위치하고, 이차적인 디스플레이는 주변적인 곳에 있어도 무방

※ 일차관찰영역 : 조작자의 전방에 있는 정상 시선의 10~15도 범위 안에 해당하는 공간

2) 사용빈도의 원리

- 가장 빈번하게 사용되는 요소들은 가장 사용하기 편리한 곳에 배치
- 빈번하게 보는 디스플레이는 일차 관찰영역 안에 위치
- 자주 사용하는 도구는 잘 쓰는 손과 가까운 지점에 위치
- 빈번하게 사용되는 발 조작 페달은 오른발과 가까운 곳에 위치

3) 기능적 집단화 원리

- 밀접하게 관련된 기능을 갖는 요소들은 서로 가까운 곳에 있어야 함
  ex) 전력 공급과 관련된 디스플레이와 제어장치들은 같이 집단화하여 배열
    - 관련 요소들끼리 서로 집단화되어 있으면 더 쉽고 분명하게 확인 가능
    - 다른 색채나 형태를 사용하거나 혹은 집단 사이의 경계를 분리하여 집단들을 구분할 수 있음

4) 사용순서의 원리

- 연속해서 사용되어야 하는 요소들은 서로 바로 옆에 놓여야 하고, 조작의 순서를 반영할 수 있도록 배열

5) 동일 위치를 통한 제어장치-디스플레이 부합성 원리

- 요소 배열을 맥락에서 이 원리는 제어장치들이 관련된 디스플레이와 근접하여 위치해야 하고, 여러 개의 제어장치와 디스플레이들이 사용되는 경우에는 제어장치-디스플레이 관계를 쉽게 알아볼 수 있도록 제어장치들의 배열 형태가 디스플레이의 배열 형태를 반영해야 한다는 것을 의미

6) 일관성 원리

- 같은 요소들은 기억이나 탐색 요구를 최소화하기 위해서 같은 지점에 있어야 함
- 일관성은 하나의 작업장에서뿐만 아니라 유사한 기능을 하는 다른 작업장에서도 유지되어야 함
  ex) 어느 한 대학의 도서관마다 복사기가 같은 곳에 있다면 (예: 엘리베이터 옆) 사람들이 복사기를 훨씬 더 쉽게 찾을 수 있음

7) 혼잡성 회피 원리

- 디스플레이, 제어장치의 배열에서 혼잡성 회피는 중요
- 실수 때문에 제어장치들을 잘못 작동시키지 않기 위해서 버튼이나 노브 혹은 페달들 사이에 적당한 공간을 줘야 함

※ 언급된 원칙을 모두 만족하게 하면서 설계하는 것이 이상적이지만 원리들끼리 서로 상충하는 경우가 발생함

ex 1) 시스템의 안전한 작동에 경고 디스플레이가 매우 중요하기는 하지만 자주 사용되는 요소는 아님

ex 2) 가장 빈번하게 사용되는 장치가 반드시 가장 중요한 요소가 되는 것은 아님

- 특정 상황에서 각 원리가 갖는 상대적 중요성을 결정하기 위한 득실관계 분석 필요함
- 제어장치와 디스플레이의 배열에서 중요성의 원리보다는 기능적 집단화의 원리나 사용순서의 원리가 더 중요하다는 연구결과가 있음
- 각 요소가 갖는 상대적 중요성을 평가하고 기능적으로 관련된 집단들로 요소들을 집단화하기 위해서는 전문가의 판단이 요구됨
- 링크분석이나 최적화 기법 등과 같은 수량적 분석 방법들이 주관적 접근방법과 연결되어 사용될 수 있음

2. 맹목 위치 동작 (blind positioning)

- 조종장치를 눈으로 보지 않고 손을 뻗어 잡을 때와 같이 손이나 발을 공간의 한 위치에서 다른 위치로 이동하는 동작을 말한다.
- 맹목 위치 동작은 정면방향이 정확하고 측면은 부정확하다.
- 설계 방향 : 정면, 어깨보다 낮은 곳에 위치시킴

구분	방향	표적 높이	손
정확	정면	하단	오른손
부정확	측면	상단	왼손

3. 범위 효과 (range effect)

- 보지 않고 손을 움직일 경우, 짧은 거리는 지나치고 긴 거리는 못 미치는 경향
- 작은 오차에는 과잉반응하고 큰 오차에는 과소반응

[관련 기출문제]

다음 그림을 보고 배치원칙에서 나타난 문제점과 개선대책에 대하여 설명하시오.

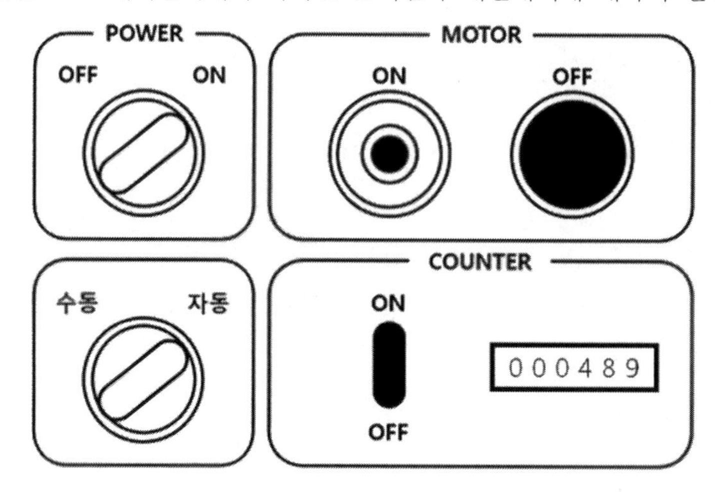

1) 문제점

- 파워 버튼과 자동/수동 조작 버튼이 같은 형식으로 되어있어 사용자의 혼돈을 유발할 수 있음
- ON/OFF 버튼의 형식이 다르게 적용되어 있음
- counter에 필요 없는 ON/OFF 버튼이 제작되어 있음

2) 개선대책

- 파워 버튼은 비상 전원 장치의 역할을 겸하므로 조작이 쉬운 버튼 형식으로 바꾸고, 다른 스위치와 별도로 떨어뜨려 위치시킨다. 색상을 다르게 설정한다.
- 모터는 ON/OFF 버튼식으로 바꾸고, 가동 여부를 확인할 수 있도록 상태 표시등을 설치하여 가시성을 높인다.
- 사용순서에 따라 배치한다.

Chapter

03 유니버설디자인

1. 유니버설디자인이란?

[2017년 1교시 11번] [2022년 1교시 9번]

유니버설디자인은 장애 유무, 나이 등과 관계없이 모든 사람이 제품, 건축, 환경, 서비스 등을 보다 편하고 안전하게 이용할 수 있도록 디자인을 설계하는 것

- design for all 하나로 전체를 수용하도록 하는 것이 궁극적 목표
- 능력이나 나이와 관계없이 다양한 사용자들이 쉽게 사용할 수 있는 제품 및 환경을 생성하기 위한 디자인 개념
- 개조나 특수한 설계를 하지 않고도 모든 사람이 가능한 한 최대한으로 이용할 수 있도록 제품이나 환경을 디자인하는 것
- 사례 : 바닥을 낮춘 버스, 바퀴 달린 여행 가방, 자동문, 전동칫솔, 오디오북 등
- 옥소(OXO)사
  - 고령화가 진행되면서 질병, 장애로 움직임이 자유롭지 못한 사람들이 많아지는 경향을 정확히 파악하여 유니버설디자인을 도입함
  - 젊은 사람이나 나이 많은 사람, 남자나 여자, 왼손잡이나 오른손잡이 누구든 편리하게 사용할 수 있는 상품으로 선전하여 노인에 국한된 틈새시장에 국한될 제품을 대중 시장으로 확대

2. 유니버설디자인의 유사 개념

1) 장벽 없는 디자인 (barrier free design)

- 1974년 UN 장애인 생활환경전문가 회의에서 '장벽 없는 디자인', '장벽 없는 건축 및 설계' 보고서가 처음으로 사용
- 장애가 있는 사람이 사회생활을 해 나가는데 장애가 되는 것을 제거한다는 뜻

2) 모두를 위한 디자인 (design for all)

- 유니버설디자인과 거의 뜻이 같음
- 유럽 각국에서 사용
- 모든 범위의 능력이나 상황에 있는 사람들에게 편리한 제품이나 서비스를 제공하는 것을 의미

3) 접근 가능한 디자인 (accessible design)

- 어떤 기능에 제한을 가진 사람들의 요구에 맞추어 설계를 확장하여 제품이나 서비스를 그대로 이용할 수 있는 잠재 고객을 최대한 늘리기 위한 디자인 개념

  ex) 건물 입구에 계단과 함께 완만한 경사의 램프를 설치하는 것

  ※ 유니버설디자인 : 모든 사람이 사용할 수 있는 램프 한 가지만을 제시할 경우

4) 포괄적 디자인 (inclusive design)

- '만인의 요구에 대응하는 포괄적인 디자인'을 의미
- 영국 대학을 중심으로 활발한 연구가 진행

5) 공용품 (共用品)

- 1991년에 일본에서 발족한 'E&C 프로젝트'(1999년 공용품 추진기구로 변경)가 장벽 없는 사회 구축을 지향하며 제창
- '신체적 특성이나 장애에 상관없이 더욱 많은 사람이 함께 편리하게 이용할 수 있는 제품이나 시설·서비스'

6) 적응 가능한 디자인 (adaptive design)

- 구조나 재료의 변경을 수반하지 않고 단시간 내에 사람들의 요구에 맞도록 하는 것
- 개개의 요구에 맞게 간단히 장착이나 분리할 수 있으며, 사용하기 편리한 용건을 갖춤으로써 이용자의 폭을 넓히는 디자인 개념

7) 정규화 (normalization)

- 장애인을 특별시 하는 것이 아니라 일반 사회 속에서 보통의 생활을 보낼 수 있도록 환경을 정비하여 함께 살아가는 사회를 표준이라 생각하는 사고방식

3. 유니버설디자인을 위한 7 가지 원칙

[2021년 4교시 4번] [2022년 1교시 9번] [2023년 2교시 3번] [2024년 4교시 6번]

1) 공평한 사용에 대한 배려

사용자의 나이, 체격 및 신체 기능 차이 등에 영향을 받지 않고 누구나 사용할 수 있게 함

- 설계지침
  ① 모든 사용자에게 같은 정도의 사용성을 제공하도록 한다.
  ② 특정 사용자층을 차별하지 않도록 한다.
  ③ 모든 사용자에게 동등한 수준의 프라이버시, 보안성, 안전성을 제공한다.

2) 사용상의 유연성 확보

다양한 사용자의 능력에 맞게 만듦

- 장갑을 끼고도 방한용 의복의 단추나 지퍼를 채울 수 있게 디자인하고, 젖은 손으로도 미끄러지지 않고 조미료, 샴푸 등의 뚜껑을 열 수 있도록 설계
- 설계지침
  ① 사용 방법의 여러 가지 대안을 제공한다.
  ② 오른손잡이와 왼손잡이 모두 사용할 수 있도록 한다.
  ③ 사용자 동작에 대해 높은 정확성과 정밀도가 유지되도록 설계한다.
  ④ 사용자의 속도에 대한 적응성을 고려하여 설계한다.

3) 간단하고 직관적인 사용 [3)]

사용자의 지식이나 경험, 언어 능력, 집중력과 관계없이 누구나 쉽게 사용할 수 있도록 사용법이 간단하게 하는 것

- 돌리는 타입의 수도꼭지는 물을 틀 때는 왼쪽으로, 잠글 때는 오른쪽으로 돌리는 것은 '틀기, 잠그기'와 같은 표시가 없어도 누구나 알고 있음
  [스테레오타입]
- 설계지침
  ① 불필요한 복잡성을 제거한다.
  ② 사용자의 예상과 직관에 일치하게 설계한다. [행동 유도성]
  ③ 다양한 수준의 읽고 쓰는 능력 및 언어 능력을 수용할 수 있도록 설계한다.
  ④ 중요도에 따라 정보를 배열한다.
  ⑤ 작업수행 중 종료에 대한 효과적인 피드백 정보를 제공한다.

---

3) 'Ⅵ. UI/UX 3. 사용자 중심 디자인' 참조

4) 정보 전달에 대한 배려

사용 상황이나 사용하는 사람의 지각, 청각 등의 감각 능력과 관계없이 필요한 정보가 효과적으로 전달되도록 하는 것 ex)문의 개폐

- 사람들의 언어나 감각 능력과 관계없이 필요한 정보가 곧바로 전달될 수 있도록 하는 배려가 필요
- 설계지침
  ① 중요한 정보의 중복적인 제시를 위하여 (시각적, 청각적, 촉각적 방법과 같은) 다른 정보 제시 방법을 사용한다.
  ② 중요한 정보와 그 배경 사이에 적당한 대비를 고려한다.
  ③ 중요 정보의 가독성을 최대화한다.
  ④ 감각 장애를 갖는 사람들이 사용하여 온 다양한 방법이나, 장치들과의 양립성에 모순되지 않도록 설계한다.

5) 사고와 오조작의 방지 4)

사용자가 의도하지 않고 무심코 한 행동이 위험이나 생각하지 못한 결과로 이어지지 않도록 설계 [fail-safe 개념을 적용]

ex) 엘리베이터를 타고 문을 빨리 닫으려고 닫힘 버튼을 누른다는 것이 비상벨을 누름

- 위험이나 오동작으로 연결되는 요소를 없애고 사용자가 조작에 실패하지 않도록 하여야 하며, 이는 검증되어야 함
- 설계지침
  ① 위험과 실수를 최소화하도록 구성요소들을 배열한다.
  즉, 가장 자주 사용되는 구성요소들은 가장 접근하기 쉬운 곳에 배열하고, 위험한 구성요소는 제거하거나 분리하거나 덮개를 만들어준다.
  ② 위험과 실수에 대한 경고를 제공한다.
  ③ 주의가 요구되는 작업에서 무의식적인 행위가 발생하지 않도록 설계한다.

---

4) 'V. 인적오류 3. 인적오류 예방' 참조

6) 육체적 부담의 최소화

효과적으로 안락하게, 그리고 피로를 느끼지 않고 사용할 수 있게 함

- 공중 화장실에서 앞사람이 수도꼭지를 너무 단단히 잠가 놓음
  → 센서가 장착된 자동 수도꼭지
- PET 음료수병
  → 가볍고 휴대성이 좋은 용기지만 뚜껑을 잘 열지 못하는 노인들이 있음
- 설계지침
  ① 사용자가 편안한 자세를 유지하도록 한다.
  ② 적정한 수준의 힘으로 조작할 수 있도록 설계한다.
  ③ 반복 행위를 최소화한다.
  ④ 지속적인 육체적 노력의 요구를 최소화되도록 설계한다.

캐나다 밴쿠버 롭슨 광장의 계단. 완만한 경사로를 설치하기 위해 별도의 공간을 마련할 필요가 없도록 설계되었고, 편의성을 높였을 뿐만 아니라 미적으로 우수하다. 출처 robosonsquare.ubc.ca

7) 적당한 크기와 공간의 확보

사용자의 신체 크기, 자세, 움직임과 관계없이 쉽게 접근하고, 닿고, 조작하고, 사용할 수 있도록 적당한 크기와 공간을 고려해 설계

- 액체 조미료의 페트병
  → 바깥쪽 뚜껑을 열고 다시 안쪽 중간마개를 열려고 하면 마개가 작아 손가락이 잘 들어가지 않음
- 소형화된 기기
  → 조작하고자 하는 스위치의 옆 스위치에까지 손가락이 닿아 의도하지 않게 잘못 작동시킴
- 설계지침
  ① 중요한 부분에 대해서는 앉거나 선 자세의 사용자가 명확히 볼 수 있도록 설계한다.
  ② 모든 구성요소에 대해 앉거나 선 자세의 사용자가 편안하게 닿을 수 있도록 한다.
  ③ 손과 손잡이 크기는 나이, 성별 등에 따른 변동을 고려하여 설계한다.
  ④ 보조 장치나 개인적 도구 사용을 위한 적당한 공간을 제공한다.

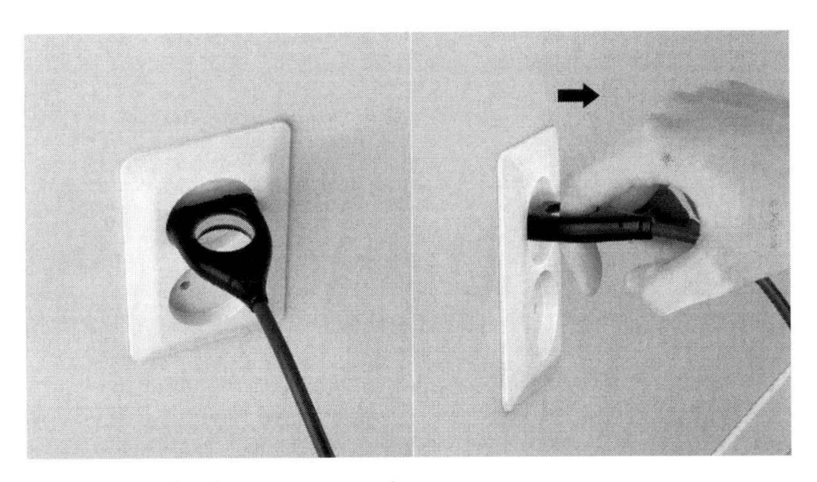

유니버설 플러그(Universal Plug)

일상에서 흔히 겪는 어려운 일인 플러그 뽑기 쉽게 만들어준 유니버설디자인
손에 힘이 없어도 편리하게 사용할 수 있는 콘센트

4. 유니버설디자인의 3 가지 부칙

1) 내구성과 경제성의 배려
   용기의 중간을 눌러 필요한 분량만큼 양을 조절할 수 있게 한 액체 세제 용기는 리필용 세제만을 따로 팔기 때문에 본체 용기를 구매할 필요가 없어 경제적이며, 용기를 오래 사용할 수 있어 내구성이 있음

2) 품질과 심미성의 배려
   잔주름이 있는 옷은 신축성이 있어 입을 때와 움직일 때 편할 뿐 아니라 아름다운 패션성까지 갖추고 있다고 할 수 있음

3) 인체와 환경에의 배려
   네 모퉁이 각을 자른 상자는 들기 쉽고 포장 종이를 2% 절약할 수 있어 인체와 환경을 동시에 고려한 예

유니버설디자인의 7가지 원칙(약자에 대한 배려중심) + 3가지 부칙
= 제품의 경쟁력, 가치 확보

Chapter

05

인적오류

1. 인적오류 분류체계
2. 인적오류 확률에 대한 추정
3. 인적오류 예방

Chapter

01 인적오류 분류체계

1. 휴먼에러(human error) 분류

심리적 분류	원인 수준 분류	원인에 따른 분류
부작위/생략오류 (omission error)	초기 단계 에러 (Primary error) 작업자 자신으로부터 발생한 에러	숙련기반 에러 (skill based error)
작위적/행위 오류 (commission error)		규칙기반 에러 (rule based error)
시간 지연 오류 (time error)	2 차 단계 에러 (Secondary error) 다른 곳에서 문제로 작업형태나 작업조건 필요한 사항 실행할 수 없는 상태	지식기반 에러 (knowledge based error)
순서오류 (sequential error)	수행단계 에러 (Command error) 필요한 물품, 정보, 에너지 등 공급되지 않아 작업자가 움직일 수 없는 상태	
부적절한 수행오류 (extraneous error)		고의사고 (violation)

2. 인간의 오류(Human Error)

[2011년 1교시 4번] [2013년 2교시 3번] [2023년 2교시 1번] [2024년 3교시 6번]

1) Slip(실수)

- 상황이나 목표의 해석을 제대로 하였으나 의도와는 다른 행동을 할 때 발생하는 오류
- 목표와 결과의 불일치로 쉽게 발견되나 피드백이 있어야 오류의 발견이 가능함
- 주의 산만이나 주의 결핍 때문에 발생할 수 있으며, 잘못된 디자인이 원인이 됨

2) Lapse(망각, 건망증)

- 여러 과정이 연계적으로 일어나는 행동 중의 일부를 잊어버리거나 기억의 실패로 발생하는 오류

3) Mistake(착오)

- 상황해석을 잘못하거나 목표를 잘못 이해하고 착각하여 행하는 오류
- 주어진 정보가 불완전하거나 오해하는 경우에 주로 발생하며, 틀린 줄 모르고 발생하기 때문에 중대한 사건이 될 수 있을 뿐만 아니라 오류를 찾아내기도 어려움
- 주어진 정보가 불완전하거나 오해하는 경우에 주로 발생

4) Violation(위반, 고의사고)

- 정해진 규칙을 알고 있음에도 불구하고 고의로 따르지 않거나 무시하는 행위
  예) 운전 중 과속, 신호 위반 등 알고 있음에도 불구하고 고의로 무시하는 경우

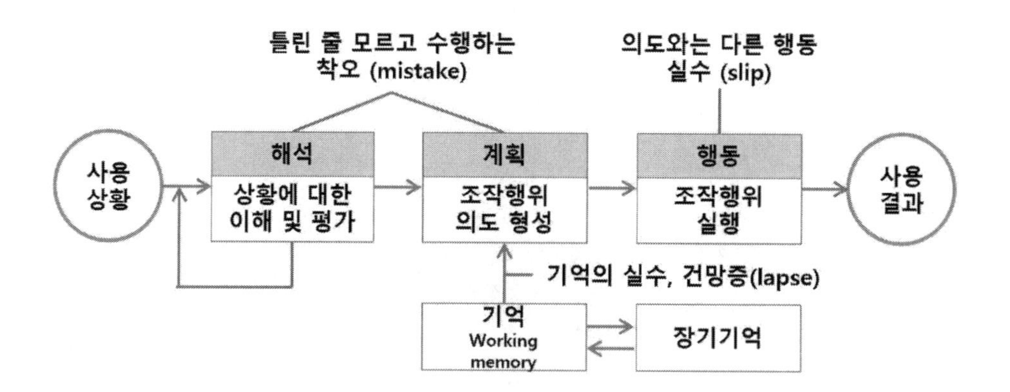

3. 행위적(심리적) 관점에서의 분류_swain

[2014년 4교시 6번] [2019년 1교시 5번] [2023년 1교시 9번] [2024년 1교시 1번]

행위적 관점에서 생략(부작위)오류, 실행(작위적)오류, 시간 지연오류, 순서오류, 불필요한 수행오류로 구분

1) 생략(부작위) 오류 (omission error) : 수행해야 할 작업을 빠트리는 에러
   - 자동차에서 하차 시 전조등을 끄는 것을 잊고 내려 방전되는 경우의 에러

2) 실행(작위적) 오류 (commission error)
   - 수행해야 할 작업을 부정확하게 수행하는 에러
   - 주차금지 구역에 주차하여 스티커를 발부받은 경우

3) 시간 지연오류 (time error)
   - 수행해야 할 작업을 정해진 시간 동안 완수하지 못하는 에러
   - 자동차로 학교에 도착은 하였으나 수업시간을 넘겨 도착해 지각으로 처리되는 경우

4) 순서오류 (sequential error)
   - 수행해야 하는 작업의 순서를 틀리게 수행하는 오류
   - 자동차 출발 시 핸드브레이크를 내리지 않고 엑셀레이터를 밟는 것과 같이 순서를 바꾸어 수행한 경우

5) 부적절한 수행오류 (extraneous error)
   - 작업 완수에 불필요한 작업을 수행하는 오류
   - 자동차 운전 중 손을 창문 밖으로 내놓다가 다치는 경우의 에러

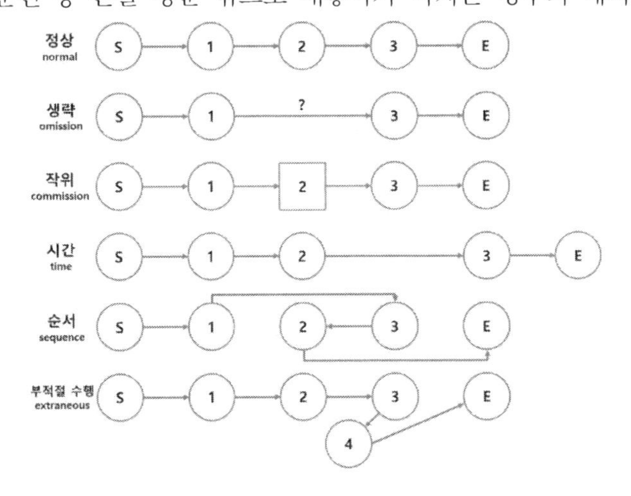

4. 원인 수준 분류

[2024년 1교시 2번]

1) 초기 단계 에러 (primary error)
 - ◆ 발생단계: 실행
 - ◆ 발생원인: 직접 조치
   - 작업 실행 중에 주요 오류가 발생
   - 일반적으로 개인이 잘못된 조치를 취한 결과
   - 주의력 부족, 지식 부족, 업무에 대한 오해로 인한 실수나 실수로 인해 발생하는 경우가 많음
 - ◆ 예시

   작업자가 인쇄상의 오류로 인해 잘못된 데이터를 시스템에 입력

2) 2차 단계 에러 (secondary error)
 - ◆ 발생단계: 주요 오류에 대한 대응
 - ◆ 발생원인: 주요 오류에 대한 반응
   - 1차 오류에 대한 응답으로 2차 오류 발생
   - 개인이 주요 오류를 수정하려고 시도했지만 결국 또 다른 실수를 범하게 될 때 발생
   - 2차 오류는 성급한 결정, 스트레스 또는 부적절한 문제 해결 전략으로 인해 발생하는 경우가 많음
 - ◆ 예시

   운전자가 장애물을 피하려고 방향을 틀다가(1차 오류: 장애물을 제때 보지 못함) 다른 차량과 충돌(2차 오류)

3) 수행단계 에러 (command error)
 - ◆ 발생단계: 계획 또는 의사결정
 - ◆ 발생원인: 잘못된 지시 또는 결정
   - 수행단계 오류(명령 오류)는 계획 또는 의사결정 단계에서 발생
   - 잘못된 결정을 내리거나 잘못된 지침을 제공하는 것이 포함되며, 이는 결국 부적절한 조치로 이어짐
   - 명령 오류는 잘못된 판단, 정보 부족 또는 잘못된 가정으로 인해 발생하는 경우가 많음
 - ◆ 예시

   관리자는 오래되었거나 부정확하다는 사실을 깨닫지 못한 채 특정 프로세스를 사용하도록 팀에 지시

5. 원인에 따른 분류_Reason

[2013년 1교시 6번] [2014년 4교시 6번] [2022년 3교시 1번]

- 인간의 행동을 숙련기반, 규칙기반, 지식기반 행동으로 분류함
- 숙련 상태에서 실행 중에 발생하는 숙련기반 오류
- 저장된 규칙의 적용 중에 발생하는 규칙기반 오류
- 추론이나 유추와 같은 지식처리 과정에서 발생하는 지식기반 오류

※ 불안전 행동의 내용과 작업자 반응

인적오류			내용	작업자의 반응 예
비의도적 행동	숙련기반 오류 (skill based error)	망각 (Lapse)	단기기억으로의 회상 및 기억 불능	깜박했어요.
		실수 (Slip)	부주의 등에 의한 단순 오류	단순 실수였어요.
의도적 행동	착오 (mistake)	규칙기반 착오 (rule based mistake)	규칙의 잘못된 적용 혹은 잘못된 규칙 학습	앗, 그게 아니었나요?
		지식기반 착오 (knowledge based mistake)	추론, 유추 등의 인지적 과정에서 발생하는 오류	앗, 전혀 몰랐어요.
	위반 (violation)	일상적 위반 (routine violation)	평상시 작업 규칙과 절차 등을 위반	평소 다들 이렇게 해요.
		상황적 위반 (situational violation)	특수한 상황(시간 압박 등)에서 규칙을 위반	급해서 그랬어요.
		예외적 위반 (exceptional violation)	생소한 상황에서 문제를 해결하고자 규칙을 어기는 위반	이렇게라도 해보려고 했어요.

6. 원인에 따른 분류_Rasmussen

[2018년 1교시 7번] [2022년 3교시 1번] [2023년 1교시 7번] [2024년 3교시 6번]

인간의 불안전한 행동을 의도적인 경우와 비의도적인 경우로 나누었다. 비의도적인 행동은 모두 숙련기반의 에러, 의도적 행동은 규칙기반 착오와 지식기반 착오, 고의사고로 분류하였다.

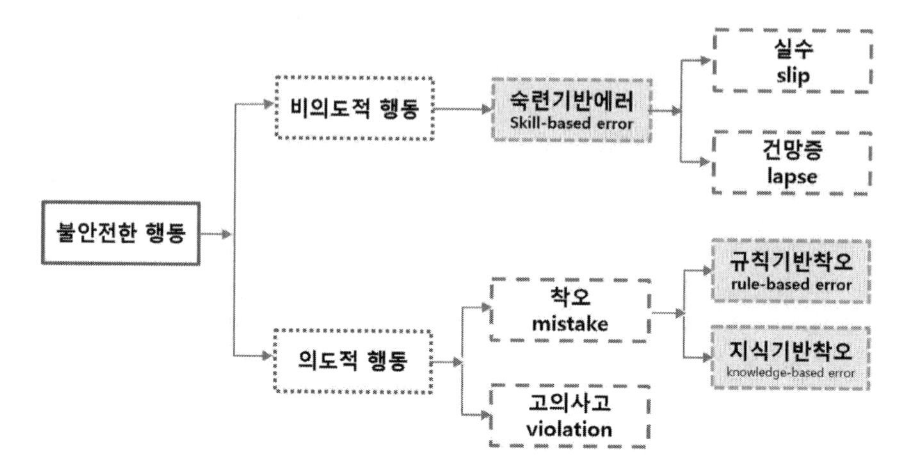

1) 숙련기반 에러 (skill based error)

- 무의식에 의한 행동, 행동 패턴에 의한 자동적 행동
- 대부분 실행과정에서의 에러
- 숙련 상태에 있는 행동을 수행하다가 나타날 수 있는 에러로 실수(slip)와 단기기억 망각(lapse)이 있다.
- 자동차에서 내릴 때 마음이 급해 창문 닫는 것을 잊고서 내리는 경우
- 전화 통화 중 상대의 전화번호를 기억했으나 전화를 끊은 후 옮겨 적을 펜을 찾는 중에 기억을 잃어버리는 경우이다.

2) 규칙기반 에러 (rule based error)

- 친숙한 상황에 적용되며 저장된 규칙을 적용하는 행동
- 처음부터 잘못된 규칙을 기억하고 있거나, 정확한 규칙이라 해도 상황에 맞지 않게 잘못 적용하는 경우의 에러이다.
- 자동차는 우측 운행을 한다는 규칙을 가지고 좌측 운행하는 나라에서 우측 운행을 하다 사고를 낸 경우이다.

3) 지식기반 에러 (knowledge based error)

- 생소하고 특수한 상황에서 나타나는 행동
- 처음부터 장기기억 속에 관련 지식이 없는 경우
- 인간은 추론(inference)이나 유추(analogy)와 같은 고도의 지식처리 과정을 수행해야 한다. 이런 과정에서 실패해 오답을 찾은 경우를 지식기반 착오라 한다.
- 외국에서 자동차를 운전할 때 그 나라의 교통 표지판의 문자를 몰라서 교통 규칙을 위반하게 되는 경우이다.

4) 고의사고 (violation)

- 작업수행 과정에 대한 올바른 지식을 가지고 있고, 이에 맞는 행동을 할 수 있음에도 일부러 나쁜 의도를 가지고 발생시키는 에러이다.
- 정상인임에도 불구하고 고의로 장애인 주차구역에 주차를 시키는 경우이다.

7. Reason 의 스위스 치즈 모델

[2014년 4교시 6번] [2019년 2교시 6번] [2023년 4교시 3번]

- 영국의 심리학자인 제임스 리즌(James Reason)이 제안
- 스위스 치즈 모델이란 여기저기 구멍이 뚫린 스위스 치즈를 빗대 사고원인을 설명하는 이론이다.
- 불규칙한 구멍이 있는 스위스 치즈도 여러 장을 겹쳐 놓으면 구멍이 메워지듯, 위기에 대응할 여러 장치 중 한 가지만이라도 제대로 작동한다면 사고가 이렇게 커지지 않았을 것이라는 이론이다.
- '사고'의 발생원인과 결과에 대한 모형이론으로 오늘날까지 가장 타당한 모델 중 하나로 인정받고 있다.
- 사고의 원인으로는 크게 직접적인 원인으로 보이는 외부요인, 사고를 낸 당사자나 사고 발생 시, 함께 있던 사람들의 불안전한 행위, 불안전한 행위를 유발하는 조건, 감독의 불안전 및 조직의 시스템과 프로세스가 잘못되어 생기는 실수로 나뉜다.

- 실제 직접적인 원인을 제외하고, 스위스 치즈의 구멍과 같이 늘 사고가 날 수 있는 잠재적 결함들이 존재하다가 이 결함들이 동시에 나타날 때 대형사고가 발생하게 된다.
- 이상적 상황은 구멍이 하나도 없는 완벽한 상황이지만 실제 상황에서는 결함 없는 완벽한 상황은 있을 수 없으므로 결함을 사전에 탐색해서 결함을 최소화하기 위한 시스템을 갖추어야 한다.
- 스위스 치즈 모델은 아래 그림과 같이 심리학적인 측면에서 인간이 오류를 범할 수 있는 발생 요인에 대하여 크게 4가지 (불안전한 행위, 불안전한 행위의 유발조건, 감독의 문제, 조직의 문제)로 시스템적인 접근방법을 제안하였고, 여기서 다시 '불안전한 행위'를 4가지(실수, 망각, 착오, 위반)로 분류하였다.

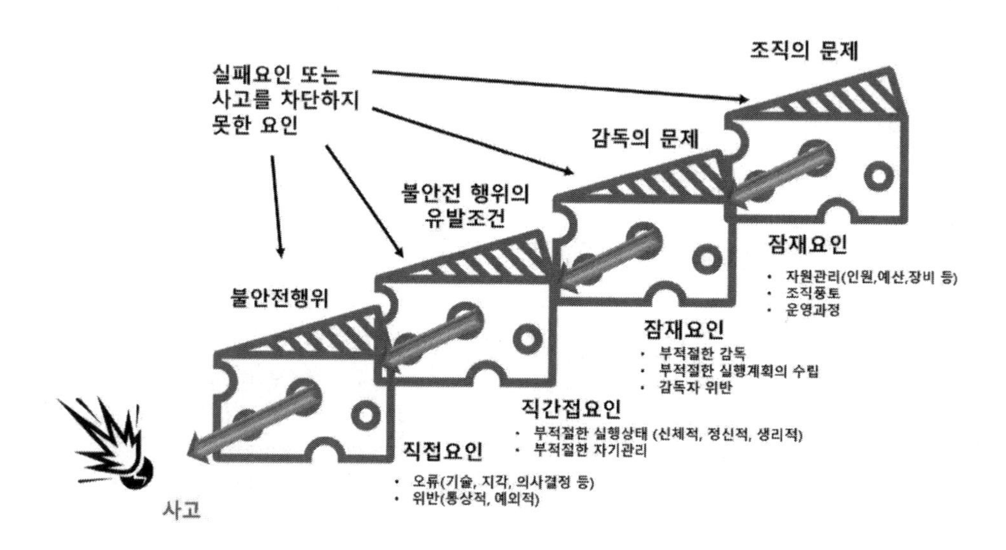

※ 스위스 치즈 모델의 기반 분석

구분		세부사항
직접적 요인	불안전한 행위 (오류와 규정 위반)	오류 (결정오류, 기술위반 오류, 지각오류) 불안전 행위자의 통상적, 예외적 규정 위반
직, 간접적 요인	불안전한 행위의 전제조건 (환경요소, 건강 상태, 인적요소)	육체적, 기술적 해로운 정신 상태 신체/정신한계/대화/조정&계획, 운동
잠재적 요인	불안전한 감독	불충분한 감독, 의도된 적절치 못한 행동, 문제점 바로잡지 못함, 감독자의 규정 위반
	조직적인 영향	자원경영관리, 조직사회 분위기, 운영/절차

8. 스위스 치즈 모델을 기반으로 개발된 HFACS (The Human Factors Analysis and Classification System)

HFACS는 스위스 치즈 모델에서 잠재적 실수와 불안전 행동에 대한 분석 용어가 없는 것을 극복하기 위하여 와이그만(D. A. Weigmann)과 샤펠(S. A. Shappell)이 2000년에 항공 사고 분석용으로 개발하였으며, 현재는 다양한 분야의 사고 분석에 적용되고 있다.

- HFACS는 스위스 치즈 모델(Reason,1990 : Wiegmann and Shappell, 2001)을 기반으로 사고에 숨겨진 명시적 및 암시적 오류를 포함한 인적 요인을 정의하고 분석하도록 설계
- HFACS의 일반 프레임워크는 인적요소 실패를 4가지 수준으로 정의
- '불안전한 행동, 불안전한 행동의 전제조건, 불안전한 감독 및 조직적 영향'은 인과적 하위범주로 더 세분할 수 있음

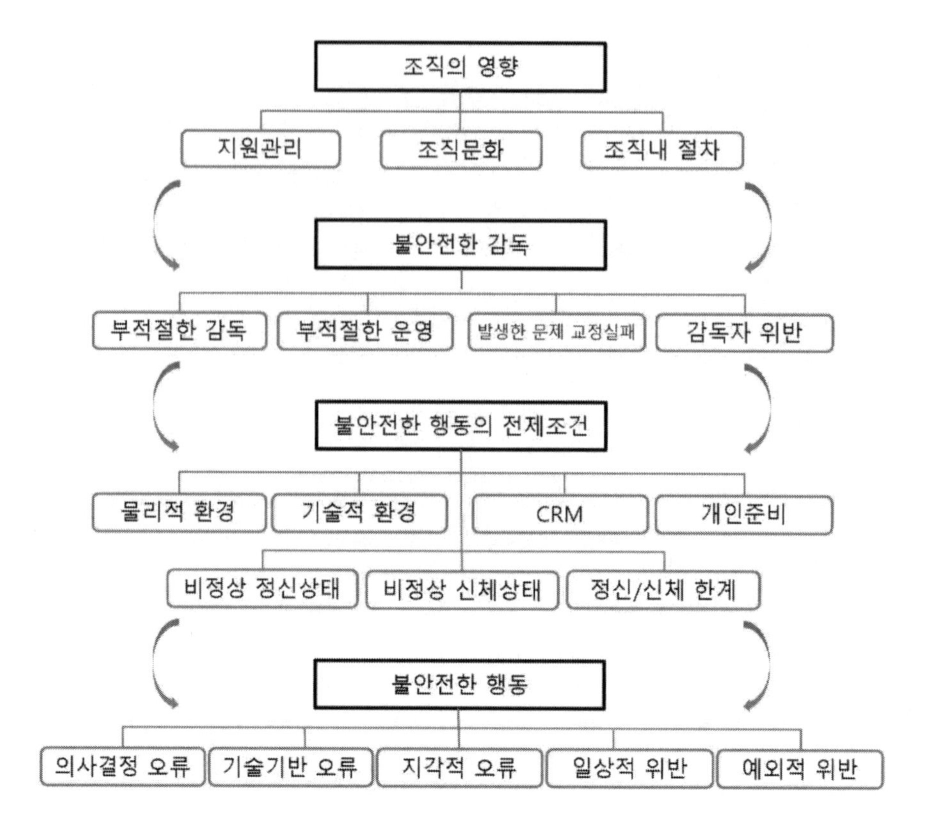

불안전 행동의 전제조건

불안전한 행동의 전제조건은 '①환경적 요소, ②작업자 불안전 조건, ③작업자 불안전 관행 요인'의 세 가지로 나뉘며 하위범주로 나뉜다.

① 환경적 요소는 개인의 실습, 조건 및 행동에 영향을 미치는 신체적, 기술적 요인을 말하며 사람의 실수나 안전하지 않은 상황을 초래한다.

② 작업자 불안전 조건은 불안전한 정신 상태, 불안전한 생리적(건강) 상태 및 개인의 작업, 상태 또는 행동에 영향을 미치고 인간의 실수 또는 안전하지 않은 상황을 초래하는 신체적/정신적 제한 요인을 나타낸다.

③ 작업자 불안전 관행은 근로자의 자원관리 또는 팀 자원관리 및 개인의 실행 조건 또는 행동에 영향을 미치는 개인 준비성 요소를 말하며, 이로 인해 사람의 실수 또는 안전하지 않은 상황이 발생한다.

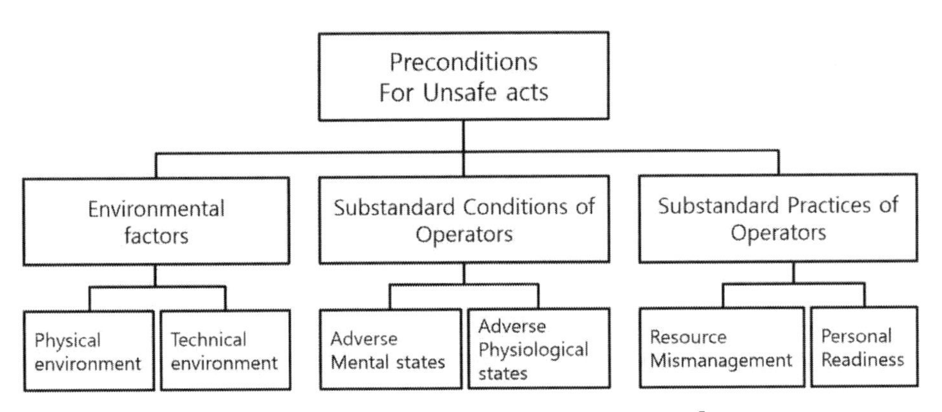

[Fig. Categories of preconditions of unsafe acts]

1) 환경적 요소

작업자의 불안전 행동을 유발할 수 있는 전제조건 중 환경적 요소는 물리적 환경요인과 기술적 환경요인으로 구분할 수 있다.

물리적 환경의 예는 자연재해(태풍, 폭설, 지진) 또는 그 날의 날씨(바람, 비, 눈) 등을 들 수 있으며, 또한 작업장 환경적 요소로서 난방, 조명, 밀폐공간작업, 인화성 증기, 흄의 발생, 독성 물질 사용에 따른 독성흡입 등이 될 수 있다

① 물리적 환경

작동 설정 (예 : 날씨, 고도, 지형)과 주변 환경 (예 : 열, 진동, 조명, 독소)을 모두 포함하는 요소를 나타낸다.

② 기술 환경

장비 및 제어 설계, 디스플레이 / 인터페이스 특성, 검사 목록 레이아웃, 작업 요소 및 자동화를 포함한 다양한 설계 및 자동화 문제를 포함한다.

2) 작업자 불안전 조건

작업공간에서 작업자가 작업 시 작업자의 불안전 조건이 사고로 연결되는 경우가 많다. 특히 정신적 피로 또는 작업 지식의 결여(안전수칙에 대한 교육 결여), 경험의 부족(미숙련), 수면 부족에 따른 집중력의 결여 등이 사고로 연결될 수 있다.

① 불안전한 정신 상태

작업자의 주의 결핍(예 : 스트레스, 정신적 피로, 동기부여)에 영향을 미치는 정신 상태를 포함하는 요인을 참조할 수 있다.

② 불안전한 건강 상태

수행에 영향을 미치는 의학적 또는 생리 조건(예 : 의학적 질병, 신체적 피로, 저산소증)을 포함하는 요인을 지칭한다.

③ 신체적 / 정신적 장애

작업자가 상황에 대처할 수 있는 신체적 또는 정신적 능력이 결여되어 성능이 영향을 받는 경우 (시각적 한계, 불충분한 반응시간)를 나타낸다.

3) 작업자 불안전 관행

작업자 채용 시 작업에 적합한 경력을 갖추고 있거나 충분한 경험이 있는지가 중요하다. 특히 재해에 취약한 계층인 고령근로자 및 신규채용자에 대한 작업의 전환 배치 등을 할 경우 여러 사항을 고려해야 한다.

① 인적요소 관리

Human Resource Management: 의사소통, 조정, 계획 및 팀워크 문제를 포함하는 요인을 고려하여야 한다.

② 개인적 준비

작업자 휴식 요건, 음주 제한 및 기타 근무 외 임무를 수행하는 것과 같이 직장에서 최적으로 수행해야하는 의무 외 활동을 나타낸다.

9. 작업자 실수분석 기법

[2023년 2교시 4번]

1) 본질 위험지수 (intrinsic hazard score, IHS)

수행되는 업무 자체가 본질적으로 어느 정도 위험을 내재하고 있는지를 표시하는 지수를 말한다.

2) 위험 취약 지수 (intrinsic vulnerability score, IVS)

수행되는 업무의 성격에 따라 업무에 내재된 본질위험이 외부로 표출될 수 있는지를 표시하는 지수를 말한다.

3) 계층적 작업분석 (hierarchical task analysis, HTA)

작업의 전반적인 분석대상을 규정하고 대상작업에 대한 하위작업을 기능적인 순서에 따라 단계적으로 분류하여 하위작업을 분석하는 기법을 말한다.

4) 작업 실수 예측분석 (PHEA : Predictive human error analysis)

작업자 실수에 대한 위험과 운전분석기법(HAZOP)을 사용하여 각 작업단계에서의 잠재적인 실수 및 이로 인한 결과를 예측, 파악하고 실수가 사고로 이어지지 않도록 사고 예방대책을 도출하는 일련의 평가기법을 말한다.

5) 작업 영향 요소 (performance influencing factor, PIF)

작업 절차의 신뢰성 훈련의 효율성 등 실수발생 가능성에 영향을 미치는 관리적 인자를 말한다.

10. 사고 분석에 관한 지침 [KOSHA GUIDE Z-29-2022]

1) 사고 분석

사고 분석은 시스템 안전 향상을 위한 여러 공학적 활동 중의 하나로, 안전사고가 발생한 후 사고의 원인을 파악하고 발생 과정을 이해함으로써 추후 동일한 혹은 비슷한 사고가 발생하지 않도록 시스템/직무/환경적 개선 요건을 도출하는 과정으로 정의된다.

2) 위험성 평가

사고가 발생하기 전 시스템 내에 존재하는 위험 요인을 도출해, 사고 위험도를 정량적 및 정성적으로 예측하고 이에 대한 효과적인 대비책을 마련하는 과정으로 정의된다.

3) 안전-I과 안전-II

안전-I은 전통적인 안전에 대한 개념으로 부정적인 일(사건 및 사고)의 발생이 최소화된 상태의 안전으로 정의되고, 안전-II는 안전에 대한 새로운 개념으로 긍정적인 일 혹은 성공적인 일의 발생이 최대화된 상태의 안전으로 정의된다.

4) 안전 복원 탄력성(Resilience)

시스템의 변화 속에서도 기능을 제대로 발휘하는 시스템의 본질적인 능력으로 정의된다. 안전 복원 탄력성은 예상하지 못한 상황에서 시스템의 기능이 원활하게 수행될 수 있음을 보장한다.

5) 기능 공명(Functional Resonance)과 FRAM

시스템의 각 기능(직무)은 변동성(variability)을 가지고 있으며, 기능들의 변동성은 결합을 통해 시스템 변동성을 증폭시키거나 축소 시킨다. 기능의 변동성이 결합을 통해 시스템 전체 변동성에 영향을 주는 현상을 감지할 수 있는 신호를 기능 공명이라 정의한다.

기능 변동성 파급분석법(FRAM: Functional Resonance Analysis Method)은 기능 공명을 분석하기 위해 개발된 시스템의 모델링 기법이다.

6) WAI와 WAD

상정된 작업(WAI: Work-As-Imagined)은 시스템 설계자가 특정 상황에서 시스템의 기능(직무)이 수행되어야 하는 작업방식으로 정의되며, 실제적 작업(WAD: Work-As-Done)은 특정 상황에서 시스템의 기능(직무)이 실제로 수행되는 작업방식으로 정의된다.

7) ETTO 원칙(Efficiency-Thoroughness Tradeoff Principle)

사람은 작업을 할 때 이용 가능한 자원(시간, 정보, 기기 등)을 고려해서 효율성과 완전성 사이에서 상충 점을 찾아 적절하게 현재 작업 상황에 적응해가면서 작업하는 현상을 에토 원칙이라 정의한다.

8) 역병적 모형(Epidemiological model)

"사고는 분명하거나 또는 잠재적인 요소(latent factors)들이 결합되어 발생한다."라고 가정하여 분석하는 모형으로 정의된다.

Chapter

02 인적오류 확률에 대한 추정

1. 인간 신뢰도

[2005년 3교시 1번] [2006년 4교시 1번] [2007년 3교시 3번] [2012년 3교시 4번] [2019년 1교시 1번] [2023년 1교시 13번] [2024년 2교시 1번] [2024년 4교시 1번]

인간 신뢰도는 인간이 어떠한 작업을 수행하는 동안 에러를 범하지 않고 작업을 수행할 확률을 의미한다.

$$\text{휴먼에러 확률(HEP), P} = \frac{\text{실제 인간의 에러 횟수}}{\text{전체 에러 기회의 횟수}}$$

인간 신뢰도(R) = (1-HEP)

직렬작업 인간 신뢰도(Rs) = $R_1 \times R_2$

2. 인간 신뢰도 계산문제

1. A사무원은 시간당 10,000자를 타이핑 하며, 평균 40개의 오타가 발생한다. B사무원은 1,000자로 구성된 원고에 대해 평균 5자를 잘못 읽는다. B사무원이 불러주고 A사무원이 받아서 타이핑하는 작업의 인간 신뢰도를 구하시오.

- A사무원 인간 신뢰도

$$HEP = \frac{40}{10,000} = 0.004$$

$$R_1 = (1 - 0.004) = 0.996$$

- B사무원 인간 신뢰도

$$HEP = \frac{5}{1,000} = 0.005$$

$$R_2 = (1 - 0.005) = 0.995$$

- B사무원이 불러주고 A사무원이 받아서 타이핑하는 작업의 인간 신뢰도

$R_3 = 0.996 \times 0.995 = 0.99102$

2. 제어시스템의 정상작동을 관찰해야 하는 운전자(Operator)가 있다. 작업이 완료될 때까지의 제어시스템의 정상작동 신뢰도는 0.9이다. 운전자의 시스템 관찰(Monitoring) 신뢰도는 0.8이다.
회사에서는 제어시스템의 정상작동 신뢰도를 높이기 위해 제어시스템을 중복으로 설치할지, 같은 작업을 수행하는 운전자를 한 명 더 배치할지 고민하고 있다.

(1) 제어시스템과 인간 작업자의 추가 비용이 같다면 어떻게 하는 것이 인간-기계 시스템의 전체 신뢰도를 높이겠는가? 이 인간-기계시스템의 신뢰도 블럭도를 각각 그려서 그 차이를 비교하시오.

- 제어시스템의 중복 설치

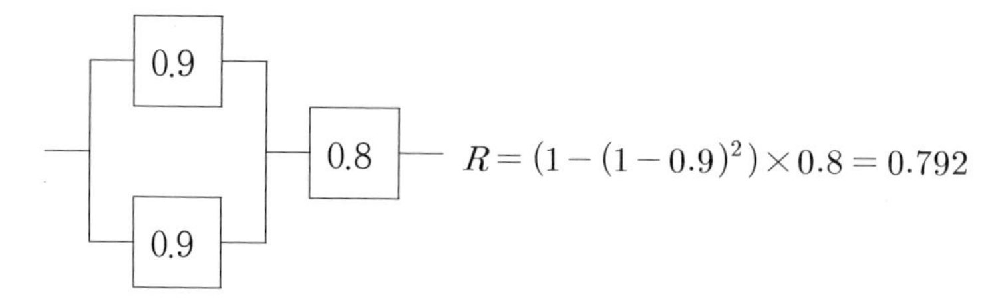

- 작업자 1명 추가

$$R = 0.9 \times (1 - (1 - 0.8)^2) = 0.864$$

(2) 변경하려는 작업에 대해 인간-기계시스템의 실패를 정상사건으로 하는 Fault Tree를 작성하고 정상사건이 발생할 확률을 구하시오.

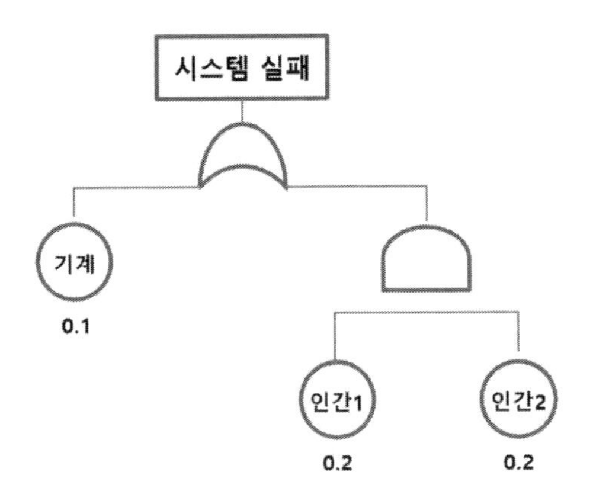

- 정상사건(인간-기계시스템의 실패)이 발생할 확률
  = 1-(1-0.1)(1-(0.2×0.2)) = 0.136

3. 결함수 분석법(FTA)의 최소 컷세트, 최소 패스세트

[2016년 1교시 9번]

1) 컷셋 (cut set) : 정상사상을 일으키는 기본사상의 집합

2) 최소 컷세트(minimal cut set)
   - 모든 기본사상이 일어났을 때 Top 사상을 발생시키는 기본사상의 최소 집합
   - 시스템을 고장나게 하는 최소한의 기본사상의 조합
   - 기본사상을 집중적으로 관리함으로써 Top 사상의 재해 발생 확률을 효과적이고 경제적으로 감소시킬 수 있다.

3) 패스셋 (path set) : 시스템이 고장나지 않도록 하는 기본사상의 조합

4) 최소 패스세트 (minimal path set)
   - 고장나지 않는 최소한의 기본사상 조합
   - 여기에 포함되어있는 기본사상이 일어나지 않으면 정상사상이 발생하지 않는 기본사상의 집합

4. 인간 오류분석기법 중 FTA (Fault Tree Analysis)

[2023년 3교시 3번]

FTA는 결함수분석법 이라고도 하며, 기계설비 또는 인간-기계시스템의 고장이나 재해 발생 요인을 FT 도표에 의하여 분석하는 방법이다. 즉, 사건의 결과(사고)로부터 시작해 원인이나 조건을 찾아 나가는 순서로 분석이 이루어진다.

1) FTA의 특징

- FTA는 고장이나 재해요인의 정성적인 분석뿐만 아니라 개개의 요인이 발생하는 확률을 얻을 수 있으며, 재해 발생 후의 규명보다 재해 발생 이전의 예측기법으로써 활용 가치가 높은 유효한 방법이다.
  - 정상사상인 재해 현상으로부터 기본사상인 재해 원인을 향해 연역적으로 분석하므로 재해 현상과 재해 원인의 상호 관련을 해석하여 안전대책을 검토할 수 있다.
  - 정략적 해석이 가능하므로 정략적 예측이 가능하다.

2) FTA에 사용되는 논리기호

등급	기호	명칭	설명
1		결함사항	개별적인 결함사상
2		기본사항	더 이상 전개되지 않는 기본적인 사상
3		통상사상	통상 발생이 예상되는 사상(예상되는 원인)
4		생략사상	정보 부족 해석기술의 불충분으로 더 이상 전개할 수 없는 사상작업 진행에 따라 해석이 가능할 때는 다시 속행
5		AND gate	모든 입력사상이 공존할 때만이 출력사상이 발생
6		OR gate	입력사상 중 어느 것이나 하나가 존재할 때 출력사상이 발생

3) 장점

- 근본 원인 분석 : 시스템 실패의 근본 원인을 파악하는 데 효과적
- 정확성 : 각 논리 게이트와 원인의 관계를 명확히 정의하여 정확한 분석 가능
- 포괄적 분석 : 모든 가능한 원인을 논리적으로 분석하여 포괄적인 평가 가능

4) 단점

- 복잡성 : 복잡한 시스템일수록 트리 구조가 매우 복잡해질 수 있음
- 시간 소모 : 자세한 분석을 위해 많은 시간과 자원이 필요
- 초기 지식 필요 : 시스템의 구조와 동작에 대한 깊은 이해가 필요

5. ETA (Event Tree Analysis)

[2024년 2교시 1번]

1) 정의

- ETA는 특정 사건(initiating event)에서 시작하여 가능한 결과를 체계적으로 도출하는 분석 기법. 사건의 순차적 발전 과정을 나무 형태로 그려내어, 각 단계에서의 가능한 결과를 도출

2) 특징

- 순차적 분석 : 특정 사건에서 시작하여 사건이 어떻게 발전할 수 있는지를 단계별로 분석
- 전방향적 접근 : 초기 사건에서 출발하여 가능한 모든 결과를 도출
- 확률적 평가 : 각 단계에서의 사건 발생 확률을 계산하여 전체 시나리오의 발생 확률을 평가

3) 장점

- 사전 예측 가능성 : 사건의 진행 과정을 예측하고 대비책을 마련하는 데 유용
- 시각적 명확성 : 사건의 발전 과정을 나무 구조로 시각화하여 이해하기 쉬움
- 다양한 결과 탐색 : 하나의 초기 사건에서 발생할 수 있는 다양한 결과를 모두 분석

4) 단점

- 초기 사건에 의존 : 초기 사건의 정의가 정확하지 않으면 분석 결과가 신뢰할 수 없게 됨
- 복잡성 증가 : 사건의 단계가 많아질수록 나무 구조가 복잡해짐
- 포괄적이지 않음 : 모든 가능한 초기 사건을 다루지 않으면 전체 시스템의 안전성을 완전히 평가하기 어려움

5) ETA 절차

- 초기 사건이 발생했다고 가정한 후 후속 사건이 성공했는지 혹은 실패했는지를 가정하고 이를 최종 결과가 나타날 때까지 계속 분지하는 방식으로 작성함

6. ETA(event tree analysis)와 FTA(fault tree analysis)의 차이점과 장·단점

[2024년 2교시 1번]

- ETA (Event Tree Analysis)와 FTA (Fault Tree Analysis)는 둘 다 시스템의 신뢰성 및 안전성을 평가하는 데 사용되는 분석 기법
- 두 기법은 각각 다른 접근 방식을 취하며, 장단점도 다름
- ETA와 FTA는 서로 상호보완적인 기법으로, 복잡한 시스템의 신뢰성 및 안전성 평가에서 두 방법을 함께 사용하는 것이 종종 효과적
- ETA는 가능한 시나리오를 예측하는 데 유용하며, FTA는 특정 실패의 근본 원인을 철저히 분석하는 데 강점이 있음

분석기법	접근방식	주요 목적	장점	단점
ETA	순차적 분석	사건의 발전 과정 예측	예측 가능성, 시각적 명확성	초기 사건에 의존, 복잡성 증가
FTA	역방향적 분석	시스템 실패의 원인 도출	근본 원인 분석, 정확성, 포괄적 분석	복잡성, 시간소모, 초기 지식 필요

7. FMEA

[2010년 1교시 7번]

1) 정의

FMEA는 서브시스템 위험 분석을 위하여 일반적으로 사용되는 전형적인 정성적, 귀납적 분석법으로 시스템에 영향을 미치는 모든 요소의 고장을 형태별로 분석하여 그 영향을 검토하는 것이다.

2) 수행절차

순서	주요내용
1단계 대상 시스템의 분석	① 기기, 시스템의 구성 및 기능을 파악 ② FMEA 실시를 위한 기본 방침의 결정 ③ 기능 BLOCK 과 신뢰성 BLOCK 의 작성
2단계 고장 형태와 그 영향의 해석	① 고장 형태의 예측과 설정 ② 고장 원인의 산정 ③ 상위 항목의 고장 영향의 검토 ④ 고장 검지법의 검토 ⑤ 고장에 대한 보상법이나 대응법 ⑥ FMEA 워크시트에 기입 ⑦ 고장 등급의 평가
3단계 치명도 해석과 개선책의 검토	① 치명도 해석 ② 해석 결과의 정리와 설계 개선으로 제언

3) 적용 가능한 예

① 개로 또는 개방고장

② 폐로 또는 폐쇄고장

③ 가동고장

④ 정지고장

⑤ 운전 계속의 고장

⑥ 오작동 고장

8. 피해영향분석법 (CA : Consequence Analysis)

공정에서 최악의 사고가 발생할 경우에 대한 시나리오를 작성하여, 각각의 시나리오에 대한 화재, 폭발 그리고 누출에 의하여 복사열에 따른 피해거리, 과압에 따른 피해거리 등을 구해 사고 피해를 예측한다.

◇ Consequence Analysis는 화재, 폭발, 누출과 같은 사고가 발생했을 때 인명이나 재산상의 손실 또는 업무중단으로 인한 손실 비용 등에 영향을 주는 원치않는 결과를 분석, 추산하는 위험성 평가기법

◇ 수행 방법

- 기상누출, 액체 누출 등 누출원모델링(Source Term Modeling)을 산정
- 대기확산모델링(Dispersion Modeling), 화재모델링(Fire Modeling) 및 폭발모델링 (Explosion Modeling)을 수행
- 사고영향모델링(Effect Modeling)을 수행
  - Radiation heat effect (복사열 영향)
  - Overpressurization (과압)
  - Toxic effect (인체에 대한 독성)

9. 결함위험분석 (FHA : Fault Hazard Analysis)

- 결함위험성분석은 복잡한 전체제품을 몇 개의 하부제품으로 분할하여 제작하는 경우 하부제품 간의 인터페이스를 면밀히 검토하고 조사하여 각 하부제품이 다른 하부제품 또는 전체제품의 안전성에 악영향을 미치지 않도록 분석하는 기법이다.
- 완성품 제작에 있어서 어떤 제품이라도 기획·설계에서 제조·판매단계에 이르기까지 각각의 역할을 분담하여 조립부품들을 구매하거나 조립하여 생산하게 되는데 이와 같은 상황에서 각 부품이나 하부 시스템 간의 예상치 못한 문제가 발생할 수 있기 때문이다.
- 각 부품은 한 가지 이상의 고장요인을 가질 수 있으며 각 부품의 고장형태는 정상적인 제품기능에 위험을 초래하므로 부품의 위험성이나 원인 그리고 제품이나 하부제품들 간에 미치는 영향 등에 대해 상세한 조사를 할 필요가 있다.

10. 조작자 행동 나무(OAT, Operator Action Tree)

- 1980년대 초에 John Wreathall에 의하여 개발
- 사고가 시작된 이후에 발생하는 사건의 전개 과정에서의 인적오류 분석을 대상으로 함
- 의사결정 시, 여러 단계에서 조작자의 선택을 성공과 실패의 경로로 표현하고, 이로부터 일반적인 상황에 일치하는 조작자의 확률적 성능을 묘사
- 주위 사건에 대한 인간의 대응을 감지(perception), 진단(diagnosis), 반응(response) 세 가지 활동으로 표현
- 방법
  - 시스템 사상수로부터 적절한 안전 기능을 규명
  - 안전 기능을 달성하기 위하여 요구된 특정한 행위들을 규명
  - 적절한 경보 지시를 나타내는 표시(display)와 적절한 행위를 취하기 위하여 작업자가 이용할 수 있는 시간을 규명
  - 고장수나 사상수에서의 오류들을 나타냄
  - 오류의 확률을 추정

11. 예비위험분석 (PHA : Preliminary Hazard Analysis)

- PHA는 공정의 설비단계에서 예비로 간단히 위험을 찾아내어 이 위험이 나중에 발견되었을 때 드는 비용을 절약하자는 것이다.
- PHA는 다른 위험분석방법에 의한 평가에 선행해서 실시한다. 이것은 공장의 초기에 위험을 확인하기 위한 효과적인 방법을 제공하며 새로운 공정처럼 안전 문제에 대한 경험이 거의 없는 경우에 대해서도 적용할 수 있다.
- PHA를 행할 때는 공정이나 절차에 관한 상세한 정보를 얻을 수 없기 때문에 주로 위험물질과 주 공정요소에 초점을 맞춘다. 때로는 급작스런 에너지의 방출이 생길 수 있는 요소를 조사하게 되는데 사용되기도 한다. 또한 PHA는 원료물질, 중간물질, 최종 제품과 그들의 반응정도, 공장설비, 시스템 요소 사이의 연결부분, 운전환경, 안전 설비 등의 위험요소를 확인하는 데 적용된다.

12. 휴먼 에러율 예측 기법

(THERP : Technique for Human Error Rate Prediction)

[2021년 2교시 6번] [2022년 3교시 1번]

1) 정의

- 휴먼에러 발생률을 전문적으로 예측하는 정량적 분석 기법
- 인간이 수행하는 작업을 상호 배반적 사건으로 나누어 ETA와 비슷하게 사건 나무를 작성하고, 각 작업의 성공 혹은 실패 확률을 부여하여 각 경로의 확률을 계산

2) 방법

- 우선 작업장 상황을 이해할 필요가 있고 그 후에 정성적 평가 정량적 평가 구체화의 과정을 거친다.
- 파악(familiarization)은 정량화할 직무를 이해하고 그 절차를 검토하고 작업장과 작업장을 운영하는 사람들에 대한 정보를 모으는 것이다. 정성적 평가는 직무 분석을 수행하는 것을 말한다.
- 평가되어야 할 직무를 결정하고 직무의 단계와 중첩성 그리고 각 단계에 영향을 미치는 수행도 형성인자(PSF: Performance Shaping Factors)를 결정한다.
- HRA 사건나무를 통하여 정량적 평가를 시행한다.
- 최종적으로 민감도 분석이나 통계분석 등을 통하여 결과를 통합시킨다.

3) 적용 예

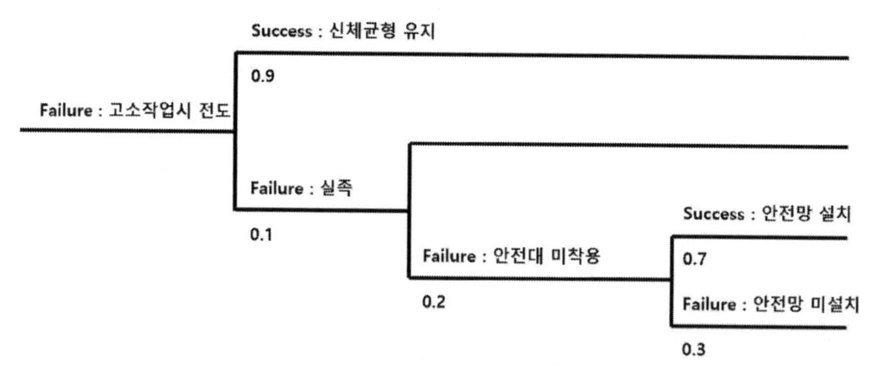

- P(사망) = P(실족)×P(안전대 미착용)×P(안전망 미설치) = 0.1×0.2×0.3 = 0.006
- P(부상) = P(실족)×P(안전대 미착용)×P(안전망 설치) = 0.1×0.2×0.7 = 0.014
- P(정상) = P(신체균형 유지)+P(실족)×P(안전대 착용) = 0.9+0.1×0.8 = 0.98

파악

- 정보 수집
- 작업장 방문
- 시스템 분석가와 절차/정보 검토

정성적 평가

- 성능요건 결정
- 작업수행 상황 평가
- 수행목적 규정
- 가능한 인적오류 규명

정량적 평가

인적오류확률 결정

인간수행도에 영향을 주는 요인 / 상호작용 규명

오류로부터의 회복 확률 고려

시스템고장 확률에 대한 인적오류 기여율 계산

통합

민감도 분석 수행

시스템분석에 결과입력

13. 인간오류 확률의 추정기법들을 활용함으로써 얻을 수 있는 장점

- systematic 분석을 하기 때문에 간과하는 것이 줄어든다.
- 원인과 결과, 사고에 이르기까지 제사상의 관계가 명확하게 된다.
- 시각적인 표현력에 의해서 평가 집단 내 제3자와의 정보전달이 쉽게 된다.
- 잠재적인 위험 구조의 종결이 확실해진다.
- 개선안에 대한 오류 가능성을 정량적으로 다룬다.

※ 시스템 안전 분석 방법

구분	분석방법	목적	적용 분야
정성적	FMEA	시스템 하부의 부품이나 하위시스템의 고장이 시스템에 미치는 영향 분석	모든 시스템, 하위 시스템, 부품, 인터페이스 등
	FMECA	FMEA 에 정량적인 Criticality 평가를 보완	모든 시스템, 하위 시스템, 부품, 인터페이스 등
정량적	FTA	원하지 않는 최종 사고와 그것에 영향을 주는 사건들의 조사 분석 (연역적)	원치 않는 최종 사건을 포함하는 모든 시스템
	ETA	잠재적 사고의 표현, 특성화, 정량화 (귀납적)	원하지 않는 사건의 발생이 예상되는 모든 시스템
	THERP	인간 오퍼레이터의 에러에 대한 정량적 평가	인간 오퍼레이터의 조작과정이 포함된 시스템

Chapter

03 인적오류 예방

1. 안전설계 원리

[2006년 4교시 2번] [2011년 4교시 5번] [2015년 1교시 1번] [2017년 3교시 3번] [2020년 1교시 6번] [2023년 1교시 10번] [2024년 1교시 12번]

1) Fool Proof

- 바보(fool)와 같이 되는 경우를 방지(proof)한다는 의미로서, 사용자가 실수를 하더라도 사용자나 시스템에 피해가 발생하지 않도록 하는 설계 개념
- 예를 들어 전원 플러그를 사용하여야 하는 경우에 극성이 다르게 삽입되는 것을 방지하기 위하여 플러그의 모양을 극성이 올바른 경우에만 삽입될 수 있도록 설계하는 경우이다.
- 특히 초보자나 미숙련자가 사용법을 잘 모르고 제품을 사용하더라도 사고가 나지 않도록 하는데 적절한 설계 개념이다.
  - Affordance (행동 유도성 원칙)
  - Mental Model (좋은 개념모형의 원칙)
  - Mapping (대응의 원칙)
  - Visibility (가시성의 원칙)
  - Feedback (피드백의 원칙)
  - Consistency (일관성의 원칙)
  - Constraints (사용상 제약 원칙)

2) Fail Safe

고장이나 오류가 발생하는 경우(fail)에도 안전한 상태(safe)를 유지하는 방식

- Redundant system (중복 시스템 설계, 병렬체계 방식)
  - 비행기 엔진을 2개 이상 장착하여 1개 엔진이 고장 나더라도 다른 엔진을 이용하여 당분간 운항한 뒤 착륙할 수 있도록 하는 병렬체계 방식
- Standby system (대기 시스템 설계, 대기체계 방식)
  - 평소에는 작동하지 않다가 주 장치에 고장이 나면 작동하는 방식
    예) 병원 수술실이나 엘리베이터의 자가 발전기
- Error recovery (에러 복구)
  - 오류가 발생하여도 이를 쉽게 복구할 수 있게 하는 방식
    예) 컴퓨터 바탕화면의 휴지통
- 고장이 발생하면 시스템이 작동을 멈추는 방식
  예) 과전압이 흐르면 전기가 차단되는 차단기, 넘어지면 작동이 되지 않는 전기히터 등

3) Tamper Proof

고의로 안전장치를 제거하여도 안전한 상태를 유지 시킬 수 있게 하는 설계 개념

- 프레스 작업에서 작업자들은 작업 속도가 느려지고 불편하다는 이유로 고의로 안전장치를 제거하는 경우 프레스가 아예 작동하지 않도록 설계

[관련 기출문제]

작업자가 (b)와 같이 조립하여 불량이 발생 되었다. 다음 물음에 답하시오.

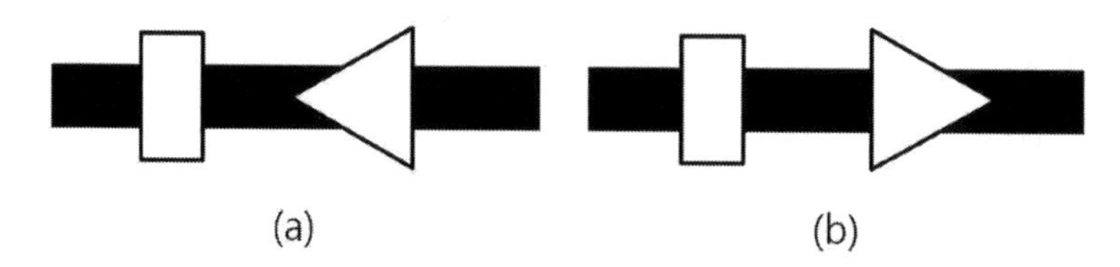

발생한 불량의 근본 원인에 대하여 설명하시오.

- Fool Proof 방식의 설계를 시행하여 불량이 발생하지 않도록 사전에 차단
- 삼각형이 반대로는 설치되지 않도록 설계

2. 휴먼에러 예방을 위한 잠금장치의 종류

[2007년 1교시 6번] [2015년 3교시 1번] [2016년 1교시 11번] [2016년 3교시 5번] [2020년 1교시 6번] [2021년 2교시 5번]

1) 바깥잠금 (lock-out)

- 기계조작 장치를 외부에서 잠그는 것
- 위험한 장소에 들어가거나 사건이 일어나는 것을 방지하기 위하여 들어가는 것을 제한하거나 예방하는 개념

  ex) 건물에 화재가 났을 때 사람들이 1층까지 내려온 뒤에는 더 이상 지하로 내려가지 않도록 진행을 방해하기 위하여 1층까지는 비상구가 바로 연결되게 배치하다가 지하로 내려가는 것에 대해서는 이제까지 방향과는 달리 다른 쪽으로 돌아서 내려가도록 위치시키는 것

2) 안잠금 (lock-in)

- 시스템의 안쪽에서 접근을 방지하는 장치
- 작동하던 제품의 작동을 계속 유지시켜 작동의 정지로 인한 피해를 막기위한 개념

  ex) 워드프로세스의 자동 저장장치
  컴퓨터로 이메일을 보내는 작업에서 중간에 종료 버튼을 누를 경우 작업 내용을 저장할 것인지를 묻는 기능

3) 맞잠금 (interlock)

- 조작들이 올바른 순서대로 일어나게끔 강제하는 장치
- 동작 중인 기계장치에 접근이 이루어지면 자동으로 동작이 멈추도록 하는 것
- 주어진 모든 조건을 만족하는 경우에만 작동

  ex) 작동 중 전자레인지 문 열면 전원이 차단됨, 소화기 및 수류탄의 안전핀, 자동차 자동변속기

Chapter

06

UI / UX

1. UI/UX, usability 개요
2. 사용자중심 디자인
3. 사용성 평가
4. 감성공학

Chapter

01 UI/UX, Usability 개요

1. 인간-기계 인터페이스[5]

[2021년 1교시 4번] [2023년 4교시 2번]

1) 인간-기계시스템

인간과 기계에 각각의 역할과 기능을 주고, 공통의 목표를 성취하기 위하여 유기적인 정보의 흐름 과정이 존재하는 집합체

2) 인간기계 인터페이스 혹은 사용자 인터페이스(UI)

인간-기계시스템에서 사용자가 보고 조작하는 정보의 상호작용이 이루어지는 공간

3) 신체적 인터페이스, 인지적 인터페이스, 감성적 인터페이스로 구분

- 신체적 인터페이스 : 인간의 신체적 특징과 같은 인체측정학 자료가 원천
- 인지적 인터페이스 : 인간의 인지적 특성을 다루는 산업심리학 자료가 원천
- 감성적 인터페이스 : 즐거움이나 기쁨을 느끼게 하는 감성 특성이 원천

2. 사용자 인터페이스(UI)와 사용자 경험(UX)

[2019년 3교시 4번] [2023년 1교시 8번]

가. UI (User Interface) 디자인

1) 사용자 인터페이스(User Interface)

사람과 시스템 간의 접점, 또는 사용자와 시스템 사이에서 정보 전달이 일어나는 정보 교환의 창구로 정의

---

5) Ⅰ. 인간기계시스템 / 3.인간기계시스템의 개요 참고

2) 사용자 인터페이스 평가요소

- 배우는데 걸리는 시간

  사용자가 작업수행에 적합한 명령어나 기능을 배우기 위한 시간이 얼마나 필요한가?

- 작업 실행 속도

  작업을 수행하는데 시간이 얼마나 걸리는가?

- 사용자 에러율

  작업을 수행하는데 사용자는 얼마나 많은, 그리고 어떤 종류의 에러를 범하는가?

- 기억력

  사용자는 한 번 이용한 시스템의 이용법을 얼마나 오랫동안 기억할 것인가? 기억력은 배우는데 걸린 시간, 이용 빈도 등과 관련이 있다.

3) UI 디자인 원칙

- 효율성
  - 반응성 : 시스템의 반응속도가 빨라야 한다.
  - 단축성 : 사용자의 작업을 간단하게 수행할 수 있도록 한다.
- 정확성
  - 사전방지 : 사용자가 오류를 저지를 가능성을 사전에 차단
  - 오류발생 감지 : 오류가 발생할 경우 사용자가 가능한 오류를 빠르게 인식하도록 설계
  - 오류 회복성 : 지각된 오류를 사용자가 쉽게 정정할 수 있도록 설계
- 의미성
  - 변화 제시성 : 시스템의 내부 상태가 변화하면 그 변화 상태를 사용자가 감지하도록 설계
  - 이해 가능성 : 물리적으로 사용자에게 전달된 정보를 사용자가 이해하도록 설계
- 유연성
  - 사용자 주도권 : 사용자가 자신이 원하는 대로 시스템과 상호작용을 할 수 있도록 설계

- 통제성 : 사용자 자신이 관심을 가지는 대상을 직접 조작할 수 있도록 설계
- 대체성 : 사용자가 시스템을 사용하면서 특정 작업을 하기 원할 때 그 작업을 수행할 수 있는 방법이 2가지 이상이어서 상황에 따라 적절히 선택하도록 설계
- 다중성 : 사용자가 한 번에 두 개 이상의 작업을 동시에 수행할 수 있도록 설계
- 개인화 : 사용자의 취향이나 특성에 따라 시스템의 상태를 변화시킬 수 있는 속성

◆ 일관성

- 예측 가능성 : 사용자가 자신이 과거에 시스템과 상호작용을 했던 경험에 비추어 어떤 행동을 하면 그 결과가 어떻게 되리라는 것을 예측할 수 있도록 설계
- 친숙성 : 사용자가 실제 세상에서 가지고 있는 경험을 이용해 시스템을 사용하는데 필요한 지식을 습득할 수 있도록 설계
- 일반화 가능성 : 과거에 자신이 사용했던 명령이나 메뉴를 새로운 상황에서도 사용할 수 있도록 설계

나. UX (사용자 경험, User Experience) 디자인

ISO 9241-210에서는 어떤 제품이나 시스템, 서비스를 직, 간접적으로 이용하면서 지각하고 반응하게 되는 경험으로 정의

- UX는 사용자가 반복적으로 제품을 사용하는 과정에서 학습과 생각을 통해서 만들어 짐
- 따라서 제품의 외관적인 디자인 요소뿐만 아니라 제품을 사용하는 상호작용 행위에서 경험하게 되는 효용성과 가치, 감정 등을 포함
  1) 감각적 측면에서 보기 좋게 보이는 감각적 경험
  2) 느낌이 좋은 감성적 경험
  3) 지속적으로 상호 작용하며 형성되는 행위적 경험
  4) 개인적 요구사항을 충족시키는 개인적 경험
  5) 생활양식 측면에서의 새롭고 이색적인 환경적 경험
- 사용자 경험 디자인은 제품의 외관에 관한 디자인뿐 아니라 소비자들의 행동 양식과 심리, 제품 사용 등을 종합적으로 추적해 그 결과를 제품에 반영하는 것

다. UX/UI 디자인의 상호 관계성

- 상호작용 관계
- UX로 사용자들의 needs 파악 → UI 업그레이드 → UX 만족감 상승 → UI 업그레이드

Chapter

02 사용성 평가

1. 사용성

[2024년 1교시 6번]

사용자가 특정한 사용 환경에서 의도한 목적을 달성하고자 어떤 제품을 이용할 때의 효과, 효율 및 만족의 정도

구분	정의	평가척도 예시
효과 (effectiveness)	의도한 목적을 얼마나 정확하고 완성도 있게 달성하였는가에 대한 정도	완성된 과제 비율 시간 내 과제 성공 비율 사용 목적에 대한 성공 비율
효율 (efficiency)	원하는 목적을 정확하게 완성하는 데 소모하는 자원의 효율 정도	초보자의 과제 완성 시간 숙련자의 과제 완성 시간 학습률
만족 (satisfaction)	사용자들이 느끼는 사용상의 편안함과 만족의 정도	사용상의 주관적 만족도 포함된 기능에 대한 만족도 도움말 지원에 대한 만족도

2. 사용성 평가 방법

[2021년 1교시 5번] [2023년 2교시 5번]

※ 사용성 평가

사용자가 어떤 상황에서 사용하기 어렵고, 어떻게 이해하기 어려운지를 사용자 관점에서 평가하여 디자인에 반영하여 사용성을 향상하는 활동

- 사용성 평가는 일반적으로 시스템이 제공하는 정보와 서비스, 사용자 인터페이스에 의한 상호작용, 사용자가 표면적으로 지각하는 인터페이스 요소 등을 대상으로 평가
- 분류

  연구방법, 정량적/정성적 평가, 주관적/객관적 평가, 평가자(전문가, 사용자), 개발단계
- 최근 사용자와 전문가에 의한 전통적인 분류법은 경계선이 모호해지거나 방법에 따라 혼용
- 연구방법에 따라 검사법, 설문조사법, 면접법, 시험법, 관찰법, 사용흔적법으로 분류

3. 사용성 평가 방법의 종류

1) 발견적 평가법 (heuristic evaluation)
2) 인지적 시찰법 (cognitive walkthrough)
3) 설문조사법 (questionnaires)
4) 포커스 그룹 인터뷰 (FGI: focus group interview)
5) 실험실 사용성 시험법 (laboratory usability testing)
6) 사고 구술법 (think aloud protocol)
7) 에쓰노그래피법 (ethnography)
8) 사용 흔적법 (logging actual use)
9) 카드 소팅법 (card sorting), 종이/화면 모형법 (paper/screen mockup)

1) 발견적 평가법 (heuristic evaluation)

- 평가 대상이 사용성 향상을 위해 일반적으로 지켜야 할 가이드라인을 얼마나 잘 지키고 있는지를 소수 전문가들이 독립적으로 평가하는 방법
- 사용성 가이드라인으로는 Nielsen의 10가지 원칙이나 Shneiderman(벤 슈나이더맨)의 인터페이스 디자인의 8가지 황금원칙, Norman의 사용성 중심 디자인 가이드라인 등이 이용됨
  - 장점 : 전문가들만 모이면 특별한 장비 없이 빠르게 진행할 수 있으며, 비용도 저렴하므로 이른 시간 안에 문제점을 파악하여 수정 가능
  - 단점 : 사용자의 의견이 아니므로 제시한 문제점이 실제 사용자에게는 문제가 되지 않는 것일 수 있음

2) 인지적 시찰법 (cognitive walkthrough)

- 시스템 개발 초기의 모형을 작업 시나리오를 바탕으로 이리저리 탐색하면서 인지적 측면에서의 문제점을 발견하는 방법
- 친숙하지 않은 시스템을 이용하는데 매뉴얼을 자세히 읽지 않고 이리저리 탐색하는 사용자들의 특성을 이용
- 학습 용이성이나 발생 가능한 오류의 개선에 초점
- 웹 사이트를 평가한다고 할 때, 전문가가 사용자 관점에서 웹 사이트에 접근하여 실제적인 정보를 얻기까지의 활동을 탐색하면서 정신적 부하나 기억용량, 사용방식 등을 인지적 관점에서 검사하여 평가

3) 설문조사법 (questionnaires)

- 표준화된 설문지를 사용하여 사용자들의 주관적인 선호도나 의견을 수렴하는 방법
- 사용자의 주관적인 만족도를 평가하기 위하여 Likert 척도를 이용하여 설문 문항별 만족도를 구하거나, 서술형 문항을 통하여 주관적인 의견을 얻을 수 있음
- 설문조사는 융통성이 없으므로 설문지의 내용은 의도한 목적을 명확하고 정확하면서도 간편하게 얻을 수 있도록 구성되어야 함
  - 장점 : 적은 비용으로 많은 자료를 얻어서 통계처리를 할 수 있음
  - 단점 : 사용 상황이나 행위에 관한 내용은 반영하기 어려움

4) 포커스 그룹 인터뷰 (FGI: focus group interview)

- 대표적인 정성적 조사방법 중 하나
- 집단심층 면접조사, 표적집단 면접조사
- 관심이 있는 특성을 기준으로 표적 집단을 3~5개 그룹으로 분류한 뒤, 각 그룹별로 6~8명의 참가자들을 대상으로 진행자가 조사목적과 관련된 토론을 함으로써 평가 대상에 대한 의견이나 문제점 등을 조사하는 방법
  - 장점 : 비슷한 사람들을 모아서 편안하게 의견을 표현할 수 있으므로 개별적 인터뷰보다 더 많은 정보를 얻을 수 있음
  - 단점
    ① 사용자 중에서 자기주장을 강하게 내세우는 사람이 있으면 그 사람의 의견에 동조하거나, 자기 의견을 내세우지 않을 수 있음
    ② 표적 집단의 특성에 대한 면밀한 준비가 되지 않으면 조사 결과의 유용성이 떨어지고 결과의 일반화가 어려움

5) 실험실 사용성 시험법 (laboratory usability testing)

- 장비를 갖춘 실험실에서 제시된 시나리오 과제들을 사용자들이 직업 수행하도록 한 후에 수행 결과를 분석하는 방법
- 시나리오 과제들을 수행하는 장면을 비디오로 녹화하고 이를 이용하여 수행 완료 시간, 과제 완성 비율, 오류 복구 시간과 오류의 수 등의 객관적인 수행 결과를 분석
- 실험 참가자들을 대상으로 주관적인 설문조사나 인터뷰 등을 실시하여 다양한 분석을 체계적으로 시행
- 실험실과 장비에 대한 비용이 많이 들고, 참가자 선정, 실험 진행 과정 등에서 엄격한 관리가 필요하며, 실험과정, 분석, 해석에 많은 시간이 소요됨

6) 사고 구술법 (think aloud protocol)

- 사용자가 머리 안에서 생각하고 있는 상황을 말로 표현하도록 하는 방법
- 참가자가 훈련을 받은 후, 사용성 시험을 하면서 상황마다 참가자의 생각을 말하도록 하면서 녹화

- 사용성 시험을 시행한 후 녹화된 화면을 보면서 오류가 발생하는 상황에 대해 참가자의 생각을 설명하도록 하여 오류 발생원인을 효율적으로 찾아내는 방법
  - 단점 : 사용자가 사용하면서 말하는 것이 부자연스러울 수 있고 거부감을 줄 수 있음

7) 에쓰노그래피법 (ethnography) [2021년 1교시 5번]

- 실제 사용자들의 행동을 분석하기 위하여 이용자가 생활하는 자연스러운 생활 환경에서 관찰하는 방법
- 관찰을 위해 비디오로 녹화하고, 사용자의 행동에 대한 의도가 궁금할 경우, 사용자와 녹화내용을 함께 보며 질문 시행
  - 장점 : 실제 사용자의 행위를 관찰 가능
  - 단점 : 사용자를 통제하기 어렵고 관찰자에 따라 관찰 결과를 다르게 해석

8) 사용 흔적법 (logging actual use)

- 시스템을 사용한 흔적인 프로그램에 접속한 횟수, 사용 시간, 주로 사용하는 내용 등을 직접 관찰하거나 간접적으로 접속한 로그 자료 등을 이용하여 조사하는 방법
  - 장점 : 사용 기능과 빈도 등에 관한 정보들을 토대로 사용자들이 의식하지 못하는 중요한 행동 특성 파악 가능
  - 단점
    ① 사용자의 프라이버시를 침해하는 문제 발생 가능
    ② 자료수집 및 분석에 별도의 프로그램이 필요할 수 있음

9) 카드 분류법 (card sorting), 종이/화면 모형법 (paper/screen mockup)

- 실제 화면에서 보이는 것을 종이나 화면으로 제작하여 평가하는 방식
- 구체적으로 보이는 구현 단계보다는 설계 또는 기획 단계에서 효과적
- 메뉴의 그룹핑과 레이블링, 내비게이션 시스템 설계, 대표 화면의 디자인 시안에 대한 테스트 등에서 이용

- 기능적으로 사용되는 각각의 화면의 구체적인 부분을 세밀하게 검토하는 경우 효과적
  - 장점 : 실제 시스템으로 구현되기 이전인 설계 단계 과정 중에 화면을 평가함으로써 사용자가 실제 시스템을 대할 때, 어떻게 행동하는가를 미리 유추할 수 있음

4. Jacob Nielsen 사용편의성(Usability)의 5 가지 속성

[2014년 1교시 10번] [2019년 2교시 4번] [2022년 1교시 8번] [2024년 1교시 6번]

1) 학습용이성 (Learnability)

시스템은 사용자가 몇몇 수행을 즉각 시행할 수 있도록 배우기 쉬워야 한다.

초보자가 제품의 사용법을 얼마나 배우기 쉬운가를 나타낸다.

2) 효율성 (Efficiency)

시스템은 일단 사용자가 사용하는 것을 학습하면 고도의 생산성이 가능할 수 있도록 사용이 효율적이어야 한다.

숙련사용자가 원하는 일을 얼마나 빨리 수행하는지를 나타낸다.

3) 기억용이성 (Memorability)

시스템은 사용자가 일정 기간 사용하지 않았을 때 모든 것을 전부 다시 배워야 할 필요 없이 다시 그 시스템을 사용할 수 있도록 기억하기 쉬워야 한다.

재사용자들이 사용방법 기억하기 쉬워야 하며, 재사용 시 얼마나 기억하는지를 척도로 한다.

4) 에러 빈도 및 정도 (Error Frequency and Severity)

시스템은 사용자가 그 시스템을 사용하는 동안 에러를 범하지 않게 하는 낮은 에러율을 가져야 하고, 만일 에러를 범할 때도 쉽게 에러로부터 회복될 수 있도록 해야 한다. 특히 치명적인 에러는 발생해서는 안 된다.

실수의 정도가 큰지 적은지, 자주 하는지에 관한 정도로 나타낸다.

5) 주관적 만족도 (Subjective Satisfaction)

시스템은 사용자가 그것을 사용할 때 주관적으로 만족할 수 있도록 사용하기 좋아야 한다.

5. 노만(Norman)의 행위 7 단계 모형

[2008년 2교시 6번] [2008년 2교시 6번] [2015년 3교시 7번] [2023년 4교시 6번]

인지심리학자인 Norman은 인터페이스를 통하여 시스템과 상호 작용하는 사용자는 7단계의 인지 과정을 거친다고 생각하고, 다음과 같은 행위의 7단계 모형을 제안하였다.

- Norman의 행위의 7단계 모형
  1) 목표의 설정 Forming the goal
  2) 의도의 형성 Forming the intention
  3) 행위의 명세화 Specifying an action sequence
  4) 행위의 실행 Executing an action
  5) 시스템 상태의 변화지각 Perceiving the state of the world: 결과인지
  6) 시스템 상태의 해석 Interpreting the state of the world (결과 해석)
  7) 목표와 의도의 관점에서 시스템 상태를 평가 Evaluating the Outcome (평가)

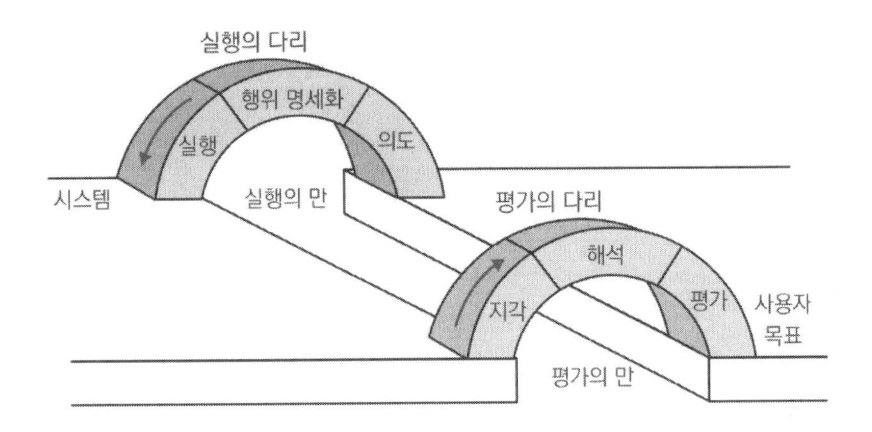

- 1~3단계까지는 행위의 욕구와 계획의 단계이고, 4단계는 행위의 실행, 5~7단계는 행위의 결과로부터 얻는 지각과 평가에 관한 문제임
- 이러한 부분은 단계의 구분을 통해 사용자의 관점에서 인터페이스 사용상의 문제점이 있으면 실행 단계의 문제인지, 평가단계의 문제인지를 파악하기 쉽게 함
- 사용자가 사용하기 편리한 인터페이스를 만들기 위해서는 실행에 관계된 부분과 평가에 관계된 부분을 가능한 접근시킬 필요가 있음

Norman은 이러한 모델을 인터페이스의 문제점을 파악하는 데 사용하였다. 사용자와 시스템은 서로 다른 형태로 각자의 영역을 설명하므로 사용자의 의도가 시스템의 행동으로 잘 연결되어야 한다. 따라서 인터페이스는 이 둘을 잘 연결해 줄 수 있어야 한다. 또한, 시스템의 출력을 사용자가 쉽게 평가할 수 있어야 상호작용이 잘 이루어진다고 말할 수 있다.

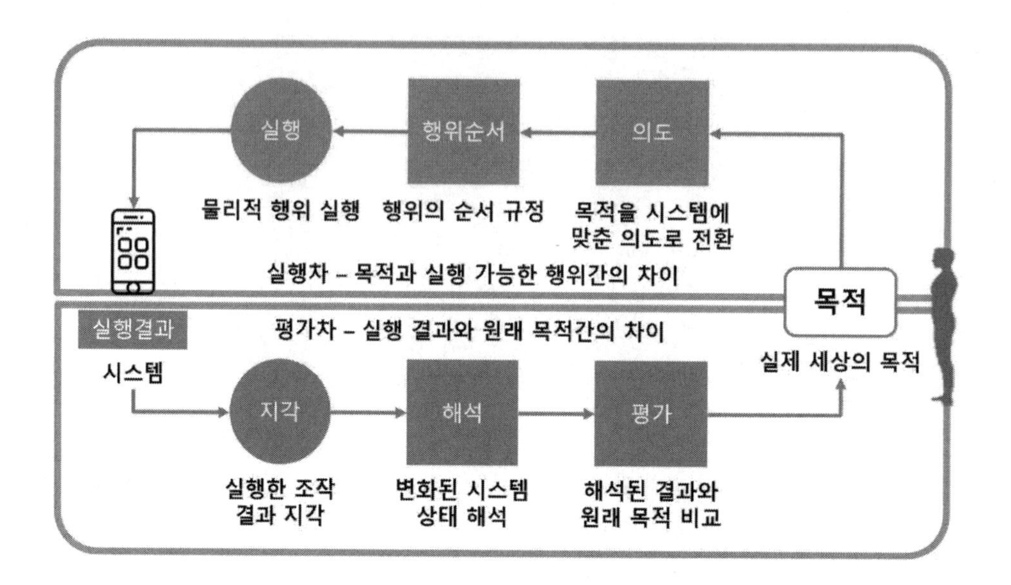

◇ PDS 해석

- Plan(계획) : 시스템을 어떻게 조작할 것인지 사용자가 의도를 형성하는 단계
- Do(실행) : 실제로 실행하는 단계
- See(평가) : 실행결과가 올바르게 진행되어 가는지 평가하는 과정

6. Nielsen 일반적 인터페이스 설계 원리

시스템과 실제 세상을 대응시켜라	실수방지 및 실수로부터의 회복
▪ 사용자의 언어로 말하라 ▪ 친숙한 개념적 모델이나 은유를 사용 ▪ 실제 세상의 약속을 준수 ▪ 사용자의 목표에 대응되는 단서 제공	▪ 우선적으로 실수가 발생하지 않도록 하라 ▪ 사용자들이 실수를 재인하고, 진단하며, 실수로부터 회복하도록 분명하고 명료한 실수메시지를 사용
일관성과 표준	**기억**
▪ 인터페이스 전체를 통해 같은 것은 같은 방식으로 표현 ▪ 색채 부호화는 단일하게 사용 ▪ 단일한 입력 구문을 사용 ▪ 기능들은 스크린에 걸쳐 논리적으로 집단화되고 일관적이어야 함 ▪ 인터페이스 설계에서 일반적으로 지켜지는 규칙을 준수	▪ 기억해서 입력하는 것보다는 보고 선택하는 방식을 사용 ▪ 가용한 행위의 대안들을 분명하게 제시 ▪ 선택 목록을 제공하고 목록에서 선택할 수 있도록 하라 ▪ 가시적 대상이나 결과와 같은 직접 조작을 사용
시스템 상태의 가시도	**사용의 유연성과 효율성**
▪ 시스템의 상태에 대하여 사용자들에게 항상 정보 제공 ▪ 입력이 수용되었다는 것을 피드백 ▪ 모든 행위들에 대해 시기적절한 피드백을 제공 ▪ 과제 수행의 진행 상태를 제시 ▪ 가시적 대상이나 결과와 같은 직접 조작을 사용	▪ 단축키와 가속기를 제공 ▪ 빈번한 행위들의 수행은 더 빨리 이루어질 수 있도록 옵션을 제공 ▪ 시스템은 사용하기 효율적으로 구성 (또한 과제들을 개시하고, 기록하며, 취소할 수 있도록 해야 함)
사용자가 갖는 제약과 자유	**단순화의 미적 통합**
▪ 관대성 : 조작의 실수에 대해 되돌아가기나 취소 기능을 제공 ▪ 빠져나가기나 탈출을 분명하게 표시하여 제시 ▪ 사용자가 행위를 개시하고 통제 가능하도록 구성 ▪ 가능하면 서로 다른 모드를 피하라	▪ 사물들은 단순한 그래픽 설계를 사용하여 보기 좋도록 해야 함 ▪ 단순하고 자연스러운 대화상자를 사용, 과외적인 단어나 그래픽을 제거 ▪ 모든 정보들은 자연스럽고 논리적으로 보이도록 해야 함

※ Shneiderman(벤 슈나이더맨)의 인터페이스 디자인의 8가지 황금원칙

첫째. 일관성 (Consistency)

- 비슷한 상황이나 연속적으로 펼쳐지는 상황을 디자인할 때 친숙한 아이콘이나 색상, 메뉴구조, 액션을 위한 이벤트와 사용자 흐름을 활용해서 일관성을 확보하도록 노력한다.
- 정보가 전달되는 방식을 표준화하는 것은 사용자들이 한 번의 클릭이 아니라 계속적으로 상황을 지각하고 응용할 수 있게 해 준다.

둘째. 단축성 (Shortcuts)

- 숙련도가 높은 사용자에게는 단축키를 제공
- 사용 횟수가 늘어나게 되면 과업을 더 쉽게 수행하기 위한 더 빠른 방법이 필요

예) 윈도우와 맥 모두 복사/붙여넣기에 대한 단축키를 제공하고, 이를 통해 사용자들은 더욱 숙련된 사용자로 거듭날 수 있으며 보다 빠르고 쉽게 과업을 완료할 수 있음

셋째. 유용한 피드백 (Informative Feedback)

- 사용자들은 자신들이 어디에 위치해 있고, 무엇이 일어나고 있는지 반드시 알아야 한다.
- 모든 액션들은 반드시 시기적절해야 하며, 사람이 읽을 수 있는 피드백이 예측 가능한 시간 안에 제공되어야 한다.

예) 이런 것의 좋은 사례로 여러 장의 설문지를 사용자가 작성할 때에 얼마나 많은 설문지를 작성했는지에 대한 과정상의 피드백을 제공
나쁜 사례 : 사람이 읽을 수 없는 에러코드를 표시하는 에러 메시지 팝업창

넷째. 대화 (Dialogue)

- 정확한 전달을 위하여 디자인으로 대화해야 하며, 사용자들을 추측하게 하지 말아야 한다.
- 무엇을 해야 하는지 말하고, 그것을 하도록 유도해야 한다.

예) 사용자들이 인터넷쇼핑을 할 때 'Thank You'라는 말을 보게 되면 사용자들을 이를, 쇼핑이 마무리됨과 동시에 정상적으로 구매가 되었다는 영수증처럼 인식

다섯째. 에러 대응성 (Error Handling)

- 간단하게 에러에 대응할 수 있어야 한다.
- 에러를 피할 수 없는 상황이라면, 사용자들에게 간단하면서도 직관적인 스탭-바이-스탭의 지침을 빠르고 쉬운 문제 해결을 위해 제공

예) 사용자가 입력하기를 깜빡하고 지나친 텍스트 필드에 빨간색 깃발을 표시하는 것과 같은 인터랙션

여섯째. 번복 가능성 (Permit reversal of actions)

- 사용자들이 쉽게 자신들의 행동을 번복할 수 있게 해야 한다.
- 이러한 '번복'은 다양한 시점에서 이루어질 수 있도록 하는 것이 중요하며, 간단한 하나의 동작이었든, 하나의 데이터 입력이든 여러가지의 행동이든 상관없이 이루어질 수 있어야 한다.
- 이러한 '번복' 기능이 사용자들의 걱정을 완화하는 효과가 있으며 이를 통해 사용자들이 친숙하지 않은 기능들에 대해서도 더욱 쉽게 접근할 수 있게 도와준다.

일곱째. 권한 (Support internal locus of control)

- 사용자들이 디지털에서 벌어지는 일들에 대해서도 직접 컨트롤할 수 있다는 느낌을 주어야 한다.
- 사용자들이 기대하는 대로 작동하는 시스템을 디자인함으로써 디자인에 대한 신뢰를 사용자들로부터 획득할 필요가 있다.

여덟째. 기억보다는 인식 (Reduce short-term memory load)

- 사람의 주의력을 제한적이며 우리는 대게 5개 정도의 항목에 대해서만 우리 뇌의 단기기억 저장장치에 저장 가능하다.
- 그렇기때문에 인터페이스는 최대한 단순해야 하며 적절한 정보 체계를 지니고 있어야 하며, 회상(recall) 보다는 인식(recognition)에 보다 초점을 맞추는 인터페이스가 디자인되어야 한다.

예) 주관식 보다는 객관식 문제를 보다 쉽게 느끼는 경향이 있는데, 이것은 우리에게 인식과 연산만을 강요하지 무엇을 회상하는 것을 강요하지는 않기 때문

7. GOMS 모델

[2023년 4교시 6번]

숙련된 사용자가 인터페이스에서 특정 작업을 수행하는 데 얼마나 많은 시간을 소요하는지 예측할 수 있는 모델이다. 하나의 문제 해결을 위하여 전체 문제를 하위문제로 분해하고 분해된 가장 작은 하위문제들을 모두 해결함으로써 전체 문제를 해결한다는 것이 GOMS 모델의 기본 논리이다.

1) 4가지 구성요소

GOMS는 인간의 행위를 목표(goals), 연산자 또는 조작(operator), 방법(methods), 선택규칙(selection rules)으로 표현한다.

2) 설계를 위한 사용자 수행 모델 : GOMS

- GOMS는 사용자들이 목표들(예: 전자 메일 보내기)과 하위목표들(예: 메일을 작성하기 위해 새로운 편집 창을 열기)을 형성하여 여러 방법이나 선택 규칙들(selection rules)로 이것을 달성한다고 가정
- 방법(method)은 지각적, 인지적 또는 운동 조작의 계열적 단계
- 목표나 하위목표들을 달성하는데 사용할 수 있는 방법들은 대개 여러 가지가 있을 수 있기 때문에 사용자들이 방법들을 달리 사용하는 조건이 무엇인지 확인하기 위해 선택규칙들이 정해져야 함

3) 장점

- 실제 사용자를 포함하지 않고 모의실험을 통해 대안을 제시할 수 있다.
- 사용자에 대한 별도의 피드백 없이 수행에 대한 관찰 결과를 알 수 있다.
- 실제로 사용자가 머릿속에서 어떠한 과정을 거쳐서 시스템을 이용하는지 알 수 있다.

4) 문제점

- 이론에 근거하여 실제 상황이 고려되어 있지 않다.
- 개인을 고려하고 있어서 집단에 적용하기 어렵다.
- 결과가 전문가 수준이므로 다양한 사용자 수준을 고려하지 못한다.

※ 소프트웨어의 기능성과 인터페이스의 특성을 기술할 때 GOMS 모델의 역할

1) 설계자들은

① 사용자의 목표와 하위목표를 명료하게 확인, 나열하고,

② 각각의 목표/하위목표를 성취하는데 사용될 대안적 방법(조작의 순서)을 확인하며,

③ 각각의 방법들이 사용되는 조건들을 구체화하여 선택규칙들을 작성함

2) GOMS 체계를 통해

① 특정한 하나의 목표를 성취하는데 사용될 수 있는 방법들이 너무 다양하고,

② 유사한 목표들이 비일관적인 방법들로 성취될 수 있으며,

③ 장기기억에 너무 많이 의존해야 하는 방법들이 많다는 것을 확인할 수 있음

※ 개념적 모델이 사용자들에게 분명하게 제시되는 방안

① 사용자들에게 비가시적인 부분이나 처리 과정을 가시적으로 만들어라

예를 들어 윈도우 환경에서 파일 하나를 마우스로 클릭한 후 휴지통으로 옮겨 놓는 것은 사용자들에게 파일을 제거한다는 것을 가시적으로 보여줌

② 피드백을 제공하라

입력 명령이 이루어졌을 때, 시스템은 사용자들에게 그 입력 행위가 실행되고 있음(예: 프로그램을 띄우고 있다거나, 파일을 열고 있다거나, 혹은 탐색 중이라는 것 등)을 알려줄 수 있어야 한다.

③ 일관성을 유지하라

사람들은 패턴이나 규칙에 따라 자신들의 지식을 체계화하는 데 익숙하다. 소수의 패턴이나 규칙이 인터페이스에 적용된다면 이것은 그 시스템에 대해 단순하지만 강력한 개념적 모델을 제공해 줄 수 있을 것이다.

④ 익숙한 은유를 이용하여 기능성을 제시하라

설계자들은 사용자들이 익숙해져 있는 시스템과 접근을 사용자들이 익숙해져 있을 것으로 여겨지는 실제 세계로부터 은유(Meta-phors)들을 사용한다.

8. 실험적 방법, 예측적 방법, 사용자 설문조사 방법의 차이

[2007년 3교시 4번] [2015년 3교시 7번]

※ 사용성(Usability) 평가 방법 중 실험적 방법, 예측적 방법, 사용자 설문조사 방법의 차이

방법	평가 주체	평가 대상자	장단점		주로 사용하는 사용성 척도
실험적 방법	시스템 설계자	대표적 사용자	장점	평가하고자 하는 특성을 설정하여 과학적인 분석 방법에 의한 객관적 평가 가능	업무수행시간 에러율
			단점	가장 평가하기 어렵고 많은 비용 소비됨	
예측적 방법 (GOMS)	시스템 설계자	대표적 사용자	장점	시스템 사용에 대한 생생한 데이터를 얻을 수 있기 때문에 좀 더 체계적이고 심층적인 분석을 할 수 있음	업무 수행상태
			단점	구분 기록법에 의해 기록한 데이터를 분석하기 쉽지 않음	
사용자 설문조사	시스템 설계자	대표적 사용자	장점	이용 간편, 경제적	리커트척도 VAS 척도
			단점	단기기억 용량의 한계가 노출될 수 있음	

Chapter

03 사용자중심 디자인

1. 인지특성을 고려한 설계원리

[2017년 3교시 4번] [2021년 4교시 2번]

가. 좋은 개념모형을 제공하라

- 설계자와 사용자의 개념모형을 일치하도록 설계
- 사용자는 주로 경험, 훈련, 지시 등을 통해 제품에 대한 개념모형을 형성하는데 설계자는 이러한 개념을 고려하여 설계

나. 과제의 구조를 단순하게 하라

- 제품의 사용 방법을 체계적으로 구성하여 단순화시키면 사용자의 부담은 줄어듦
- 무관한 항목 5개 이상을 한 번에 기억하도록 요구해서는 안 되며, 기억해야 할 것을 도와주는 기능을 두어 기억의 부담을 줄인다.
- 머릿속의 기억보다는 세상 속의 기억을 활용하도록 한다.
- 새로운 기술은 과제를 재구조화하거나 정신 부하를 줄여주는 보조 도구를 제공한다.
  - 과제를 전과 동일하게 유지한 상태에서 과제를 보조할 수 있는 심리적 보조도구 제공
    예) 주소록, 녹음기 등
  - 새로운 기술을 활용하여 과거에는 볼 수 없었던 것을 볼 수 있게 하여 피드백과 통제 능력 개선
    예) 자동차, 비행기의 계기판

- 자동화 (일의 내용은 전과 동일하게 유지)
  - 비행기의 자동 운항 시스템
- 과제의 속성을 바꾸어라
  - 벨크로(Velcro)사의 찍찍이(hook-and-loop) 방식

다. 일을 가시적이게 하라 : 가시성 (visibility)

- Norman의 행위 7단계 모형[6]에서 실행과 평가의 만을 연결하라
- 일을 가시적이게 하면
  - 실행의 입장에서 현재 무엇이 가능하고
  - 행동을 어떻게 하여야 하는지 알 수 있고,
  - 평가의 입장에서 행동의 결과를 가시적으로 볼 수 있음
- 사용자가 제품의 작동상태나 작동방법 등을 쉽게 파악할 수 있도록 중요기능을 드러냄

  예) 건전지 사용량 표시, 야간의 자동차 창문조절장치 표시 불 등

라. 피드백(feedback)을 제공하라

- 제품의 작동 결과에 관한 정보를 사용자에게 알려주는 것
- 문자, 경고등 등의 시각, 음향이나 음성에 의한 청각, 촉감, 후각 등을 이용하여 제공

  ① 시각적 피드백 : 경고등, 점멸, 문자, 강조

  ② 촉각적 피드백 : 버튼을 누르면 눌러지는 느낌의 촉감으로 피드백 제공

  ③ 후각적 피드백 : 가스누출 여부를 알려줄 수 있도록 냄새나는 물질을 첨가하여 누출 시 냄새를 통해 피드백

---

6) 'Ⅵ. UI/UX 4. 사용성평가' 참조

마. 양립성(compatibility)의 원칙

[2005년 1교시 1번] [2008년 1교시 5번] [2009년 1교시 7번] [2011년 1교시 10번]
[2014년 1교시 12번] [2015년 2교시 2번] [2017년 2교시 3번] [2019년 1교시 4번]
[2021년 4교시 3번] [2022년 2교시 3번] [2023년 1교시 3번] [2024년 1교시 13번]

- 자극들 간의, 반응들 간의, 혹은 자극-반응 조합에 대하여 공간, 운동, 개념 혹은 양태(modality) 관계가 인간의 기대와 모순되지 않는 것
- 양립성의 생성
  ① 본질적(본능적)으로 습득 : 자동차 핸들을 오른쪽으로 돌리면 오른쪽으로 회전
  ② 문화적으로 습득 : 각 나라별로 다른 자동차 진행 방향 (좌측통행, 우측통행)
- 양립성의 정도가 높을수록 학습이 더 빨리 진행되고, 반응시간이 더 짧아지며, 오류가 줄어들고, 정신적 부하가 감소

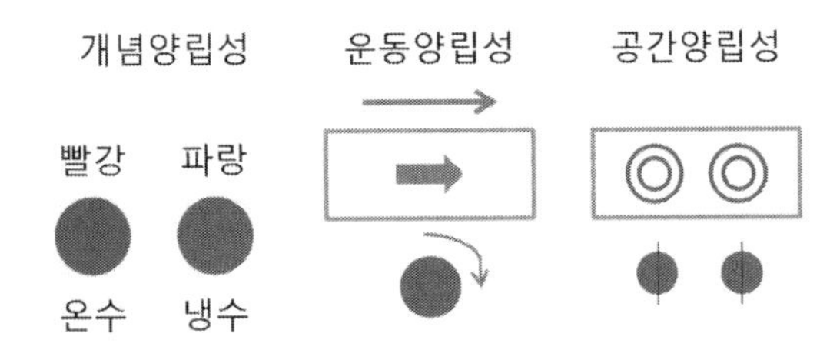

1) 개념 양립성

사람들이 가지고 있는 개념적 연상의 양립성

- 코드나 상징(symbol)의 의미가 인간이 가지고 있는 개념과 양립
- 냉수와 온수를 색깔로 구분한 정수기는 사용자가 가지고 있는 개념적 연상에 관한 기대와 일치하도록 하는 개념 양립성의 원리가 적용됨
  ex) 지도에서 비행기 모형 → 비행장

2) 운동 양립성

표시장치와 조종장치, 그리고 체계 반응의 운동 방향 간의 관련을 나타내는 것

- 조종기를 조작하거나 display 상의 정보가 움직일 때 반응 결과가 인간의 기대와 양립
- 자동차 핸들이 움직이는 방향에 따라 자동차가 움직이도록 하여 사용자가 기대하는 방향으로 움직이도록 하는 운동 양립성의 원리가 적용됨
  ex) 라디오의 음량을 줄일 때 조절장치를 반시계방향으로 회전

3) 공간 양립성

특정한 사물, 특히 표시장치나 조종장치에서 물리적 형태나 공간적인 배치의 양립성

- 가스버너에서 오른쪽 조리대는 오른쪽 조리장치로, 왼쪽 조리대는 왼쪽 조절장치로 조정하도록 배치하는 것은 물리적 형태나 공간적인 배치가 사용자의 기대와 일치하도록 하는 공간 양립성이 적용된다.
  ex) button의 위치와 관련 display의 위치가 양립

4) 양태 양립성 : 자극-반응에 관한 양립성

- 특정한 자극에는 이에 맞는 양태의 반응 조합이 양립성이 더 높다는 것을 의미
- 양태 양립성이 높은 예
  - 소리로 제시된 정보는 말로 반응
  - 시각적으로 제시된 정보는 손으로 반응
- 두 가지 과업(음성 과업, 공간 과업)을 수행하는 데 있어서 두 가지 제시 방법과 두 가지 응답 양식 조합에 대한 반응시간의 실험 결과 음성 과업에서 가장 좋은 조합은 청각 제시와 음성응답이고, 공간 과업에서는 시각 제시와 수동응답이다.
- 양태 양립성은 업무의 성격에 따라 적절한 입출력 양식이 있음을 보여준다.

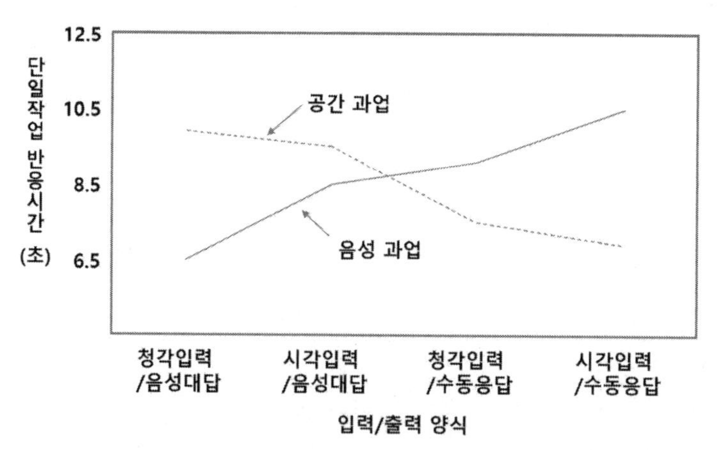

양태 양립성. 양태 양립성은 업무의 성격에 따라 적절한 입출력 양식이 있음을 보여준다.

[관련 기출문제]

1. 다음 그림에서 양립성과 관련지어 나타나는 문제점과 개선책에 대하여 설명하시오.

1) 문제점

- 보통 게이지는 시계방향으로 움직이나 위 그림에서는 반대로 되어있음
- 압력게이지 지침 눈금이 사용자가 기대하는 운동의 양립성과 일치하지 않아 휴먼에러에 의한 안전사고 발생 우려가 있음

2) 대책

- 게이지 압력계를 사용자 기대와 양립하도록 설계
- 지침이 숫자를 가리게 되므로 눈금 바깥쪽으로 위치하도록 함

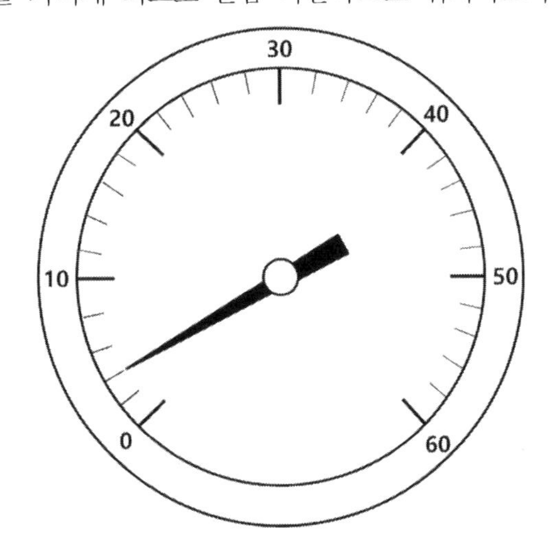

2. 다음과 같이 4가지 버너를 사용할 때 그림 Ⅰ 버너가 가장 오류가 적었으나 사용자는 그림 Ⅱ 버너를 가장 선호하였다. 객관적인 오류와 주관적인 선호도의 결과가 다를 경우의 해결 방안을 설명하시오.

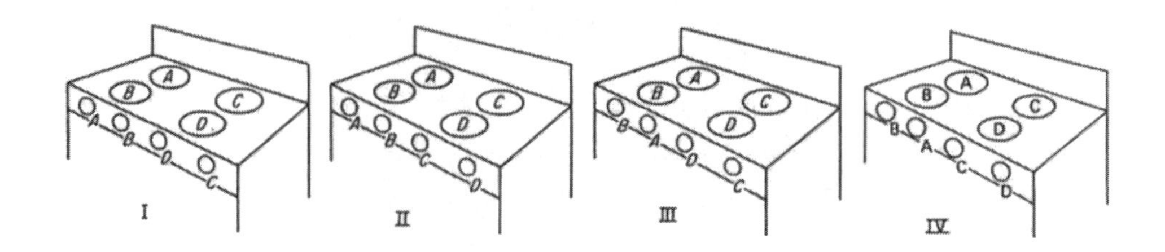

- 특별한 정보가 없는 경우 화구와 조절장치를 할당하는 가짓수가 24가지나 된다. 어떻게 배치하더라도 사용자는 화구와 조절장치의 관계를 외워야 할 것이다.
- 조절장치 설계 시 표시장치와 이에 대응하는 조절장치 간의 실체적 유사성이나 이들의 배열 혹은 비슷한 표시(조절)장치들의 배열 등을 고려하여 객관적인 오류와 주관적 선호도를 일치하도록 개선이 필요하다.
- 사용자에게 각 불판이 어느 조절장치를 사용하면 될 것인가에 대한 암시를 줄 수 있도록 조절장치의 위치를 화구의 위치와 일직선상에 있도록 재설계하여 단순화하여야 한다.

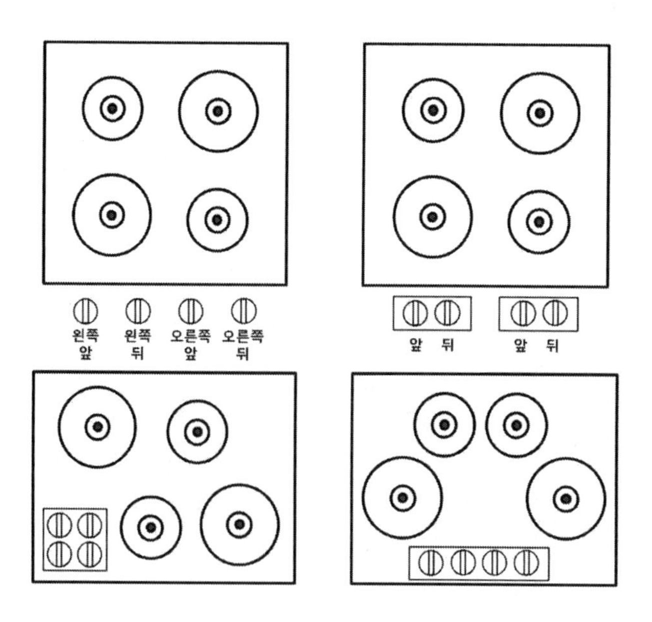

바. 제약과 행동 유도성 (affordance)

[2014년 2교시 4번] [2016년 3교시 5번]

1) 행동 유도성 (affordance)

제품에 물리적 또는 의미적인 특성을 부여하여 사용자의 행동에 관한 단서를 제공하는 것

- 사물의 지각된 특성 또는 사물이 가지고 있는 실제적 특성
- 사물을 어떻게 사용할 수 있느냐를 결정하는 근본적 속성
- 사물을 어떻게 다루면 될 것인가에 대한 강력한 단서를 제공

2) 제약

- 제품에 사용상 제약을 주어 사용 방법을 유인하는 것

  예) 전기 콘센트의 삽입구, USB 투입구 등
- 물리적 특성에 의존하여 한정된 행위만이 가능하도록 하는 물리적 제약이나, 주어진 상황의 의미나 문화적 관습에 따라 해석할 수 있도록 하는 제약 등이 제품설계에서 주로 이용된다.

  - 물리적 제약 : 물리적 제약이 가능한 조작들을 제한하는 것으로 잘 이용하면 한정된 수의 행동의 수만 남게 됨

    예) 열쇠 구멍이 수직이면 열쇠를 수직 방향으로만 밀어 넣을 수 있음
  - 의미적 제약 : 주어진 상황의 의미에 따라서 가능한 행위를 통제

    예) 자동차의 중앙선은 운전자가 넘지 않고 운전하도록 함
  - 문화적 제약 : 공유하는 문화적 관습에 의존

    예) 자동차의 통행 방향은 나라에 따라 좌측, 우측통행으로 나뉨
  - 논리적 제약 : 자연스러운 대응의 의존

    예) 부품을 분해하고 재조립할 때, 부품이 남아있다면 어디에선가 잘못된 것을 논리적으로 아는 것

설계상의 행동 유도성 문제

[왼쪽 그림]

비상구의 화살표 방향과 실제 그림의 모습이 반대로 그려져 있어서 급한 상황에서 대피하고자 할 때 오른쪽으로 가야 할지, 왼쪽으로 가야 할지 혼란스럽고, 행동에 제약을 가져오기 쉽다.

[오른쪽 그림]

따라서 비상구의 화살표 방향과 그림의 모습을 일치시켜서 일관적인 행동을 유도할 수 있도록 하여야 한다.

※ 행위 지원성

물리적 대상과 사람 사이의 관계. 물체의 속성과 행위자의 능력간 관계성으로 그 물체가 어떻게 사용되는지를 결정. 의자는 받침을 제공하고, 앉음을 지원한다. 대부분 의자는 한 사람이 들 수 있지만, 일부는 힘센 사람만 들 수 있다.
의자를 들 수 없다면 이런 사람에게 그런 행위 지원성을 가지고 있지 않다.
즉, 들기를 지원하지 않는다.

사. 안전설계원리[7)]

1) fool proof

사용자가 조작 실수를 하더라도 사용자에게 피해를 주지 않도록 설계하는 개념, 초보자나 미숙련자가 잘 모르고 제품을 사용하더라도 고장이 나지 않도록 하거나 작동하지 않도록 하여 안전을 확보하는 개념

예) 프레스의 광 전자식 방호장치

---

7) ‘V. 인적오류 3. 인적오류 예방’ 참조

2) fail safe

고장이 발행한 경우라도 피해가 확대되지 않고 단순 고장이나 한시적으로 운영이 계속되도록 하여 안전을 확보하는 설계 개념

예) 누전차단기, 철도차단기 등

3) tamper proof

안전장치를 제거하면 작동이 안 되는 예방 설계 개념

예) 약 포장지 손상 시 복용금지 안내

아. 오류방지를 위한 강제적 기능[8]

- 오류가 발생하여 안전이나 시스템에 피해를 줄 가능성이 있을 때 안전성을 확보하기 위해 다음 단계로 넘어가는 것이 차단되도록 설계
- 강제적 기능은 제품 사용에 불편을 초래할 수 있으므로 사용 시의 불편을 최소화하면서 안전성을 확보하는 것이 중요

  예) 과거 미국에서 운전석과 조수석 모두 안전띠를 착용하도록 경고음이 울렸으며 이로 인하여 사용자가 불편함을 느꼈다.

1) interlock (맞잠금)

안전을 확보하기 위하여 모든 조건이 만족할 때만 작동하도록 설계

예) 전자레인지 문이 열리면 기능을 멈춤

2) lockin (안잠금)

작동을 계속 유지함으로써 작동이 멈춤으로 오는 피해를 막기 위한 기능

예) 문서 작업 종료 버튼을 누를 때 '저장' 여부를 확인하는 기능

3) lockout (바깥 잠금)

위험한 상태로 들어가거나 사건이 일어나는 것을 방지하기 위하여 들어가는 것을 제한 또는 방지하는 기능

예) 에스컬레이터가 1층에서 지하로 연결될 때 반대 방향에 배치

---

8) 'V. 인적오류 3. 인적오류 예방' 참조

자. 표준화

1) 표준화 대상 : 조작행위, 결과, 배치, 표시장치 등
   - 컴퓨터 키보드, 교통 표지판 및 신호등, 측정 단위(m, kg 등)

2) 장점
   - 사용자의 학습이 쉬우며, 효율적으로 사용 가능

3) 문제점
   - 표준화 방법에 대한 동의를 얻기 어려움
   - 표준화에 대한 교육 필요
   - 표준화의 시기
     - 표준화를 너무 빨리하면 초보적인 수준의 기술만이 반영되거나, 비효율적이거나 에러를 유발할 수 있는 규칙들이 표준화에 반영되어 문제를 야기
     - 표준화가 늦을 경우에는 이미 여러 방식이 존재하여 표준을 이루기 어렵고, 낡은 기술에 근거한 표준이 있는 경우 큰 비용이 소요되어 변경이 어려움 예) 미터법

2. 가상의 사용자 페르소나 (Personas)

- cooper(1999) 사용자 특성을 구체적이고 이해 가능한 방식으로 나타내기 위해 만든 개념
- 실제 사람에 대한 인터뷰와 관찰을 통해 개발된 가상 인물
- 페르소나는 사람은 아니지만 설계과정에서 사용자의 주요 특성을 나타냄
- 페르소나를 기술할 때에는 신체적 특성이나 능력 뿐 아니라 페르소나가 가지고 있는 목표, 작업환경, 전형적 활동들, 과거 경험, 성취하고자 하는 것을 정확히 표현 (각자 이름을 가질 만큼 구체적)
- 시스템이 지원해야 하는 목표를 정의하고 사용자가 갖는 역량과 한계를 구체적 용어로 기술하기 위해 존재
- 프로그래머나 설계팀의 다른 구성원들이 구체적인 사용자 특성을 고려할 수 있도록 해주고, 사용자들은 모두 비슷하다고 믿는 경향을 방지해 줌

3. 스테레오타입에 부합한 설계를 할 때 기대되는 이점

> **스테레오타입 [stereotype]**
> **한정된 문화 공간에서 그 공간을 이루고 있는 많은 구성원이 공유하고 있는 유형화된 사회적 관념 또는 형상**

- 사용자가 처음 사용법을 익힐 때 학습이 더 빨리 진행된다.
- 반응시간이 더 짧아진다.
- 오류가 줄어든다.
- 정신적 부하가 감소한다.

4. 인간 중심 디자인(Human-Centered Design)

(2019년 개정, ISO 9241-210)
[2020년 1교시 12번] [2024년 2교시 6번]

1) 인간 중심 디자인 프로세스 (HCDP: human-centered design process)

- ISO 9241-210(2010)에서는 인간 중심 디자인 프로세스를 4단계로 표현하고 있으며, 사용자의 요구사항을 만족하는 디자인 해결안을 얻을 때까지 적절한 단계에서부터 반복적인 과정을 수행하게 됨

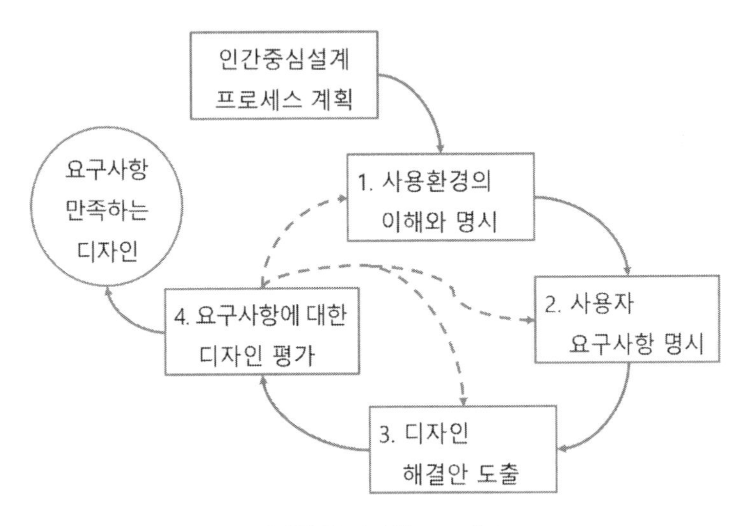

<인간중심 디자인 프로세스>

1단계 사용 환경의 이해와 명시

- 어떤 사용자를 대상으로 무엇을 제공하는 제품(또는 서비스)을 개발하고 하는지를 명확하게 구체화하는 단계
- 사용자의 특성(성별, 나이, 경험 등) 및 수준(교육 수준, 숙련도, 사용 경험)과 제품을 사용하려는 사용 환경을 규정하고, 제품의 개발 목표, 제공하는 기능 등을 구체적으로 파악하여 정의하는 단계

2단계 사용자 요구사항 명시

- 제품에 대한 사용자의 필요성, 이용 상황, 문제점, 사용자의 취향 등에 관한 사용자의 요구사항을 조사하여 구체적으로 기술하는 단계
- 사용자는 어떤 상황에서 어떤 작업을 어떤 순서로 수행하는지, 작업의 목적은 무엇인지, 현재 제품의 사용상의 문제점은 무엇인지, 어떻게 변하기를 기대하는가를 조사
- 작업분석이나 인터뷰, 현장 조사, 설문조사 등을 이용

3단계 디자인 해결안 도출

- 사용자 요구사항을 고려하여 구체적인 디자인 대안들을 도출하고 최적 대안을 선택
- 사용자 요구사항을 기초로 디자인 설계요소를 도출하고, 각각의 설계요소에 대하여 검토 중인 디자인 안들을 평가하여 최적 해결안을 도출

4단계 요구사항에 대한 디자인 평가

- 디자인 해결안이 의도한 원래 목표와 사용자들의 요구사항을 달성하였는가를 평가
- 사용자의 요구사항을 만족하지 않으면 만족하는 수준까지 지속해서 개선을 수행

2) 인간 중심 디자인의 6가지 원칙

- 디자인은 사용자, 업무, 사용 환경의 명확한 이해를 바탕으로 한다.
- 디자인에서 평가까지 사용자를 참여시킨다.
- 디자인은 사용자 중심의 평가 때문에 추진되고 수정된다.
- 디자인 프로세스는 반복적이다.
- 디자인은 사용자 경험을 중요시한다.

Chapter

04 감성공학

1. 감성공학 정의

[2011년 4교시 4번] [2014년 3교시 3번]

- 인간의 감성을 정량 또는 정성적으로 측정하여 과학적으로 분석하고, 그 결과를 제품이나 환경의 설계에 적극적으로 응용하고자 하는 기술
- 구체적으로 감성공학은 아래 그림과 같이 어휘(주로 형용사)로 표현되는 인간의 심성을 구체적인 물리적인 설계요소로 번역하여 주는 번역 체계로 정의

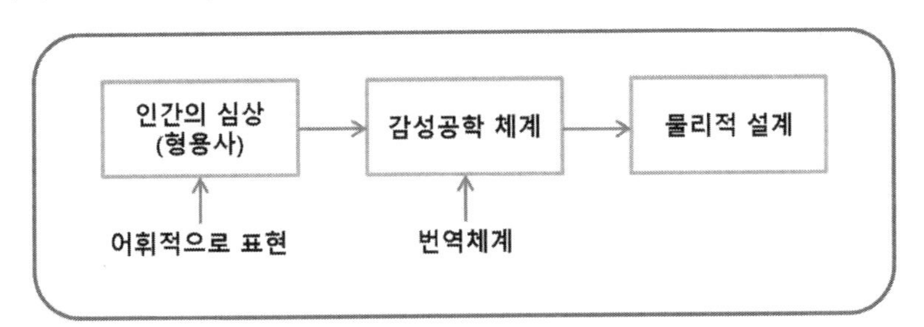

- kansei engineering
- aesthetic engineering
- image technology
- human sensibility ergonomics

2. 감성공학 접근방향

1) 전향성 감성공학

- 인간의 감성을 물리적 디자인 요소 및 그것의 구체적 설계 방안으로 번역

2) 역향성 감성공학

- 전향성 감성공학과 반대로 어떤 제품에 구현된 감성 요인을 찾거나 감성이 얼마나 잘 반영되어있는가를 진단

3. 감성공학의 선행 기술

- 인간공학 : 인간의 감성을 이해하기 위한 인간의 특성과 감성에 관한 연구
- 측정기술센서 : 인간의 감성을 측정
- 마이크로 가공 기술 혹은 나노 기술
  감성을 측정하는 기능을 가진 센서를 상품화
- 분석기술 : 센서로 측정된 감성을 처리
  ex) 통계적 기법, 퍼지기술, 신경회로망 기술, 터부 탐색 등

4. 감성공학의 접근방법 중 감성공학 A 형, B 형, C 형

[2011년 4교시 4번]

구분	접근방법
감성공학 A형	▪ 기능전개형 감성공학은 설계대상 제품의 감성적 개념을 정의한 후 몇 단계의 상세한 개념으로 분해하여 전개해 나가면서 감성적 개념과 연관되는 물리적 특성을 찾아내는 방법이다. ▪ 감성과 물리적 특성과의 연관성을 수치화시키기 어려우며 주관적인 부분이 개입될 수치가 많다.
감성공학 B형	▪ 다변량 해석형 감성공학은 디자인 특성을 대변하는 감성어휘를 소재로 사용자의 평가를 통계적으로 분석하여 감성어휘와 디자인과의 관계를 수치화한다. ▪ 가장 많이 사용되는 방법이지만, 많은 피실험자와 디자인 프로토 타입의 정교성이 요구된다.
감성공학 C형	▪ 가상현실형 감성공학은 가상현실과 감성 공학을 통합한 기술로 평가실험에서 가상현실을 이용하여 제공함으로써 사용자가 본인의 감성에 맞는 대상을 가상현실 속에서 선택하는 방법이다. ▪ 큰 비용이 수반된다.

나가마치 교수의 감성공학 접근방법

5. 감성공학과 기존 기술과의 근본적 차이

- 정서적 충족과 물리적 편의성
- 기존 제품 개발 기술
  - 제품 자체의 성능이나 품질의 개선에 주력
- 감성공학/인간공학
  - 제품을 사용하는 인간에게 초점
  - 인간의 물리적 편리성을 극단적으로 추구한다고 해서 반드시 인간이 정서적으로 만족하는 것은 아님

  ex) 여름에 에어컨을 많이 쐰 사람들에게서 나타나는 냉방병 증세

  → 인간의 쾌적성에 대한 고려는 하지 않은 채 새로운 공기 조화 기술을 적용하여 에어컨이라는 기계의 성능 향상에만 관심을 기울였기 때문

6. 기능전개형 감성공학

제품 개념을 결정한 후 그 개념을 보다 상세하게 분해하는 과정을 제품설계에 요구되는 물리적 특성이 나타날 때까지 반복하여, 이를 바탕으로 물리적 설계 요소를 결정하는 기법

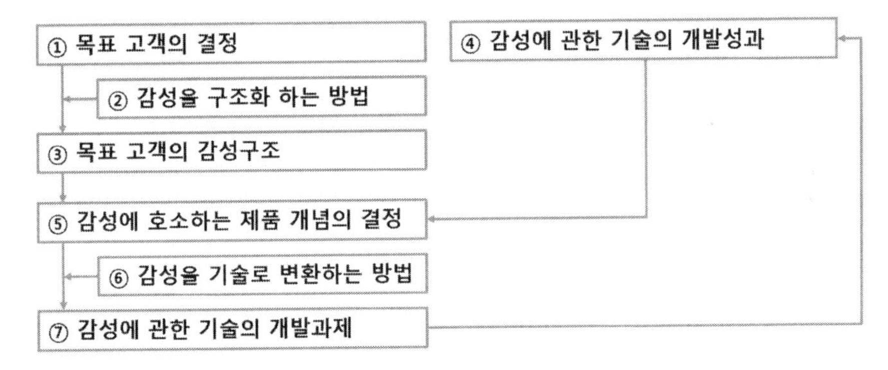

1) 목표 고객의 결정

시장 경쟁이 격심해져 감에 따라 고객의 세분화가 요구되고, 세분된 고객이 원하는 제품을 개발하는 것이 중요

2) 목표 고객의 감성을 구조화하는 방법 (측정방법 선정)

고객의 감성 구조화 방법 :

- FGI (Focus group interview)
- SD법 (semantic differential method, 의미미분법)
- 수량화 이론
- 고객과의 인터뷰
- 설문조사
- 직접 관찰법 등

3) 목표 고객의 감성 구조 (측정)

- 2단계에서 결정한 감성 구조화 방법으로 목표 고객의 감성을 구조화
- 감성은 개발 대상 제품에 적절한 것
  ex) 자동차의 승차감, 조작감 등의 감성이 구조화되어야 함
- 고객의 사회적 공통 경험이나 가치관 등도 포함

4) 감성에 관한 기술의 개발 성과 (감성 구현 기술 여부 확인)

- 목표 고객의 감성이 구조화되면 이를 실현할 수 있는 기술이 요구됨
- 기존에 감성을 구현할 수 있는 기술이 있을 경우는 이를 활용하고, 없을 경우는 새로운 기술 개발

5) 목표 고객에 호소하는 제품 개념의 결정

- 목표 고객의 생활양식이나 기타 조사 결과에 근거하여 제품 개념을 결정
- 이를 '0차 감성개념'

6) 감성을 기술로 변환

- 물리적 특성을 구체화할 수 있는 기술이 요구
- 관련 기술을 이용하여 제품 개발을 완성

7) 감성에 관한 기술의 개발 성과

감성에 호소하는 제품의 개발에 요구되는 기술이 선행개발이 이미 이루어져서 해당 신제품에 사용할 수 있거나 아니면 예정 기간 내에 개발할 가능성이 있지 않으면 안 됨

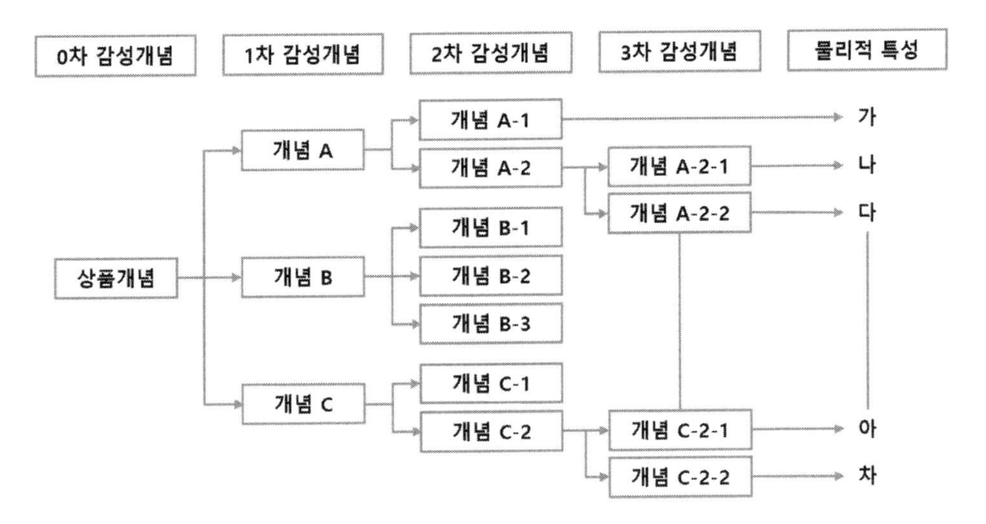

<기능전개형 감성공학의 제품 개념 분해 과정>

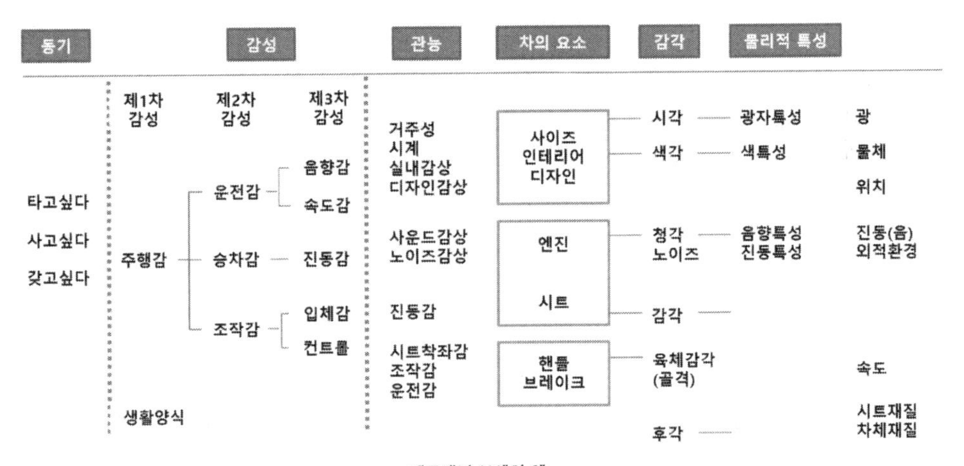

<제품개념 분해의 예>

[관련 기출문제]

다음의 표는 요인분석을 통하여 최종적으로 얻어진 요인 부하 행렬이다.
다음 각 물음에 답하시오.

[2014년 3교시 3번]

구분	성분		
	1	2	3
고급스런	.954	.248	-.140
귀여운	.426	.834	-.222
대중적인	.460	.859	.076
동적인	.008	-.014	.993
세련된	.926	.333	.099
예쁜	.854	.513	-.056
조화로운	.785	.430	.416
친숙한	.238	.963	.119

(1) 감성분석에서 요인분석을 통하여 얻고자 하는 결과를 설명하시오.

다양하고 복잡한 감성어휘 중 중요한 요인 몇 개만을 추출함으로써 복잡한 구조를 간단하게 만들어 파악한다.

(2) 형용사 어휘 '고급스러운'에 대하여 의미미분(Semantic Differential)법을 활용한 설문 문항을 제시하시오. (7점 척도 활용)

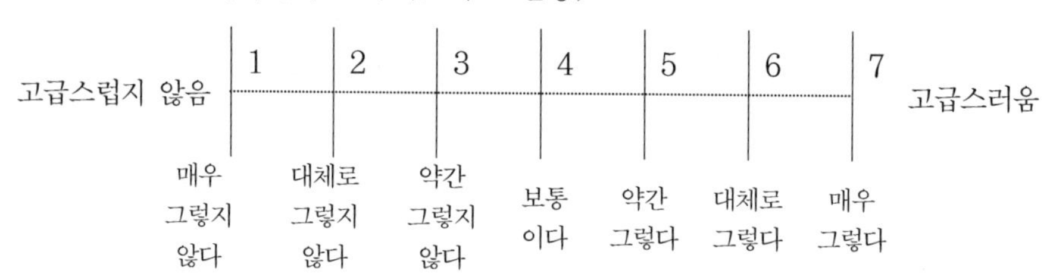

(3) 위의 분석 결과를 활용하여 감성어휘를 3개의 감성요인으로 그룹핑하시오.

① 감성요인 1 : 고급스러운, 세련된

② 감성요인 2 : 친숙한, 대중적인

③ 감성요인 3 : 동적인, 조화로운

※ 요인값이 ±0.5 이상일 때, 실제적 유의성을 가진다.
2개가 경합 시, 최대 절대값이 대표 그룹핑 명이 된다.

Chapter

07

작업생리학

1. 인체 구성 요소
2. 작업 생리
3. 생체역학
4. 작업 부하 및 생체 반응 측정
5. 작업환경 평가 및 관리

Chapter

01 인체 구성요소

1. 인체의 뼈

- 인체는 206개의 뼈로 구성되어 있으며 관절 등에 의하여 결합
- 두개골(skull), 척추골(spine), 흉곽골(sternum)을 포함하는 몸통 골격과 상지골(upper limb), 하지골(lower limb)을 포함하는 사지 골격으로 구성

1) 두개골
- 뇌두개골과 안면골로 나누어지며, 총 15종 23개의 뼈로 구성

2) 척추골
- 인체의 지주를 이루는 긴 골격으로 5가지 형태의 32~34개의 추골로 구성

3) 흉곽골
- 12개의 흉추와 12개의 늑골, 1개의 흉골로 구성된 새장 모양의 골격
- 폐와 심장, 기관, 기관지, 식도 및 대혈관 등을 보호하는 역할
- 흉곽에 부착된 근육들의 도움으로 호흡운동을 함

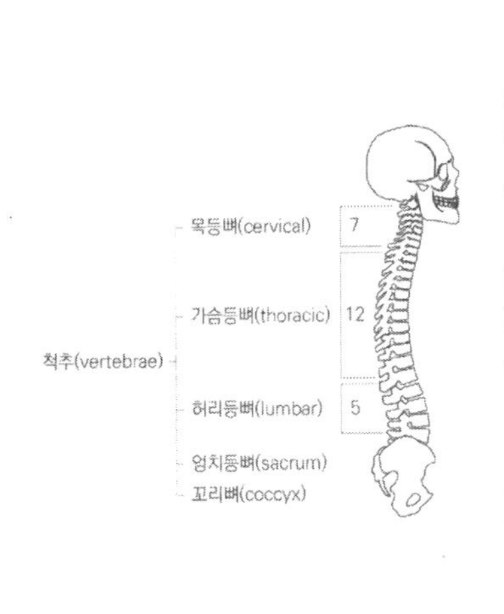

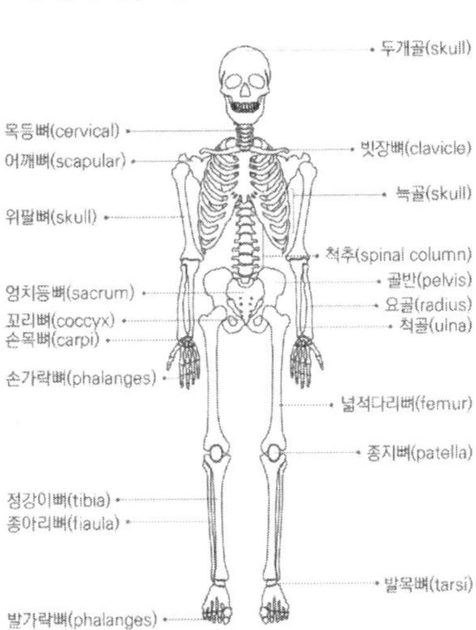

2. 척추(vertebral column)의 구성요소

[2023년 4교시 5번]

- 몸통을 이루는 32~35개의 척추골과 각 척추골 사이의 척추골 사이 원반으로 이루어졌으며 몸통의 지주를 이루고 상단의 두개골과 하단의 골반을 연결
- 척추골은 위로부터 경추(목등뼈, Cervical Vertebrae) 7개, 흉추(가슴등뼈, Thoratic Vertebrae) 12개, 요추(허리등뼈, Lumbar Vertebrae) 5개, 선추(엉치등뼈, Sacrum Vertebrae) 5개, 미추(꼬리뼈, Coccygeal Vertebrae) 3~5개로 구성된다.

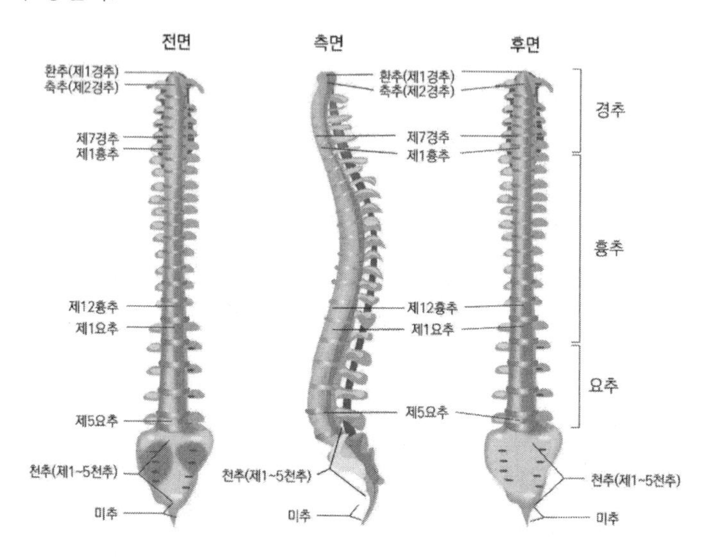

3. 심박출량(cardiac output)

[2011년 3교시 4번] [2015년 1교시 7번] [2022년 4교시 1번]

1분당 좌심실에서 뿜어져 나오는 혈액의 양이며, 근육 활동에 대한 생리적 요구는 심박출량을 변화시킨다. 심장이 심박출량을 증가시키는 방법에는 두 가지가 있는데, 하나는 분당 심박수(심박률, heart rate)를 증가시키는 것이고, 다른 하나는 심장 박동마다 혈액의 양(박출량, stroke volume)을 증가시키는 것이다. 성인의 1회 박동량이 70㎖ 심박동수 1분 동안에 70회로 계산하면 1분 동안 약 5ℓ 정도가 된다.

심박출량 = 심박률 × 박출량

4. 인체의 해부학적 기본동작과 관련된 운동 기본면과 운동회전축

[2015년 3교시 5번] [2020년 1교시 11번] [2022년 4교시 1번]

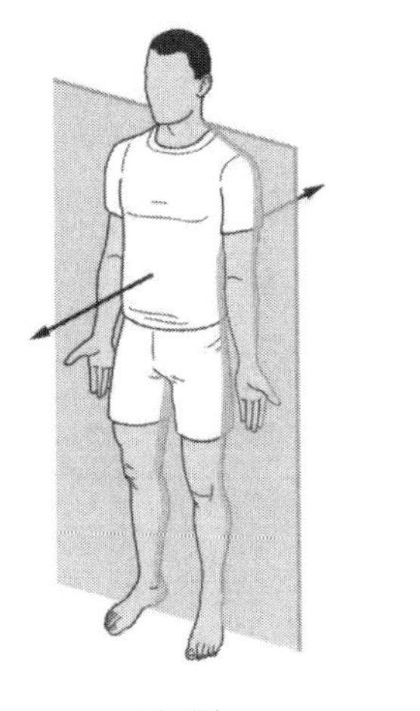

관상면
(frontal〈coronal〉 plane)

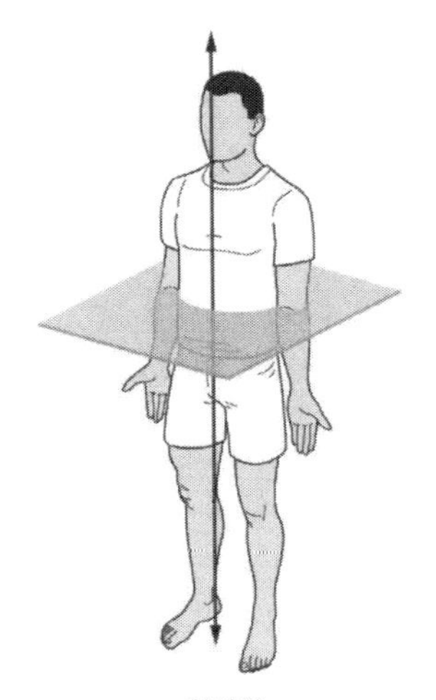

횡단면
(transverse plane)

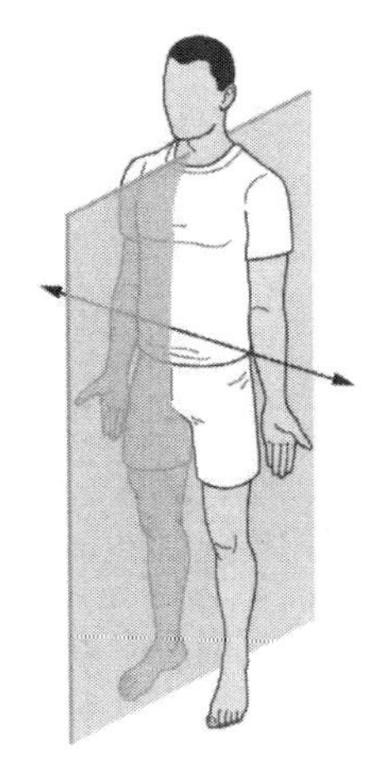

시상면
(sagittal plane)

1) 시상면 (sagittal plane)

- 인체를 좌우로 양분하는 면
- 좌우대칭으로 나누는 면을 정중면(median plane) 혹은 med-sagittal이라 함
- 굴곡과 신전 동작이 해당

2) 관상면 (coronal plane)

- 인체를 전후로 나누는 면
- 전두면(frontal plane)이라고도 함
- 외전과 내전 동작이 해당

3) 횡단면(transverse plane)

- 인체를 상하로 나누는 면
- 수평면(horizontal plane)이라고도 함
- 외선과 내선 동작이 해당

4) 전측(anterior)과 후측(posterior)

- 몸의 앞쪽(배쪽 부위)를 전측, 몸의 뒤쪽(등쪽 부위)를 후측이라 한다.

5) 내측(medial)과 외측(lateral)

- 인체 또는 장기에서 정중면에 가까운 위치를 내측이라 하고, 먼 위치를 외측이라고 함

6) 근위(proximal)와 원위(distal)

- 신체의 중심에서 가까운 위치를 근위, 먼 위치를 원위라 함

7) 상부측(superior)와 하부측(inferior)

- 머리 쪽에 가까운 쪽을 상부측, 발 쪽에 가까운 쪽을 하부측이라 함

8) 천부(superficial)와 심부(deep)

- 신체나 장기 표면에 가까운 쪽을 천부, 깊은 부위를 심부라 함

5. 골격계(skeletal system)의 기능

[2011년 1교시 2번] [2017년 1교시 6번]

- 인체의 뼈는 총 206개로 이루어져 있음
- 기능
  ① 인체의 지주 역할, 즉 신체를 지지하고, 외형을 유지한다.
  ② 신체의 중요한 기관을 보호한다.
  ③ 가동성 연결, 즉 관절을 만들고, 골격근의 수축으로 운동기로써 작용한다.
  ④ 체강의 기초를 만들고 내부의 장기들을 보호한다.
  ⑤ 골수는 조혈 기능을 갖는다.
  ⑥ 칼슘, 인산의 중요한 저장고가 되며, 나트륨과 마그네슘 이온의 작은 저장고 역할을 한다.

6. 근육의 종류

[2008년 3교시 3번] [2024년 4교시 3번] [2024년 4교시 3번]

1) 근육

근섬유가 모여서 이루어진 근조직
신경, 인대와 협력하여 신체 운동을 이행

2) 신경 자극에 반응하는 특성에 따른 분류

- 골격근
  - 형태 : 가로무늬근, 원주형 세포
  - 특징 : 뼈에 부착되어 전신의 관절운동에 관여하며 뜻대로 움직여지는 수의근
- 심장근
  - 형태 : 가로무늬근, 단핵세포로서 원주상이지만 전체적으로 그물조직
  - 특징 : 심장벽에서만 볼 수 있는 근으로 가로무늬가 있으나 불수의근
- 내장근(평활근)
  - 형태 : 민무늬근, 간 방추형으로 근섬유에 가로무늬가 없고 중앙에 1개의 핵이 존재
  - 특징 : 소화관, 요관, 난관 등의 관벽이나 혈관벽, 방광, 자궁 등을 형성하는 근이다, 뜻대로 움직여지지 않는 불수의근으로 자율신경이 지배함

3) 신경 지배에 따른 분류

- 수의근 (voluntary muscle)
  뇌와 척수신경의 지배를 받는 근육으로 의사에 따라서 움직임
  골격근이 이에 속함
- 불수의근
  자율신경의 지배를 받으며 스스로 움직임. 내장근과 심장근이 이에 속함

4) 근육의 무늬에 따른 분류

- 횡문근 (가로무늬근)
  - 근섬유에 가로무늬가 있음
  - 골격근, 심장근이 이에 속하며, 골격근의 무늬가 심장근의 무늬보다 뚜렷함
- 평활근(민무늬근)
  - 근섬유에 무늬가 없음. 내장근이 이에 속함
  - 근육의 세포는 가늘고 긴 방추형. 드물게는 다핵인 것도 있으나 보통 중앙부에 타원형의 핵이 1개 있음

7. 근육 관련 부위

[2020년 1교시 13번]

1) 건 (tendon)

근육을 뼈에 부착시키고 있는 섬유 연결 조직으로 근육에 의해 발휘된 힘을 전달하는 역할

2) 활액낭 (synovial bursa)

근육과 건이 뼈에 부착되어있는 사이에 작은 주머니 모양의 막으로 내부에는 미끈한 활액으로 채워져 있어 근육의 마찰을 감소시키고 원활하게 움직이도록 함

4) 건초 (tendon sheath)

건을 싸고 있는 질긴 막 장치로 칼집 모양을 하고 있어 건초라고 함

안쪽에는 활막이 있어 활액을 분비하여 건의 움직임을 원활하게 함

5) 연골(cartilage)

- 관절 표면을 덮고 있는 반투명 탄력 조직
- 귀, 코, 호흡기관과 척추의 추간판(disc) 같은 기관에도 존재

6) 인대 (ligament)

- 뼈와 뼈를 연결하여 주며 관절에서의 안정성을 제공
- 조밀한 섬유조직으로 관절을 연결해 주고, 관절 주위의 뼈들이 원활하게 움직일 수 있도록 함

7) 근막 (fascia)

- 기관의 전부 혹은 일부를 둘러싸며 다른 기관과 분리하는 역할
- 하나 혹은 둘 이상의 근육을 싸고 있는 섬유성의 강한 막으로 근육이 지나치게 수축하지 않도록 보호하는 작용

8. 근육의 구조

[2008년 1교시 8번] [2010년 2교시 4번] [2017년 4교시 2번]

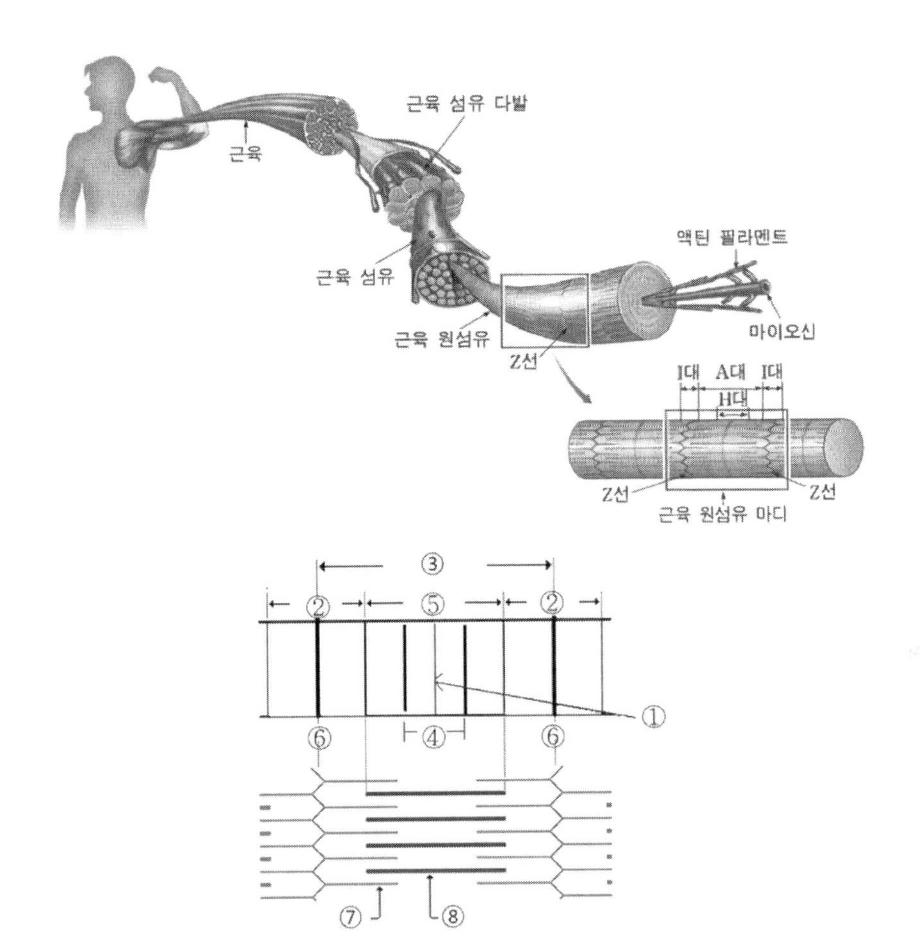

① M선 : H대의 중앙부에 위치한 가느다란 선

② I대 : 액틴 존재, 밝게 보임

③ 근섬유분절

④ H대 : A대의 중앙부, 약간 밝은 부분 미오신만 존재

⑤ A대 : 액틴과 미오신이 중첩된 부분, 어둡게 보임

⑥ Z선 : I대의 중앙부에 위치한 가느다란 선

⑦ 액틴

⑧ 미오신

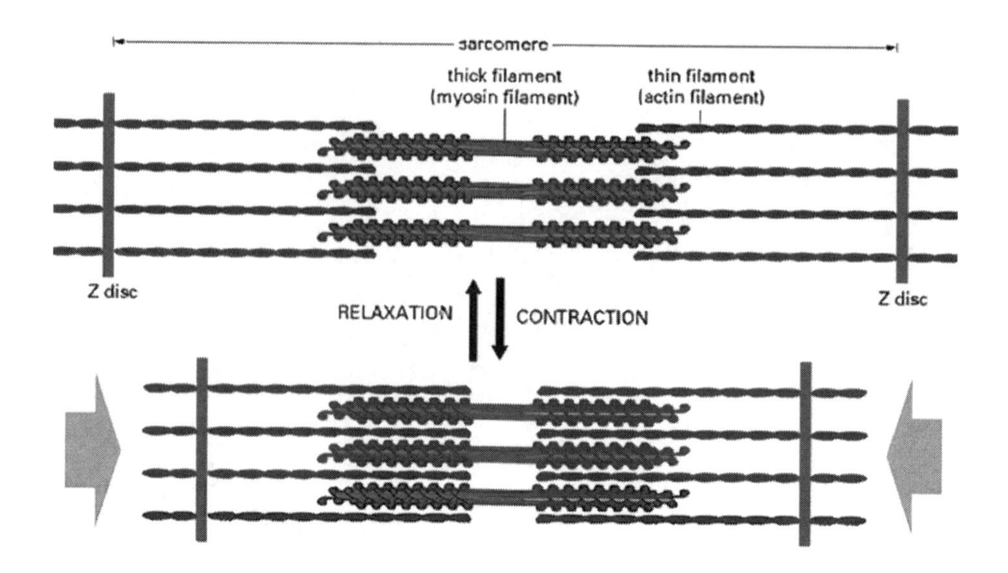

9. 근육 수축 이론

- 근육은 자극을 받으면 수축을 하는데, 이러한 수축은 근육의 유일한 활동으로 근육의 길이는 단축된다.
- 근육이 수축할 때 짧아지는 것은 미오신 필라멘트 속으로 액틴 필라멘트가 들어간 결과이다.
  - 가는 액틴 필라멘트가 굵은 미오신 필라멘트 사이로 미끄러져 들어감
  - sliding filament theory
- 액틴과 미오신 필라멘트의 길이는 변하지 않고 근섬유가 수축하면 I대와 H대가 짧아진다.
- 최대로 수축했을 때는 Z선이 A대에 맞닿고 I대는 사라진다.
- 각 섬유는 일정한 힘으로 수축하며, 근육 전체가 내는 힘은 활성화된 근섬유 수에 의해 결정된다.

10. 주동근과 길항근

근이형부에 있는 건이 주동근과 길항근의 상대적인 장력을 감지하여 관절이 유연하게 움직이도록 주동근이 수축되는 동안 길항근을 이완시켜 줌

- 주동근 (agonist) : 근육의 운동을 주도하는 근육
- 길항근 (antagonist) : 주동근과 반대되는 운동을 하는 근육
- 협력근 : 주동근의 수축을 돕는 근육

[관련 기출문제]

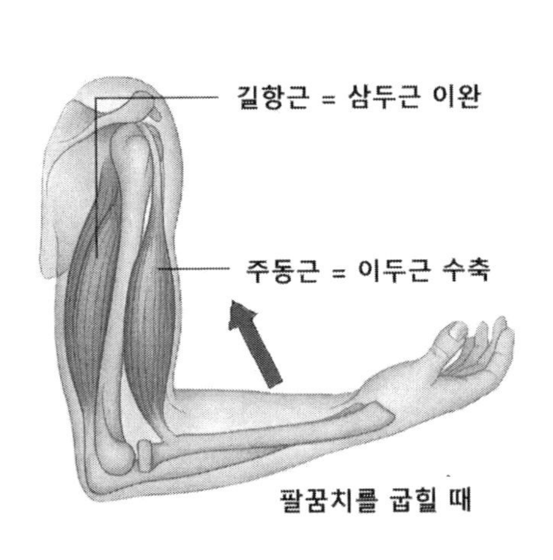

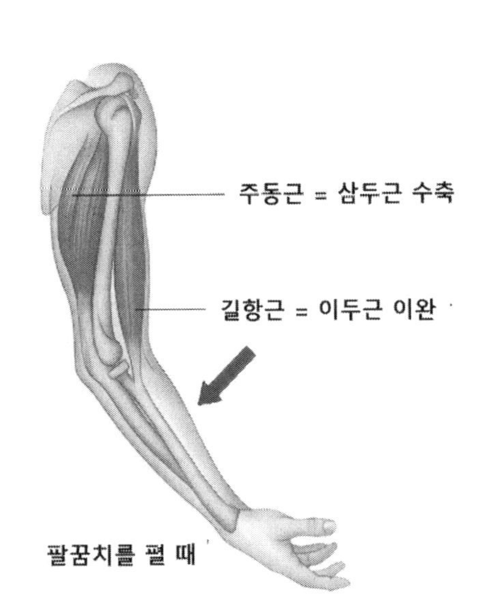

1) 팔꿈치 관절을 굽히는 동작과 펴는 동작을 구분하여 주동근(Agonist), 길항근(Antagonist), 협력근(Synergist)으로 작용하는 근육의 이름을 쓰시오.

◇ 팔꿈치를 굽힐 때

- 주동근 : 이두근 (수축)
- 길항근 : 삼두근 (이완)
- 협력근 : 요골근

◇ 팔꿈치를 펼 때

- 주동근 : 삼두근 (수축)
- 길항근 : 이두근 (이완)
- 협력근 : 요골근

2) 주동근(Agonist), 길항근(Antagonist), 협력근(Synergist)의 역할을 설명하시오.

근이형부에 있는 건이 주동근과 길항근의 상대적인 장력을 감지하여 관절이 유연하게 움직이도록 주동근이 수축되는 동안 길항근을 이완시켜 줌

11. 관절(joint)의 종류

[2005년 1교시 9번] [2011년 3교시 1번] [2022년 2교시 6번]

1) 윤활관절

인체의 윤활관절은 가동관절이고, 뼈 대부분이 이 결합양식을 하고 있으며, 2개 또는 3개가 가동성으로 연결된 관절이다. 결합하는 두 뼈의 관절면이 반드시 연골로 되어있다.

2) 연골관절

연결되는 뼈 사이에 연골조직이 끼어 있는 연골관절로서 약간의 운동이 가능하다. 두 뼈 사이에는 결합조직이나 연골이 연결되어 있다. 또, 두 개 이상이 완전히 골결합되어 있는 부위도 있다.

3) 섬유관절

두 개의 뼈가 부동성으로 결합하는 것이며, 사람의 골격에서는 일부에 한정되어 있다. 섬유성 막에 의해 연결된 섬유관절을 이룬다.

12. 가동관절(diarthrodial joint or synovial joint)의 형태 분류

구분	특성	종류
구상(절구)관절 (ball and socket joint)	관절머리와 관절오목이 모두 반구상이며, 3 개의 운동축을 가지고 있어 운동범위가 가장 큼	어깨관절, 대퇴관절
경첩관절 (hinge joint)	두 관절면이 원주면과 원통면 접촉을 하며, 한 방향으로만 운동할 수 있음	무릎관절, 팔굽관절, 발목관절
안장관절 (saddle joint)	두 관절면이 말안장처럼 생겼으며, 서로 직각 방향으로 움직이는 2 축성 관절	엄지손가락의 손목손바닥뼈관절
타원관절 (condyloid joint)	두 관절면이 타원상을 이루고, 그 운동은 타원의 장단축에 해당하는 2 축성 관절	요골손목뼈관절
차축관절 (pivot joint)	관절머리가 완전히 원형이며, 관절오목 내를 자동차 바퀴와 같이 1 축성으로 회전운동을 함	위아래 요골척골관절
평면관절 (gliding joint)	관절면이 평면에 가까운 상태로서, 약간의 미끄럼 운동으로 움직임	손목뼈관절, 척추사이관절

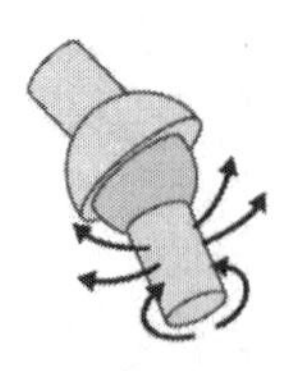

구상(절구)관절
(ball and socket joint)

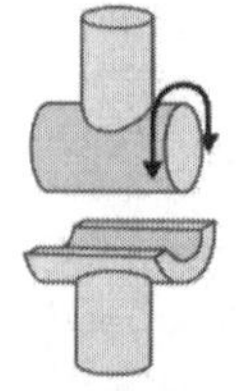

경첩관절
(hinge joint)

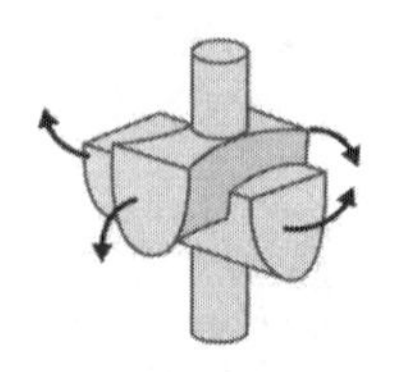

안장관절
(saddle joint)

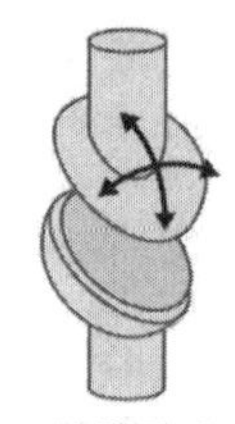

타원관절
(condyloid joint)

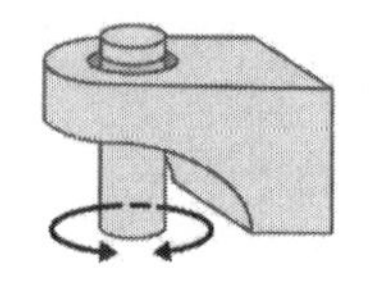

차축관절
(pivot joint)

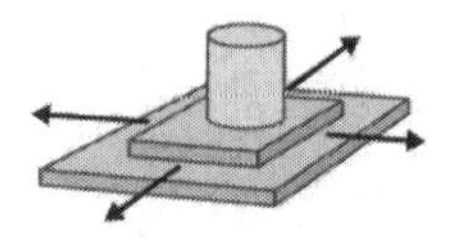

평면 관절
(gliding joint)

Chapter

02 작업 생리

1. 작업 부하의 생리학적 측정

에너지소비량

[2022년 4교시 1번] [2024년 3교시 5번]

산소소비량과 에너지소비량은 선형적 관계가 있으며, 산소 1L가 소비되면 5kcal의 에너지가 소모

→ 육체 활동의 정도는 산소소비량을 측정 후 작업 에너지 계산 가능

산소소비량 측정 시, 호흡 배기량 측정 장비와 O_2, CO_2 비율 측정 가스분석기 필요

에너지소비량

$79\% \times$흡기량 $=$ $N_2\% \times$배기량

→ 질소는 체내에서 대사하지 않고, 그대로 배출

$$\text{흡기량} = \frac{\text{배기량} \times (100 - O_2\% - CO_2\%)}{79\%}$$

산소소비량 $= 21\% \times$ 흡기량 $-$ $O_2\% \times$ 배기량

에너지소비량 (kcal/min) = 분당 산소소비량(ℓ) × 5kcal

에너지소비량은 수치화하여 객관적인 데이터로서 표출할 수 있으므로 생리학적 접근방법으로 에너지소비량이 주요 접근법으로 사용됨

1) 산소소비량

- '더글라스 낭'이나 호흡 시 배기량을 측정할 수 있는 장비를 이용하여 작업자의 배기량을 측정한다.
- 측정된 배기의 표본을 취하여 성분을 분석한다.
- 표본을 취하고 남은 배기는 가스미터(gas meter)를 이용하여 부피를 측정한다.
- 배기 성분과 부피를 이용하여 흡기의 부피를 구한다.
  질소는 체내에서 대사되지 않고 배기 되므로 흡기와 배기 중의 질소의 양은 같게 된다. (에너지소비량 계산식 참조)
- 산소분석기 혹은 대사 기능측정기 등을 이용하면 산소소비량 분석을 위하여 위와 같은 공식을 이용하지 않더라도 자동으로 산소 및 탄소소비량, 호흡작용의 변화 비율을 자동으로 알 수 있다.

2) 심박동수(Heart Rate)를 통한 최대산소소비량의 추정 절차 (간접 측정)
[2012년 1교시 7번]

- 직접 측정법보다 피로와 위험이 적으나 정확성이 떨어진다.
- 심장박동률은 산소소비량보다 스트레스, 카페인 섭취, 정적 작업이나 더운 환경에서의 작업, 기온 등과 같은 요인에 의해 불균형적으로 증가할 수 있다.
  또한, 심장박동률과 산소소비량 사이의 선형적 관계는 개인에 따라 다르다. 즉, 산소소비량 수준은 같다고 하더라도 심장박동률은 개인에 따라 다를 수 있기 때문이다.
- 심박수와 산소소모량은 선형관계라고 가정한다.
- 최대 심박수는 나이에 따라 비교적 정확히 예측할 수 있다.
  HR_{max} = 220-나이
  HR_{max} = 190-0.62(나이-25)
- 절차
  가. 3개 이상의 작업수준에서 산소소비량과 심박수를 측정한다.
  나. 회귀분석을 통하여 산소소비량과 심박수의 선형관계를 파악한다.
  다. 피실험자의 최대 심박수를 계산한다.
  라. 최대 산소소비량을 회귀분석을 통하여 구한다.

※ 다양한 활동들에 대한 에너지 소비율의 추정치

활동	에너지 소비율의 추정치 (kcal/min)
수면	1.3
앉아 있기	1.6
서 있기	2.3
걷기 (3km/h)	2.8
걷기 (6km/h)	5.2
저장고 작업	4.2
용접 작업	3.4
나무 톱질	6.8
나무 베기	8.0
운동 활동	10.0

2. 에너지 대사율 (RMR)

[2006년 1교시 6번] [2013년 4교시 4번] [2024년 3교시 5번]

◇ 기초대사율 (Basal Metabolic Rate) : 생명 유지에 필요한 단위 시간당 에너지양

- 기초대사율은 체형, 나이, 성별 등 개인차에 따라 다르며,
  일반적으로 신체가 크고 젊을수록, 여자보다는 남자의 기초대사량이 크다.
- 성인 기초대사량 : 1,500~1,800kcal/일
- 기초대사량 + 여가대사량 : 2,300kcal/일
- 작업 시 정상적인 에너지소비량 : 4,300kcal/일

작업 시의 에너지 대사량은 휴식 후부터 작업 종료 시까지의 에너지 대사량을 나타내며, 총에너지 소모량은 기초에너지 대사량과 휴식 시 에너지 대사량, 작업 시 에너지 대사량을 합한 것으로 나타낼 수 있다.

에너지 대사율(RMR)은 기초대사량에 대한 작업대사량의 비로 정의된다.

$$R = \frac{\text{작업 시 에너지 대사량 - 안정 시 에너지 대사량}}{\text{기초대사량}} = \frac{\text{작업대사량}}{\text{기초대사량}}$$

- 초중작업 7이상
- 중(重)작업 4~7
- 중(中)작업 2~4
- 경작업 0~2

- 가벼운 작업(light work)인 경우, 에너지 소비율은 매우 적고 (2.5kcal/min) 에너지 요구량은 신체의 산화성 대사만으로도 쉽게 충족
- 약간 힘든 작업(moderate work)인 경우, 에너지 소비율은 2.5~5.0kcal/min 이며, 이 정도의 에너지소비량도 산화성 대사작용으로 충족 가능
- 힘든 작업(heavy work)은 5.0~7.5kcal/min 정도의 에너지소비량을 요구 신체적으로 건강한 사람이라면 산화성 대사에 의해 공급되는 에너지를 통해 비교적 긴 시간 동안 수행 가능
  작업을 시작할 때 발생한 산소 결핍은 작업이 종료되기 전에는 해소되지 않음
- 에너지 소비율 7.5~10kcal/min의 매우 힘든 작업(very heavy work)과 에너지 소비율 10kcal/min 이상의 극히 힘든 작업(extermely heavy work)의 경우에는 신체적으로 건강한 사람이라 해도 작업 기간에 안정 상태 조건에 도달하지 못함
- 이러한 유형의 작업이 계속될수록 산소 결핍과 젖산의 축적이 증가하며, 이러한 이유로 작업자들은 자주 휴식을 취하거나 완전히 작업을 멈추어야 함

3. Murrell 의 휴식시간 산출공식

[2008년 2교시 5번] [2016년 2교시 1번] [2022년 4교시 1번] [2024년 3교시 5번]

$$\text{휴식시간}(R) = \frac{T(E-S)}{E-1.5}$$

T : 총 작업시간

E : 해당 작업 중 평균 에너지 소비량(kcal/min)

S : 권장 평균 에너지 소비량(남성:5kcal/min, 여성:3.5kcal/min)

[관련 기출문제]

1. A 사업장의 주물공정에서는 1,200℃의 용융로를 남성 작업자 1명이 하루 8시간 동안 작업하고 있다. 작업자가 높은 작업 강도를 호소하여 작업 부하를 알아보기 위하여 더글라스백(Douglas bag)을 이용하여 배기량을 10분간 측정하였더니 300L(리터)였다. 가스미터를 이용하여 배기 성분을 조사하니 산소가 15%, 이산화탄소가 5%일 때, 다음 각 물음에 답하시오.
(단, 대기 중 질소의 비율은 79%, 기초대사량은 1.2kcal/min, 권장 평균 에너지 소비량은 5kcal/min, 산소 1L당 방출할 수 있는 에너지는 5kcal/min, 안정 시 에너지소비량은 1.5kcal/min)

1) 분당 에너지소비량을 구하시오.

- 분당 배기량 = $\frac{300\ell}{10\text{분}} = 30\ell/\text{분}$
- 분당 흡기량 = $\frac{100\% - 15\% - 5\%}{79\%} \times 30\ell = 30.38\ell/\text{분}$
- 산소소비량 = 21%×30.38ℓ/분 - 15%×30ℓ/분 = 1.8789ℓ/분
- 에너지소비량 = 1.8789ℓ/분×5kcal/ℓ = 9.399 kcal/분

2) Murrell이 제시한 공식을 따를 때, 하루 작업 중 휴식시간을 구하시오.

$$\text{휴식시간}(R) = \frac{T(E-S)}{E-1.5} = \frac{60(9.399-5)}{9.399-1.5} = 33.414\text{분}$$

T : 총 작업시간, E : 해당 작업 중 평균 에너지 소비량(kcal/min),
S : 권장 평균 에너지 소비량(남성:5kcal/min, 여성:3.5kcal/min)

- 하루 작업 중 휴식시간 = 33.414분 × 8시간 = 267.31분

3) 에너지대사율(RMR: Relative Metabolic Rate)을 구하시오.

$$R = \frac{\text{작업 시 에너지 대사량 - 안정 시 에너지 대사량}}{\text{기초대사량}} = \frac{\text{작업대사량}}{\text{기초대사량}}$$

- 초중작업 7이상
- 중(重)작업 4~7
- 중(中)작업 2~4
- 경작업 0~2

$$R = \frac{\text{작업대사량}}{\text{기초대사량}} = \frac{9.399Kcal/\min - 1.5Kcal/\min}{1.2Kcal/\min} = 6.58$$

4) 위 작업의 2), 3)의 평가결과에 따라 현재 작업장에 문제가 있다고 판단되면 이에 대한 개선 방향을 제안하시오.

- 에너지 대사율 6.58으로 중(重)작업에 속하는 강도가 높은 작업이다.
- 주물공정 작업공정 및 설비를 기계적으로 대체한다.
- 사용빈도, 사용순서에 따라 작업장 재배치를 실시한다.
- 충분한 휴식시간을 제공한다. 휴식은 긴 시간을 쉬는 것보다는 짧게 여러 번 부여하는 것이 효과적이다.
- 작업의 연속성이 필요하다면 휴식시간을 보장하기 위하여 작업자 1명을 추가 투입하여야 한다.

2. 작업 시 에너지 소모량을 실험한 결과 다음 표와 같았다. 이 결과를 이용하여 다음 물음에 답하시오.

성분	흡기(%)	배기(%)
O_2	21	16
N_2	79	80
CO_2	0	4
10분간 배기량 200ℓ, 산소 소비 1ℓ당 5Kcal		

1) 분당 산소소모량과 분당 소모에너지를 구하시오.

- 분당 배기량 = $\frac{200\ell}{10분} = 20\ell/분$
- 분당 흡기량

$$= \frac{100 - O_2\% - CO_2}{79\%} \times 배기량 = \frac{100\% - 16\% - 4\%}{79\%} \times 20\ell = 20.253\ell/분$$

- 산소소비량 = 21%×20.253ℓ/분 - 16%×20ℓ/분 = 1.053ℓ/분
- 에너지소비량 = 1.053ℓ/분×5kcal/ℓ = 5.27 kcal/분

2) 이 작업을 60분간 진행할 경우 필요한 휴식시간을 구하시오.

$$휴식시간(R) = \frac{T(E-S)}{E-1.5} = \frac{60(5.27-5)}{5.27-1.5} = 4.3분$$

T : 총 작업시간, E : 해당 작업 중 평균 에너지 소비량(kcal/min),

S : 권장 평균 에너지 소비량(남성:5kcal/min, 여성:3.5kcal/min)

3) 현 작업에 문제가 있다고 판단될 경우 개선방안을 제시하시오.

작업강도의 구분	총 에너지 소모량(작업대사량) Kcal/min
경 작업	2.5
중등작업	5
중 작업	7.5
격심한 작업	10
극심한 작업	15

- 에너지 소모량이 5.27(Kcal/min)으로 중등작업~중작업에 속하므로 충분한 휴식시간을 제공해야 함
- 작업의 연속성이 필요하다면 휴식시간을 보장하기 위하여 작업자 1명을 추가 투입하여야 함

3. 러닝머신 위를 달리고 있는 사람의 배기를 5분간 수집하였다. 수집된 배기량은 100ℓ였고, 가스분석기로 성분 분석한 결과 O_2%=16, CO_2%=4 였다. 이때, 분당 산소소비량을 구하시오.

흡기 부피 =

$$\frac{(100 - O_2\% - CO_2\%) \times 배기부피}{79} = \frac{(100-16-4) \times 20\ell/min}{79} = 20.25\ell/min$$

산소소비량 = 21% × 흡기부피 - O_2% × 배기부피

= 21% × 20.25ℓ/min - 16% × 20ℓ/min = 1.05ℓ/min

4. 인간의 의식수준 (뇌파형태, 의식의 상태, 의식의 작용)

[2012년 2교시 5번] [2020년 4교시 4번]

의식단계	의식수준
레벨 0	무의식, 실신상태이다. 주의작용은 전무하며, 신뢰성 또한 전무하다. 뇌파 형태 : δ 파 (4Hz 이하의 진폭이 불규칙적으로 흔들리는 파)
레벨 1	술에 취해 있을 때, 피로하였을 때, 의식이 둔한 상태, 부주의한 상태이며, 실수가 일어나기 쉽다. 뇌파 형태 : θ 파 (4~8Hz 의 서파)
레벨 2	안정을 취하고 있을 때와 같은 의식상태, 주의는 전향적으로 작용하지 않으며, 예측이나 창조적인 아이디어를 기대할 수 없다. 뇌파 형태 : α 파 (8~14Hz 의 규칙적인 파)
레벨 3	명쾌한 의식상태임. 적극적인 활동상태에서 주의가 미치는 범위가 넓고, 거의 실수가 일어나지 않는다. 뇌파 형태 : α~β 파
레벨 4	긴장이 과대하거나 감정이 고조되었을 때의 의식상태이며, 주의는 목적의 한점에 집중되며, 올바른 판단처리가 작용하지 않는다. 실수율이 크다. 뇌파 형태 : β 파 (14~30Hz 의 저진폭 파)

5. 고령 근로자의 신체 및 인지적 특성, 고령 근로자 취약작업의 종류

1) 고령 근로자의 신체적 특성

- 근력 및 근지구력의 저하로 힘의 크기와 힘의 지속성이 떨어짐
- 유연성 감소로 움직임의 범위와 균형능력, 몸을 비트는 동작이 제한
- 순발력 감소로 순간적인 힘을 끌어내는 동작 수행 어려움
- 심폐지구력 감소로 장시간 작업수행 불가
- 신체조절능력 저하로 기온, 습도, 기압 등의 환경 변환 적응력 감소
- 시력, 색상 지각, 순응 등 전반적인 시각 기능 감퇴
- 청각 능력 감소 (고주파주에 대한 감응 낮아짐)

2) 고령 근로자의 인지적 특성

- 전반적인 뇌 기능 저하로 새로운 학습에 대한 교육 시간이 오래 걸림
- 정보처리 능력이 감소하여 복잡한 업무 수행 어려움
- 기억력 감소

3) 고령 근로자 취약작업

- 높은 곳에서 이루어지는 고소작업
- 전도 위험이 큰 작업
- 부자연스러운 자세로 임하는 작업
- 낮은 조도, 소음작업장의 작업
- 신속하고 정확한 동작이 요구되는 작업
- 작업내용이 복잡한 작업
- 높은 집중력을 요구하는 정밀한 작업

4) 고령자 근로자 관련 작업장 및 작업 설계

- 고령자의 시각 특성을 고려하여 작은 글씨나 미세한 작업은 피하는 것이 바람직
- 게시물은 시력 0.3인 사람이 판독 가능할 정도
- 문장의 글자 크기는 가능한 11포인트 이상이 바람직

- 원근 조절능력이 떨어지므로 가까운 거리와 먼 거리를 번갈아 가며 초점변환이 일어나는 작업은 피해야 함
- 고령자는 조명 밝기에 영향을 받으므로 작업조명을 600lux 이상, 정밀작업은 800lux 이상 조절

작업 구분	기준
초정밀 작업	750 lux 이상
정밀 작업	300 lux 이상
보통 작업	150 lux 이상
그 밖의 작업	75 lux 이상

「산업안전보건기준에 관한 규칙」의 조도기준

- 청력도 감소하므로 고령자에게는 중요한 지시나 신호 전달의 경우에는 이해하기 쉽게 명쾌한 말을 쓰고 전달 내용을 확인하는 것이 중요
- 고주파에 둔감하므로 경고음은 고주파음을 피하고 필요에 따라서는 시각 또는 후각을 병용
- 인지특성을 고려하여 계산이나 기억을 반복하는 작업, 짧은 반응시간을 요구하는 작업, 순간적인 판단을 요구하는 작업은 되도록 피하고, 지속적인 집중이 필요한 작업은 1시간 미만 수행하도록 작업 설계
- 인력에 의한 중량물 취급작업은 되도록 제거하거나 보조기기를 사용하도록 함
- 신체 평형 기능이 떨어진 고령 작업자에게는 전도, 추락 사고를 예방하기 위하여 미끄러지기 쉬운 작업장의 바닥이나 보행로를 개선하고, 계단에는 손잡이를 설치

Chapter

03 생체역학

1. 근력(strength) 정의(definition)

한 번의 수의적인 노력으로 근육이 등척성(isometric)으로 내는 힘의 최대값이며, 손, 팔, 다리 등의 특정 근육이나 근육군과 관련이 있다.

2. 정적근력과 동적근력

[2013년 1교시 10번]

1) 정적근력

- 등척력(isometric strength) 물체를 들고 있을 때처럼 신체를 움직이지 않으면서 자발적으로 가할 수 있는 힘의 최대값
- 근육이 수축해도 길이는 변하지 않음
  ※ 4~6초 동안 피실험자들이 고정된 물체에 대해 최대한 힘을 발휘하도록 한 후 30~120초 동안 휴식을 취하는 과정을 반복하여 처음 3초 동안 발휘된 근력의 평균으로 측정

2) 동적근력

- 등속력(isokinetic strength) 중량물을 들어 올릴 때처럼 팔이나 다리의 신체 부위를 실제로 움직이는 상태에서 낼 수 있는 힘
- 등장성 수축과 등속성 수축으로 나눌 수 있음
- 등속성 수축은 일정한 속도에서 관절 각도에 따라 발휘되는 힘
- 일반적으로 일정한 속도를 유지하기 어려우므로 Cybex나 Biodex와 같은 상용화된 계측기를 사용하여 측정

3. 근수축(muscle contraction)의 3 가지 유형(type)

[2015년 1교시 5번] [2016년 3교시 3번] [2022년 3교시 3번]

1) 등장성 수축 (isotonic contraction)

- 관절의 각도가 변하고, 근육의 길이가 짧아지거나 늘어나면서 수축하는 것
- 푸쉬업이나 턱걸이와 같이 관절의 각도가 변하고, 근육의 길이가 늘어나거나 짧아지며 수축하는 운동
- 동적운동(등장성 수축)은 신체에 가해지는 장력은 일정하지만, 모든 관절의 범위에서 동일한 장력이 발생하지는 않음
- 덤벨로 이두근을 자극하는 컬(Curl) 동작을 할 경우, 같은 무게를 들어 올려도 팔을 편 상태(팔의 관절 각도가 넓어짐)에서 들어 올릴 때 보다 팔의 각도가 90도에 가까워질수록(팔의 관절 각도가 좁아짐) 힘을 덜 들게 됨
- 정적운동은 관절의 변화가 없이 고정된 각도에서 시행되기 때문에 근육의 장력도 같지만, 동적 운동은 관절의 각도가 변화되기 때문에 관절 각에 따라 발생하는 근육의 힘도 달라짐

  ① 단축성(구심성) 수축 : 근육의 길이가 짧아지면서 수축하는 형태 [굴곡]

  ② 신장성(원심성) 수축 : 근육이 수축하고 있음에도 불구하고, 결과적으로 늘어나는 형태 [신전]

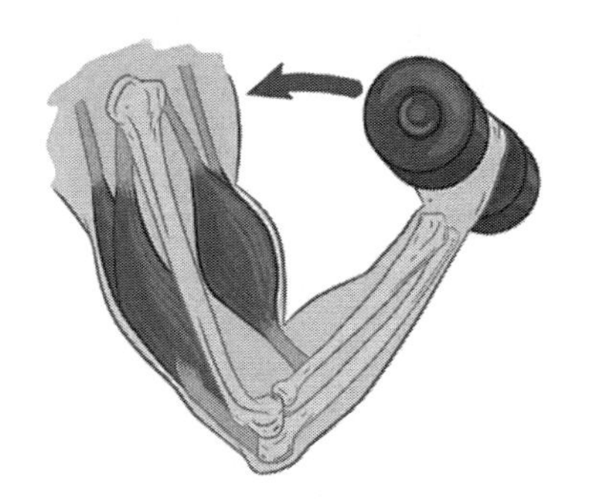

단축성 수축. 근육의 길이가 짧아지며 수축하는 것

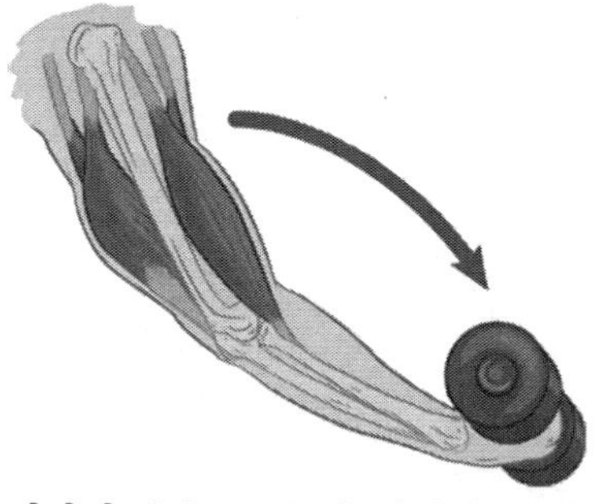

신장성 수축. 근육의 길이가 늘어나며 수축하는 것

2) 등척성 수축 (isometric contraction)

- 관절의 각도, 근육의 길이가 변하지 않고 근육이 수축하는 것
- 관절 각의 변화가 없어 일은 없으나 에너지 소모는 일어남
- 근육의 길이에 변함이 없다는 것은 움직임이 없다는 뜻이기 때문에 움직이지 않고 한가지 동작에서 버티는 운동을 정적운동이라고 함
- 손에 무거운 물건을 들고 다닐 때 팔의 근육이나 기마자세로 가만히 서 있을 때의 다리 근육
  ex) 플랭크 동작

3) 등속성 수축 (isokinetic contraction)

- 관절 각이 동일한 속도로 움직이는 근수축
- 관절 각의 속도는 일정하나 각도에 따라 발생하는 장력은 변화함
- 재활이나 운동으로 복귀(RTP; return to play) 전 평가에 유용할 수 있으나, 오직 특수한 기구로만 가능한 운동으로 비싸다는 제한점이 있음

4. 근력과 근육 수축 속도, 근력과 근육 길이 간의 관계

[2014년 1교시 5번]

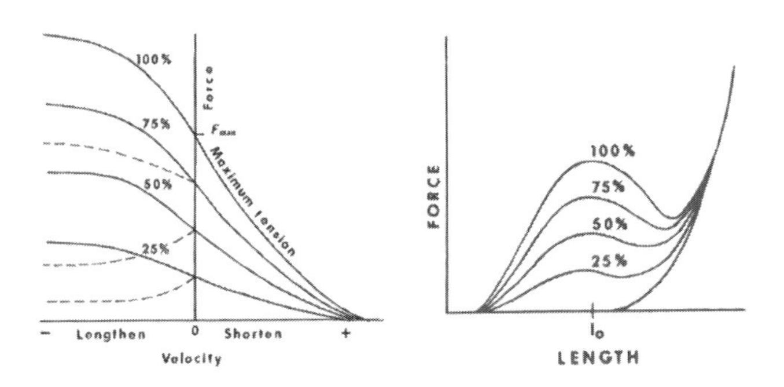

◇ 힘-속도 관계

- 구심성 수축인 경우, 근력과 근수축 속도가 반비례. 근수축 속도가 빠르면 근력은 작고, 근수축 속도가 느리면 근력은 커진다.
- 원심성 수축인 경우, 구심성 수축보다 더 큰 힘을 발휘하며, 경향은 반대로 속도가 클수록 큰 힘을 낸다.

요인	근력에 미치는 영향
근섬유의 수	근섬유의 수가 많으면 근력이 커진다.
배열 형태	방추형의 배열 형태보다는 선형의 배열 형태가 큰 힘을 발휘 선형의 배열 형태는 동작범위가 방추형에 비해 제한을 받음
길이의 비율	근육의 길이가 본래의 근육의 길이에 가까운 상태일 때 최대의 힘이 발휘
탄력성	근육에 탄력성이 있는 경우 갑작스러운 신전 후의 수축은 탄성 에너지를 사용하게 되어 더 큰 힘을 발휘
수축 속도	수축 속도가 빠르면 적은 힘을, 느리면 큰 힘을 발휘
수축각	근육이 작용하는 분절의 각도가 직각일 때 가장 큰 힘을 발휘

5. 지구력(endurance)

[2015년 1교시 6번]

- 지구력(endurance)이란 근력을 사용하여 특정 힘을 유지할 수 있는 능력
- 지구력은 힘의 크기와 관계가 있음
- 최대 근력으로 유지할 수 있는 것은 몇 초이며, 최대 근력의 50% 힘으로는 약 1분간 유지할 수 있다. 최대 근력의 15% 이하의 힘에서는 상당히 오래 유지할 수 있음
- 정적 근육 피로 한도 시간과 근력발휘 수준의 관계를 나타내는 Rohmert 곡선 (Rohmert curve)

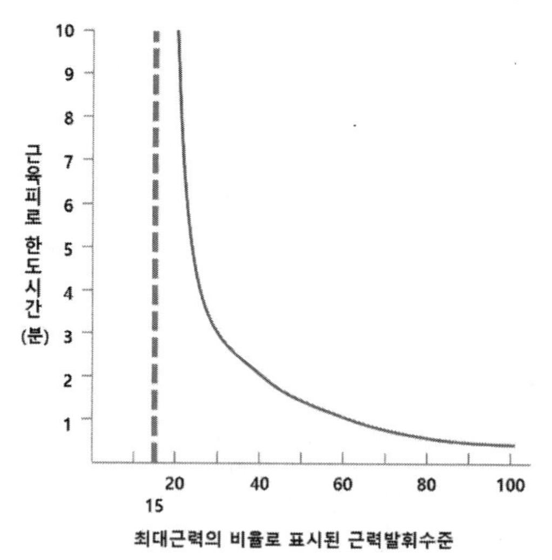

6. 힘 계산문제

[2005년 2교시 5번] [2006년 2교시 6번] [2007년 2교시 6번] [2008년 2교시 2번] [2009년 2교시 6번] [2010년 4교시 2번] [2017년 3교시 6번]

1) 아래 그림과 같이 한 손에 70N의 무게(weight)를 떨어뜨리지 않도록 유지하려면 노뼈(척골 또는 radius)위에 붙어 있는 위팔두갈래근(biceps brachii)에 의해 생성되는 힘 Fm은 얼마이어야 하는가? 이때 위팔두갈래근은 팔굽관절(elbow joint)의 회전 중심으로부터 3cm 떨어진 곳에 붙어 있으며 90°를 이룬다.
손 위 물체의 무게중심과 팔굽관절의 회전중심과의 거리는 30cm이다.
단. 전완(forearm)과 손의 무게는 무시하시오.
위팔두갈래근 외의 근육의 활동은 모두 무시하시오.

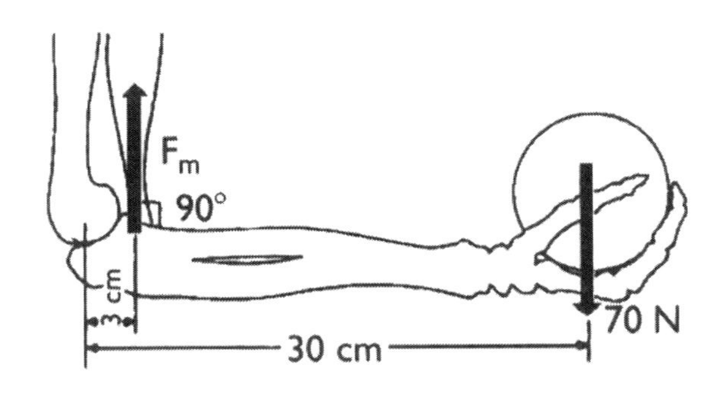

70N × 30cm - Fm × 3cm = 0

∴ Fm =700N

2) 한 사람이 두 개의 저울 위에 왼발과 오른발을 각각 올려놓고 서 있다. 양발 사이는 30cm 떨어져 있고, 왼발의 저울 눈금은 50kg, 오른발의 저울 눈금은 30kg이라면 1) 몸무게와 2) 무게중심의 위치를 왼발에서부터 거리로 나타내시오.

몸무게 = 50+30 = 80kg

왼발에서의 모멘트 균형 $80kg \times x\,cm - 30kg \times 30cm = 0$

무게중심 : $30cm \times \frac{30kg}{(50+30)kg} = 11.25cm$,

왼발에서부터 11.25cm 떨어져 있음

3) 그림과 같이 아래팔과 위 팔이 90도의 관절각을 이루고 있을 때 10kg 무게의 공을 들고 있다면 이두박근은 얼마의 힘을 내야 하는가?
(단, 그림과 같은 자세로 평형을 이루고 있다고 가정한다.)

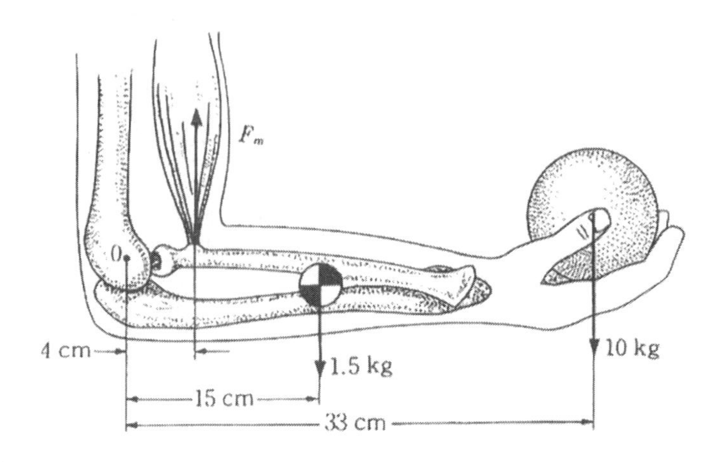

① 팔꿈치 관절에 걸리는 모멘트

$\Sigma M = 0$

$(-98N \times 0.33m) + (-14.7N \times 0.15m) + M_E = 0$

따라서, $M_E = 34.542Nm$

② 이두박근(biceps)에 걸리는 힘 F_m

$98N \times 33cm - F_m \times 4cm = 0$

따라서, $F_m = \dfrac{3,234}{4} = 808.5N$

③ 팔꿈치 관절에 걸리는 힘

$\Sigma F = 0$

$-98N - 14.7N + R_e = 0$

따라서, $R_e = 112.7N$

7. 신체 부위의 운동 유형

[2013년 1교시 2번]

운동 유형	동작 내용
외전 (Abducion)	몸의 중심선에서 멀어지는 이동 동작
내전 (Adducion)	몸의 중심선으로 향하는 이동 동작
신전 (Extension)	관절에서의 각도가 증가하는 동작
굴곡 (Flexion)	관절에서의 각도가 감소하는 동작
외선 (Lateral Rotation)	몸의 중심선으로부터의 회전
내선 (Medial Rotation)	몸의 중심선을 향하여 안쪽을 회전하는 동작
하향 (Pronation)	손바닥을 아래로 향하도록 하는 회전
상향 (Supination)	손바닥을 위로 향하도록 하는 회전
회내 (Pronation)	손과 전완 사이, 발과 정강이 사이에서 일어나는 동작으로 손바닥이나 발바닥이 아래를 향하도록 안쪽으로 회전하는 동작
회외 (Supination)	회내와 반대 방향으로 움직이는 동작으로 손바닥이나 발바닥이 위로 향하도록 바깥쪽으로 회전하는 동작
내번 (Inversion)	손목 관절이나 발목관절이 안쪽으로 움직이는 운동
외번 (Eversion)	손목 관절이나 발목관절이 바깥쪽으로 움직이는 운동
저측굴곡 (Plantar flexion)	족저의 경우 발끝을 뒤쪽으로 당기는 운동으로 발바닥 쪽으로 굴곡
배측굴곡 (dorsal flexion)	족저의 경우 발끝을 앞쪽으로 당기는 운동으로 발등 쪽으로 굴곡

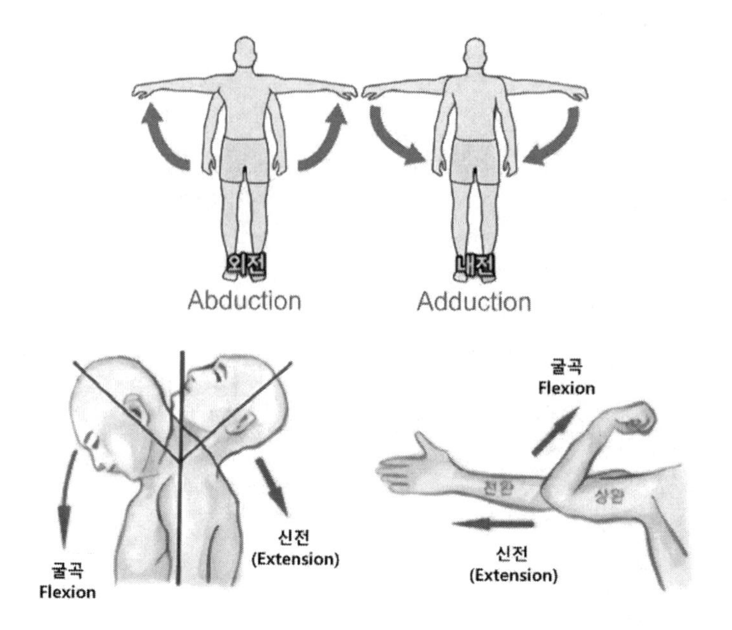

8. 운동학(Kinematics)에서 신체 분절의 움직임을 분석하는 데 필요한 6 가지 변수

① 관절의 위치
② 동작의 크기
③ 각도
④ 속도
⑤ 각속도
⑥ 가속도
⑦ 각가속도

관절 또는 인체분절의 운동에 있어서 운동학적 변수들은 크기, 속도, 방향 등을 나타낸다.

이동운동	회전운동
변위/거리(cm)	각변위 (deg)
속도(cm/sec)	각속도 (deg/sec)
가속도 (cm/sec^2)	각가속도 (deg/sec^2)

Chapter

04 작업 부하 및 생체 반응 측정

1. 피로의 측정방법 (생리적 방법, 생화학적 방법, 심리학적 측면)

[2005년 1교시 13번] [2007년 2교시 2번] [2011년 1교시 6번] [2012년 1교시 3번] [2019년 3교시 3번]

1) 생리적 방법 : 근력이나 대뇌피질의 활동, 순환기능의 측정 등

- 근전도 (EMG) : 근육 활동의 전위차를 기록
- 심전도 (ECG) : 심장근육 활동의 전위차를 기록
- 뇌전도 (EEG) : 신경 활동의 전위차를 기록
- 안전도 (EOG) : 안구운동의 전위차를 기록
- 산소소비량
- 에너지소비량 (RMR)
- 피부전기반사 (GSR)
- 점멸융합주파수 (플리커법)

2) 심리학적 방법 : 집중 유지시간의 측정이나 전신 자각 증상 조사

- 주의력 테스트
- 집중력 테스트 등

3) 생화학적 방법 : 혈액의 성분측정 등

- 혈액
- 소변 중의 스테로이드양
- 아드레날린 배설량

2. 정신적, 육체적 피로(Fatigue)의 측정방법 및 방지대책

[2005년 1교시 13번] [2007년 2교시 2번] [2011년 1교시 6번] [2012년 1교시 3번] [2014년 1교시 3번] [2019년 3교시 3번] [2022년 1교시 3번]

1) 육체적 작업 부하

- 동적근력작업 : 에너지대사율(RMR), 산소섭취량, 호흡량, 심박수, 근전도(EMG), 주관적평가 (Borg Scale: Borg-RPE, Borg CR10)
- 정적근력작업 : 근전도, 동작분석, 에너지대사량(RMR)과 심박수의 상관관계

2) 정신적 작업 부하

- 주임무척도
- 부임무척도
- 생리적척도 : 점멸융합주파수(FFF), EEG, 부정맥
- 주관적평가 : NASA-TLX

구분		신체적			정신적	
stress	작업요인	중작업, 거동제한			정보 과부하	
	환경요인	소음, 진동, 열, 대기				
	순환요인	수면 부족			수면 부족	
strain	항목	화학적	전기적	물리적	활동	태도
	측정내용	혈액 성분 뇨 성분 산소 소모	EEG ECG EMG EOG GSR	힘 모멘트	Speed Error Eye blink	지루함

- 압박, Stress : 개인에게 바람직하지 않은 상태나 과업 등의 인자와 같이 내외부로부터 주어지는 자료
- 긴장, strain : 스트레스 결과로 인체에 나타나는 신체적, 정신적 고통이나 반응
  → 혈액의 화학적 변화, 산소소비량, 근육이나 뇌의 전기적 활동, 심박 수, 체온 등의 변화 관찰로 스트레인 측정 가능

3) 스트레스 방지대책

[2024년 2교시 2번]

※ 개인적 예방대책

- 신체적, 기능적 능력을 고려하여 육체적 부담이 경감될 수 있도록 능력에 맞게 업무를 수행한다.
- 휴식시간을 충분히 활용하여 휴식(시각의 전환 및 심호흡 등)을 취하도록 한다.
- 규칙적이고 균형 잡힌 식사를 통해 충분한 영양분을 섭취한다.
- 고열 등 물리적 작업환경에 따른 수분, 염분, 당분 등을 섭취한다.
- 금연, 금주 및 규칙적인 유산소 운동, 적당한 수면 시간(성인 7~8시간) 유지 등 올바른 생활 습관을 통해 규칙적인 생활 리듬을 잃지 않도록 한다.
- 여가 활동을 통하여 심리적 스트레스를 해소할 수 있도록 한다.

3. 정신적인 부하를 측정하기 위한 생리학적 측정 지표

[2005년 1교시 13번] [2007년 2교시 2번] [2011년 1교시 6번] [2012년 1교시 3번] [2019년 3교시 3번] [2021년 4교시 5번]

부정맥지수, 눈꺼풀의 깜박임(blink rate), 동공의 지름(pupil diameter), 뇌파

1) 뇌전도(EEG: Electro Encephalo Graphy)

- 뇌는 신경세포 간의 결합 형태나 활동에 의해서 여러 가지 움직임이 나타난다.
- 정신적으로 긴장한 상태에서는 뇌파의 진폭이 작아지면서 주파수는 높아지는 경향이 있다.
- 뇌에 산소 공급이 부족하면 낮은 주파수로 진동하는 큰 진폭의 뇌파가 나타난다.
- 지나치게 산소 공급이 많으면 주파수가 높아지는 경향을 보이기도 한다.

※ 정신적 상태에 따른 뇌파

① δ파 : 4Hz 미만의 주파수로 나타나며, 깊은 수면상태

② Θ파 : 4~8Hz 주파수, 졸린 상태이거나 얕은 수면상태

③ α파 : 8~13Hz 주파수, 편안하게 휴식을 하는 경우로 정신은 깨어있는 상태 대개 정상적인 성인의 경우 눈을 감고 편안하게 안정하고 있으면 발생하며, 시각중추와 관련되어 있음

④ β파 : 13~30Hz 주파수, 진폭이 가장 작으며 일상적인 업무 중에 나타나기 때문에 활동 뇌파라고도 함
의사결정, 논리적 추론, 문제해결 등과 같은 작업을 수행할 때 나타나며, 집중력을 나타내는 뇌파로서 집중력이 과도하거나 스트레스가 높은 상태에서는 고베타파(20Hz이상)가 나타남

⑤ ϒ파 : 30Hz이상의 주파수를 가지며, 불안하고 흥분된 상태

2) 부정맥 지수(cardiac arrhythmia)

- 심장 박동이 비정상적으로 빨라지거나 느려지는 등과 같이 불규칙한 활동을 하는 것
- 맥박 간의 표준편차나 변동 계수 등으로 심장 활동의 불규칙성을 평가
- 정신적 부하의 정도에 따라 달라지는데 일반적으로 정신적 부하가 증가하는 경우 부정맥 지수는 감소함

3) 눈꺼풀의 깜박임(blink rate)

- 작업자는 정신적인 활동의 부하가 클수록 피로하여 눈꺼풀의 깜박임 횟수가 감소
- 장시간의 정신활동을 요구하는 작업을 수행하는 경우 현저하게 나타남

4) 동공 지름(pupil diameter) 측정

- 정신적 부하가 발생하면 피로를 유발하여 동공의 크기가 축소되는 경향
- 운전 중 눈이나 머리의 움직임, 눈 깜박임, 동공의 크기 등의 측정치에 따라 운전자에게 경고하는 시스템에 사용

5) 점멸융합 주파수 (FFF: Flicker Fusion Frequency)
[2008년 1교시 11번], [2021년 4교시 5번]

- 점멸융합주파수는 빛을 어느 일정한 속도로 점멸시키면 깜박거려 보이나 점멸의 속도를 빨리하면 깜박임이 없고 융합되어 연속된 광으로 보일 때 점멸주파수
- 점멸융합주파수는 피곤함에 따라 빈도가 감소하기 때문에 중추신경계의 피로, 즉 '정신피로'의 척도로 사용될 수 있다.
- 정신적으로 피로한 경우에는 점멸융합주파수의 값이 내려간다.
- 잘 때나 멍하게 있을 때에 CFF가 낮고, 마음이 긴장되었을 때나 머리가 맑을 때 높아진다.
- 시각적 점멸융합주파수(VFF)의 특성
  - 시각적 점멸주파수의 경우 주변의 조도와 휘도 등에 영향을 받는다.
  - VFF는 조명강도의 대수치에 선형적으로 비례한다.
  - 시표와 주변의 휘도가 같을 때 VFF는 최대로 영향을 받는다.
  - 휘도만 같으면 색은 VFF에 영향을 주지 않는다.
  - 암조응 시는 VFF가 감소한다.
  - VFF는 사람들간에는 큰 차이가 있으나, 개인의 경우 일관성이 있다.
  - 연습의 효과는 아주 적다.

4. EMG(Electromyography) Data 분석을 통해 수작업 부하 평가

[2009년 3교시 2번]

1) 수작업에 사용된 힘의 수준을 파악하기 위한 EMG Data 분석 프로세스
대상 근육이 있는 피부 표면에 전극을 설치하고 근육 수축에 생기는 전기적 활성을 기록한다. 이 기록은 EMG활성을 나타낸다. EMG 신호를 주기적으로 분석하고 전기적 활성을 펜으로 추적할 수 있다. 이러한 신호는 주파수나 진폭에 대해 분석할 수 있다. 진폭은 사전에 측정한 근육의 최대 수의적 수축에서 생기는 진폭의 백분율로 나타낸다.

2) 측정된 EMG Data를 통해 수작업으로 인한 근육 피로 파악 방법

EMG 활성과 근력 사이에는 밀접한 상관관계가 있고 근육이 피로해지기 시작하면 EMG 신호의 저주파 수 범위의 활성이 증가하고 진폭이 커진다. 고주파 수 범위의 활성이 감소한다. 이러한 자료 특성을 파악하여 근육의 피로도를 파악

Chapter

05 작업환경평가 및 관리

1. Phon 과 Sone 의 정의

[2005년 4교시 3번] [2009년 1교시 3번] [2010년 2교시 3번] [2019년 1교시 9번]

1) Phon

- 특정 음과 같은 크기로 들리는 1000Hz 순음의 음압수준(dB)

  예) 1,000Hz, 60dB인 음은 60phon이며, 50Hz, 65dB인 음과 1000Hz, 40dB의 음은 40phon

- phon값은 주파수 보정 효과는 있으나 상대적인 크기는 나타내지 못한다.

2) Sone

- 음의 상대적인 주관적 크기를 표시하며, 기준음보다 몇 배 크기인가를 나타냄
- 2sone은 1sone의 2배 크기인 음

$$\text{sone} = 2^{(\text{phon}-40)/10}$$

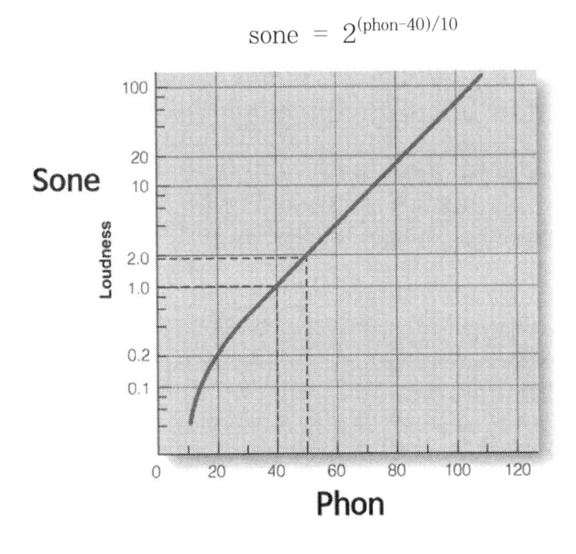

소음원	dB	sone
경보 사이렌	140	1,024
제트(jet)엔진 15m에서	130	512
회전톱	110	128
드릴 3m에서	100	64
보통 공장 (사람 통행 많음)	80	16
보통 사무실 (사람 통행 적음)	60	4
조용한 사무실	40	1
속삭임	20	0.25
가청 최소 수준	0	

2. 소음 계산문제

[2013년 1교시 8번] [2024년 3교시 6번]

1. 1,000Hz 80dB인 음의 Phon 값과 Sone 값은?
   80 phon, $2^{(80-40)/10}=16$sone

2. 다음과 같은 작업장에서 8시간을 작업하는 경우 소음노출지수는?
   85dBA(2시간), 90dBA(4시간), 95dBA(2시간)

$$\text{소음노출지수}(\%) = \left(\frac{C_1}{T_1}\right)+\left(\frac{C_2}{T_2}\right)+\ldots+\left(\frac{C_n}{T_n}\right)\times 100$$

$$= \left(\frac{2}{16}\right)+\left(\frac{4}{8}\right)+\left(\frac{2}{4}\right) = 112.5\%$$

누적소음 노출지수를 D(%)라 할 때 TWA는 다음 식으로 구할 수 있음

$$\text{TWA} = 16.61\ \log(D/100) + 90\ (\text{dB(A)})$$

3. 8시간 작업 시 측정된 소음수준의 그래프에서 소음노출량을 구하고, 해당 보호구가 없는 경우, 작업자의 작업허용시간을 구하시오.

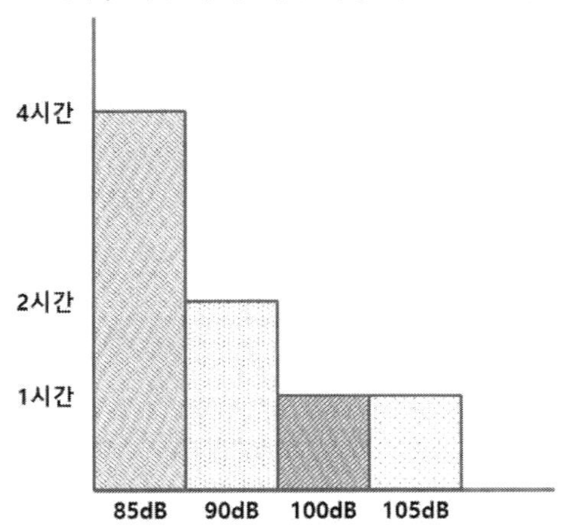

1일 폭로시간	허용 음압 dB(A)
16	85
8	90
4	95
2	100
1	105
1/2	110
1/4	115

총 소음 노출량(%) =

$$(\frac{C_1}{T_1}+\frac{C_2}{T_2}+\cdots+\frac{C_n}{T_n})\times 100=(\frac{4}{16}+\frac{2}{8}+\frac{1}{2}+\frac{1}{1})\times 100=200\%$$

$$TWA=16.61\log(\frac{200}{100})+90dB(A)=95dB(A)$$

- 해당 작업장 노출 수준 : 8시간 동안 95dB(A)
- 청력 보호구 없는 경우 작업 허용 시간 : 4시간

4. 압력펌프 B에서 1m 떨어진 곳에서 측정한 소음 수준: 100dB
   압력펌프 B에서 보조작업자까지의 거리 : 10m

$$SPL_2=SPL_1+20\log_{10}(\frac{d_1}{d_2})=100+20\log_{10}(\frac{1}{10})=80dB$$

보조작업자 위치의 B가압 펌프의 소음음압레벨은 80dB

5. 작업장에서의 소음은 작업성능의 저하와 근로자의 청력 손실 등을 유발할 수 있으므로 적절한 관리가 필요하다.
다음과 같은 방법으로 소음을 관리할 때, 물음에 답하시오.

1) 창문을 닫으면 외부로부터의 소음을 10dB 감소시킬 수 있다고 할 때, 음압은 어떻게 변화하는지 구하시오.

$$SPL(dB) = 20\log(\frac{P_1}{P_0})$$

$$10dB = 20\log(\frac{\chi}{P_0})$$

$$\chi = 10^{\frac{1}{2}}$$

따라서 소음 10dB 감소할 때 음압은 $10^{\frac{1}{2}}$만큼 감소한다.

2) 귀마개와 귀덮개를 동시에 사용하면 음압 수준이 30dB 낮아진다고 할 때, 음압은 어떻게 변할지 구하시오.

$$SPL(dB) = 20\log(\frac{P_1}{P_0})$$

$$30dB = 20\log(\frac{\chi}{P_0})$$

$$\chi = 10^{\frac{3}{2}}$$

따라서 소음이 30dB 감소할 때 음압은 $10^{\frac{3}{2}}$만큼 감소한다.

6. 프레스 공정에서 소음측정 결과 95dB 일 때, 근로자는 귀덮개(NRR-17)를 착용하고 있다. 미국산업안전보건청(OSHA) 계산방법을 이용하여 차음효과와 노출되는 음압수준을 계산하시오.

차음효과 : $(NRR-7)\times 50\% = (17-7)\times 50\% = 5dB(A)$
음압수준 : $95dB(A) - 5dB(A) = 90dB(A)$
※ 근로자가 노출되는 음압수준은 $90dB(A)$이다.

3. 열교환방정식

[2006년 2교시 1번] [2017년 4교시 4번] [2019년 2교시 5번] [2024년 2교시 5번]

M : 대사(Metabolism)에 의한 열 S : 신체에 저장되는 열(Heat content) C : 대류와 전도에 의한 열교환량 R : 복사에 의한 열교환량 E : 증발에 의한 열손실 W : 수행한 일

△S(열이득) = M(대사) - E(증발) ± R(복사) ± C(대류) - W(수행한 일)

- 신체가 열적 평형상태에 있으면 △S는 0
- 불균형조건이면 체온이 상승하거나(△S>0) 하강한다(△S<0)
- 대사에 의한 열 발생량 M은 항상 (+)를 나타내며, 증발 과정에서 E는 (-)를 나타냄
- 열교환 과정에 영향을 미치는 3가지 요인
  - 착용의복 → 단열 효과를 하므로 기온이 높을 때는 열의 발산을 방해
  - 자연적인 바람이나 환풍기에 의한 공기의 흐름
  - 작업자들에 의해 수행되는 육체적인 일의 정도

예제) 아래의 조건으로 상체 탈의를 통한 복사로 이루어지는 작업자의 열손실(W)을 구하시오.

- 그늘의 온도: 27°C
- 작업자 상체의 피부면적: 1 m^2
- 작업자 상체의 피부온도: 30°C
- 피부방사율: 0.97
- 스테판-볼츠만(Stephan-Boltzmann) 상수: 5.67 × 10^{-8} $W/m^2 \cdot K^4$

스테판-볼츠만 법칙

$$Q = \epsilon \sigma A (T_s^4 - T_{env}^4)$$

- Q : 복사열 손실
- ϵ : 피부의 방사율
- σ : 스테판-볼츠만 상수
- A : 피부면적
- T_s : 피부온도(K)
- T_{env} : 환경온도(K)

$$Q = \epsilon \sigma A (T_s^4 - T_{env}^4)$$

$$= 0.97 \times 0.57 \times 10^{-8}\, W/m^2 K^4 \times 1m^2 \times (303.15K)^4 - (300.15K)^4$$

$$= 17.35\, W$$

4. 열 작업자를 보호하기 위한 방안

- 방열보호구(방열복, 방열 장갑) 지급
- 주기적 휴식 제공, 휴게시설 설치
- 수분 보충

※ 사업주는 근로자가 고열·한랭·다습 작업을 하는 경우, 적절하게 휴식을 하도록 하여야 하며, 휴식시간에 이용할 수 있는 휴게시설을 갖추어야 함 (규칙 제566조, 제567조)

"고열작업"이란 용광로, 가열로, 갱내, 열원을 사용하여 물건 등을 건조시키는 장소 등에서의 작업을 말함(규칙 제559조)

물	▪ 시원하고 깨끗한 물이 제공되어야 합니다. ▪ 규칙적으로 물을 마실 수 있도록 하세요.
그늘	▪ 근로자가 일하는 장소에서 가까운 곳에 그늘진 장소를 마련하세요. ▪ 그늘막이나 차양막은 햇볕을 완전차단할 수 있는 재질을 선택하세요. ▪ 시원한 바람이 통할 수 있게 하세요. ▪ 쉬고자 하는 근로자를 충분히 수용할 수 있어야 합니다. ▪ 의자나 돗자리, 음료수대 등 적절한 비품을 놔두세요. ▪ 소음, 낙하물, 차량통행 등 위험이 없는 안전한 장소에 설치하여야 합니다.
휴식	▪ 폭염특보 발령 시 1시간 주기로 10~15분 이상씩 규칙적으로 휴식할 수 있어야 합니다. - 특보 종류에 따라 휴식시간을 늘려야 합니다. 예를 들어 폭염주의보(33℃) 발령시에는 매 시간당 10분씩, 폭염경보(35℃) 발령 시에는 15분씩 휴식하도록 합니다. ▪ 같은 온도조건이라도 습도가 높은 경우에는 휴식시간을 더 늘려야 합니다. - 기상청에서 제공하는 열지수나 더위체감지수를 활용하여 휴식시간을 조정하세요. ▪ 이와같이 휴식은 반드시 작업을 중단하고 쉬는 것만을 의미하지 않습니다. 가장 무더운 시간대에 실내에서 안전보건교육을 하거나 경미한 작업을 함으로써 충분히 생산적 시간이 될 수 있습니다.

5. 교대작업자를 배치할 때 업무적합성 평가가 필요한 근로자 건강상태 유형

[2020년 4교시 1번]

- 간질 증상이 잘 조절되지 않는 근로자
- 불안정 협심증(Unstable angina) 심근경색증 병력이 있는 관상동맥질환자
- 스테로이드치료에 의존하는 천식 환자
- 혈당이 조절되지 않는 당뇨병 환자
- 혈압이 조절되지 않는 고혈압 환자
- 교대작업으로 인하여 약물 치료가 어려운 환자
  (예를 들면, 기관지 확장제 치료 근로자)
- 반복성 위궤양 환자와 증상이 심한 과민성 대장증후군
- 만성 우울증 환자 및 교대제 부적응 경력이 있는 근로자

6. 교대부적응 증후군(shiftwork malafaptation syndyrome) 증상

[2016년 2교시 5번]

급성 교대 부적응 증후군 (1개월 이내)	만성 교대 부적응 증후군 (5년 이상)
불면증 작업 시 과도한 졸음 감정 장애 실수 증가 사고 증가 가족, 사회적 문제	수면 장애와 만성적인 피로감 변비, 설사와 같은 위장관계 질환 불면증 자가 치료와 관련된 알코올 남용 사고와 실수의 높은 빈도수와 장기 결근 우울증, 피로, 감정 장애, 권태감, 인격 변화 대인관계의 어려움 (별거, 이혼 등)

7. 교대작업(shift work) 근로자를 위한 교대제(shift work schedule) 지침

[2011년 4교시 1번] [2012년 3교시 4번] [2020년 4교시 1번]

1) 확정된 업무 일정을 계획하고 정기적이고 예측할 수 있도록 한다.
   - 교대 일정이 예측 가능하여 작업자들이 가정 및 사회활동과 관련된 일들을 계획할 수 있어야 한다.

2) 연속적인 야간근무를 최소화한다.
   - 어떤 연구자들은 2~4일 밤 연속 근무 후 2일의 휴일을 제안한다. 중요한 것은 너무 짧은 간격으로 근무시간이 교대되는 것을 피해야 하며, 같은 날 아침 근무에서 저녁 근무로 가는 등 7~10시간의 짧은 휴식시간은 좋지 않다.
   - 야간근무 후 다른 근무로 가기 전에는 적어도 24시간 이상 휴식해야 한다.

3) 자유로운 주말 계획을 갖도록 한다.
   - 적어도 한 달에 1~2회 정도는 주말에 쉴 수 있는 근무 일정이 계획되어야 한다. 그렇다고 연속적으로 며칠 일하고 며칠 쉬도록 하는 것은 오히려 문제가 될 수 있다. 예를 들어, 10~14일 일하고 5~7일 동안 연속적으로 쉰다거나 하면 고령 작업자의 경우 휴가 후 근무로 돌아오는 것을 힘들어할 수 있다.

4) 긴 교대 기간을 두고 잔업은 최소화한다.
   - 잔업을 하게 되면 더 피로해지고 상대적으로 휴식시간은 줄어들게 된다. 12시간 교대가 이루어진다면 2~3일 근무일이 최대이며, 야간근무는 연달아 2일이 적당하고, 야간근무 후에는 1~2일의 휴일이 필요하다.

5) 업무 시작 및 종료 시간을 배려한다.
   - 작업종료시간이 아이를 돌보거나 통근시간이 장시간 소요되는 사람들에게는 중요한 고려대상이다. 또한, 러시아워를 피해 교대시간을 정해야 하며 아침 교대는 밤잠이 모자랄 5~6시에 하는 것이 좋지 않다.

8. 진동

- 임의의 점의 위치가 시간이 지남에 따라 기준점을 중심으로 반복적으로 상하로 변하는 현상
- 소음, 진동 규제법 : 기계, 기구, 시설 기타 물질의 사용으로 인하여 발생하는 강한 흔들림
- 규칙성을 갖는 사인파 진동과 규칙성이 없이 나타나는 불규칙 진행이 있다.
- 사인파 진동의 규칙성은 단일 사인파나 조합으로 생긴 파형이 일정한 시간의 간격으로 나타나는 것을 말한다.

가. '진동작업'의 종류

"진동작업"이란 다음에 해당하는 기계 · 기구를 사용하는 작업을 말한다.

가. 착암기(鑿巖機)
나. 동력을 이용한 해머
다. 체인톱
라. 엔진 커터(engine cutter)
마. 동력을 이용한 연삭기
바. 임팩트 렌치(impact wrench)
사. 그 밖에 진동으로 인하여 건강장해를 유발할 수 있는 기계 · 기구

나. 전신진동과 국소진동

1) 전신진동

- 신체를 지지하는 구조물을 통하여 전신에 전파되는 진동으로 100Hz 미만의 저주파
- 대형 운송차량, 포크레인, 선박, 항공기 등이 진동원
- 이러한 구조물에서 작업자가 앉거나 서서 장시간 작업하는 경우 전신진동의 수직 영향에 의하여 디스크 등과 같은 직업병을 유발할 수 있음

2) 국소진동

- 신체 일부에 국소적으로 전파되는 진동
- 작업현장에서는 특히 수공구로 인한 손과 팔에서의 국소 진동이 많이 일어남
- 진동 그라인더, 임팩트 렌치, 전동 톱 등이 진동원

9. 전신진동이 인간의 성능에 미치는 영향

◇ 생리적 영향

- 전신진동에 단시간 노출되는 경우에 인체에 미치는 생리학적인 영향은 크지 않지만, 점차 호흡량이 증가하고 심박수가 상승하게 되며, 근육을 긴장시킴
- 장시간 반복적으로 전신진동에 노출되면 소화기관과 말초신경계 등에 영향을 미침
- 주파수에 따라 인체에 미치는 생리학적 변화는 다음과 같음
  - 1~3Hz : 호흡이 힘들고 산소의 소비가 증가하며 맥박수가 증가
  - 4~14Hz : 흉부와 복부에 통증을 느낌
  - 3~6Hz : 신체의 심한 공명현상을 보여 가해진 진동보다 크게 느끼며, 6Hz에서는 허리, 가슴, 등 쪽에 심한 통증을 일으킴
  - 8~12Hz : 요통을 일으킴
  - 10~20Hz : 땀 혹은 열이 나는 느낌이 나며, 노출되면 두통과 장과 방광에 자극을 줌
  - 20~30Hz : 신체의 2차 공진현상이 나타남

※ 공명(resonance)현상

- 모든 물체는 고유 진동수를 가지고 있음
- 외부에서 주어지는 진동의 주파수와 물체의 고유 주파수가 같으면 진폭이 증대되는데 이러한 현상을 공명이라 함
- 사람의 신체도 고유 진동수를 가지고 있으며, 신체 부위별로 그 고유 진동수가 다름
- 앉아 있는 사람의 신체 부위별 고유 진동수는 다음과 같음.
  - 3~4Hz : 경부 (목 부위)
  - 4Hz : 견갑대
  - 5Hz : 어깨
  - 20~30Hz : 머리와 어깨 사이
  - 60~90Hz : 안구

10. 진동 공구를 사용 작업자 위험 및 저감 대책

[2010년 1교시 9번] [2012년 2교시 6번] [2017년 3교시 1번]

1) 위험

- 진동 공구로 인한 손가락의 감각마비 발생
- 작업 과정에서 발생할 수 있는 파편의 비래
- 진동작업 시 발생하는 소음으로 인한 청력 손실 위험
- 국소진동

  국소진동은 신체 일부에 국소적으로 전파되는 진동으로 작업현장에서 항타기, 착암기, 연마기, 자동식 톱 등에서 발생하며, 8~1,500Hz에서 장해를 유발한다. 특히, 추운 겨울 국소진동으로 인하여 레이노증후군(white finger disease)이 발생한다. 레이노증후군은 국소진동으로 인하여 발생하는 질병으로 수지말단이 하얗게 변하는 질환이다. 국소진동으로 인한 혈액순환 장애가 가장 큰 원인이다.

2) 대책

- 진동이 손잡이로 전파되지 않는 공구 사용
- 진동작업 시에는 진동 방지 장갑을 착용하여 진동폭로를 감소시킴
- 작업장 내의 온도가 14℃ 이하이면 보온대책을 강구
- 작업 전, 후 스트레칭 실시
- 작업 중 파편의 비래 등에 대비한 안전조치(보안경 등)을 강구
- 1회 연속 진동작업을 되도록 10분 이내로 하고 전체 작업시간을 최소화

11. 레이노증후군의 증상

- 레이노증후군은 국소진동으로 인하여 발생하는 질병
- 진동으로 인하여 손과 손가락으로 가는 혈관이 수축하여, 손과 손가락이 하얗게 되며, 저리고 아프고 쑤시는 현상이 나타남
- 추운 환경에서 진동을 유발하는 진동 공구를 사용하는 경우 손가락의 감각과 민첩성이 떨어지고, 혈류의 흐름이 원활하지 못하며, 악화되면 손끝에 괴사가 일어남

12. 진동의 종류에 따른 방지 대책

진동의 종류	대책
전신진동	▪ 진동 발생원을 격리하여 원격제어 ▪ 방진매트 사용 ▪ 지속적인 장비 수리 및 관리 ▪ 진동 저감 의자 사용
국소진동	▪ 진동 기준이 최저인 공구 사용 ▪ 방진 공구, 방진 장갑 사용 ▪ 연장을 잡는 악력을 감소시킴 ▪ 진동 공구를 사용하지 않는 다른 방법으로 대체 ▪ 추운 곳에서의 진동 공구 사용을 자제하고 수공구 사용 시 손을 따뜻하게 유지시킴
모든진동	▪ 진동 노출 시간을 줄임 ▪ 교대 작업 및 휴식시간 조절

Chapter

08

산업심리학 및 관계법규

Chapter

01 산업심리학

1. 작업 동기(Motivation) 이론

[2005년 4교시 5번] [2006년 4교시 4번] [2013년 2교시 4번] [2021년 2교시 4번]

<table>
<tr><th>Maslow 욕구단계설</th><th>Alderfer
ERG이론</th><th colspan="2">Herzberg 2요인론</th></tr>
<tr><td>5 단계 : 자아실현의 욕구</td><td rowspan="2">성장욕구(G)</td><td rowspan="2">동기
요인</td><td rowspan="2">직무자체
▸ 책임감
▸ 성취감
▸ 존경심</td></tr>
<tr><td>4 단계 : 존경 욕구</td></tr>
<tr><td>3 단계 : 사회적 욕구</td><td>관계욕구(R)</td><td rowspan="3">위생
요인</td><td rowspan="3">▸ 대인관계의 질
▸ 직업의 안정성
▸ 임금</td></tr>
<tr><td>2 단계 : 안전욕구</td><td rowspan="2">존재욕구(E)</td></tr>
<tr><td>1 단계 : 생리적욕구</td></tr>
</table>

가. Maslow 욕구 단계설

1) 욕구 발생의 전제조건

- 인간은 충족되지 않는 욕구를 만족하기 위해서 동기가 부여된다.
- 사람들은 공통적인 범위의 욕구가 있으며, 이런 보편적인 욕구는 충족되어야 할 순서대로 계층적으로 서열화되어있다.
- 하위 욕구가 만족되면 상위 욕구가 발현되고, 이를 만족시키기 위한 행동을 한다.
- 하위 욕구가 충족되지 않으면, 다음 단계의 욕구가 동기 부여되지 않는다.

2) 욕구 단계 이론

① 생리적 욕구

- 식욕, 휴식, 잠자리 등 육체적 필요 및 의식주에 대한 욕구
- 인간의 생명을 유지해가기 위한 기본적인 욕구

② 안전욕구

- 신체적인 위험에 대한 공포에서 벗어나 안전과 보호를 유지하려는 욕구
- 생리적 욕구를 충족시키지 못하게 되는 위험으로부터 해방되려는 욕구

③ 사회적 욕구

- 인간은 사회적 존재이기 때문에 인간에게는 여러 가지 집단에 소속하고 싶은 욕구와 여러 집단에 의해 받아들여지고 싶은 욕구가 있으며, 그것은 애정, 친분, 우정, 수용, 소속감 등에 관한 관심으로 나타남

④ 존경 욕구

- 소속단체의 구성원으로서 명예나 권력을 누리려는 욕구
  1) 내부적 존경요인 : 자아 존중감, 자율, 성취 등
  2) 외부적 존경요인 : 지위, 신분, 인정, 관심의 대상이 되는 것 등

⑤ 자아실현의 욕구

- 자신의 재능과 잠재력을 충분히 발휘해서 자기가 이룰 수 있는 모든 것을 성취하려는 가장 높은 수준의 욕구
- 성장 욕구, 자기완성 욕구 등이 포함

나. Alderfer의 ERG이론

- 매슬로우의 이론을 인간의 욕구 3가지로 간소화하면서 매슬로우 이론의 한계를 보완하고, 욕구 간의 상호 관계와 동기부여를 보다 설득력 있게 설명함
- Alderfer의 ERG이론의 3단계는 존재, 관계, 성장

① 존재(Existence)의 욕구

생명을 유지하는 데 필요한 저차원적, 생리적, 물질적 욕구

② 관계(Relatendness)의 욕구

다른 사람과의 상호작용을 통하여 만족을 추구하는 대인 욕구

③ 성장(Growth)의 욕구

개인적인 발전과 증진에 관한 욕구

◆ 매슬로우가 욕구 계층 간의 만족-진행의 요소만을 중시한 것에 비해서 앨더퍼는 좌절-퇴행의 요소도 함께 포함하여 인간 욕구를 설명

- 만족-진행 접근법 : 하위 욕구를 만족하였을 때 상위 욕구로 진행된다는 이론
- 좌절-퇴행 요소 : 상위 욕구가 만족되거나 좌절되어 있고, 하위 욕구에 대한 중요성이나 희귀가 증가하는 상황

◆ Maslow의 욕구단계설과는 달리 동시에 두 가지 이상의 욕구가 작용할 수 있다고 주장

◆ 상위 욕구냐 하위 욕구냐를 불문하고 때와 필요에 따라서 동기부여의 역할을 할 수 있다는 것이 ERG이론의 핵심

다. Herzberg의 2요인론

1) 위생요인 (유지욕구)

◆ 위생요인의 욕구 내용

- 개인의 불만족을 방지하는 욕구로 불만족요인으로 불리기도 한다.
- 직무 환경과 관련된 급여, 작업조건, 감독, 신분 안정, 복지, 대인관계, 안전 등이 위생요인에 해당한다.
- 위생요인의 욕구가 충족되지 않으면 직무불만족이 생기나, 위생요인이 충족되었다고 해서 직무만족이 생기는 것이 아니다, 다만, 불만이 없어진다는 것이다.
- 인간의 동물적 욕구를 반영하는 것으로 매슬로우의 욕구단계에서 생리적, 안전, 사회적 욕구와 비슷하다.

◆ 위생요인의 관리방법

- 경제적 보상체계를 강화하고 권위주의적 리더십의 활용 및 이에 따른 상부의 책임 제도를 강화한다.
- 관료적이고 공식적인 조직의 활용을 통해 집권제를 강화하고 참여를 제한한다.
- 직무확대[9]를 통해 위생요인의 욕구 충족이 가능하다.

---

9) 직무확대 (Job Enlargement)
일의 종류를 증가시켜 단조로움에서 오는 권태감을 해소하고 새로운 일에 대한 의욕을 유발하는 관리방법

2) 동기요인 (만족요인, Satisfier)

◆ 동기요인 욕구 내용

- 개인의 내적(심리적) 성장을 추구하며, 개인의 만족을 증가시켜주는 욕구로 만족요인으로 불리기도 한다.
- 동기요인에는 직무내용과 관련되어 있는 성취감, 인정, 직무 자체(보람 있는 일), 책임의 증대, 성장발전, 승진 등이 있다.
- 위생요인의 욕구가 만족되어야 동기요인 욕구가 생긴다.
- 자아실현을 하려는 인간의 독특한 경향을 반영한 것으로 매슬로우의 자아실현 욕구와 비슷하다.

◆ 동기요인 관리방법

- 경제적 보상과 인간적 보상체계를 혼용하여 사용한다.
- 민주적 리더십을 통해 분권과 권한을 강화한다.
- 유기적이고 비공식적인 조직 및 MBO운영이 가능하다.
- 직무충실화[10]를 통해 욕구 충족이 가능하다.

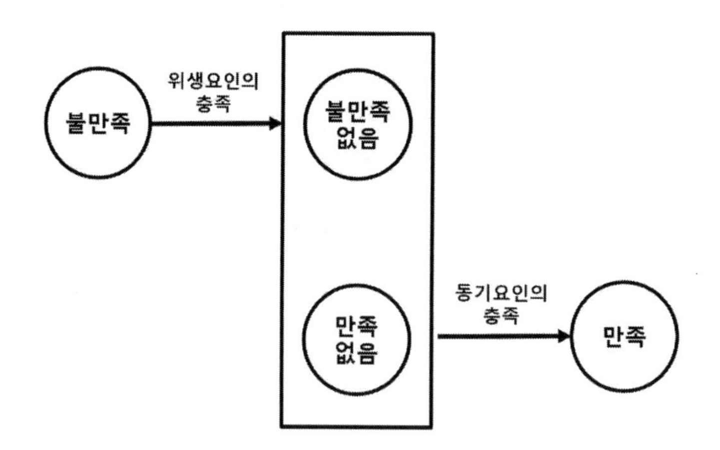

허즈버그의 2요인론

---

10) 직무충실화 (Job Enrichment)
직무의 내용을 수직적으로 고도화하여 직무의 질을 높이는 작업

2. 하우스(R. House)의 경로-목표이론

[2020년 2교시 3번]

가. 경로-목표이론의 리더십 유형 4가지

1) 지시적 리더십
- 통제와 조직화, 감독 행위 등과 관련된 리더의 행동이다.
- 부하가 규칙과 절차를 지킬 것을 요구하고, 리더는 부하의 직무를 명확히 하는 것을 말한다.
- 외재적 통제위치를 가지거나 과업의 능력이 낮은 부하들에게 긍정적으로 작용한다. 반면에 자신의 과업을 명확히 이해하고 있는 하급자들에게는 동기와 만족도를 낮추어 부정적으로 작용한다.

2) 후원적 리더십
- 친절하고 접근하기 쉽게 하는 리더행동이다.
- 부하의 욕구를 배려하고, 복지에 관심을 가진다.
- 의도적으로 만족스러운 인간관계를 강조하면서 부하들을 평등하게 대하며 그들의 작업이 즐거운 것이 되도록 후원하는 분위기를 조성하려고 노력한다.
- 높은 강도의 일이나 쉽게 피로감을 느끼는 과업을 수행하는 부하들에게 긍정적으로 작용한다.

3) 참여적 리더십
- 부하의 의견과 제안을 고려하고 의사결정과정에 참가시키는 행동을 하는 리더십의 형태를 말한다.
- 내부적 통제위치에 속하는 부하들에게 긍정적으로 작용하며, 높은 참여욕구를 가지고 있는 부하들에게 긍정적으로 작용한다.
- 하급자가 본인의 업무를 명확히 이해하는 경우엔 참여적 리더십은 효과가 없다.

4) 성취지향적 리더십
- 부하들에게 도전적인 목표를 설정하게 하고 부하들의 능력 발휘를 격려하고 자율적인 실행기회를 부여한다.
- 부하들의 동기부여를 하기 위해 목표관리 기법을 이용하였다면 이 리더십 유형의 리더일 가능성이 크다.

나. 상황요소 2가지

1) 부하의 특성

◆ 부하의 욕구 및 능력

- 부하의 높은 능력과 경험은 지시적 리더십보다는 참여적 리더십이나 성취 지향적 리더십 유형에 적합
- 부하의 능력이 낮고 고도로 권위적인 경우에는 지시적 리더십이 적합

◆ 부하의 상황

- 부하가 자기 일과 주변 상황을 통제할 수 있다고 믿는 내적 통제 성향이 강하다면 참여적 리더십 유형이 적합
- 자기 일과 주변 상황이 자신의 통제범위 밖에 있어 행운이나 운명 때문이라고 믿는 외부 통제적인 성향이 강하다면 지시적인 리더십 유형이 적합

2) 과업환경

◆ 과업의 특성

- 역할 모호성이 높고 낮은 과업구조를 가진 경우에는 지시적 리더십과 참여적 리더십, 성취지향적 리더십이 적합 (여기서 지시적 리더십은 부하의 낮은 능력이 있는 경우에 적합)
- 반복지향적이고 높은 과업구조를 가지고 있는 경우는 후원적 리더십이 적합

◆ 조직의 상황

① 형성기 : 조직이 불안하기 때문에 상대적으로 지시적 리더십이 적합

② 안정기 : 조직이 정착하고 안정기에 접어들었을 때는 후원적 리더십과 참여적 리더십이 적합

③ 긴급한 상황의 경우 : 빠르게 의사결정을 내려야 하므로 지시적 리더십이 적합

- 리더가 혼자서 결정을 내리기 불확실한 경우에는 참여적 리더십을 통해 하급자들의 의견을 듣는 것이 조직에게 긍정적인 효과를 낼 것이다.
  과업의 특성상 리더와 구성원 간의 상호작용이 필요한 경우에는 후원적 리더십이 리더와 하급자 사이의 긍정적인 관계를 형성할 수 있다.

3. 피들러(F. Fiedler)의 상황적합성 이론

[2020년 2교시 3번]

상황 이론의 대표적인 학자인 피들러는 효과적인 리더십은 리더의 스타일과 리더가 직면하는 상황의 호의성 간의 상호작용으로 결정된다고 보았다.

가. 상황적합성 이론의 리더십 유형 2가지

- 리더의 특성은 '가장 싫어하는 동료작업자(Least preferred co-workers: LPC)'에 관해 물어봄으로써 측정
  ① 과업지향적 : LPC점수가 낮으며, 리더가 일을 우선시 함
  ② 관계지향적 : LPC점수가 높으며, 함께 일하기 어려운 사람도 포용함

나. 상황요소 3가지

1) 리더와 구성원의 관계 (leader-members relations)
리더에 대해 부하가 가지고 있는 신뢰나 존경 정도, 즉 부하가 리더를 받아들이는 정도를 말한다.

2) 과업구조 (task structure)
과업의 일상성 또는 복잡성을 뜻하는 것으로, 과업의 내용이 명백하고 목표가 뚜렷하거나 수행절차가 항상 반복되면 과업의 구조화 정도가 높다고 할 수 있다.

3) 리더의 직위권한 (position power)
리더의 직위가 구성원들이 명령을 받아들이도록 만들 수 있는 정도를 말하며, 권한과 상벌에 대한 결정권이 클수록 강하게 나타난다.

4. 리더십(leadership)과 헤드십(headship)

[2016년 1교시 13번]

1) 리더십

- 집단의 목표를 위해 스스로 노력하도록 사람에게 영향력을 행사하는 활동
- 특정 목표 달성을 위해 행사되는 사람 사이의 영향력
- 공통된 목표 달성을 지향하도록 사람에게 영향을 미치는 것

2) 리더십과 헤드십 비교

구분	리더십	헤드십
권한행사	선출된 리더	임명된 헤드
권한부여	밑으로부터 동의	위에서 위임
권한근거	개인능력	법적 또는 공식적
권한귀속	집단목표에 기여한 공로인정	공식화된 규정에 의함
상관과 부하와의 관계	개인적인 영향	지배적
책임귀속	상사와 부하	상사
부하와의 사회적 간격	좁음	넓음
지위형태	민주주의적	권위주의적

5. 선호신분지수

$$\text{선호신분지수} = \frac{\text{선호총계}}{\text{구성원} - 1}$$

6. 응집성지수

[2007년 4교시 1번] [2014년 2교시 2번] [2024년 4교시 5번]

$$\text{응집성지수} = \frac{\text{실제 상호 관계의 수}}{\text{가능 선호관계의 수}(={}_nC_2)}$$

[관련 기출문제]

창의개발팀에 새로 부임한 A팀장은 7명(N1-N7)의 팀 구성원간에 신제품 개발의 주도권을 놓고 내부 갈등이 심각하다고 판단하였다. A팀장은 팀 구성원과의 개발 면담을 통해 다음과 같은 소시오매트릭스(Sociomatrix)를 기록(선호관계는 1, 거부관계는 -1로 표시)하였다. 다음 각 물음에 답하시오.

	N1	N2	N3	N4	N5	N6	N7
N1		1			1		
N2	1						
N3				-1	1		1
N4			-1		1		1
N5			1	1			
N6					1		
N7					1		

1) 소시오매트릭스를 보고 소시오그램(Sociogram)을 작성하시오.
(단, 선호관계는 실선 화살표, 거부관계는 점선 화살표로 표시하시오.)

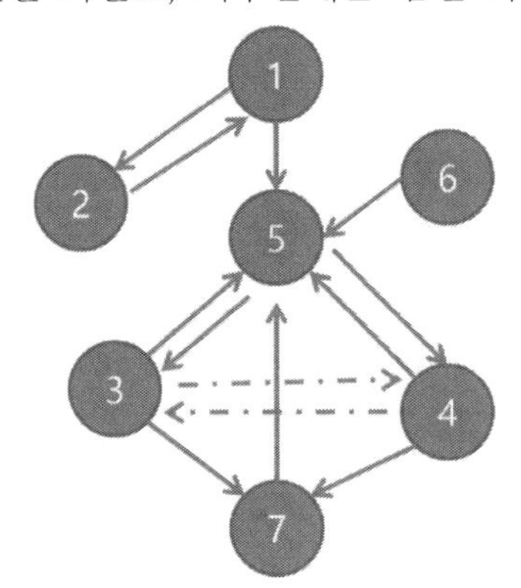

2) 창의개발팀의 비공식리더(Informal Leader)의 선호신분지수를 구하시오.

구성원	1	2	3	4	5	6	7
선호총계	1	1	0	0	5	0	2
선호신분지수	0.17	0.17	0	0	0.83	0	0.33

$$선호신분지수 = \frac{선호총계}{구성원 - 1} = \frac{5}{7 - 1} = \frac{5}{6}$$

5번이 가장 높은 선호신분지수 값을 얻어 창의개발팀의 비공식리더이며, 5번의 선호신분지수는 0.83이다.

3) 창의개발팀의 집단응집성지수를 구하시오.

응집성지수 = 상호선호관계수 / 가능한 상호선호관계수 = 3/21 = 0.143

4) 창의개발팀에 내재될 수 있는 역할 갈등의 종류를 4가지 나열하시오.

계층적 갈등, 기능적 갈등, 라인-스태프 갈등, 공식-비공식 조직간의 갈등, 문화적 차이에 의한 갈등

7. 집단 간의 갈등요인

[2012년 1교시 11번]

1) 작업 유동의 상호의존성

- 두 집단이 각각 다른 목표를 달성하는 데 있어서 상호 간에 협조, 정보 교환, 동조, 협력행위 등을 필요로 하는 정도가 작업 유동의 상호의존성이다.
- 한 개인이나 집단의 과업이 다른 개인이나 집단의 성과에 의해 좌우되게 될 때 갈등의 가능성은 커진다.
- 예컨대, 영업부서에서 요청하는 제품을 생산부서에서 정해진 시간 내에 공급해 주지 못할 때 이 두 부서 간, 즉 집단 간에 갈등이 생기게 된다.

2) 불균형 상태

- 한 개인이나 집단이 정기적으로 접촉하는 개인이나 집단이 권력, 가치, 지위 등에 있어서 상당한 차이가 있을 때, 두 집단 간의 관계는 불균형을 가져오고 이것이 갈등의 원인이 된다.
- 권력이 낮은 사람이 성의 없는 상급자에게 도움이 필요할 때, 가치관이 다른 사람이나 집단이 함께 일해야 할 때 불균형 상태에서 갈등이 생기게 된다.

3) 역할 모호성

- 한 개인이나 집단(부서)이 임무를 수행하면서 방향이 분명하지 않고, 목표나 과업이 명료하지 못할 때 갈등이 생기게 된다.
- 개인 간에는 서로 일을 미루는 사태가, 집단 간에는 영역이나 관할군의 분쟁 사태가 발생한다.

4) 자원 부족

- 부족한 자원에 대한 경쟁이 개인이나 집단 간의 작업 관계에서 갈등을 유발하는 원인이 된다.
- 한정된 예산, 행정지원 등에 대한 경쟁이 갈등을 일으킬 수 있다.

8. 관리격자(관리 그리드, managerial grid) 모형이론

[2024년 3교시 1번]

- 로버트 블레이크(Robert R. Blake)와 제인 모턴(Jane S. Mouton)에 의해 개발된 리더십 스타일을 분석하는 도구
- 리더십 스타일을 생산에 관한 관심(Concern for Production)과 사람에 관한 관심(Concern for People)으로 나누어 평가함
- 두 가지 리더십을 기준으로 총 5가지의 리더십 스타일을 제시함

블레이크와 모턴은 조직 구성원의 기본적인 관심을 직무(업적)와 인간에 두고 (관리스타일)을 측정하는 격자(Grid)이론을 전개

(1.1)형 : 인간과 업적에 모두 최소의 관심을 가짐 (무기력형)
(1.9)형 : 인간 중심 지향적으로 업적에 관한 관심이 낮음 (컨트리클럽형)
(9.1)형 : 업적에 대하여 최대의 관심을 두고, 인간에 대하여 무관심 (과업형)
(9.9)형 : 업적과 인간의 쌍방에 대하여 높은 관심을 두는 이상형 (팀형)
(5.5)형 : 업적 및 인간에 대한 관심도에 있어서 중간값을 유지하려는 리더형 (중도형)

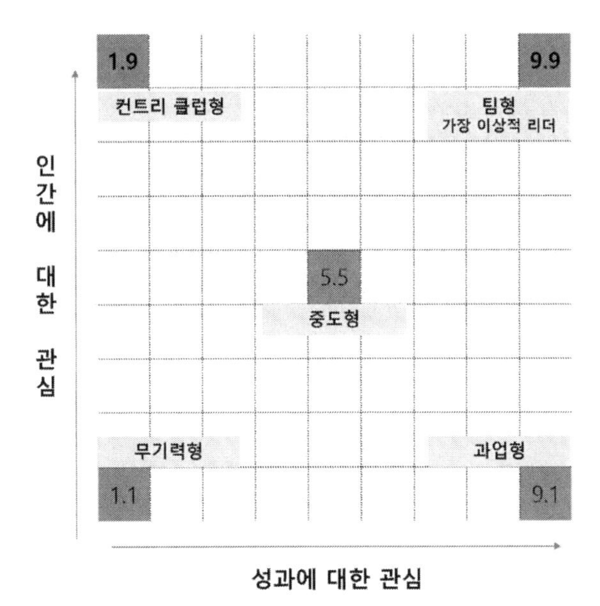

9. 비통제적 집단행동 중 "심리적 전염"

1. 인간의 집단행동

1) 개념

- 집단은 개체로서의 인간행동과는 다른 집단행동을 보임
- 집단행동은 규칙이나 규율에 의한 '통제적 행동'과 감정이나 정서에 의한 '비 통제적 행동'으로 분류됨

2) 통제적 행동

- 관습, 유행, 규칙이나 규율에 의한 행동, 연속적인 행동

3) 비 통제적 행동

- 감정이나 정서에 의해 좌우됨, 비연속적인 행동
- 종류

① 군중행동 : 구성원 사이에 지위, 역할 등이 구분되지 않고, 다수가 분위기에 편승하여 행동하는 것

예) 스포츠 경기장에서 응원, 함께 고함치는 것 등

② 폭도행동 : 감정적이며, 공격적인 행동

예) 미국 LA 폭동 당시에 상점 약탈, 경찰서 방화 등

③ 공황상태 행동 : 감정적이며, 수동적인 행동

예) 공포감에 판단력을 잃고 위험으로 들어가는 사례

2. 심리적 전염

사람들의 정서와 행동이 한 사람에서 다른 사람으로 옮겨져 심리상태가 집단화 되어버리는 현상

1) 발생원인

- 개인의 도덕심, 가치체계, 사회적 규칙, 책임감에 의한 통제 시스템이 무너지면서 발생

2) 특징

- 통제적 유행과 비슷하나 행동 양식이 비이성적이며, 비합리적인 면이 강함
- 개인에서 시작하여 집단행동으로 전파되며, 매우 신속하게 진행됨
- 어떤 사상이 상당한 기간에 거쳐서 비판 없이 광범위하게 받아들여짐

3) 문제점

- 부정적인 방향으로 확대, 재생산될 우려가 있으며, 집단의 규범과 가치체계가 무너져 사회적 혼란을 초래할 수 있음

4) 예시

- 코로나에 대한 막연한 공포, 코로나블루에 따른 사회적 우울감
- 가짜뉴스의 확대 재생산 전파

10. 번아웃 증후군(Burnout Syndrome)

[2021년 1교시 1번]

- 어떤 직무를 맡는 도중 극심한 육체적/정신적 피로를 느끼고 직무에서 오는 열정과 성취감을 잃어버리는 증상의 통칭
- 정신적 탈진

1) 증상 및 진행

① 열정 단계 : 업무에 관한 관심과 열정이 충분한 단계

② 침체 단계 : 업무 수행은 무리 없이 진행하나 업무에 대한 흥미는 떨어짐

③ 좌절 단계 : 장기간 근무하며 수많은 실패와 좌절을 겪고, 자신의 직무가 가지는 가치에 대한 회의감이 발생

④ 무관심 단계 : 극한의 스트레스로 인하여 직무에 대한 모든 감정선을 차단하고 버티는 단계. 최후의 수단으로 기권을 선택하여 퇴사, 이직을 고려함

2) 발생원인

'해당 직무가 개인과 사회의 기대 수준을 충족하지 못할 때' 발생

3) 해결책

- 스스로 삶과 직무를 분리하는 태도를 보여야 함
- 일과 여과의 균형을 유지해야 하며, 부서이동 등 업무환경 변화도 도움이 됨
- 직무 스트레스를 해소하거나 완충하는 방안을 찾아야 함
- 자신의 목표나 이상을 너무 높게 잡거나, 지나친 오버페이스는 경계하는 편이 좋음

11. 소집단 활동의 성장 과정

[2013년 4교시 2번]

1) 소집단의 형성과정

단계	형성과정
1단계 (형성단계)	모이기는 했지만 집단의 구조, 목표, 역할 등 모든 것이 미정이며, 서로 간의 탐색이 이루어지며 감정표출을 억제
2단계 (갈등, 도전단계)	같은 집단을 인정하면서 서로의 역할분담, 권력 구조, 신분 차이에 대한 분명한 타협이 이루어지지 않음
3단계 (규범화 단계)	집단의 목표, 구조, 구성원의 소속감, 역할, 응집력 등이 분명해진 상태
4단계 (성과달성단계)	각자가 소임을 충실히 수행하면서 집단의 목적 달성에 총력을 기울이는 상태

2) 소집단 사회구조의 구성요소 : 역할, 규범, 지위

- 소집단 내의 역할

  소집단에서 자기의 지위를 보존하기 위해 해야 할 일

  ① 과업 역할 : 집단에 주어진 과업을 수행하는 행동과 그 과정에서 이에 관련된 문제를 분석하고 해결하는 역할

  ② 유지역할 : 집단 구성원 간의 원만한 관계 유지, 협조적이며 우호적인 인간관계를 갖기 위한 역할

  ③ 개인역할 : 개인의 욕구만을 충족시키는 이기적 행동

- 소집단 내의 규범

  - 소집단 구성원 모두에게 공통으로 기대하는 행동의 기준
  - 기능: 소집단의 목적을 달성하고 소집단 구성원 간의 동일성을 유지
  - 규범에 의한 동조적 행동의 압력: 긍정적 또는 부정적 기능

Chapter

02 안전보건관리

1. 산업재해의 노동 기능의 저하 정도에 따른 구분

ILO(international labour organization)의 국제노동 통계

- 사망
- 영구 전 노동 불능 상해 (신체장애 등급 1~3등급)
- 영구 일부 노동 불능 상해 (신체장애 등급 4~14등급)
- 일시 전 노동 불능 상해 : 장해가 남지 않는 휴업 상해
- 일시일부노동 불능 상해 : 일시 근무 중에 업무를 떠나 치료를 받는 정도의 상해
- 구급처치 상해 : 응급처치 후 정상작업을 할 수 있는 정도의 상해

2. 산업재해의 주요 원인인 4M 과 안전대책을 위한 3E

[2011년 1교시 7번]

4M은 인간이 기계설비와 안전을 공존하면서 근로할 수 있는 시스템의 기본 조건이다.

1) Man(인간) : 인적 요인, 인간관계
2) Machine(기계) : 방호설비, 인간공학적 설계
3) Media(매체) : 작업방법, 작업환경
4) Management(관리) : 교육훈련, 안전법규 철저, 안전기준의 정비

안전대책의 중심적인 내용에 대해서는 3E가 강조되어 왔다.

1) Engineering(기술)
2) Education(교육)
3) Enforcement(독려, 강제)

3. 산업재해가 발생하는 관계도

[2006년 1교시 13번]

- 하인리히의 도미노 이론 : 불안전한 행동과 상태의 제거에 초점

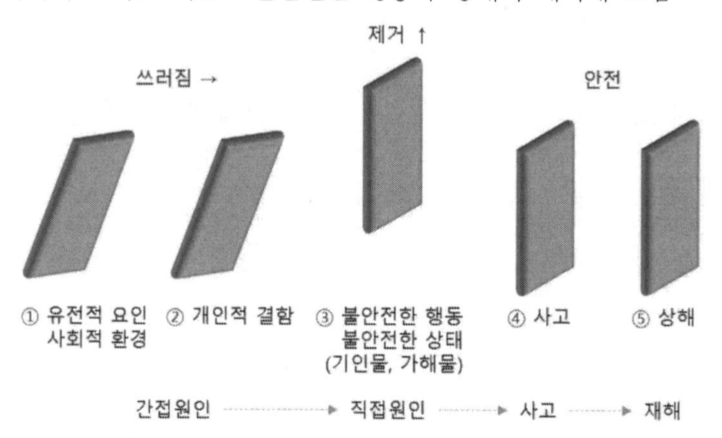

- 버드의 수정 도미노 이론 : 기본적인 제거에 초점

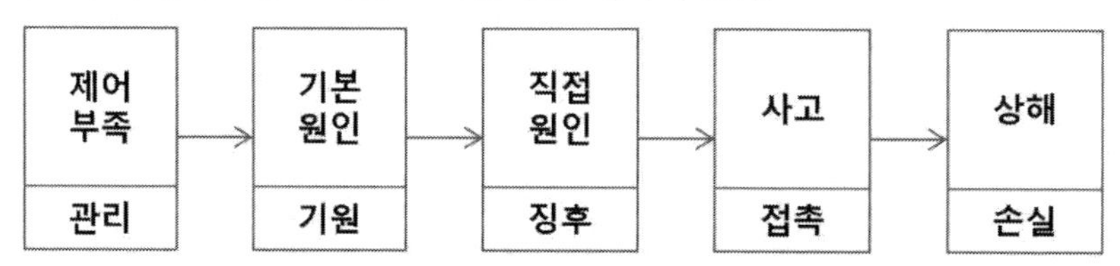

- 불안전한 행동과 불안전한 상태의 예

불안전 행동	불안전 상태
▪ 개인보호구의 미착용/부적절한 착용	▪ 개인보호구의 결함
▪ 결함 있는 장비의 사용	▪ 결함 있는 장비
▪ 안전장치/방호장치의 무력화	▪ 부적절한 안전장치/방호장치
▪ 접근 제한 장소에 무단출입	▪ 유해, 위험한 장소
▪ 록아웃/태그아웃 미시행	▪ 부적절한 경보장치
▪ 과도한 속도로 장비 운전	▪ 정리, 정돈되지 않은 작업장
▪ 작업 중 장난이나 불필요한 동작	▪ 장애물이 많은 통행로
▪ 불안전한 자세로 작업	▪ 들기 작업 시 과도한 중량물
▪ 작업수행 결과 미확인	▪ 혼동되는 표시장치와 조작장치
▪ 경보장치 신호 무시	▪ 과도한 소음

◆ 불안전 행동 원인과 대책

불안전 행동 원인	대책 예
작업시간 압박	표준시간 완화
주의 산만	휴식시간 부여
작업 미숙	교육훈련 강화
직무/작업 스트레스	직무 스트레스 완화
과도한 작업 부하	적정 작업량 부여
작업 변경	변경 내용 사전 교육
지식 부족	교육훈련 강화
일상적 작업 패턴	작업 결과 확인
동시 복합 작업	작업 단순화
혼돈되는 표시장치와 조작장치	인간공학적 디자인
신기술	교육훈련 강화
작업에 대한 가정	가정에 의한 판단 금지

4. 사고·재해조사

[2011년 1교시 3번] [2023년 1교시 11번]

KOSHA guide G-5-2017 "업무상 사고조사에 관한 기술지침"

◆ 산업재해 발생 : 긴급처리→재해조사→원인강구→대책수립

◆ 대책실시 계획 : 실시→평가

가. 사고·재해조사의 목적

1) 재해 발생 상황의 진실 규명

2) 재해 발생의 원인 규명

3) 예방대책의 수립 : 동종 및 유사재해 방지

4) 위험상태 및 불안전 행동 사전 발견

5) 관계기관 보고 등

나. 사고조사 수행의 일반적인 4단계

1) 사고 인지(認知) 단계

- 긴급 대응
  - (1) 응급조치 등 신속한 긴급조치
  - (2) 1차 대피 장소 등 안전지역 확보
- 안전보건관리 책임자에게 동향 보고는 다음 내용을 보고
  - (1) 사고현장 확인 및 보존
  - (2) 사고 관련자들의 이름, 관련 장치 및 목격자 이름 등을 기록
  - (3) 사고에 대한 향후 조치를 결정할 안전보건관리책임자에게 즉시 보고

2) 조사 단계별 세부 방법

단계 1 : 사고원인 파악을 위한 정보 수집

(1) 어떤 사고가 발생했는지 그리고 어떤 조건과 행위들이 사고에 영향을 주었는지를 가능한 한 즉시 밝힌다.

(2) 가능한 한 신속히 정보를 파악하는 것이 중요하며, 필요하면 작업을 멈추고 관계자가 아닌 자의 출입을 통제한다.

(3) 목격자 혹은 사고 현장에 있었거나 그것에 대해 알고 있는 사람에게 먼저 질의하고 조사한다.

(4) 정보 수집을 위한 시간과 노력은 각 조사수준에 따라 적절하게 할애한다.

(5) 모든 유용하고 관련이 있는 정보를 수집한다.

(6) 정보에는 의견과 경험, 관찰, 스케치, 측정, 사진, 점검표, 안전작업허가서 및 시간대별 작업조건이 포함된다.

(7) 이들의 정보는 먼저 요약하여 기재하고, 다음에 보고서로 작성한다.

단계 2 : 사고원인 파악을 위한 정보 분석

(1) 사고 분석은 사고가 왜, 그리고 무엇이 일어났는가를 결정하는 모든 요인을 검토하는 것이다.

(2) 수집된 모든 정보는 객관성 있게 확인한다.

(3) 근본 사고원인은 KOSHA Guide "사고의 근본적인 분석 기법에 관한 기술지침 (G-81-2012)"에 따라 분석하고 찾아낸다.
(4) 작업자의 실수 등 근로자의 행동 등이 사고의 원인이라 추정되면 KOSHA Guide "인적 에러 방지를 위한 안전가이드(G-120-2015)"에 따라 보다 밀도있게 분석을 한다.

단계 3 : 적절한 위험관리대책 제시

(1) 사고원인 분석 작업이 완료되면 위험관리 대책을 제시해야 한다. 이는 동종이나 유사 사고의 재발을 예방하기 위해 필수적이다.
(2) 위험요소들을 제거하거나 최소화하기 위하여 어떤 위험관리대책들을 제시하여야 하는가?
  (가) 가능한 한 근원적으로 안전한 대책을 제시한다. 예를 들면 유해성이 높은 유기용제를 유해성이 낮은 물질로 변경한다.
  (나) 위험점을 방호하기 위한 방호장치를 보강한다.
  (다) 작업자의 위험을 최소화하기 위해 작업 절차서의 보완, 개인보호구의 착용 등의 대책을 제시한다.
(3) 유사한 위험요소가 다른 곳에도 존재하는가, 있다면 어디 있는가를 조사하여 동일한 대책을 제시한다.
(4) 유사한 사고가 전에도 있었는가를 자세히 검토하여 동일한 재발 대책을 제시한다.

단계 4 : 위험관리 대책에 대한 계획 및 이행

(1) 장, 단기적으로 어떤 위험요소에 대해 관리대책들이 계획되고 이행되어야 하는가를 수립한다.
(2) 안전보건관리 책임자는 조사팀에서 제시한 재발 방지대책에 따라 실질적인 위험관리 대책에 관한 계획을 마련해야 한다.
(3) 필요에 따라 위험성 평가와 안전작업 절차를 보완 또는 제정한다.
(4) 사고의 세부내용과 조사를 통해 밝혀진 내용을 모두 기록하여 보존한다.
(5) 미래의 사고조사를 위해 사고의 발생 추이와 공통의 원인을 제시한다.
(6) 사고로 인한 손실과 대책에 드는 예산(비용)을 수립하여 사업경영에 활용한다.

[관련 기출문제]

1. 한 작업자가 철제구조물에 용접하기 위하여 근처에 있던 빈 드럼통을 가져다가 작업을 하던 중 용접 불꽃이 빈 드럼통에 튀어 안에 있던 잔류가스에 점화, 폭발한 사고가 발생하였다. 이때 작업자가 철제구조물에 부딪혀서 팔이 부러지는 사고가 발생하였다. 물음에 답하시오.

(1) 기인물, 가해물, 재해발생 형태와 상해의 종류를 쓰고 설명하시오.

- 기인물 : 용접기(용접 불꽃)
- 가해물 : 철제구조물
- 재해발생 형태 : 화재, 폭발
- 상해의 종류 : 골절

(2) 사고의 직접 원인이 되는 불안전한 행동과 불안전한 상태에 대해 설명하시오.

- 불안전한 상태(물적원인) : 빈 드럼통 내 가스 잔류
- 불안전한 행동(인적원인) : 폭발 가능 장소에서 용접작업 실시

2. M자동차 부품회사의 사업장에서 근무하는 생산직원 L씨는 신입사원인데도 불구하고 작업반장의 지시 없이 가동 중인 선반의 기어박스(gear box) 뚜껑(cover)을 제거하고, 선반을 청소하던 중 기어에 끼어 손가락이 절단된 사고가 발생하였다. 이 재해에 대하여 다음의 재해조사를 위한 재해발생 모델과 관련지어 (1)~(5)의 알맞은 내용을 쓰고 분석하여 설명하시오.

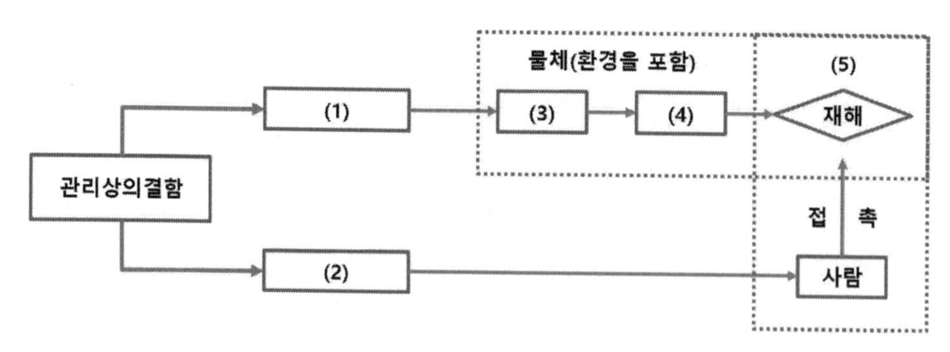

(1) 물적원인(불안전한 상태)

기어박스 뚜껑 제거 시 선반이 멈추는 interlock 장치가 미설치

(2) 인적원인(불안전한 행동)

작업자가 가동 중인 선반의 기어박스 뚜껑을 제거

(3) 기인물

- 정의 : 그 발생사고의 근원이 된 것, 즉 그 결함을 보완하면 사고를 일으키지 않고 끝나는 물 또는 사상
- 기어박스 뚜껑

(4) 가해물

- 사람에게 직접 위해를 주는 것
- 기어

(5) 사고의 형 : 끼임(협착). 기어에 손가락이 끼어 절단

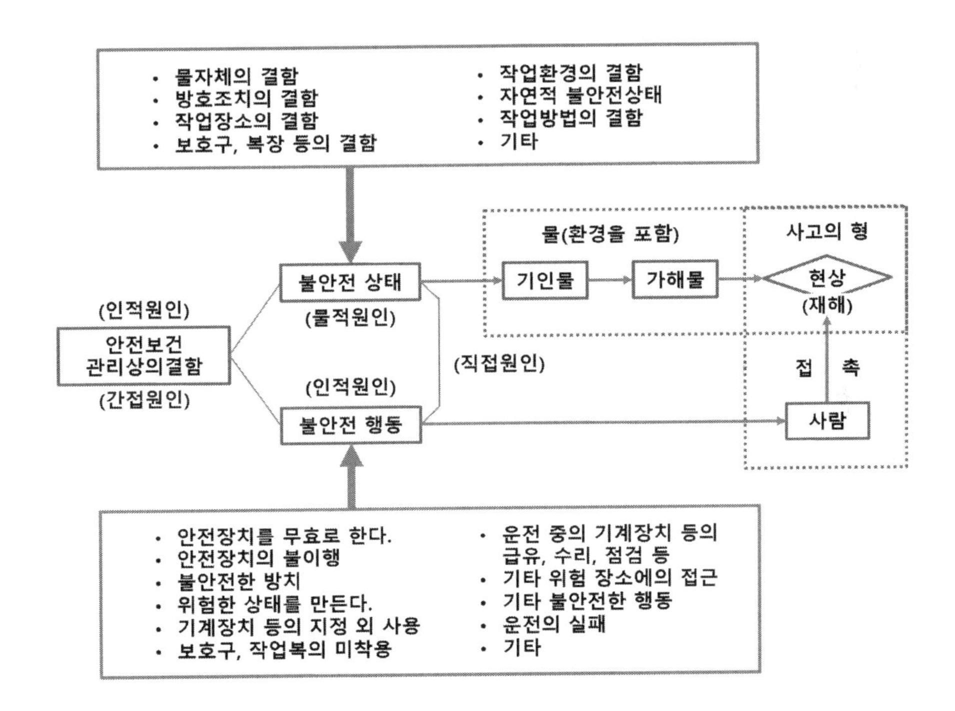

5. 재해율

[2006년 4교시 6번] [2010년 4교시 4번] [2011년 1교시 13번] [2016년 1교시 4번] [2020년 1교시 2번]

1) 도수율 (Frequency Rate) : 100만 시간당 산업재해 발생 건수
근로시간 100만 인시(man-hour) 작업하는 동안 몇 건의 재해가 발생하였는가를 나타내는 재해 발생 빈도율

$$도수율 = \frac{재해\ 건수}{연\ 총근로시간} \times 10^6$$

2) 강도율 (Severity Rate) : 연간 근로 1,000시간당 재해로 인한 근로 손실일수
연간 근로시간 1,000시간당 발생한 근로 손실일수를 나타내며,
재해의 경중 (강도)을 나타내는 척도

$$강도율 = \frac{근로\ 손실일수}{연\ 근로시간수} \times 1{,}000$$

3) 연천인률 : 근로자 1,000명을 1년간 기준으로 발생하는 사상자 수

$$연천인율 = \frac{연간\ 재해자수}{연평균\ 근로자\ 수} \times 1{,}000$$

4) 체감산업안전평가지수 (한국의 작업자가 실제 느끼는 위험)
⇒ 0.2×도수율 + 0.8×강도율

5) 종합재해지수 (기업 간의 재해지수 종합적인 비교)

$$종합재해지수 = \sqrt{빈도율 \times 강도율}$$

6) 경제적 손실액
경제적 손실액 = (휴업급여+치료급여) × 5
하인리히의 방식을 이용하면, 직접비:간접비=1:4이므로 5배로 산출

[관련 기출문제]

표와 같이 재해가 발생한 기업체에 대하여 다음 각 항목을 구하시오.

(단, 하루 8시간, 1년 245일 근무하고, 연평균 근로자 수는 1,300명으로 가정)

	재해발생일	근로자 수 (명)	재해자 수	장애등급	휴업급여 (만원)	치료급여 (만원)
1	2024.01.22	1,245	1	13급	660	300
2	2024.03.20	1,260	1	14급	350	200
3	2024.05.15	1,318	2	12, 13	2,000	800
4	2024.08.20	1,290	3	사망, 3급, 12급	43,000	8,000
5	2024.09.25	1,310	1	14급	200	70
6	2024.12.05	1,345	2	13급, 14급	500	200

신체 등급별 근로 손실일수												
장애등급	1~3	4	5	6	7	8	9	10	11	12	13	14
근로손실일수	7,500	5,500	4,000	3,000	2,200	1,500	1,000	600	400	200	100	50

1) 재해율

$$재해율 = \frac{재해자수}{근로자수} \times 100 = \frac{1+1+2+3+1+2}{1,300} \times 100 = \frac{10}{1,300} \times 100 = 0.77$$

2) 천인율

$$천인율 = \frac{재해자수}{연평균근로자수} \times 1,000 = \frac{10}{1,300} \times 1,000 = 7.7$$

3) 도수율

$$도수율 = \frac{재해건수}{연총근로시간} \times 10^6 = \frac{10}{1,300 \times 8 \times 245} \times 10^6 = 3.93$$

4) 강도율

$$강도율 = \frac{근로손실일수}{연근로시간수} \times 1,000 = \frac{100+50+300+15,200+50+150}{1,300 \times 8 \times 245} \times 1,000 = 6.22$$

5) 종합재해지수

$$종합재해지수 = \sqrt{빈도율 \times 강도율} = \sqrt{3.93 \times 6.22} = 4.94$$

6) 경제적 손실액

경제적 손실액 = 휴업급여+치료급여

= (660+350+2,000+43,000+200+500)+(300+200+800+8,000+70+200)

= 562,800,000원

하인리히의 방식을 이용하면, 직접비:간접비=1:4이므로

경제적 손실액 = 562,800,000원×5 = 2,814,000,000원

6. 재해 예방의 4 원칙

[2014년 1교시 2번]

재해 예방의 4원칙은 재해의 유형이나 경중과 관계없이 모든 예방대책을 마련하기에 앞서 고려되어야 할 안전관리상의 근본이 되는 지주라 할 수 있으며, 본 원칙에 의해 5단계 예방대책에 따라 재해 예방대책이 수립되는 것이다.

가. 예방가능의 원칙

발생하는 재해의 원인 중 천재지변을 제외한 모든 인재는 예방할 수 있다는 원칙이다. 따라서 대책으로서 중요한 것은 사고 발생 후의 조치보다도 사고의 발생을 미리 방지하는 것이다.

나. 손실우연의 법칙

재해의 양상은 손실로서 나타나며 손실은 경제적 손실과 인적손실이라고 볼 수 있다. 이와 같은 재해손실은 사고 발생 조건에 따라서 매우 다르게 나타나며 그 결과는 우연성이 게재된다고 볼 수 있다. 사고의 결과 손실의 여부 또는 손실의 크기는 사고 당시의 조건에 따라 우연으로 발생한다.

다. 원인연계의 원칙

재해가 발생하는 경우 '손실과 사고'와의 관계는 우연적이지만 '사고와 원인'과의 관계는 필연적이라는 것이다. 따라서 사고와 원인과의 관계는 과학적으로 해명할 수 있고 사고는 필연적인 원인이 있어서 생긴다는 것이다.

라. 대책 선정의 원칙

재해 예방대책은 기술적 대책, 교육적 대책, 규제적 대책이 모두 적용되어야 효과를 거둘 수 있으며 이들 중 어느 하나라도 제외된다면 완전한 효과를 거둘 수 없다. 이들을 안전대책의 3E라 하며 일반적으로 재해방지의 3 기둥이라고 한다.

7. 안전보건경영시스템의 주요 구성요소와 흐름도

[2022년 2교시 4번]

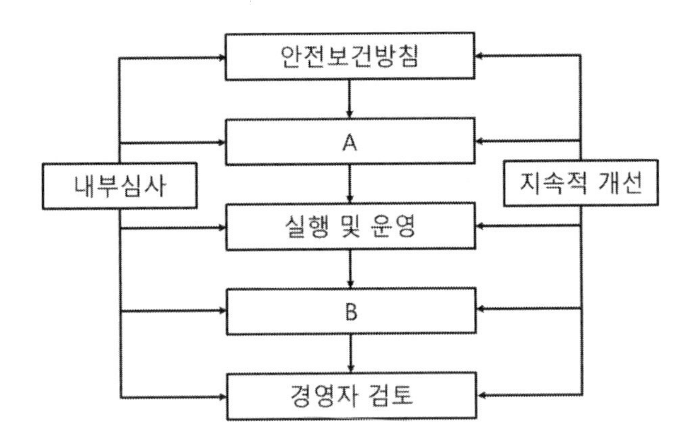

안전보건경영시스템(Occupational Health & Safety Management System, OHSMS)이란 최고경영자가 산업재해 예방이라는 목표를 세우고 이를 달성하기 위하여 안전보건조직의 구축, 관계자의 책임과 권한 및 업무절차를 명기하고 기업의 물적 및 인적 자원을 효율적으로 배분하여 이를 체계적으로 관리하는 경영시스템이다.

즉, 최고경영자가 자사의 경영방침에 안전보건방침을 선포하고 이를 달성하기 위한 계획을 수립하여(Plan), 계획을 실행·운영하고(Do), 점검과 시정조치를 통해(Check), 최고경영자가 결과를 검토하여 지속해서 개선하는(Action) 일련의 시스템적인 안전보건활동을 말한다.

국제표준인 ISO 45001 안전보건경영시스템이나 한국산업안전보건공단에서 주도하여 추진 중인 KOSHA-MS 안전보건경영시스템이 대표적인 예라고 할 수 있다.

- ISO 45001은 안전보건 리스크 및 기회 관리를 위한 틀을 제공하기 위한 것으로 안전보건경영 시스템의 의도한 결과로 근로자의 업무와 관련된 상해 및 건강상 장애를 방지하여 안전하고 건강한 작업장을 제공하는 것
- ISO의 경영시스템은 PDCA 사이클과 리스크 기반 사고가 포함된 프로세스적 접근법을 활용하여 조직의 전체적 성과를 개선하고 지속 가능한 발전을 위한 건실한 기반을 제공하는 데 도움을 주는 전략적 의사결정 체계임

- 기존의 안전보건경영시스템인 KOSHA 18001의 절차는 다음과 같다.
  일반사항 → 계획수립 → 실행 및 운영 → 점검 및 시정조치 → 경영자 검토

A. 계획수립

'계획수립'에 있어서는 위험성 평가는 사업주가 산업안전보건법상의 위험성 평가를 하도록 규정하고 있다. 위험성 평가의 목적은 현존하고 있는 위험요인을 발견하고 위험요인을 제거하거나 허용 가능한 범위 내로 감소시키는 데 있다.

- 주요활동 내용
  1) 안전보건방침 및 목표
  2) 위험성 평가
  3) 법규 및 기타 관리항목
  4) 안전보건경영프로그램

B. 점검 및 시정조치

'점검 및 시정조치'에서는 성과측정 및 모니터링이 안전보건경영시스템 전반적으로 진행되고 있는지에 대해 수립된 목표의 충족 여부를 나타내는 수단으로 될 수 있는 대로 정량적 수치로 나타내며, 측정 및 모니터링을 통한 안전보건목표 및 추진계획의 적합성 파악과 산업재해 및 아차사고 등에 관한 모니터링과 같은 조치를 하여야 한다. 그리고 성과측정 및 모니터링 결과 시정 및 예방조치 사항이 발견되면 이에 따른 원인을 파악한 후 시정조치 및 예방조치를 취하여야 한다.

- 주요활동 내용

1) 성과측정 및 모니터링
2) 부적합사항 시정 및 예방조치
3) 기록관리 및 절차수립
4) 내부심사 절차수립 및 시행
5) 안전보건경영시스템 정기적 검토
6) 지속적인 개선

8. 직무 스트레스와 작업능률의 관계

[2012년 1교시 6번]

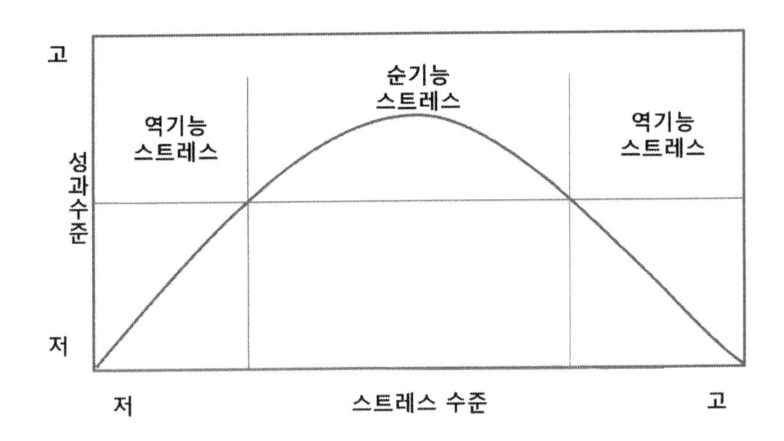

그림에서 보는 것과 같이 스트레스는 전혀 없거나 너무 많을 때는 역기능 스트레스(distress)로, 적정수준 작용할 때는 긍정적으로 작용하는 순기능 스트레스(eustress)로 나타나는 양면성을 가지고 있다.

1) 순기능 스트레스(eustress)

스트레스의 반응이 긍정적인 결과로 나타나는 현상

- 조직과 개인에게 장기적으로 성장, 적응성 및 높은 성과 수준 등의 건설적인 결과를 가져옴

2) 역기능 스트레스(distress)

좋지 않은 일로 인해 발생하는 부정적인 유해 스트레스

- 개인의 능력을 초과하거나 요구를 만족하게 해주지 못할 때 발생
- 불안, 우울, 좌절 등과 함께 개인적, 조직적으로 역기능적 결과를 초래

※ 모든 스트레스가 나쁜 것은 아니며 적당한 스트레스는 오히려 유용하므로 스트레스를 완전히 없애기보다는 부작용이 발생하지 않을 정도로 통제 가능한 적당한 수준 이내로 스트레스를 유지하는 것이 바람직

※ 좋은 스트레스와 나쁜 스트레스는 '예측'과 '통제'의 가능 여부로 구분

9. 직무 스트레스 요인

'직무 스트레스 요인 측정 지침 (KOSHA Guide H-67-2012)'
[2022년 3교시 4번]

1) 물리적 환경

"물리적 환경" 영역에서는 근로자가 노출되고 있는 직무 스트레스를 일으킬 수 있는 환경요인 중 사회 심리적 요인이 아닌 환경요인을 측정하며, 공기 오염·작업방식의 위험성·신체부담 등이 이 영역에 포함되고, 측정 도구의 1~3번 문항이 여기에 해당한다.

2) 직무 요구

"직무 요구" 영역에서는 직무에 대한 부담 정도를 측정하며, 시간적 압박·중단 상황·업무량 증가·책임감·과도한 직무부담·직장 가정 양립·업무 다기능이 이 영역에 포함되고, 측정 도구의 4~11번 문항이 여기에 해당한다.

3) 직무 자율

"직무 자율" 영역에서는 직무에 대한 의사결정의 권한과 자신의 직무에 대한 재량 활용성의 수준을 측정하며, 기술적 재량·업무예측 불가능성·기술적 자율성·직무수행 권한이 이 영역에 포함되고, 측정 도구의 12~16번 문항이 여기에 해당한다.

4) 관계 갈등

"관계 갈등" 영역에서는 회사 내에서의 상사와 동료 간의 도움 또는 지지 부족 등의 대인관계를 측정하며, 동료의 지지·상사의 지지·전반적 지지가 이 영역에 포함되고, 측정 도구의 17~20번 문항이 여기에 해당한다.

5) 직무 불안정

"직무 불안정" 영역에서는 자신의 직업 또는 직무에 대한 안정성을 측정하며, 구직기회·전반적 고용불안정성이 이 영역에 포함되고, 측정 도구의 21~26번 문항이 여기에 해당한다.

6) 조직 체계

"조직 체계" 영역에서는 조직의 전략 및 운영체계·조직의 자원·조직 내 갈등·합리적 의사소통 결여·승진 가능성·직위 부적합을 측정하며, 측정 도구의 27~33번 문항이 여기에 해당한다.

7) 보상 부적절

"보상 부적절" 영역에서는 업무에 대하여 기대하고 있는 보상의 정도가 적절한지를 측정하며, 기대 부적합·금전적 보상·존중·내적 동기·기대 보상·기술 개발 기회가 이 영역에 포함되고, 측정 도구의 34~39번 문항이 여기에 해당한다.

8) 직장 문화

"직장 문화" 영역에서는 서양의 형식적 합리주의 직장 문화와는 다른 한국적 집단주의 문화 (회식, 음주문화)·직무갈등·합리적 의사소통체계 결여·성적차별 등을 측정하며, 측정 도구의 40~43번 문항이 여기에 해당한다.

<한국인 직무스트레스요인 측정도구항목>

설 문 내 용	전혀 그렇지 않다	그렇지 않다	그렇다	매우 그렇다
1. 근무 장소가 깨끗하고 쾌적하다.	4	3	2	1
2. 내 일은 위험하며 사고를 당할 가능성이 있다.	1	2	3	4
3. 내 업무는 불편한 자세로 오랫동안 일을 해야 한다.	1	2	3	4
4. 나는 일이 많아 항상 시간에 쫓기며 일한다.	1	2	3	4
5. 현재 하던 일을 끝내기 전에 다른 일을 하도록 지시받는다	1	2	3	4
6. 업무량이 현저하게 증가하였다.	1	2	3	4
7. 나는 동료나 부하직원을 돌보고 책임져야 할 부담을 안고 있다.	1	2	3	4
8. 내 업무는 장시간 동안 집중력이 요구된다.	1	2	3	4
9. 업무 수행 중에 충분한 휴식(짬)이 주어진다.	4	3	2	1
10. 일이 많아서 직장과 가정에 다 잘하기가 힘들다.	1	2	3	4
11. 여러 가지 일을 동시에 해야 한다.	1	2	3	4
12. 내 업무는 창의력을 필요로 한다.	4	3	2	1
13. 업무관련 사항(업무의 일정, 업무량, 회의시간 등)이 예고 없이 갑작스럽게 정해지거나 바뀐다.	1	2	3	4
14. 내 업무를 수행하기 위해서는 높은 수준의 기술이나 지식이 필요하다.	4	3	2	1
15. 작업시간, 업무수행과정에서 나에게 결정할 권한이 주어지며 영향력을 행사할 수 있다.	4	3	2	1
16. 나의 업무량과 작업스케줄을 스스로 조절할 수 있다.	4	3	2	1
17. 나의 상사는 업무를 완료하는 데 도움을 준다.	4	3	2	1
18. 나의 동료는 업무를 완료하는 데 도움을 준다.	4	3	2	1
19. 직장에서 내가 힘들 때 내가 힘들다는 것을 알아주고 이해해 주는 사람이 있다.	4	3	2	1
20. 직장생활의 고충을 함께 나눌 동료가 있다.	4	3	2	1

설 문 내 용	전혀 그렇지 않다	그렇지 않다	그렇다	매우 그렇다
21. 지금의 직장을 옮겨도 나에게 적합한 새로운 일을 쉽게 찾을 수 있다.	4	3	2	1
22. 현재의 직장을 그만두어도 현재 수준만큼의 직업을 쉽게 구할 수 있다.	4	3	2	1
23. 직장 사정이 불안하여 미래가 불확실하다.	1	2	3	4
24. 나의 직업은 실직하거나 해고당할 염려가 없다.	4	3	2	1
25. 앞으로 2년 동안 현재의 내 직업을 잃을 가능성이 있다.	1	2	3	4
26. 나의 근무조건이나 상황에 바람직하지 못한 변화(예, 구조조정)가 있었거나 있을 것으로 예상된다.	1	2	3	4
27. 우리 직장은 근무평가, 인사제도(승진, 부서배치 등)가 공정하고 합리적이다.	4	3	2	1
28. 업무수행에 필요한 인원, 공간, 시설, 장비, 훈련 등의 지원이 잘 이루어지고 있다.	4	3	2	1
29. 우리 부서와 타 부서간에는 마찰이 없고 업무협조가 잘 이루어진다.	4	3	2	1
30. 근로자, 간부, 경영주 모두가 직장을 위해 한마음으로 일을 한다.	4	3	2	1
31. 일에 대한 나의 생각을 반영할 수 있는 기회와 통로가 있다.	4	3	2	1
32. 나의 경력개발과 승진은 무난히 잘 될 것으로 예상한다.	4	3	2	1
33. 나의 현재 직위는 나의 교육 및 경력에 비추어볼 때 적절하다.	4	3	2	1
34. 나의 직업은 내가 평소 기대했던 것에 미치지 못한다.	1	2	3	4
35. 나의 모든 노력과 업적을 고려할 때 내 봉급/수입은 적절하다.	4	3	2	1
36. 나의 모든 노력과 업적을 고려할 때, 나는 직장에서 제대로 존중과 신임을 받고 있다.	4	3	2	1
37. 나는 지금 하는 일에 흥미를 느낀다.	4	3	2	1
38. 내 사정이 앞으로 더 좋아질 것을 생각하면 힘든 줄 모르고 일하게 된다.	4	3	2	1
39. 나의 능력을 개발하고 발휘할 수 있는 기회가 주어진다.	4	3	2	1
40. 회식 자리가 불편하다.	1	2	3	4
41. 나는 기준이나 일관성이 없는 상태로 업무 지시를 받는다.	1	2	3	4
42. 직장의 분위기가 권위적이고 수직적이다.	1	2	3	4
43. 남성, 여성이라는 성적인 차이 때문에 불이익을 받는다.	1	2	3	4

10. NIOSH 의 직무 스트레스 모형

[2009년 1교시 5번] [2013년 3교시 3번] [2017년 1교시 13번] [2018년 4교시 2번] [2019년 1교시 13번] [2024년 2교시 2번]

측정 도구는 모두 43개 문항. 측정하고자 하는 직무 스트레스 요인은 '물리적 환경, 직무 요구, 직무 자율, 관계 갈등, 직무 불안정, 조직 체계, 보상 부적절, 직장 문화' 등 8개 영역이다.

1) 직무 스트레스 요인

스트레스에 직접적인 영향을 주는 직무 요인

- 작업요인 : 작업 부하, 작업속도, 교대근무 등
- 조직요인 : 역할 갈등, 관리 유형, 의사결정 참여, 고용 불확실 등
- 환경요인 : 조명, 소음 및 진동, 고열 및 한랭 등

2) 중재 요인

직무 스트레스 요인에 대한 개인들이 자각하고 반응하는 데 영향을 미치는 요인

- 개인적 요인 : 성격, 나이, 경력 등
- 조직 외 요인 : 가정상황, 교육상태, 결혼상태 등
- 완충작용 요인 : 사회적 지지, 업무 숙달 정도, 대응 능력 등

3) 스트레스 반응

- 심리적 반응 : 정서불안, 우울 등
- 생리적 반응 : 혈압, 두통, 수면 장애 등
- 행동적 반응 : 흡연, 음주, 약물복용, 대인관계 장애 등

4) 질병

급성 반응이 지속되면 질병에 노출될 가능성

- 근골격계 질환, 심혈관계 질환, 알코올 중독, 정신 질환 등

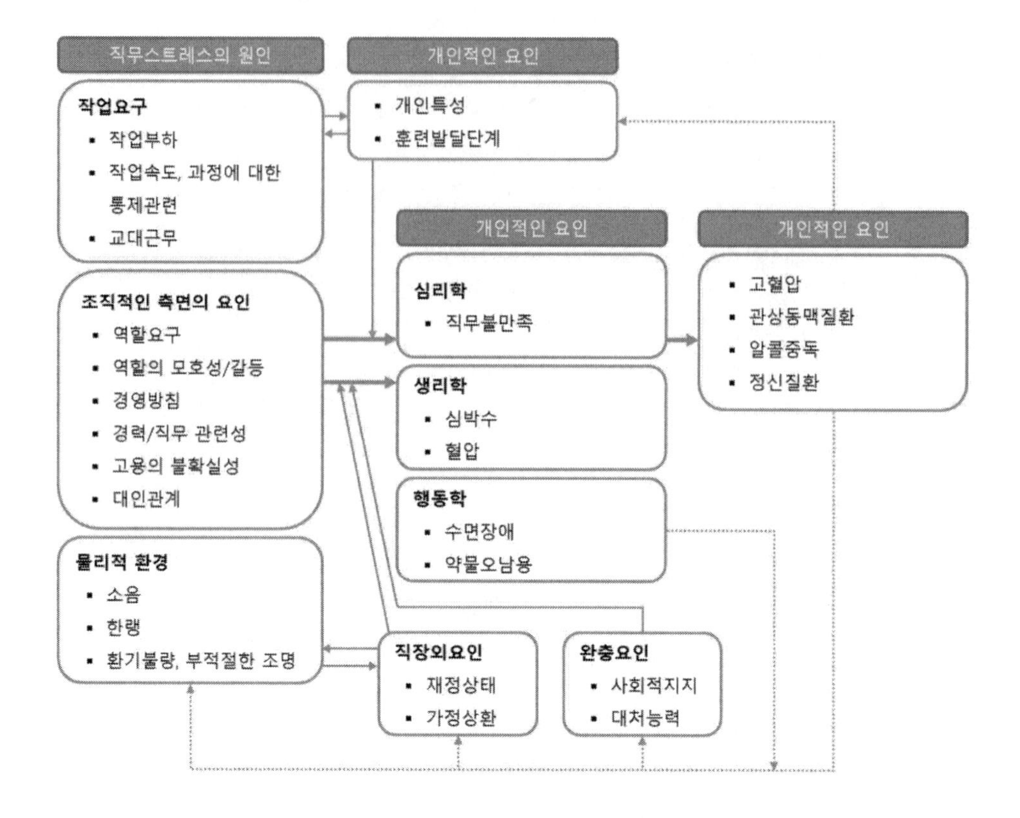

11. 카라섹(Karasek)의 직업성 긴장 모델(Job strain model)

- 카라섹은 직무 스트레스로 인한 생리적, 정신적 건강에 대한 직무 긴장도(job strain) 개념 및 모델을 개발
- 직무 스트레스는 작업환경의 단일 측면에서 발생하는 것이 아니라, 직무요구도와 직무 재량의 불일치 때문에 나타난다고 보았다.

1) 직무 통제력(job decision latitude, control)

- 의사결정권, 기술재량권 두 가지 하위 개념이 결합하여 만들어진 것이다.

  ① 의사결정권 (decision authority)

  : 직무 구조가 허락하는, 노동자들이 가진 노동 과정에서의 결정권이다.

  - 노동자가 일할 때 "무엇을 할 것인가?" 그 일을 "어떻게 할 것인가?"를 결정할 수 있는 권한을 측정하기 위한 개념
  - 회사 내의 권위 구조와 긴밀히 연관

② 기술재량권 (skill discretion) : 직무가 노동자들의 기술 개발과 창의력을 요구, 촉진하는지를 측정하기 위한 개념이다.

- 역사적으로 노동자들의 높은 기술 수준은(직무가 그 기술사용을 보장, 촉진하고) 노동자들의 노동 과정에 대한 통제력 행사의 중요한 원천으로 사용

◆ 의사결정권과 기술재량권은 서로 다른 개념(서로 다른 측면을 측정하기 위한 것)이지만, 실제로는 둘 사이에 높은 양의 상관관계가 있으므로 통상 결합하여 직무 통제력이라는 개념으로 사용된다.

2) 직무 요구(job demand)

◆ 정신적인 직무 요구를 평가하기 위한 개념

◆ 회사의 전반적인 생산수준(노동량과 노동 강도)과 밀접한 관계가 있다.

- '시간당 몇 개의 제품을 만들어야 하는가?' 혹은 '이번 주에 몇 개의 보고서를 제출해야 하는가?' 등

◆ 정신적 직무 요구를 개념화하고 이를 측정하는 것은 그리 쉬운 일이 아니다.

◆ 가장 핵심적인 개념은 해당 직무를 수행하기 위해 요구되는 정신적인 각성(alertness)과 긴장(arousal)의 정도

◆ 일반적으로 직무 요구는 업무 수행능력이나 직무 스트레스(반응으로서)와 U자 모양의 관계를 갖는다.

- 너무 많은 직무요구도 문제이지만, 너무 적은 직무요구도 문제이다.
- 너무 많은 직무 요구가 업무 수행능력과 직무 스트레스에 더 많은 영향을 미친다.

◆ 노동시간이 정신적 업무 부하를 측정할 수 있는 간단하고 적정한 지표로 사용될 수 있을 것처럼 보이지만, 단순히 노동시간만을 고려했을 때는 스트레스나 다른 건강 지표들과 일관된 상관성이 발견되지는 않았다.

◆ 직무 요구는 JCQ의 업무 속도, 업무량, 갈등적인 상황 등을 묻는 항목들에 기초해 측정된다.

3) 스트레인(strain)의 유형 4가지

첫째, 직무 요구는 높은 데 반해 직무 통제력은 낮은 직무 구조에 장기간 노출되었을 때 스트레스(strain, 반응으로서 스트레스)가 발생한다. 이런 직무 구조에 속한 노동자들을 고긴장 집단("high strain")이라 부르고, 반면에 높은 직무 통제력과 함께 낮은 직무 요구에 속한 노동자들을 저긴장 집단("low strain")

이라 부른다. 이 두 집단을 연결하는 것이 스트레스(High-Low strain) 축이다. 그림에서 보듯이, 이론적으로 가장 높은 정신적 긴장에 기인하는 육체적, 정신적 질병의 발병률은 고긴장 집단에서 관찰되어야 한다.

둘째, 낮은 직무 통제력과 결합한 낮은 직무 요구는 노동자들의 지적 능력과 기술 활용 가능성을 배제함으로써, 또는 이미 학습된 기술과 능력을 퇴화시킴으로써 노동자들을 수동적으로(passive) 만든다. 반면, 높은 직무 통제력과 결합한 높은 직무 요구(그러나 과도하지 않은)는 노동자들을 적극적(active)인 존재로 만든다. 이런 효과는 작업장 수준을 뛰어넘어 노동자들의 작업장 밖의 여가나 정치 활동에까지 영향을 미친다. 수동적 직무 구조에서 적극적 직무 구조로 갈수록 노동자의 행동은 더 적극적으로 나타난다(active-passive axis).

- 저긴장 집단 : 직무요구도가 낮고 직무 자율성이 높은 직업적 특성을 갖는 집단 (사서, 수선공 등)
- 능동적 집단 : 직무요구도와 직무 자율성 무도가 높은 직업적 특성을 갖는 집단 (지배인, 관리인 등)
- 수동적 집단 : 직무요구도와 직무 자율성 모두가 낮은 직업적 특성을 갖는 집단 (경비원 등)
- 고긴장 집단 : 직무요구도가 높고 직무 자율성은 낮은 직업적 특성을 갖는 집단 (조립공, 간호사 등)

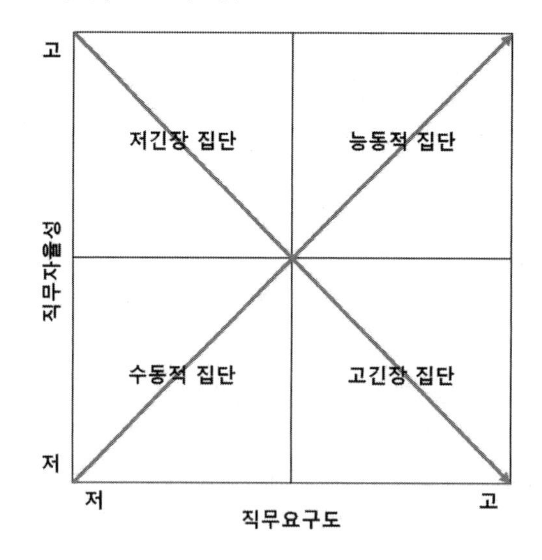

12. 위험성평가

1) 위험성평가의 정의

- 사업장의 유해·위험요인 파악
- 부상 또는 질병의 발생 가능성(빈도), 중대성(강도) 추정·결정
- 감소대책 수립 및 실행

2) 위험성평가의 법적 근거

산업안전보건법 제36조 (위험성평가의 실시)

① 사업주는 건설물, 기계·기구, 설비, 원재료, 가스, 증기, 분진, 근로자의 작업행동 또는 그 밖의 업무로 인한 유해·위험 요인을 찾아내어 부상 및 질병으로 이어질 수 있는 위험성의 크기가 허용 가능한 범위인지를 평가하여야 하고, 그 결과에 따라 이 법과 이 법에 따른 명령에 따른 조치를 하여야 하며, 근로자에 대한 위험 또는 건강장해를 방지하기 위하여 필요한 경우에는 추가적인 조치를 하여야 한다.

② 사업주는 제1항에 따른 평가 시 고용노동부장관이 정하여 고시하는 바에 따라 해당 작업장의 근로자를 참여시켜야 한다.

③ 사업주는 제1항에 따른 평가의 결과와 조치사항을 고용노동부령으로 정하는 바에 따라 기록하여 보존하여야 한다.

④ 제1항에 따른 평가의 방법, 절차 및 시기, 그 밖에 필요한 사항은 고용노동부장관이 정하여 고시한다.

3) 위험성평가의 실시 주체

위험성평가는 사업주가 주체가 되어

① 안전보건관리책임자

② 관리감독자

③ 안전관리자·보건관리자 또는 안전보건관리담당자

④ 대상 공정의 작업자가 참여하여 각자의 역할을 분담하여 실시

4) 위험성평가 시 각 사항에 대한 사전준비 사항

(가) 위험성평가 실시규정의 작성

위험성평가의 성과를 거두기 위해서는 위험성평가를 실시하는 사업장의 생산 활동에 따른 자체적인 계획을 담은 실시규정을 작성하여 실시한다. 따라서, 실시규정은 다음의 사항이 포함되도록 하여야 한다.

- 위험성평가 실시규정의 내용
- 안전보건방침 및 추진목표 설정
- 위험성평가 실시 조직의 구성, 역할과 책임
- 위험성평가 평가대상, 실시시기, 방법 및 추진절차
- 위험성평가 실시의 주지방법
- 위험성평가 실시상의 유의사항
- 위험성평가 기록

(나) 위험성평가에 관한 교육 실시

- 사업장이 위험성평가를 실시하는 경우, 실시담당자 또는 관계자가 그 방법에 대한 상당한 지식과 경험이 없으면 실효성 있는 위험성평가의 성과를 거두는 것이 어렵다.
  - 그러므로 사업주는 실시담당자 및 관계자에게 외부 교육기관의 필요한 교육을 수강하게 하거나 사업장 자체적으로 근로자에게 위험성평가의 중요성, 실시 방법 등을 교육시키는 것이 필요하다.

(다) 평가대상 선정

- 위험성평가는 모든 유해·위험요인을 대상으로 하는 것이 바람직하다.
  - 주로 작업을 대상으로 하되 설비 등을 포함한다.
  - 평가대상 선정에서의 "작업"은 광의의 표현이며, 근로자의 작업 등에 관계되는 유해·위험요인에 의한 부상 또는 질병의 발생이 합리적으로 예견 가능한 것은 모두 위험성평가의 대상으로 한다.

(라) 평가대상 작업별 분류 방법

- 평가대상을 작업별로 분류한다.
- 작업별 평가담당자를 지정한다.

※ (예시) 자동차부품 업종의 브래킷(bracket) 제조공정 흐름도

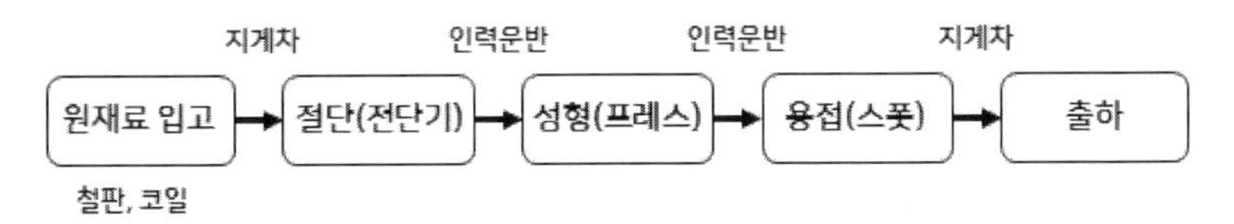

(마) 안전보건정보 사전 조사

- 위험성의 크기가 큰 것부터 우선적으로 개선하기 위해서는 유해·위험 요인의 파악단계에서 유해·위험요인이 누락되지 않도록 하여야 한다.
  - 이를 위해서는 유해·위험요인에 관한 정보를 가급적 많이 수집하고 정리해 두는 것이 중요하다.
- 유해·위험요인에 관한 정보를 입수할 때는 법령, 지침, 사내규정 등 각종 기준과 재해통계, 안전보건관리 기록, 안전보건활동 기록 등의 정보를 토대로 파악하여야 한다.

※ 사전 자료수집

위험성평가 실시규정 작성, 평가대상 선정, 평가에 필요한 각종 자료 수집

1. 작업표준, 작업절차 등에 관한 정보
2. 기계·기구, 설비 등의 사양서, 물질안전보건자료(MSDS) 등의 유해·위험요인에 관한 정보
3. 기계·기구, 설비 등의 공정 흐름과 작업 주변의 환경에 관한 정보
4. 같은 장소에서 사업의 일부 또는 전부를 도급을 주어 행하는 작업이 있는 경우 혼재 작업의 위험성 및 작업 상황 등에 관한 정보
5. 재해사례, 재해통계 등에 관한 정보
6. 작업환경 측정 결과, 근로자 건강진단 결과에 관한 정보
7. 그 밖에 위험성평가에 참고가 되는 자료 등

5) 위험성평가 추진절차

- 위험성평가는 사업주 또는 안전보건관리책임자가 중심이 되어 수행

1단계 : 사전준비를 통해 평가대상을 확정하고 실무에 필요한 자료를 입수

2단계 : 다양한 방법을 통해 유해,위험요인을 파악

3단계 : 파악된 유해, 위험요인에 대한 위험성을 추정

※ 상시근로자 수 20명 미만 사업장(총 공사금액 20억 미만의 건설공사)의 경우 위험성 추정을 생략할 수 있음

4단계 : 유해, 위험요인별로 추정한 위험성의 크기가 허용 가능한 범위 인지 여부 판단

5단계 : 허용할 수 없는 위험성의 경우 감소대책을 세워야 하며 감소대책은 실행가능하고 합리적인 대책인지를 검토, 감소대책은 우선순위를 정해 실행하고 실행 후에는 허용할 수 있는 범위 이내이어야 함

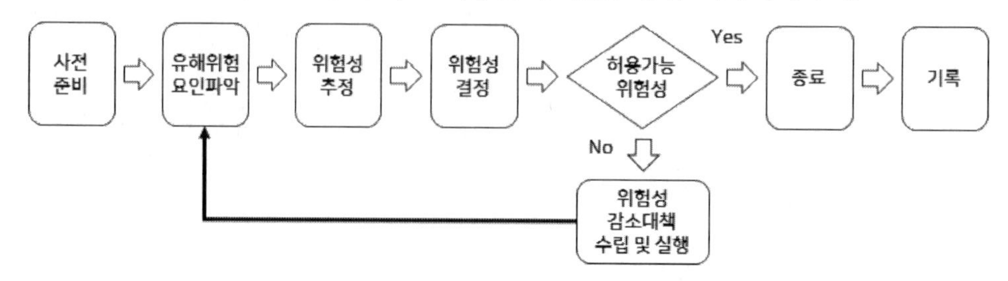

① 유해·위험요인 파악

- 유해·위험을 일으키는 잠재적 가능성이 있는 요인을 찾아내는 과정
- 사용 방법

1. 사업장 순회점검에 의한 방법 (특별한 사정이 없는 한 포함)
2. 청취조사에 의한 방법
3. 안전보건 자료에 의한 방법
4. 안전보건 체크리스트에 의한 방법
5. 그 밖에 사업장의 특성에 적합한 방법

② 위험성 추정

- 유해·위험요인이 부상 또는 질병으로 이어질 수 있는 가능성 및 중대성의 크기를 추정하여 위험성의 크기를 산출

1. 가능성과 중대성을 행렬을 이용하여 조합하는 방법
2. 가능성과 중대성을 곱하는 방법
3. 가능성과 중대성을 더하는 방법
4. 그 밖에 사업장의 특성에 적합한 방법

◆ 위험성 추정 시 주의사항

1. 예상되는 부상 또는 질병의 대상자 및 내용을 명확하게 예측할 것
2. 최악의 상황에서 가장 큰 부상 또는 질병의 중대성을 추정할 것
3. 부상 또는 질병의 중대성은 부상이나 질병 등의 종류에 관계없이 공통의 척도를 사용하는 것이 바람직하며, 기본적으로 부상 또는 질병에 의한 요양기간 또는 근로손실 일수 등을 척도로 사용할 것
4. 유해성이 입증되어 있지 않은 경우에도 일정한 근거가 있는 경우에는 그 근거를 기초로 하여 유해성이 존재하는 것으로 추정할 것
5. 기계·기구, 설비, 작업 등의 특성과 부상 또는 질병의 유형을 고려할 것

③ 위험성 결정

- 유해·위험요인별 위험성추정 결과와 사업장 설정한 허용가능한 위험성의 기준을 비교하여 추정된 위험성의 크기가 허용가능한지 여부를 판단
- 유해·위험요인별 위험성 추정 결과와 사업장 자체적으로 설정한 허용 가능한 위험성 기준을 비교하여 해당 유해·위험요인별 위험성의 크기가 허용 가능한지 여부를 판단
- 허용 가능한 위험성의 기준은 위험성 결정을 하기 전에 사업장 자체적으로 설정해 두어야 함

④ 위험성 감소대책 수립 및 실행

- 위험성 결정 결과 허용 불가능한 위험성을 합리적으로 실천 가능한 범위에서 가능한 한 낮은 수준으로 감소시키기 위한 대책을 수립하고 실행
- 위험성의 크기, 영향을 받는 근로자 수 및 다음 각 호의 순서를 고려하여 위험성 감소를 위한 대책을 수립하여 실행

1. 위험한 작업의 폐지·변경, 유해·위험물질 대체 등의 조치 또는 설계나 계획 단계에서 위험성을 제거 또는 저감하는 조치
2. 연동장치, 환기장치 설치 등의 공학적 대책
3. 사업장 작업절차서 정비 등의 관리적 대책
4. 개인용 보호구의 사용

- 사업주는 위험성 감소대책을 실행한 후 해당 공정 또는 작업의 위험성의 크기가 사전에 자체 설정한 허용 가능한 위험성의 범위인지를 확인
- 위험성이 자체 설정한 허용 가능한 위험성 수준으로 내려오지 않는 경우에는 허용 가능한 위험성 수준이 될 때까지 추가의 감소대책을 수립·실행
- 중대재해, 중대산업사고 또는 심각한 질병이 발생할 우려가 있는 위험성으로서 위험성 감소대책의 실행에 많은 시간이 필요한 경우에는 즉시 잠정적인 조치를 강구
- 위험성평가를 종료한 후 남아 있는 유해·위험요인에 대해서는 게시, 주지 등의 방법으로 근로자에게 알려야 함

⑤ 기록 및 보존

- 사업장에서 위험성평가 활동을 수행한 근거와 그 결과를 문서로 작성하여 보관
- 기록의 보존연한은 실시 시기별 위험성평가를 완료한 날로부터 기산하여 3년간 보존
- 기록내용
  1. 위험성평가를 위해 사전조사 한 안전보건정보
  2. 그 밖에 사업장에서 필요하다고 정한 사항

6) 위험성 감소 대책 수립·실행 시 고려사항

- 위험성의 크기가 큰 것부터 위험성 감소대책의 대상으로 한다. 위험성 감소를 위한 우선도를 결정하는 방법은 위험성평가 1단계인 사전준비 단계에서 미리 설정해 두는 것이 바람직하다.
- 안전보건 상 중대한 문제가 있는 것은 위험성 감소 조치를 즉시 실시하여야 한다.
- 위험성 감소대책의 구체적 내용은 법령에 규정된 사항이 있는 경우에는 그것을 반드시 실시해야 한다.
- 감소대책 수립 시 아래 그림처럼 ①본질적(근원적) 대책 ②공학적 대책, ③관리적 대책, ④개인보호구 사용 순서로 적용을 고려하고, 비용 대비 효과 측면에서 현저한 불균형이 있는 경우를 제외하고는 보다 상위의 감소대책을 실시할 필요가 있다.

Chapter

03 안전보건 관련 법규 및 제조물 책임법

1. 근골격계부담작업을 하는 경우 사업주가 근로자에게 알려야 하는 사항

[2023년 1교시 12번] [2024년 1교시 4번]

◈ 안전보건 기준에 관한 규칙 제661조(유해성 등의 주지)

① 사업주는 근로자가 근골격계부담작업을 하는 경우에 다음 각 호의 사항을 근로자에게 알려야 한다.

1. 근골격계부담작업의 유해요인
2. 근골격계질환의 징후와 증상
3. 근골격계질환 발생 시의 대처요령
4. 올바른 작업자세와 작업도구, 작업시설의 올바른 사용방법
5. 그 밖에 근골격계질환 예방에 필요한 사항

② 사업주는 제657조제1항과 제2항에 따른 유해요인 조사 및 그 결과, 제658조에 따른 조사방법 등을 해당 근로자에게 알려야 한다.

③ 사업주는 근로자대표의 요구가 있으면 설명회를 개최하여 제657조 제2항 제1호에 따른 유해요인 조사 결과를 해당 근로자와 같은 방법으로 작업하는 근로자에게 알려야 한다. <신설 2017. 12. 28.>

2. 중량물을 들어 올리는 작업에 대하여 산업안전보건기준에 관한 규칙에서 정하는 사업주의 의무사항

[2013년 2교시 6번] [2022년 4교시 5번]

제663조(중량물의 제한) 사업주는 근로자가 인력으로 들어올리는 작업을 하는 경우에 과도한 무게로 인하여 근로자의 목 · 허리 등 근골격계에 무리한 부담을 주지 않도록 최대한 노력하여야 한다.

제664조(작업조건) 사업주는 근로자가 취급하는 물품의 중량 · 취급빈도 · 운반거리 · 운반속도 등 인체에 부담을 주는 작업의 조건에 따라 작업 시간과 휴식시간 등을 적정하게 배분하여야 한다.

제665조(중량의 표시 등) 사업주는 근로자가 5킬로그램 이상의 중량물을 들어올리는 작업을 하는 경우에 다음 각 호의 조치를 하여야 한다.

1. 주로 취급하는 물품에 대하여 근로자가 쉽게 알 수 있도록 물품의 중량과 무게중심에 대하여 작업장 주변에 안내표시를 할 것
2. 취급하기 곤란한 물품은 손잡이를 붙이거나 갈고리, 진공빨판 등 적절한 보조도구를 활용할 것

제666조(작업자세 등) 사업주는 근로자가 중량물을 들어올리는 작업을 하는 경우에 무게중심을 낮추거나 대상물에 몸을 밀착하도록 하는 등 신체의 부담을 줄일 수 있는 자세에 대하여 알려야 한다.

3. 근골격계부담작업의 범위 및 유해요인조사 방법에 관한 고시

(고용노동부 고시 제2020-12호)

[2019년 1교시 10번] [2021년 3교시 5번] [2023년 2교시 2번] [2024년 2교시 3번]

◆ 용어 정의

1. “단기간 작업”이란 2개월 이내에 종료되는 1회성 작업을 말한다.
2. “간헐적인 작업”이란 연간 총 작업일수가 60일을 초과하지 않는 작업을 말한다.
3. “하루”란 「근로기준법」제2조제1항 제7호에 따른 1일 소정근로시간과 1일 연장근로시간 동안 근로자 수행하는 총 작업시간을 말한다.

4. “4시간 이상” 또는 “2시간 이상”은 제3호에 따른 “하루” 중 근로자가 제3조 각 호에 해당하는 근골격계부담 작업을 실제로 수행한 시간을 합산한 시간을 말한다.

1호	하루에 4 시간 이상 집중적으로 자료입력 등을 위해 키보드 또는 마우스를 조작하는 작업
2호	하루에 총 2 시간 이상 목, 어깨, 팔꿈치, 손목 또는 손을 사용하여 같은 동작을 반복하는 작업
3호	하루에 총 2 시간 이상 머리 위에 손이 있거나, 팔꿈치가 어깨 위에 있거나, 팔꿈치를 몸통으로부터 들거나, 팔꿈치를 몸통 뒤쪽에 위치하도록 하는 상태에서 이루어지는 작업
4호	지지되지않은 상태이거나 임의로 자세를 바꿀 수 없는 조건에서 하루에 총 2 시간 이상 목이나 허리를 구부리거나 트는 상태에서 이루어지는 작업
5호	하루에 총 2 시간 이상 쪼그리고 앉거나 무릎을 굽힌 자세에서 이루어지는 작업
6호	하루에 총 2 시간 이상 지지되지 않은 상태에서 1kg 이상의 물건을 한 손의 손가락으로 집어 옮기거나, 2kg 이상에 상응하는 힘을 가하여 손가락으로 물건을 쥐는 작업
7호	하루에 총 2 시간 이상 지지되지 않은 상태에서 4.5kg 이상의 물건을 한 손으로 들거나 동일한 힘으로 쥐는 작업
8호	하루에 10 회 이상 25kg 이상의 물체를 드는 작업
9호	하루에 25 회 이상 10kg 이상의 물체를 무릎 아래에서 들거나, 어깨 위에서 들거나, 팔을 뻗은 상태에서 드는 작업
10호	하루에 총 2 시간 이상, 분당 2 회 이상 4.5kg 이상의 물체를 드는 작업
11호	하루에 총 2 시간 이상 시간당 10 회 이상 손 또는 무릎을 사용하여 반복적으로 충격을 가하는 작업

근골격계 부담작업 1호

하루에 4시간 이상 **집중적으로** 자료입력 등을 위해 키보드 또는 마우스를 조작하는 작업

◇ 유해요인 : 반복작업
◇ 신체부위 : 손, 손가락
◇ 노출시간: 4시간 이상
◇ 평가기준 : 개별

- "하루"란 잔업시간을 포함한 1일 총 근무시간을 의미함
- "4시간 이상"은 근골격계부담작업에 실제 노출된 전체 누적시간을 의미함
- "집중적 자료입력" 이란 입력작업의 목표량이 과도하게 미리 정해져 있거나 노동자가 일정 수준 이상 임의로 작업시간이나 휴식시간 등을 조절할 수 없는 경우
- 컴퓨터 작업을 하는 경우라도 키보드나 마우스를 이용한 집중적 자료입력 작업이 아닌 경우에는 동 기준의 적용에서 제외

  [예시] 컴퓨터를 통한 검색이나 해독 작업에서 일어나는 간헐적 입력작업, 쌍방향 통신, 정보 취득작업 등은 제외

  [주의] 대형할인매장 등의 판매대에서 스캐너를 주로 사용하는 입력작업은 동 기준의 적용에서 제외되나 제2호 등의 기준으로 부담작업 여부를 평가하여야 함

◇ 해당 작업 예시

- 건설엔지니어링 회사의 건축설계기사가 컴퓨터 작업 중 하루 4시간 이상 CAD 작업을 위해 마우스를 조작하는 작업
- 재판 속기사가 하루 4시간 이상 키보드로 자료를 입력하는 작업
- 전화상담원이 하루 6시간 키보드를 조작하는 작업
- 컴퓨터 활용 디자이너가 하루 5시간 동안 키보드를 조작하는 작업
- 컴퓨터 프로그래머가 하루 5시간 키보드를 조작하는 작업

근골격계 부담작업 2호

하루에 총 2시간 이상 목, 어깨, 팔꿈치, 손목 또는 손을 사용하여 **같은 동작을 반복**하는 작업

◇ 유해요인 : 상지반복작업
◇ 신체부위 : 목, 어깨, 팔꿈치, 손목, 손
◇ 노출시간 : 2시간 이상
◇ 평가기준 : 개별

- "총 2시간 이상"은 근골격계부담작업에 실제 노출된 전체 누적시간을 의미함.
- "같은 동작"이란 "동작이 동일하거나 다소 차이가 있다 하더라도 동일한 신체 부위를 유사하게 사용하는 움직임"을 말함
- '반복하는 작업' 기준 어깨 2.5회/분, 팔꿈치 10회/분, 손목·손 10회/분 이상
  - 손 뻗기 : 상, 하, 좌, 우 어느 쪽으로 손을 뻗느냐와 무관하게 항상 상완근과 어깨 근육을 사용
  - 손가락으로 집기 : 어떤 동작을 취하든 언제나 손과 전완의 근육을 사용

◇ 해당 작업 예시

- 자동차부품 조립작업자가 작업시간 중 작업 라인에 서있는 자세로, 하루 7시간 전면부에 설치된 에어임팩트를 이용하여 어깨 위 손 올린 자세로 펌프에 부품을 조립하는 작업
- 컨베이어 벨트에서 재활용품을 선별하는 작업자가 하루 6시간 페트병, 우유팩, 깡통은 왼팔로 옆으로 던지는 작업과 병, 물랭이(피죤통 등)을 오른팔로 옆으로 던지는 작업
- 음식조리사가 앉은 자세에서 식자재를 들고 운반 후 앉아서 칼을 이용하여 하루 3시간 식자재(야채 등)을 손질하는 작업
- 고무롤에 고무를 드릴로 파는 작업을 2시간 이상 반복적으로 수행하는 작업

근골격계 부담작업 3호

하루에 총 2시간 이상 머리 위에 손이 있거나, 팔꿈치가 어깨 위에 있거나, 팔꿈치를 몸통으로부터 들거나, 팔꿈치를 몸통 뒤쪽에 위치하도록 하는 상태에서 이루어지는 작업

◇ 유해요인 : 부적절한 자세

◇ 신체부위 : 어깨, 팔

◇ 노출시간 : 2시간 이상

◇ 평가기준 : **합산**

- '팔꿈치를 몸통으로부터 드는 경우'란
  - 수직 상태를 기준으로 위팔이 중력에 반하여 몸통으로부터 전방 내지 측방으로 45도 이상 벌어져 있는 상태
  - 팔꿈치가 몸통에서부터 어깨 높이의 범위에 위치한 상태에서 상지에 부담을 주게 되는 작업을 말함
- 동 기준에 의한 부담작업의 누적 시간은 각 신체 부위별 부담작업 시간을 각각 합산한 총 누적시간으로 평가하되, 한 작업 자세에서 여러 신체 부위가 동시에 부담작업에 해당되는 경우에는 그 중 하나의 신체부위 작업시간만을 총 누적시간에 반영
- 3호의 범위 내에서 손이나 팔꿈치의 위치가 변경되는 경우에는 주로 사용되는 신체부위가 동일한지에 따라 판단

  [예시] 하루에 총 1시간은 머리 위에 손이 있는 작업을 수행하고, 총 1시간은 팔꿈치가 어깨 위에 있는 상태에서 작업을 할 경우 2시간이 되는 것으로 계산함

◇ 해당 작업 예시

- 음식조리사가 하루 4시간 주방에서 불판에 프라이팬(웍, 음식이 담겨 있을 때 무게는 약 3kg)과 주걱을 이용하여 조리 후 옮겨와서 그릇에 담는 작업(주방에서서 배와 가슴 사이 높이의 불판에 프라이팬(웍)을 사용하여 좌측 손을 이용하여 앞뒤로 움직임)

근골격계 부담작업 4호

<u>지지되지 않은 상태이거나 임의로 자세를 바꿀 수 없는 조건에서,</u> 하루에 총 2시간 이상 목이나 허리를 구부리거나 트는 상태에서 이루어지는 작업

◇ 유해요인 : 부적절한 자세
◇ 신체부위 : 목, 허리
◇ 노출시간 : 2시간 이상
◇ 평가기준 : 개별

- 이 기준에서 "지지되지 않은 상태"란 "목이나 허리를 구부리거나 비튼 상태에서 발생하는 신체부담을 줄여줄 수 있는 지지대가 없는 경우
- "임의로 자세를 바꿀 수 없는 조건" 이란 근로자 자신의 선택에 의한 것이 아니라 작업을 하기 위해서 어쩔 수 없이 그러한 자세를 취할 수 밖에 없는 경우
- "목이나 허리 굽힘"은 수직 상태를 기준으로 목이 나 허리를 전방/후방으로 30도 이상 벗어나는 경우
- "목이나 허리를 튼 상태"는 목은 어깨를 고정한 상태에서 5도 이상, 허리는 다리를 고정한 상태에서 20도 이상 비튼 상태를 말함

◇ 해당 작업 예시

- 컨베이어 상 제품에 대한 작업 위치가 낮아 2시간 이상 허리를 숙인 채 작업
- 자동차부품 조립작업자가 목을 20° 이상의 각도로 굽힌 채 하루 4시간 지속하는 수동드릴 작업
- 선박 내 페인트 녹 및 이물질을 제거하는 파워툴 크리닝 작업자가 하루 6시간 천장 작업 시 목을 뒤로 젖히고 위를 보면서 작업하고, 바닥 작업 시 목을 숙이고 작업

근골격계 부담작업 5호

하루에 총 2시간 이상 쪼그리고 앉거나 무릎을 굽힌 자세에서 이루어지는 작업

◇ 유해요인 : 부적절한 자세

◇ 신체부위 : 다리, 무릎

◇ 노출시간 : 2시간 이상

◇ 평가기준 : 개별

- "쪼그리고 앉는 자세"는 수직상태를 기준으로 무릎을 구부린 상태에서 발이 체중의 대부분을 지탱하고 있는 상태
  - 무릎이 발가락보다 튀어 나오는 경우는 언제든 해당
- "무릎을 굽힌 자세"는 바닥면에 한쪽 또는 양쪽 무릎을 댄 상태에서 해당 무릎이 체중의 대부분을 지탱하고 있는 자세를 말함

◇ 해당 작업 예시

- 차체 조립 의장 공정에서 차량 앞부분의 작업을 위해 쪼그린 상태에서 하루 2시간 이상 작업
- 원예농장에서 파종을 위하여 쪼그린 상태에서 하루 2시간 이상 작업
- 식당에서 하루 3시간 기본반찬을 인원수대로 챙겨서 무릎을 굽힌 자세로 좌식 테이블에 옮겨놓고 테이블을 닦는 작업
- 한의원용 소모품을 포장할 때 하루 2시간 쪼그려 앉은 자세로 작업

근골격계 부담작업 6호

하루에 총 2시간 이상 지지되지 않은 상태에서 1kg 이상의 물건을 한 손의 손가락으로 집어 옮기거나, **2kg 이상에 상응하는 힘**을 가하여 한 손의 손가락으로 물건을 쥐는 작업

◇ 유해요인 : 과도한 힘
◇ 신체부위 : 손가락
◇ 노출시간 : 2시간 이상
◇ 평가기준 : 개별

- "지지되지 않는 상태"란 순전히 혼자만의 힘으로 손가락으로 집어 옮기거나 한 손의 손가락으로 물건을 쥐는 것을 의미함
- "1kg(2kg)에 상응하는 힘"이란 A4 용지 약 125매(250매)를 손가락으로 집어 올리거나 (한 손의 손가락으로 쥐는데) 사용하는 정도의 힘을 말함
  - 물건의 무게와 무관하게 어느 정도의 쥐는 힘이 사용되는지 비교 평가방법을 사용함

◇ 해당 작업 예시

- 에어컨의 기화기 관의 기밀시험을 위해 손가락으로 2kg 이상의 힘을 가해 캡을 기화기 관에 막아주는 작업
- 통닭(냉동;1kg) 가공사업장에서 하루 9시간 날개, 가슴, 다리 등의 부위 별로 분해 시 닭 한 마리를 한 손에 쥐고 작업(손가락으로 쥐기/잡기, 손가락에 강한 힘, 접촉 압박 장갑 착용)

근골격계 부담작업 7호

하루에 총 2시간 이상 **지지되지 않은 상태**에서 4.5kg 이상의 물건을 한 손으로 들거나 **동일한 힘으로 쥐는 작업**

◇ 유해요인 : 과도한 힘
◇ 신체부위 : 손, 손가락
◇ 노출시간: 2시간 이상
◇ 평가기준: 개별

- "지지되지 않는 상태"란
  - 근로자 자신의 선택이 아니라 작업상황 등이 근로자에게 작업대 등에 의해 지지되지 않은 상태를 발생시키는 경우를 의미함
  - 순전히 혼자만의 힘으로 물건을 한 손으로 들거나 쥐는 것을 의미함

- "4.5kg의 물체를 한 손으로 드는 것과 동일 힘"이란 소형 자동차용 점프선의 집게를 한 손으로 쥐어서 여는 정도의 힘을 말함
  - 물건의 무게와 무관하게 어느 정도의 쥐는 힘이 사용되는지 비교 평가방법을 사용함

◇ 해당 작업 예시

- 한 손으로 샌딩작업을 수행. 수공구의 무게와 이때 표면에 가하는 힘이 4.5kg 이상을 초과하는 작업을 2시간 이상 수행하는 작업
- 화장품 용기 튜브생산(캡핑) 작업자는 하루 4시간 불량품을 확인하면서 비어 있는 6kg의 화장품 튜브(빈통)의 뚜껑을 돌려 닫아주는 작업을 수행함

근골격계 부담작업 8호

하루에 10회 이상 25kg 이상의 물체를 드는 작업

◇ 유해요인 : 과도한 힘

◇ 신체부위 : 허리

◇ 노출시간 : 10회 이상

- 중량물을 중력에 반하여 드는 경우에만 적용되며, 중량물을 밀거나 당기는 작업은 해당되지 않음
- 동일한 물체를 2인 이상 드는 경우 노동자 수로 나눈 물체의 무게로 평가함

[예시] 30kg의 물체를 근로자 2명이 드는 작업의 경우 특별한 사유가 없는 한 근로자 1명이 부담되는 물체의 무게는 15kg이 되어 제8호의 적용을 받지 아니함

◇ 해당 작업 예시

- 화학물 배합을 위해 25kg이 넘는 원료를 일 평균 10회 이상 드는 작업
- 시멘트 포대(40kg)를 하루 10포대 이상 들어 옮기는 작업
- 공사현장 합판 제작장에서 하루 슬라브용 거푸집용 60×120cm 높이의 폼(무게 25~30kg)을 10~20회 이상 작업

근골격계 부담작업 9호

하루에 25회 이상 10kg 이상의 물체를 무릎 아래에서 들거나, 어깨 위에서 들거나, 팔을 뻗은 상태에서 드는 작업

◇ 유해요인 : 과도한 힘
◇ 신체부위 : 허리
◇ 노출시간 : 25회 이상

- "무릎 아래에서 들거나 어깨 위에서 들거나"란 드는 물체의 잡는 손의 위치가 무릎 아래 또는 어깨 위에 있는 상태를 말함
- "팔을 뻗은 상태"란 중력에 반하여 팔을 들고 팔꿈치를 곧게 편 상태를 의미하며, 중력의 방향으로 늘어뜨린 경우(중립자세)는 제외함

◇ 해당 작업 예시

- 완성된 제품을 박스 (20kg 이상)에 담아 팔레트 위에 적재서 어깨 위 높이에 하루 25상자 이상 적재하는 작업
- 쓰레기, 재활용품 상하차 작업을 하는 환경미화원는 상하 시 15kg 이상의 쓰레기 종량제 봉투를 2m의 칸막이 너머로 팔을 위로 올려서 수거물을 100회 정도 던지는 작업

근골격계 부담작업 10호

하루에 총 2시간 이상, 분당 2회 이상 4.5kg 이상의 물체를 드는 작업

◇ 유해요인 : 과도한 힘
◇ 신체부위 : 허리

◇ 노출시간 : 2시간 이상, 분당 2회 이상

- 이 기준은 중량물을 중력에 반하여 드는 경우에만 적용되며, 중량물을 밀거나 당기는 작업은 해당되지 않음

◇ 해당 작업 예시

- 완성되어 대차에 적재된 컴프레서 박스에 옮겨 포장하는 작업으로 분당 2회 이상 4.5kg 이상의 물체를 드는 작업
- 음료 배송 작업 중 하루 3시간 15kg의 1,000박스(캔음료 또는 페트음료)를 상차 및 하차 작업

근골격계 부담작업 11호

하루에 총 2시간 이상 시간당 10회 이상 손 또는 무릎을 사용하여 반복적으로 충격을 가하는 작업

◇ 유해요인 : 과도한 힘, 접촉 스트레스

◇ 신체부위 : 손, 무릎

◇ 노출시간 : 2시간 이상, 시간당 10회 이상

- "충격을 가하는 작업"이란 강하고 빠른 충격을 특정 물체에 전달하기 위하여 손 또는 무릎을 마치 망치처럼 사용하는 작업을 말함

  [예시] 홈에 단단하게 끼워져야 하는 부품을 손으로 타격해 끼우는 작업, 카펫을 깔 때 작업 등

◇ 해당 작업 예시

- 부품을 삽입 후 케이스를 조립할 때 2시간 이상 반복적으로 손바닥으로 압력을 가해서 조립하는 작업
- 카페트를 평평하게 깔기 위하여 3시간 동안 작업하며 시간당 20회 무릎망치를 무릎으로 가격하는 작업

[관련 기출문제]

근골격계부담작업의 범위에는 "하루에 총 2시간 이상 머리 위에 손이 있거나, 팔꿈치가 어깨 위에 있거나, 팔꿈치를 몸통으로부터 들거나, 팔꿈치를 몸통 뒤쪽에 위치하도록 하는 상태에서 이루어지는 작업(A)"과 "지지되지 않은 상태이거나 임의로 자세를 바꿀 수 없는 조건에서 하루에 총 2시간 이상 목이나 허리를 구부리거나 트는 상태에서 이루어지는 작업(B)"이 포함된다. 다음 각 물음에 답하시오.

다음의 각 작업에 대해서 근골격계부담작업 여부를 판정하시오. (단, 표의 회색 부분은 작업시간을 나타낸다.)

작업(A) 요인	하루 작업 시간								노출시간
머리 위 손									1시간
팔꿈치 어깨 위									1시간
팔꿈치 몸통 들기									30분
	1	2	3	4	5	6	7	8	

작업(B) 요인	하루 작업 시간								노출시간
목 굽힘									1시간 30분
목 비틀림									1시간
허리굽힘									30분
	1	2	3	4	5	6	7	8	

1) 작업(A) 요인

- 해당 고시 : 근골격계부담작업 3호 [합산 평가]
- 머리 위 손 1시간 + 팔꿈치 어깨 위 1시간 + 팔꿈치 몸통 들기 30분
  → 총 2시간 30분
- 판정 결과 : 근골격계부담작업 3호에 해당

2) 작업(B) 요인

- 해당 고시 : 근골격계부담작업 4호 [개별 평가]
- 목 굽힘 1시간30분, 목 비틀림 1시간, 허리 굽힘 30분
- 판정 결과 : 부담작업이 아님

4. 개정된 산업안전보건법의 개정취지 중 '법의 보호 대상 확대'

- 산업안전보건법 1조(목적) 기존 '근로자의 안전과 보건을 유지, 증진함'에서 '노무를 제공하는 자의 안전 및 보건을 유지, 증진함'으로 개정
- 산업재해를 획기적으로 줄이고 안전하고 건강하게 일할 수 있는 여건을 조성하기 위하여 다양한 고용형태의 노무제공자가 포함될 수 있도록 법의 보호대상 범위를 확대함
- 특수형태 근로종사자나 배달종사자, 가맹사업자와 그 소속근로자 등 근로자는 아니지만 보호의 필요성이 있는 자들을 보호대상으로 포함하게 됨
- 산업재해 예방책임 주체를 확대하며, 위험의 외주화 방지를 위한 도급 승인제도를 도입하는 등 「산업안전보건법」전부 개정(법률 제16272호, 2019.01.15. 공포, 2020.01.16. 시행)됨에 따라, 안전 및 보건에 관한 계획의 이사회 보고·승인 절차 규정을 마련하고, 도급승인 등의 절차·방법 및 기준 등 법률에서 위임된 사항과 그 시행을 위하여 필요한 사항을 정하는 등 현행 제도의 운영상 나타난 일부 미비점을 개선 · 보완하려는 것임

5. 청력보존 프로그램의 정의, 시행시기

◈ 안전보건 기준에 관한 규칙 제512조(정의)

> 5. "청력보존 프로그램"이란 소음노출 평가, 소음노출 기준 초과에 따른 공학적 대책, 청력보호구의 지급과 착용, 소음의 유해성과 예방에 관한 교육, 정기적 청력검사, 기록 · 관리 사항 등이 포함된 소음성 난청을 예방 · 관리하기 위한 종합적인 계획을 말한다.

◈ 안전보건 기준에 관한 규칙 제517조(청력보존 프로그램 시행 등)

> 사업주는 다음 각 호의 어느 하나에 해당하는 경우에 청력보존 프로그램을 수립하여 시행하여야 한다. <개정 2019. 12. 26., 2021. 11. 19., 2024. 6. 28.>
> 1. 근로자가 소음작업, 강렬한 소음작업 또는 충격소음작업에 종사하는 사업장
> 2. 소음으로 인하여 근로자에게 건강장해가 발생한 사업장

6. 직무 스트레스로 인한 건강장해 예방에 대한 조치 사항

[2021년 2교시 3번]

◈ 안전보건 기준에 관한 규칙 제669조(직무스트레스에 의한 건강장해 예방 조치)

사업주는 근로자가 장시간 근로, 야간작업을 포함한 교대작업, 차량운전 [전업(專業)으로 하는 경우에만 해당한다] 및 정밀기계 조작작업 등 신체적 피로와 정신적 스트레스 등(이하 "직무스트레스"라 한다)이 높은 작업을 하는 경우에 법 제5조제1항에 따라 직무스트레스로 인한 건강장해 예방을 위하여 다음 각 호의 조치를 하여야 한다.

1. 작업환경 · 작업내용 · 근로시간 등 직무스트레스 요인에 대하여 평가하고 근로시간 단축, 장 · 단기 순환작업 등의 개선대책을 마련하여 시행할 것
2. 작업량 · 작업일정 등 작업계획 수립 시 해당 근로자의 의견을 반영할 것
3. 작업과 휴식을 적절하게 배분하는 등 근로시간과 관련된 근로조건을 개선할 것
4. 근로시간 외의 근로자 활동에 대한 복지 차원의 지원에 최선을 다할 것
5. 건강진단 결과, 상담자료 등을 참고하여 적절하게 근로자를 배치하고 직무스트레스 요인, 건강문제 발생가능성 및 대비책 등에 대하여 해당 근로자에게 충분히 설명할 것
6. 뇌혈관 및 심장질환 발병위험도를 평가하여 금연, 고혈압 관리 등 건강증진 프로그램을 시행할 것

7. 제조물 책임법상의 결함 3 가지

[2005년 1교시 12번] [2010년 1교시 12번]

1) 제조상의 결함

제조업자의 제조물에 대한 제조·가공상의 주의의무의 이행 여부에 불구하고 제조물이 원래 의도한 설계와 다르게 제조·가공됨으로써 안전하지 못하게 된 경우를 말한다.

예) 제조과정에 이물질이 혼입된 식품, 자동차에 부속품이 빠져있는 경우

2) 설계상의 결함

제조업자가 합리적인 대체설계를 채용하였더라면 피해나 위험을 줄이거나 피할 수 있었음에도 대체설계를 채용하지 아니하여 당해 제조물이 안전하지 못하게 된 경우를 말한다.

예) 녹즙기에 사용자의 손가락이 상해를 입는 경우처럼 설계 자체에서 안전성이 결여됨

3) 표시상의 결함

제조업자가 합리적인 설명·지시·경고 기타의 표시를 하였더라면 당해 제조물에 의하여 발생될 수 있는 피해나 위험을 줄이거나 피할 수 있었음에도 이를 하지 아니한 경우를 말한다.

예) 취급 설명서나 경고 사항 등의 부적절성이나 미비 등 표시 불량에 의한 결함

8. 제조물책임 예방대책, 제조물책임 방어대책

[2020년 3교시 1번]

기업의 제조물책임 대책은 설계 시 안정성 고려, 품질 관리, 설명서 보강 등을 포함하는 제조물책임 사고 예방대책(PLP)과 소송 발생 후를 대비한 관련 자료 작성, 보관 관련 사업자 간 책임 관계의 명확화, 보험가입 등을 주 내용으로 하는 제조물책임 사고 방어대책(PLD)으로 구분할 수 있다.

1) 제조물책임 예방대책 (PLP, Product Liability Prevention)

- 품질, 안전관리 활동 주도, 판례 등 관련 정보 탐색, 사고 대응 전담 조직 구성
- 개발-제조-판매-A/S등 제품 라이프사이클 전 과정에 걸쳐 결함 또는 클레임 발생을 미연에 방지할 수 있도록 품질 공학이나 신뢰성 기법을 활용하며, 특히 ISO9000, CE, UL 등과 연계한 제품 안전확보 시스템 구축

- 제조물 결함에는 제조물 사용 등과 관련된 경고 의무 소홀, 즉 표시상의 결함도 포함되는 만큼 제품의 성질이나 소비자 준수 사항 등을 명기
- 리콜 제도를 도입해 소비자 클레임에 대응함으로써 소송 발생 가능성을 사전에 방지

2) 제조물책임 방어대책(PLD, Product Liability Defence)

- 제조물책임법 관련 클레임이나 소송 발생 후를 대비한 것으로 실제 분쟁이나 소송의 처리는 물론이고 관련 기록 보관, 책임 분담 명시, 보험가입 등 예비적 대책이 중요
- 분쟁이나 소송에 대비해 안전 기준을 포함한 설계문서, 설계지시서 등 외주 납품 문서, 품질관리 결과, 안전 시험기록 등을 보존 (보존기간은 소멸시효 10년)
- 제조물책임법의 대상 제품에 원재료, 부품업자, 완성품 제조업자, 유통업자, 판매업자 등이 관여하고 있는 만큼 소송 시 적정 책임만을 부담할 수 있도록 책임 분담을 사전에 명시
- 제조물 책임 보험이나 공제 보험 등을 통해 손해 배상 재원을 확보

9. 제조물책임(Products Liability)과 리콜(Recall)제도

[2006년 4교시 5번]

1) 제조물책임

제조물의 결함으로 인하여 소비자 또는 제3자의 생명, 신체, 재산 등에 손해가 발생했을 경우, 그 제조물의 제조업자나 판매업자에게 손해 배상 책임을 지게 하는 법리이다. 좀 더 광의적으로 본다면 제조물책임이라 하는 것은 제조물의 사용자나 소비자의 생명과 신체 및 재산에 대하여 침해를 가한 결함이 있는 제조물의 제조사와 판매자 등이 그 사용자와 소비자에게 부담하게 되는 손해 배상 책임을 지칭한다.

2) 리콜

어떠한 제품에 대한 하자가 발생하였을 경우 그 제품의 제작자나 수입업체가 무상수리 등 그에 따른 일련의 조치를 하는 제도를 말한다. 자동차와 관련된 리콜은 자동차관리법상 안전기준에 적합하지 않거나, 안전운행에 지장을 주는 결함이 다수의 자동차에서 발생하거나 발생할 우려가 있는 경우, 해당 차량을 제작자 또는 수입업자가 자발적, 강제적으로 결함의 내용, 제작 결함이 자동차에 미치는 영향과 주의사항 등을 소비자에게 알리고 무상으로 수리하는 등 시정 조치를 취하는 사후 서비스의 일환이다.

3) 제조물책임과 리콜의 차이

- PL법은 제조물책임법이란 별도의 법이 제정되어 모든 제조물에 대하여 포괄하고 있으나 리콜은 각 대상물에 따라 법이 따로 제정되어 있다.
- 리콜은 법의 규정을 위반할 경우 정부에서 시행을 명할 수도 있고 소비자나 소비자 단체 등에서 요구`할 수도 있으나 PL법은 제품결함으로 피해를 입은 소비자가 청구하여 그 피해에 대한 배상을 받을 수 있다.

10. 개발위험 항변(state-of-art defense)

[2008년 1교시 13번]

- 제조물책임(PL)법에서의 '개발위험 항변(state-of-art defense)'
  개발상의 위험에 대해 손해배상책임을 인정할 경우 연구 개발이나 기술 개발이 저해되고 궁극적으로 소비자에게 손해가 될 수 있음을 고려한 것

11. 중대 재해의 정의

[2022년 1교시 13번]

(1) 산업안전보건법에서 정의된 "중대 재해"

산업재해 중 사망 등 재해 정도가 심하거나 다수의 재해자가 발생한 경우로서 다음 각 호의 어느 하나에 해당하는 재해를 말한다.

- 사망자가 1명 이상 발생한 재해
- 3개월 이상의 요양이 필요한 부상자가 동시에 2명 이상 발생한 재해
- 부상자 또는 직업성 질병자가 동시에 10명 이상 발생한 재해

(2) 중대 재해 처벌 등에 관한 법률에서 정의된 "중대 산업재해"

- 사망자가 1명 이상 발생
- 동일한 사고로 6개월 이상 치료가 필요한 부상자가 2명 이상 발생
- 동일한 유해요인으로 급성중독 등 대통령령으로 정하는 직업성 질병자가 1년 이내에 3명 이상 발생

12. 중대재해처벌법 주요 내용

[2023년 3교시 4번]

◆ 중대재해처벌법 정의 규정(제2조)에서 중대 산업재해, 종사자, 사업주, 경영책임자 정의

- 중대 산업재해 (직업성 질병의 범위에 대해서는 대통령령에 위임)
  ① 사망자 1명 이상
  ② 동일한 사고로 6개월 이상 치료가 필요한 부상자가 2명 이상
  ③ 동일한 유해요인으로 급성중독 등 직업성 질병자(대통령령 위임)가 1년 내 3명 이상
- 종사자의 범위를 근로자, 노무제공자, 단계별 수급인 및 수급인의 근로자, 노무제공자 등으로 폭넓게 규정
- 사업주는 자신의 사업을 영위하는 자, 타인의 노무를 제공받아 사업을 하는 자로 규정
- 경영책임자 등은 사업을 대표·총괄하는 책임이 있는 사람 또는 이에 준하여 안전·보건에 관한 업무를 담당하는 사람
  * 중앙행정기관·자치단체·지방공기업의 장, 공공기관의 장 포함

◆ 상시근로자가 5명 미만인 사업 또는 사업장의 사업주(개인사업주에 한함) 또는 경영책임자 등은 중대 산업재해 적용 예외 (제3조)

◆ 시설·장비·장소 등을 지배·운영·관리하는 사업주·경영책임자등에게 종사자에 대한 안전·보건 확보의무 부과(제4조)

  * ①안전보건관리체계의 구축 및 이행에 관한 조치 ②재해 발생 시 재발방지 대책의 수립 및 이행에 관한 조치 ③중앙행정기관 등이 관계법령에 따라 시정 등을 명한 사항 이행에 관한 조치 ④안전·보건 관계 법령상 의무이행에 필요한 관리상의 조치
  (①, ④의 구체적인 내용은 대통령령 위임)

◆ 제3자에게 도급·용역·위탁 등을 한 경우(실질적 지배·운영·관리 책임 요구)에 제3자의 종사자의 안전·보건 확보를 위한 조치를 하여야 함(제5조)

◆ 안전보건조치 의무를 위반해 중대산업재해에 이르게 한 사업주 또는 경영책임자등에 대한 처벌(제6조) 및 법인에 대한 양벌규정(제7조)

- 사망시 1년 이상 징역 또는 10억원 이하 벌금(임의적 병과),
  사망 외 중대산업재해 시 7년 이하 징역 또는 1억원 이하 벌금
  * 5년 내 재범 시 형의 1/2까지 가중
- 법인은 사망 시 50억원 이하 벌금, 사망 외 10억원 이하 벌금

◆ 중대산업재해가 발생한 법인 또는 기관의 경영책임자 등에게 안전보건교육을 이수할 의무 부여(제8조)
  * 정당한 사유없는 미이행시 5천만원 이하의 과태료 부과
  ** 교육이수와 관련된 사항 및 과태료의 부과·징수에 대해서는 대통령령 위임

◆ 안전보건조치의무를 위반하여 발생한 중대산업재해에 대해 사업장의 명칭 등 발생사실 공표(제13조)
  * 공표의 방법, 기준, 절차 등은 대통령령 위임

◆ 중대재해로 인해 손해를 입은 사람에 대해 해당 사업주나 법인 또는 기관은 손해액의 5배 내에서 배상책임(제15조)

◆ 정부의 대책수립, 중대재해예방 비용지원 및 그 이행상황의 국회 보고(반기) 등 규정(제16조, 중대시민재해 공통)

13. 중대재해처벌법 시행령 주요 내용

가. 급성중독 등 직업성 질병의 범위

「중대재해처벌법」은 중대산업재해를

- ①사망자 1명 이상, ②동일한 사고로 6개월 이상 치료가 필요한 부상자가 2명 이상 발생한 산업재해와 ③동일한 유해요인으로 직업성 질병자가 1년 이내 3명 이상 발생한 산업재해로 정의하고 있음
- 이 중 "급성중독 등 직업성 질병"의 범위를 대통령령으로 위임하고 있어 전문가 간담회 등을 수차례 거쳐 인과관계 명확성(급성), 사업주의 예방가능성, 피해의 심각성 등 중대재해에 포함되는 직업성 질병을 정하기 위한 기준을 마련하고,
- 동 기준에 따라 각종 화학적 인자에 의한 급성중독(제1호부터 제13호까지), 염산 등에 노출되어 발생한 반응성 기도과민증후군(제14호) 등 24가지 질병을 직업성 질병으로 규정하였음

나. 안전보건관리체계의 구축 및 그 이행에 관한 조치의 구체적 내용

안전보건관리체계 구축 및 이행에 관한 조치의 구체적 내용으로 8가지 내용을 규정함

- 모든 의무사항은 소속 근로자만이 아닌 사업 또는 사업장의 종사자 전체를 보호대상으로 고려하여 준수되어야 함

① 사업 또는 사업장의 안전보건목표와 경영방침을 설정하여야 함

- 경영방침 설정을 첫 번째 의무로 규정하여 중대산업재해 예방 등을 위한 사업주 또는 경영책임자등의 안전보건경영 리더십을 강조하였음

② 사업장 특성을 고려해 유해·위험요인을 점검하고 개선할 수 있는 업무처리 절차를 마련하고, 이행상황을 점검하여야 함

- 특히, 업무처리절차는 「산업안전보건법」 제36조 및 「사업장 위험성 평가에 관한 지침」 등을 참고하여 기업별로 유해·위험요인을 감소시키기에 적합한 방법으로 실시되도록 마련하여야 하며, 사업장이 여러 개가 있는 경우 사업장별 특성도 반영하여야 함

③ 안전 및 보건에 관한 전문인력으로 안전관리자, 보건관리자, 안전보건관리담당자 또는 산업보건의를 산업과 규모에 따라 「산업안전보건법」에 정해진 수 이상으로 배치하여야 하며

- 300인 미만 사업장 등 겸직이 가능한 사업장의 경우에는 별도 고시에 따라 안전보건 전문인력이 안전 및 보건에 관한 업무를 수행하기 위한 시간을 보장하여야 함

④ 매년 안전 및 보건에 관한 인력, 시설, 장비 등을 갖추기에 적정한 예산을 편성하여야 하며 용도에 따라 집행·관리하는 체계를 마련하여야 함

⑤ 상시근로자 수가 500명 이상인 기업 또는 시공능력 상위 200위 이내의 건설 회사는 안전 및 보건에 관한 업무를 전담하는 조직을 두어야 함

- 다만, 산업의 특성상 산업재해 발생의 위험도가 낮아 기업의 안전 및 보건에 관한 전문인력이 2명 이하인 경우는 예외로 함

⑥ 안전 및 보건의 확보 및 개선에 관한 종사자 의견을 주기적으로 청취(연 2회, 반기 1회)하여야 하며, 그 의견이 재해예방에 필요하다고 판단되는 경우 해당 의견을 반영한 개선방안을 마련하여 이행되도록 조치하여야 함

- 의견청취 방식에 제한은 없으나 「산업안전보건법」에 따른 산업안전보건위원회, 안전 및 보건 협의체를 통한 논의 및 심의·의결로 갈음할 수 있음

⑦ 중대산업재해 발생의 급박한 위험이 있는 경우에 작업중지 등 대응절차 등을 마련하여야 하며, 해당 절차가 현장에서 제대로 운영되고 있는지 등을 반기 1회 이상 확인·점검하여야 함

⑧ 도급 시에는 재해예방의 능력과 기술이 있는 수급인의 선정과 수급인이 안전 및 보건에 관한 적정한 비용 등을 부담하고 있는지 등을 평가하기 위한 기준과 절차를 마련하고 그 이행상황을 확인·점검하여야 함

다. 안전·보건 관계 법령에 따른 의무이행에 필요한 관리상의 조치

- "안전·보건 관계 법령"이란 노무를 제공하는 사람의 안전·보건의 유지·증진을 목적으로 하는 「산업안전보건법」을 기본으로 하되,
  - 해당 사업 또는 사업장에 적용되는 종사자의 안전·보건에 관계되는 법령으로 이해하여야 함
- 안전·보건 관계 법령에 따른 의무이행에 필요한 관리상 조치의 구체적인 내용은 3가지를 규정함
  ① 안전 · 보건 관계 법령이 이행되고 있는지를 점검하도록 하고 반기 1회 이상 점검결과를 보고받아야 함
  ② 점검결과, 이행되지 않는 내용이 있는 경우에는 인력, 예산 등 지원을 통해 법령상 의무가 이행될 수 있도록 조치하도록 해야 함
  ③ 안전보건 관계 법령에 따라 유해하고 위험한 작업에 필요한 안전보건교육을 실시하고 있는지 확인하고 교육을 위한 예산을 확보하도록 하는 등의 조치를 하여야 함

라. 안전보건교육의 수강

- 중대산업재해 발생시 경영책임자등이 이수하여야 하는 안전보건교육의 내용에는

① 안전보건관리체계 구축 및 이행방법 등 안전보건경영방안
② 산업안전보건법 등 안전보건관계 법령의 주요 내용 등이 포함되어야 하며, 교육 시간은 20시간 이내로 함

마. 중대산업재해 발생사실의 공표

중대산업재해가 발생한 사실에 대하여 법원의 확정판결이 있는 경우에

- 해당 사업장 명칭(본사 포함)·소재지
- 발생 일시 및 장소 등과 함께 재해자 현황
- 재해의 내용·원인, 의무위반 사항
- 5년 내 중대산업재해 발생 여부를 공표하여야 함

14. 중대산업재해의 발생에 대비한 매뉴얼 내용

사업 또는 사업장에 중대산업재해가 발생하거나 발생할 급박한 위험이 있을 경우를 대비하여 다음 각 목의 조치에 관한 매뉴얼을 마련하고, 해당 매뉴얼에 따라 조치하는지를 반기 1회 이상 점검할 것

가. 작업중지, 근로자 대피, 위험요인 제거 등 대응조치

나. 중대산업재해를 입은 사람에 대한 구호 조치

다. 추가 피해방지를 위한 조치

반기 1회마다 점검하고 평가해야 할 항목

1) 유해·위험요인의 확인 및 개선 여부
2) 안전보건관리책임자 등의 충실한 업무 수행의 평가·관리
3) 종사자 의견청취 절차에 따른 의견 수렴 및 개선방안 마련·이행 여부
4) 중대산업재해 발생에 대비하여 마련한 매뉴얼에 따른 조치 여부
5) 종사자의 안전 및 보건 확보를 위한 도급, 용역, 위탁 기준·절차 이행 여부
6) 안전·보건 관계 법령에 따른 의무이행 여부
7) 안전·보건 관계 법령에 따른 의무적인 교육실시 여부

1) 유해·위험요인의 확인 및 개선 여부

- 사업장 특성을 반영한 업무절차에 따라 유해·위험요인을 확인하여 유해·위험요인을 제거·대체·통제하는 등 개선이 이루어지는지를 점검하고 필요한 조치를 할 것

* 위험성평가로 유해·위험요인의 확인 및 개선을 시행하기로 한 경우 사업장별로 위험성평가가 누락되어서는 안되고, 위험성평가를 실시한 경우 이에 대한 보고를 하여야 유해·위험요인의 확인 및 개선에 대한 점검이 이루어진 것으로 간주될 수 있음 (단, 수시평가 대상임에도 수시평가를 실시하지 않은 경우는 미이행으로 봄)

2) 안전보건관리책임자 등의 충실한 업무수행의 평가·관리

- 안전보건관리책임자, 관리감독자, 안전보건총괄책임자에 대해 산업안전보건법에 정해진 각각의 업무를 충실하게 수행하는지를 평가하기 위해 마련한 기준에 따라 평가·관리할 것

3) 종사자 의견청취 절차에 따른 의견 수렴 및 개선방안 마련·이행 여부

- 사업 또는 사업장에서 마련한 안전·보건에 관한 종사자 의견 청취 절차에 따라 의견을 듣고, 재해 예방에 필요한 경우 개선방안을 마련하여 이행하는지를 점검할 것

4) 중대산업재해 발생에 대비하여 마련한 매뉴얼에 따른 조치 여부

- 사업 또는 사업장에서 중대산업재해가 발생하거나 발생할 급박한 위험이 있을 경우 대비하여 마련한 매뉴얼에 따라 작업중지, 근로자 대피, 위험요인의 제거 등 대응조치, 중대산업재해를 입은 사람에 대한 구호조치 등을 하는지를 점검할 것

5) 종사자의 안전 및 보건 확보를 위한 도급, 용역, 위탁 기준·절차 이행 여부

- 도급, 용역, 위탁 시 종사자의 안전·보건 확보를 위해 마련한 수급인의 산업재해 예방을 위한 조치능력과 기술에 관한 평가기준·절차, 안전보건을 위한 관리비용, 공사기간 등에 관한 기준에 따라 도급, 용역, 위탁 등이 이루어지는지를 점검할 것

6) 안전·보건 관계 법령에 따른 의무 이행 여부

- 산업안전보건법 등 안전·보건 관계 법령에 따른 의무를 이행했는지를 점검하고 법 준수에 필요한 조치를 할 것

7) 안전·보건 관계 법령에 따른 의무적인 교육 실시 여부

- 안전·보건 관계 법령에 따라 의무적으로 실시해야 하는 유해·위험한 작업에 관한 안전·보건에 관한 내용이 포함되는 교육이 실시되었는지를 점검하고, 필요한 조치를 할 것

Chapter

09

근골격계질환 예방을 위한 작업관리

1. 작업관리 개요
2. 근골격계 질환 개요
3. 공정 및 작업분석
4. 작업측정
5. 유해요인 조사 및 평가
6. 근골격계 질환 예방관리

Chapter

01 작업관리 개요

1. 마인드멜딩

[2020년 1교시 3번]

- 대안을 도출하는 방법의 하나
- 수행절차
  ① 각자가 검토할 문제를 메모지에 작성
  ② 메모지를 오른쪽으로 전달
  ③ 메모지를 받은 사람은 문제에 대한 해법을 적은 후 오른쪽 전달
  ④ 본인의 메모지가 돌아오는 것을 3번 반복

2. 브레인스토밍 (Brainstorming)

- 집단적 창의적 발상 기법으로 집단에 소속된 인원들이 자발적으로 자연스럽게 제시된 아이디어 목록을 통해서 특정한 문제에 대한 해답을 찾고자 노력하는 것
- 브레인스토밍이라는 용어는 알렉스 오스본(Alex Faickney Osborn)의 저서 Applied Imagination으로부터 대중화되었다.
- 기본 규칙 4가지
  - 비판금지 : 남의 의견을 비판하지 않는다.
  - 자유발언 : 아이디어를 자유롭게 발언할 수 있도록 한다.
  - 대량발언 : 발언의 질과 관계없이 대량 발언할 수 있도록 한다.
  - 수정발언 : 아이디어를 조합하고 수정하여 발언할 수 있도록 한다.

3. ECRS 와 SEARCH 원칙

[2011년 2교시 6번] [2016년 1교시 12번] [2018년 2교시 2번]

1) ECRS

① 제거(Eliminate)

- '이 작업은 꼭 필요한가?'를 검토하여 필요하지 않으면 제거
- 불필요한 작업, 작업요소 제거

② 결합(Combine)

- 다른 작업과 결합하여 더 나은 결과를 얻을 수 있으면 결합

③ 재배열(Rearrange)

- 효율성을 높이기 위하여 작업순서 교체를 고려
- 작업순서나 위치를 바꾸어 효율적이면 재배열

④ 단순화(Simplify)

- 방법을 더 단순화할 수 있으면 단순화
- 작업요소의 단순화, 간소화

2) SEARCH 원칙

- S(Simplify operations) : 작업의 단순화
- E(Eliminate unnecessary work and material) : 불필요한 작업, 자재 제거
- A(Alter sequence) : 순서의 변경
- R(Requirements) : 요구 조건
- C(Combine operations) : 작업의 결합
- H(How often) : 얼마나 자주, 몇 번인가?

3) 5W 1H 설문

- Who, When, Where, What, How, Why

4. 호손실험 (Hawthorne experiment)

1924년부터 1932년까지 미국의 호손에서 이루어진 실험으로 8년 동안 네 차례에 걸쳐 수행되어 기업 경영에 있어서 획기적인 영향을 미친 실험이다. 처음은 Mayo와 Roethlisberger라는 두 사람이 시도한 조명도와 생산능률 사이의 관계를 발견하고자 하는 실험에서 시작된 실험이다.

1) 산업관리에서의 사회 심리적 보상의 중요성 발견

- 호손연구는 공식조직 구조와 과정 외에 생산성에 영향을 미치는 요인들이 있다는 것을 보여주었다. 비록 이 실험이 인간관계의 제한된 측면, 그것도 인위적으로 통제된 부분만을 다루었지만, 결국 근로자와 근로자 간의 관계라는 새로운 요소의 중요성을 확인하게 됨으로써 조직이론에 인간관계학파가 생겨나는 계기가 되었다.

2) 조직관리에서 근로자와 작업집단 구성원의 중요성 발견

- 작업환경을 변화시키는 것보다 근로자 자체가 변화하는 것이 생산성 증가에 더 중요한 요소가 된다는 점을 발견하게 되었다. 이로 인해 근로자의 훈련과 교육의 중요성이 대두되게 된다.

3) 생산성에 영향을 주는 요소

- 물리적인 조건(조명, 휴식 시간, 근로시간 단축, 임금)이 생산성에 영향을 주는 것이 아니라 인간관계가 절대적인 요소로 작용함을 강조

4) 연구의 의의

- 호손연구는 경제적, 물리적 여건만을 중시하던 편협한 시각에서 벗어나 인간의 사회적, 심리적 여건의 중요성을 확인하고 그에 관심을 가지도록 하였다는데 의미가 있다. 이것으로 인해 인간관계학파가 생긴 것 자체가 엄청난 일

5) 비판점

- 근본적으로 조직 운영의 문제를 보다 진지하게 다루는 데 실패했다고 볼 수 있다.

Chapter

02 근골격계질환 개요

1. 근골격계 질환

[2017년 2교시 4번]

근골격계질환이란 반복작업 또는 인체에 과도한 부담을 주는 작업에 의하여 목, 어깨, 허리, 팔, 다리의 신경, 근육 및 그 주변 조직 등에 발생하는 질환으로서 통증이나 감각 이상 또는 기능 저하가 초래되는 질환을 총칭한다. 유사용어로는 누적 외상성 질환 또는 반복성 긴장 상해 등이 있다.

2. 근골격계질환 유해요인(ergonomic risk factors)

[2020년 3교시 2번]

작업관련요인	개인적 요인	사회심리적 요인
- 동작의 반복 - 과도한 힘 - 부적절한 자세 - 접속 스트레스 날카로운 면, 차가운 면과 접촉 - 정적 부하 - 진동이나 극한 온도 - 휴식 시간의 부족	- 나이: 고령 - 신체조건 - 성별: 여성 - 작업 경력 - 유전적 요인 - 과거 병력 근골격계 관련 질환 - 작업 습관 자세, 작업 시간 - 운동 및 취미활동	- 작업 만족도 - 근무조건에 대한 만족도 - 작업의 자율적 조절 - 상사 및 동료들과의 인간관계 - 업무적 스트레스 - 정신, 심리상태

3. 근골격계질환의 단계별 증상

[2012년 1교시 8번]

1단계

- 작업시간 동안에 통증이나 피로감을 호소
- 하룻밤을 지내거나 휴식을 취하게 되면 증상이 없어짐
- 작업능력의 저하 발생하지 않음

2단계

- 작업시간 초기부터 통증이 발생
- 하룻밤이 지나도 통증이 계속되며, 통증 때문에 잠을 설치게 됨
- 작업을 수행하는 능력 감소

3단계

- 작업을 수행할 수 없을 정도
- 작업시간이나 휴식시간에도 계속하여 통증을 느낌
- 통증으로 잠을 잘 수 없을 정도로 고통이 계속되어 다른 일에도 어려움을 겪음

4. 근골격계 질환의 원인

[2015년 4교시 6번] [2020년 1교시 1번]

1) 반복성

지속해서 반복작업을 수행하여 손가락, 손목, 팔의 반복성이 발생

- 반복성을 개선하기 위해서는 같은 근육을 반복하여 사용하지 않도록 작업을 변경(작업순환)하여 작업자끼리 공유하거나 공정을 자동화시켜 주어야 하며, 근육의 피로를 더 빨리 회복시키기 위해 작업 중 잠시 쉬는 것이 좋으며, 수시로 스트레칭을 한다.

2) 부자연스러운 자세

작업을 위해 어쩔 수 없이 취해야 하는 동작으로 인해 팔, 어깨, 허리 등의 부자연스러운 자세가 발생

- 부자연스러운 자세를 개선하기 위해서는 높이 조절이 가능한 작업대를 설치하는 것이 좋으며, 아래로 많은 힘을 필요로 하는 중작업 (무거운 물건을 다루는 작업)은 작업자의 팔꿈치 높이를 10~30cm 정도 낮게 한다.

3) 과도한 힘의 발생

- 과도한 힘을 개선하기 위해서는 앉아서 작업하는 것보다는 서서 작업하는 것이 좋으며, 과도한 힘을 요구하는 작업 공구는 동력을 사용하는 공구로 교체하는 것이 좋다.
- 손에 맞는 공구를 선택하고 힘이 요구되는 작업에는 파워그립(power grip)을 사용한다.

4) 접촉스트레스

지속적인 조립작업과 작업대 모서리, 작업공구 사용으로 인해 손가락, 손바닥, 팔의 접촉스트레스가 발생

- 접촉스트레스를 개선하기 위해서는 작업대 모서리에 고무패드를 부착하는 것이 좋으며 작업에 알맞은 안전장갑 및 라텍스 장갑을 사용한다.

5) 기타 : 진동, 온도, 조명 등 기타 요인

5. 누적 외상성 장애(CTDs) 정의, 발생 요인과 예방대책

[2005년 2교시 3번] [2009년 1교시 6번]

1) 정의

누적외상성 장애(CTDs)란 작업과 관련하여 특정 신체 부위 및 근육의 과도한 사용으로 인해 근육, 연골, 건, 인대, 관절, 혈관, 신경 등에 미세한 손상이 발생하여 목, 허리, 무릎, 어깨, 팔, 손목 및 손가락 등에 나타나는 만성적인 건강장해를 말한다.

CTDs에 속하는 질환들은 노화에 따른 자연 발생적 질환이라기보다 직업 특성(특히 작업 특성)과 밀접한 관계를 맺고 있다.

2) 발생 요인

반복적인 작업, 부자연스러운 또는 취하기 어려운 자세가 요구되는 작업, 과도한 힘이 요구되는 작업, 신체 부위에 작업대 또는 작업물 등으로 인하여 접촉스트레스가 발생하는 작업, 진동 공구를 사용하는 작업, 고온 또는 저온에서 하는 작업 등으로 인하여 발생

3) 예방대책

- 같은 근육을 반복하여 사용하지 않도록 작업을 변경(작업순환)하여 작업자끼리 작업을 공유하거나 공정을 자동화시켜 주어야 한다.
- 근육의 피로를 더 빨리 회복시키기 위해 충분한 회복 휴식 시간이 주어져야 한다. 회복 기간은 짧게 자주 쉬는 것이 길게 쉬는 것보다 낫다.
- 빠르고, 힘들고, 극단적인 운동을 제한하고 자연스럽고 이완된 자세에서 작업하도록 하는 것이 최선의 설계이다. 즉, 작업자에게 적절한 높이의 작업대와 적합한 작업장을 마련해주고, 작업 시 발생하는 신체 부위의 압박을 피하도록 하고, 극심한 고온이나 저온, 적정 조명이 되지 않은 작업환경을 피해야 한다.
- 사용되는 공구는 진동이 없어야 하고, 작동하는 데 큰 힘을 사용하지 않아야 한다.
- 손목은 자연스러운 상태를 유지, 물건을 잡을 때는 손가락 전체를 이용, 반복작업을 최소화, 손의 피로를 될 수 있는 대로 줄임, 작업속도와 작업 강도를 줄임, 작업을 최적화, 작업 시 손과 팔의 활동 범위를 최적화하여야 한다.

6. 손목 부위의 CTDs 를 발생시킬 수 있는 원인(작업형태)

[2009년 1교시 6번]

- 지나치게 급작스럽거나 반복적인 손의 움직임
- 손목을 구부린 채 반복적으로 작업
- 손이나 손목을 장시간 고정된 상태로 작업
- 손바닥에 압력이 가해지는 경우
- 손이 진동에 반복적으로 노출되는 경우 등

7. 인력 물자 취급(Manual Material Handling : MMH)

[2005년 4교시 4번]

- MMH는 작업물의 들기, 내리기, 밀기, 당기기, 운반하기 등을 말한다.
- MMH는 단기 또는 장기적으로 건강에 영향을 줄 수 있으며, 들기 작업은 작업자의 허리부상(요통)에 가장 많은 영향을 미친다. 미국의 경우, 작업장에서 발생하는 부상의 약 20%가 허리 관련 부상이다.

◇ MMH 작업의 위험 감소 방안

◆ 직무 설계

MMH 관련 문제를 해결하는 가장 좋은 방법은 인력 취급을 제거하는 것이다. 즉, 들기 작업에 있어서 들기 보조기구를 사용하거나, 들기 시작점의 위치를 바닥이 아닌 작업 높이로 할 수 있다. MMH를 배제할 수 없을 때는 작업 요구량을 감소시키기 위해 취급 물품의 무게를 줄이거나, 무겁거나 큰 물체는 두 사람 이상이 다루거나, 수평거리를 최소화하거나, 들기 빈도를 줄이거나, 충분한 휴식시간을 제공하도록 한다.

◆ 작업자 선정

작업자의 능력을 평가(X선, 근력시험, 건강진단)하고, 그 능력을 초과하지 않는 직무를 할당한다.

◆ 훈련

안전한 들기 원리에 대한 훈련을 MMH 재해 인식 훈련, 복습 등과 함께 실시한다.

8. 근골격계 질환인 좌상(strain)과 염좌(sprain)

1) 좌상(Strain)

근육이나 건(Tendon)이 충격 때문에 늘어나거나 일부 찢어지는 경우

2) 염좌(Sprain)

관절을 지지해주는 인대(Ligament)가 외부 충격 등에 의해서 늘어나거나 일부 찢어지는 경우

◆ 원인

- 해당 부위에 대한 순간적인 과도한 충격이 주요 원인
- 넘어지면서 발목을 접질리게 되면 발목을 지지하는 인대가 늘어나거나 찢어지면서 발목 염좌가 발생

◆ 증상

- 부위가 붓고, 통증이 생기며 피부 안쪽의 출혈로 멍이 들기도 함
- 해당 관절은 경직되며 운동성 감소와 무게지탱 능력이 현저히 감소

◆ 치료

- 해당 부위 사용을 금하며 휴식을 취한다.
- 압박붕대나 부목 등 사용이 효과적
- 초기에는 얼음찜질을 하여 염증 반응을 감소시키고 부종이 가라앉으면 혈류 순환을 원활히 하기 위해 온찜질 시행
- 단기간 소염진통제 복용. 물리치료, 침, 전기자극 치료 등 시행

9. 수근(손목뼈)관 증후군, 방아쇠 손가락, 백색 수지증의 발생원인과 증상

[2020년 3교시 2번] [2022년 1교시 11번]

구분	발생원인	증상
수근관 증후군 (Carpal Tunnel Syndrome)	▪ 수근관의 단면을 감소시킬 수 있는 모든 것이 원인 ▪ 반복적이고 지속적인 손목의 압박 및 굽힘 자세 ▪ 스트레스 하에서 손목의 굴곡과 신전의 반복	▪ 손가락 저림 및 감각저하 ▪ 엄지와 2, 3, 4 손가락 일부가 저림 ▪ 새끼손가락에는 저린 증상 없음 ▪ 주로 야간에 증상이 심하게 나타남 ▪ 손가락이 화끈거리는 느낌
방아쇠 손가락 (Trigger Finger)	▪ 대부분 특정 원인을 알 수 없는 경우가 많음 ▪ 손잡이가 달린 기구나 운전대 등을 장시간 손에 쥐는 직업이나, 칼질을 많이 하는 주부, 골프나 배드민턴 등 라켓 운동선수들처럼 반복적인 손바닥 마찰로 발생하기도 함	▪ 방아쇠 수지는 손가락의 바닥 부분의 불편감으로부터 시작 ▪ 국소적인 압력으로 통증 발생 ▪ 결절이 관찰될 수도 있음 ▪ 주로 좁아진 부분은 손바닥의 손금 중에 손가락에 가까운 가로 방향 손금 부위를 눌러 보면 염증으로 인해 아프고, 혹 같은 것이 만져질 수도 있음
백색 수지증 (White Finger)	▪ 전동공구의 과다한 진동으로 손가락의 소동맥 수축에 의한 혈액 부족으로 손가락과 손의 일부가 창백해지고 마비가 옴	▪ 손가락이 창백해지고 점차 푸르스름해지면서 저리고 아픈 느낌이 발생 ▪ 손톱, 발톱 주변에 만성적으로 감염이 발생하거나 손가락 끝에 궤양이 생기기도 함

10. 수공구 사용과 관련하여 손목 부위에서 다발하는 근골격계질환

[2020년 3교시 2번] [2022년 1교시 11번]

신체부위	질병명
손 및 손목	수근관 증후군, 주부관 증후군, 드퀘르병 건초염, 방아쇠 수지, 결절종, 수완 및 외관절부의 건염 또는 건활막염
유해요인	자세, 힘, 반복성, 공구(무게, 진동)

1) 수근관 증후군

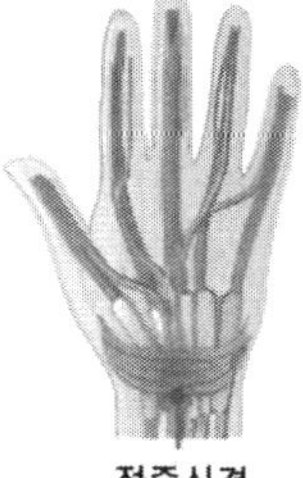
정중신경

- 손목을 반복적으로 많이 사용하여 수근관을 덮고 있는 인대가 두꺼워져 정중신경을 압박하면서 통증이나 감각 이상 등이 나타나는 질환
- 증상은 손목 부위의 감각마비, 쑤심, 욱신거리는 증상이 있고 특히 밤에 통증이 심함

2) 건초염

- 인대 또는 이들을 둘러싸고 있는 건초(건막) 부위가 부어오름
- 증상은 손이나 팔이 붓고 누르면 아픔

3) 건염

- 대표적인 수공구 관련 누적외상병
- 부적절하게 설계된 공구의 과다 사용으로 발생 (손목의 상향과 척골 편향)
- 인대의 섬유질이 찢어지거나 상처를 입어 염증이 발생
- 증상은 손, 팔꿈치, 어깨 손상
- 붓거나, 누르면 통증이 있고 힘을 쓸 수 없게 됨

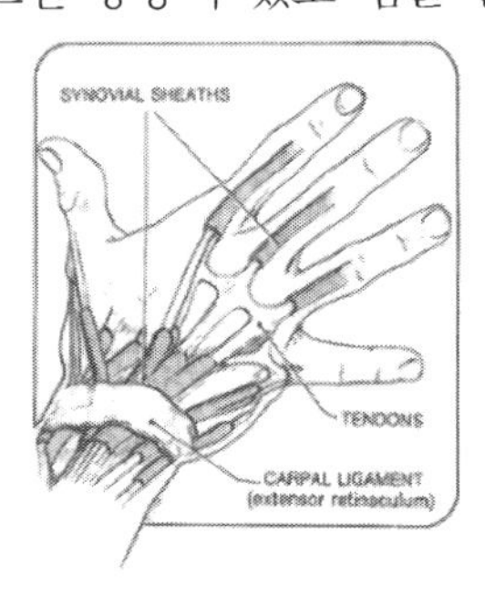

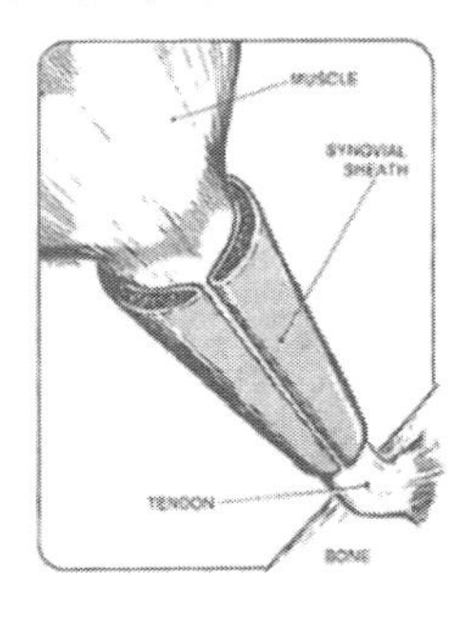

4) 결절종

- 관절 부위의 얇은 막이나 건초부분낭종, 활액(synovial fluid)을 채우고 있는 건초(tendon sheath)가 부풀어 오르는 현상
- 손목의 윗부분이나 요굴 부위가 붓거나 혹이 생기기도 함

※ 수근관증후군을 측정할 수 있는 객관적 검사 3가지

1) 신경 타진 검사

- 정중 신경이 지나가는 손목의 신경을 손가락으로 눌렀을 때, 정중 신경의 지배 영역에 이상 감각이나 통증이 유발되는지 검사

2) 수근 굴곡 검사

- 손바닥을 안쪽으로 향하여 손목을 약 1분 동안 심하게 꺾었을 때, 정중 신경의 지배 영역에 통증과 이상 감각이 나타나거나 심해지는지 검사

3) 전기적 검사

- 무지구 근육(엄지손가락 밑부분의 불룩한 부분)에서 근전도의 이상이 있는지, 손목에서 신경전달 속도의 지연이 있는지를 검사

※ 검사방법

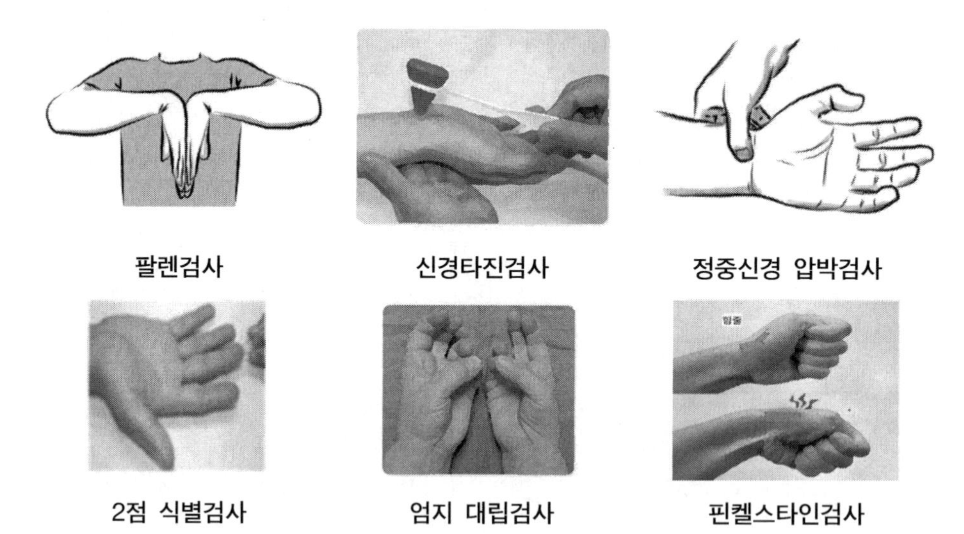

팔렌검사 / 신경타진검사 / 정중신경 압박검사

2점 식별검사 / 엄지 대립검사 / 핀켈스타인검사

11. 근골격계질환 직무상 질병 추정의 원칙

뇌혈관 질병 또는 심장 질병 및 근골격계 질병의 업무상 질병 인정 여부 결정에 필요한 사항

[시행 2022. 7. 1.] [고용노동부고시 제2022-40호, 2022. 4. 28. 일부개정]

2. 근골격계에 발생한 질병

가. 근골격계질병의 정의 및 범위

1) 근골격계질병은 특정 신체부위에 부담을 주는 업무로 그 업무와 관련이 있는 근육, 인대, 힘줄, 추간판, 연골, 뼈 또는 이와 관련된 신경 및 혈관에 미세한 손상이 누적되어 통증이나 기능 저하가 초래되는 급성 또는 만성질환을 말한다.

2) 근골격계질병은 팔(上肢), 다리(下肢) 및 허리 부분으로 구분한다.

가) "팔 부분(上肢)"은 목, 어깨, 등, 위팔, 아래팔, 팔꿈치, 손목, 손 및 손가락의 부위를 말하며, 대표적 질병으로는 경추염좌, 경추간판탈출증, 회전근개건염, 팔꿈치의 내(외)상과염, 수부의 건염 및 건초염, 수근관증후군 등이 있다.

나) "다리 부분(下肢)"은 둔부, 대퇴부, 무릎, 다리, 발목, 발 및 발가락의 부위를 말하며, 대표적 질병으로는 무릎의 반월상 연골손상, 슬개대퇴부 통증 증후군, 발바닥의 근막염, 발과 발목의 건염 등이 있다.

다) "허리 부분"은 요추 및 주변의 조직을 지칭하며 대표적 질병으로는 요부 염좌, 요추간판탈출증 등이 있다.

나. 가목 1)에 따른 근골격계질병을 판단할 때에는 해당 질병에 대한 증상, 이학적 소견, 검사 소견, 진단명 등을 확인하여 판단한다.

다. 업무 수행 중 발생한 사고로 인한 근골격계질병

1) 신체부담업무를 수행한 작업력이 있는 근로자에게 업무수행 중 발생한 사고로 인해 나타나는 근골격계질병은 업무상 질병의 판단 절차에 따른다. 다만, 신체에 가해진 외력의 정도와 그에 따른 신체손상(골절, 인대손상, 연부조직 손상, 열상, 타박상 등)이 그 근로자의 직업력과 관계없이 사고로 발생한 것으로 의학적으로 인정되는 경우에는 업무상 사고의 판단 절차에 따른다.

2) 1)에서 "업무수행 중 발생한 사고"란 업무수행 중에 통상의 동작 또는 다른 동작에 의해 관절 부위에 급격한 힘이 돌발적으로 가해져 발생한 경우를 말한다. 이 경우, "급격한 힘이 돌발적으로 가해져 발생한 경우"를 판단할 때에는 신체부담업무에 따른 신체의 영향과 급격한 힘의 작용에 따른 신체의 영향을 종합적으로 고려하여 업무관련성 여부를 판단한다.

라. 업무관련성의 판단

1) 신체부담업무의 업무관련성을 판단할 때에는 신체부담정도, 직업력, 간헐적 작업 유무, 비고정작업 유무, 종사기간, 질병의 상태 등을 종합적으로 고려하여 판단한다.

2) 1)의 신체부담정도는 재해조사 내용을 토대로 인간공학전문가, 산업위생전문가, 직업환경의학 전문의 등 관련 전문가의 의견을 들어 평가하되, 필요한 경우 관련 전문가와 함께 재해조사를 하여 판단한다.

3) 별표 1에 해당하는 상병, 직종, 근무기간, 유효기간을 충족할 경우에는 업무 관련성이 강하다고 평가한다.

[별표 1] 라목 3) 관련 상병, 직종, 근무기간, 유효기간 기준

신체 부위	상병명	직종명*	근무기간 (유효기간**)
목	경추간판 탈출증	건설(용접공, 배관공, 형틀목공, 전기공, 미장공, 도장공, 경량철골공) 조선(용접공, 배관공, 취부공, 사상공, 도장공) 자동차(정비공), 제조업 용접공	10년 이상 (12개월 이내)
어깨	회전근개 파열	건설(용접공, 배관공, 형틀목공, 석공, 전기공, 미장공, 도장공, 경량철골공, 새시조립 및 설치공, 인테리어공, 토목공, 조적공, 타일공, 견출공, 터널공, 관로공, 도배공) 조선(용접공, 배관공, 취부공, 사상공, 도장공, 비계공, 기계조립공, 전장공, 의장설치공) 자동차(부품조립공, 의장조립공, 정비공, 도장공, 엔진조립공) 타이어(성형공, 압출공, 정련공, 비드공, 검사원, 재단공) 주류 및 음료 배달원, 쓰레기수거원(재활용 포함), 급식조리원, 제조업 용접공, 가구제조원(배달 포함), 정육원, 마트 판매원, 항만하역원, 이사작업원	10년 이상 (12개월 이내)

신체 부위	상병명	직종명*	근무기간 (유효기간**)
팔꿈치	내(외) 상과염	건설(용접공, 형틀목공, 철근공) 조선(용접공, 취부공, 사상공, 도장공) 자동차(부품조립공, 의장조립공) 타이어(가류공, 정련공, 성형공, 압출공, 검사원) 제조업 용접공, 조리원, 급식조리원, 음식서비스 종사원, 정육원, 쓰레기수거원(재활용 포함), 건물 청소원	1년 이상 (2개월 이내)
손·손목	수근관 증후군	건설(용접공, 형틀목공, 석공, 미장공) 자동차(정비공, 의장조립공) 조선(용접공, 취부공, 도장공) 제조업 용접공, 조리원, 급식조리원, 음식서비스 종사원, 주방보조원, 정육원, 객실청소원	2년 이상 (6개월 이내)
	삼각섬유 연골복합 체파열	자동차(부품조립공, 의장조립공), 급식조리원 타이어(가류공, 정련공, 성형공, 압출공, 검사원)	5년 이상 (12개월 이내)
	드퀘르벵	자동차(부품조립공, 의장조립공) 조리원, 급식조리원, 제빵원	1년 이상 (2개월 이내)
허리	요추간판 탈출증	건설(용접공, 배관공, 형틀목공, 석공, 전기공, 철골공, 중기운전원) 조선(용접공, 배관공, 취부공, 사상공, 도장공) 자동차 정비공, 타이어 성형공 제조업 용접공, 쓰레기수거원(재활용 포함), 열차 정비공	10년 이상 (12개월 이내)
무릎	반월상 연골파열	건설(용접공, 배관공, 형틀목공, 석공, 전기공, 철근공, 미장공, 비계공) 조선(용접공, 배관공, 취부공, 사상공, 도장공, 의장조립공, 심출·철목공, 전장공, 절단공, 보온공, 비계공, 선박정비공) 제조업 용접공, 택배원, 이사작업원, 쓰레기수거원(재활용 포함), 어린이집 보육교사	5년 이상 (12개월 이내)

* 직종명은 한국표준직업 분류와 일치하지 않을 경우, 직종명에 대한 상세정의는 근로복지공단에서 정하는 바에 따름

** 신청인이 신체부담업무을 중단한 다음 날부터 최초 상병진단일까지의 기간

[관련 기출문제]

그림은 큰 힘을 발휘해서 조립작업을 하는 장면이다. 근골격계질환 발병원인 중 작업관련 요인을 4가지 쓰고, 근골격계질환을 유발할 수 있는 문제점과 개선방안을 제시하시오.

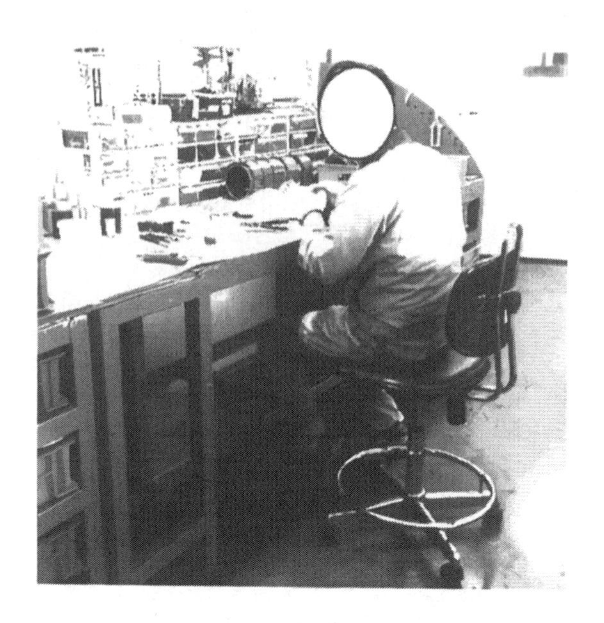

1) 반복성

- 문제점

  같은 근육, 힘줄 또는 관절을 사용하여 동일한 유형의 동작을 되풀이해서 수행
  - 작업의 주기시간 : 30초 이내 (분당 2회 이상)
  - 생산율 : 500단위 이상
  - 유사 동작 : 하루 20,000회 이상
  - 어깨 : 2.5회/분
  - 팔꿈치 : 10회/분
  - 손목·손 : 10회/분 이상
- 개선방안
  - 자동화
  - 같은 근육의 사용을 줄이기 위하여 작업순환 실시
  - 휴식 제공 : 짧게 자주
  - 작업 전, 중, 후 스트레칭 실시

2) 과도한 힘의 사용

◆ 문제점

들기, 밀기, 당기기 등 인력운반작업 중 과도한 힘을 사용

◆ 개선방안

- 자동화
- 중량물을 무게가 가벼운 제품으로 교체 (20kg 하나를 10kg 두 개로)
- 기계적 보조 장치를 사용
- 손잡이는 파워그립이 가능하도록 설계

3) 부적절한 자세

◆ 문제점

인체의 중립자세에서 벗어난 부자연스러운 자세에서 이루어지는 작업

◆ 개선방안

- 작업장 재배치
- 작업대 높이 조절
- 쪼그려서 앉거나 굽히는 자세를 최소화
- 중립자세에서 작업하도록 설계

4) 접촉스트레스

◆ 문제점

작업대의 모서리, 수공구 사용 등으로 신체 일부 부위가 지속적으로 눌리거나 손 또는 무릎을 사용하여 반복적으로 충격을 가하는 작업

◆ 개선대책

- 장갑, 작업복 등 인체를 보호할 수 있는 복장 착용
- 접촉스트레스가 발생하는 부위를 제거
- 수공구를 활용

[관련 기출문제]

비닐하우스(green house)에서 수행되는 딸기 채집 작업의 인간공학적 문제점들을 모두 제시하고 이에 대한 대책을 논의하시오.
[2007년 2교시 1번]

1) 문제점

가. 부자연스러운 자세의 발생
- 쪼그려 앉거나 엉거주춤한 자세에서 목과 허리를 숙임
- 위치에 따라 팔을 과도하게 뻗으며, 줄기에서 딸기를 떼어낼 때 손목 꺾임 발생

나. 장시간의 반복적인 작업 수행 : 동일한 작업을 반복적으로 장시간 수행함

다. 중량물 취급
- 딸기를 채집하여 담은 통의 무게가 5kg 이상이 중량물을 취급함

라. 작업환경(온도 및 습도)
- 하우스 내의 고온 및 고습으로 인하여 작업자의 피로도가 증가함

2) 대책

가. 근골격계질환의 예방을 위한 인간공학적 장비와 공구의 공급
- 쪼그려 앉은 자세로 허리를 숙이고 작업할 때 하지의 부하를 감소시키고 요통을 예방하기 위하여 작업 시 자주 앉아서 휴식을 취할 수 있는 하지 supporter 등을 공급
- 줄기에서 딸기를 떼어낼 때 손목 꺾임을 방지하기 위한 인간공학적 수공구를 공급

나. 부적절한 작업 자세를 제거하고 좋은 자세로 작업하기 위한 정기적인 교육이 필요함

다. 딸기를 채집하여 담는 통의 크기를 조절하여 중량물 취급작업을 하지 않도록 함

라. 고온으로 인한 열사병 등의 예방을 위하여 적절한 온도 및 습도 조절이 필요하며, 적합한 작업복의 공급과 적절한 중간휴식이 필요함

Chapter

03 공정 및 작업분석

1. 서블릭(Therblig)

[2014년 1교시 1번] [2017년 3교시 1번] [2017년 3교시 2번]

서블릭 분석법의 개념

1) 정의

작업자의 작업을 요소 동작으로 나누어 관측 용지에 18종류의 서블릭 기호로 분석, 기록하는 방법, '목시동작분석'이라고도 한다. 지금은 찾아냄(F)이 생략됨

2) 특징

- 작업을 기본적인 동작요소(서블릭)으로 나눈다.
- 작업내용의 체크와 개선점을 구할 수 있다.
- 목적분류로 서블릭을 사용하고 있다.
- 정성적 분석이 주체이고, 정량적으로 유효하지 않다.
- 간단한 심벌마크, 기호, 색깔로 서블릭을 표시하는 방법도 있다.

3) 개선요령 (동작경제의 원칙)

- 제3류(정체적인 서블릭)의 동작을 없앨 것
- 제2류의 동작, 특히 정신적 서블릭인 '찾음', '선택', '계획'은 되도록 없애도록 연구할 것
- 제1류의 동작일지라도 특히 반정신적 서블릭인 '바로놓기', '검사'는 없앨 수 있다면 없애도록 할 것
- '정신적 및 반정신적' 서블릭은 비효율적인 서블릭으로서 제거하도록 함

2. 효율적, 비효율적인 서블릭

[2014년 1교시 1번] [2017년 3교시 1번]

1) 효율적 therblig

◆ 기본 동작

빈손이동	TE	빈손으로 대상물에 손을 뻗침
운반	TL	손으로 물건을 움직이는 동작. 끌거나 미는 경우의 저항을 받는 손동작은 운반으로 취급
쥐기	G	대상물을 손가락으로 잡을 때
내려놓기	RL	작업자가 대상물을 손에서 놓아주는 동작
미리놓기	PP	다음을 위하여 대상물을 정해진 장소에 놓는 동작

◆ 동작 목적을 가진 동작

사용	U	도구, 연장 등을 사용 목적에 따라 다루는 동작
조립	A	두 개 이상을 통합하여 한 갬로 만드는 동작
분해	DA	대상물을 분리하여 두 개로 만드는 동작

2) 비효율적 therblig

◆ 정신적/반정신적 동작

찾기	Sh	눈 또는 손으로 목표 위치를 알고자 할 때 발생
고르기	St	2 개 이상의 비슷한 물건 중에서 하나를 선택할 때
바로놓기	P	의도한 위치에 대상물을 놓을 수 있도록 대상물의 방향을 바꾸거나 위치를 바로 잡는 동작
검사	I	규격에 일치하는지 여부를 판정하는 동작
계획	Pn	신체 동작을 하기 위한 정신적인 반응 과정

◆ 정체적인 동작

불가피한 지연	UD	작업자가 본의 아니게 어쩔수 없이 겪는 지연
피할 수 있는 지연	AD	부주의, 태만에 의해 발생하는 피할 수 있는 지연
휴식	R	피로 회복을 위하여 허용된 피로 여유시간
잡고있기	H	손으로 대상물을 잡아 그 위치를 고정시키는 동작

[관련 기출문제]

텔레마케팅 부서의 A팀장은 텔레마케팅 작업개선을 위해 먼저 텔레마케터가 테이블 위에 놓인 전화기를 들어 통화하는 과정을 서블릭 분석하였다.
아래와 같은 서블릭 분석표가 작성되었다고 가정하고 물음에 답하시오.
[2016년 4교시 2번]

작업내용	서블릭
1) 전화기로 손을 뻗침	1) 빈손이동(TE)
2) 송수화기를 잡음	2) 쥐기(G)
3) 송수화기를 얼굴 쪽으로 이동	3) 운반(TL)
4) 수화기를 귀에 댐	4) 바로놓기(P)
5) 번호패드에서 통화상대방의 전화번호 고르기	5) 고르기(St)
6) 통화	6) 잡고있기(H)
7) 통화 종료 후 송수화기를 원래 위치로 이동	7) 바로놓기(P)
8) 송수화기를 내려놓음	8) 내려놓기(RL)
9) 손을 원래 위치로 이동	9) 빈손이동(TE)

(1) 위에 서블릭 분석표에서 효율적인 서블릭과 비효율적인 서블릭을 각각 설명하시오.

효율적	빈손이동	TE	빈손으로 대상물에 손을 뻗침
	운반	TL	손으로 물건을 움직이는 동작 끌거나 미는 경우의 저항을 받는 손동작은 운반으로 취급
	쥐기	G	대상물을 손가락으로 잡을 때
	내려놓기	RL	작업자가 대상물을 손에서 놓아주는 동작
비효율적	고르기	St	2 개 이상의 비슷한 물건 중에서 하나를 선택할 때
	바로놓기	P	의도한 위치에 대상물을 놓을 수 있도록 대상물의 방향을 바꾸거나 위치를 바로 잡는 동작
	잡고있기	H	손으로 대상물을 잡아 그 위치를 고정시키는 동작

(2) 비효율적 서블릭에 근거하여 작업방법 개선안을 제시하시오.

- 수화기를 귀에 대는 행동을 없애기 위하여 헤드셋형 전화기를 도입
- 번호패드에서 통화상대방의 전화번호를 고르는 행위를 없애기 위하여 목록화 된 전화번호부를 통하여 이름을 입력 후 바로 전화번호가 입력되는 전산 시스템을 도입
- 통화 시 수화기를 잡는 작업을 없애기 위하여 세드셋형 전화기를 도입
- 통화 종료 후, 수화기를 원래 위치로 이동하는 작업을 없애기 위하여 헤드셋형 전화기를 도입하고 종료 시 헤드셋에 종료 버튼이 장착하도록 할 것

2. 공정도(ASME)에서 사용되는 기호

[2005년 1교시 11번] [2020년 4교시 3번] [2023년 1교시 4번]

공정 분류	공정도시 기호		공정 내용
가공 (작업)			원재료 또는 부품을 가지고 작업하는 상태 (물리적, 화학적 변화)
운반			재료, 부품, 제품 등이 한 장소에서 다른 장소로 이동하는 상태
정체			원료, 재료 및 부분품의 저장
			제품 또는 반제품의 저장
			지체 또는 정체
			대기 (수량 또는 로트 대기)
검사			수량 검사 (검수)
			품질 검사
	복합		품질 중심 수량 검사
			수량 중심 품질 검사

3. 작업공정을 효율적으로 분석하기 위해 사용되는 도표 또는 차트

[2006년 3교시 3번]

1) 작업공정도 (Operation process chart)

원재료부터 완제품이 포장될 때까지 일어나는 모든 작업과 검사를 제조과정 순서에 따라 도식적으로 표현한 공정도

2) 유통공정도 (Flow process chart)

작업 중에 발생하는 작업, 운반, 검사, 저장, 지체 등을 공정 흐름에 따라 나타낸 공정도로 주로 유통선도와 함께 사용된다. 운반 거리, 정체, 일시 저장과 같은 잠복 비용을 찾아 개선하는 데 사용된다.

3) 유통선도 (Flow diagram)

유통공정도에 사용되는 기호를 발생 위치에 따라 시설 배치도 상에 표시한 후 이를 선으로 연결한 차트이다. 유통선도는 시설배치 문제에 적용되어 운반 거리를 줄이고, 물류 흐름이 복잡한 곳을 파악하고, 역류현상을 찾아 개선에 이용한다.

4) 다중활동분석표 (Multiple activity chart)

여러 작업자가 같이 작업을 하거나 한 명의 작업자가 여러 대의 기계를 운용하는 작업장 혹은 부서에서 일어나는 작업을 분석하여 개선하는 데 사용된다.
다중활동분석표는 한 명의 작업자가 운용 가능한 기계대수 산정, 기계 혹은 작업자의 유휴시간 파악 및 단축, 그룹 작업의 작업 현황을 파악하여 작업그룹 재편성 등에 사용된다.

5) 크로노사이클그래프 (Chronocyclegraph)

연구대상인 신체 부위에 꼬마전구 등의 광원을 부착한 후 광원을 일정시간 간격으로 켰다 껐다 하면서 찍은 사진으로 동작의 동작경로와 가속, 감속까지 관찰할 수 있다.

6) 사이클차트 (SIMO chart)

작업동작을 서블릭 단위로 나누어 분석하고 각 서블릭에 소요된 시간을 함께 표시한 미세동작 연구에 사용되는 공정도

4. 작업 효율을 향상시키기 위한 인간공학적 동작경제원칙

[2005년 2교시 3번] [2013년 1교시 11번] [2020년 3교시 5번]

동작의 효율성에 관한 지침 중 Barnes의 동작 경제 원칙이 대표적
Barnes는 피로를 줄이고 동작의 효율을 높이기 위한 22가지 지침을 제시
신체사용에 관한 원칙 9개, 작업장 배치에 관한 원칙 8개, 공구 및 설비 디자인에 관한 원칙 5개로 구성

1) 신체사용에 관한 원칙

- 두 손의 동작은 같이 시작하고 같이 끝나도록 한다.
- 휴식시간을 제외하고는 양손이 같이 쉬지 않도록 한다.
- 두 팔의 동작은 서로 반대 방향으로 대칭적으로 움직인다.
- 가능한 한 관성을 이용하여 작업을 하되, 작업자가 관성을 억제하여야 할 때는 발생하는 관성을 최소한도로 줄인다.
- 손의 동작은 완만하게 연속적인 동작이 되도록 하며, 방향이 갑자기 크게 바뀌는 모양의 직선 동작은 피하도록 한다.
- 평상시 사용하던 근육을 사용하는 자연스러운 동작은 제한되거나 통제된 동작보다 더 신속하고 쉬우며 정확하다.
- 가능하다면 쉽고도 자연스러운 리듬이 생기도록 동작을 배치한다.
- 눈의 초점을 모아야 작업을 할 수 있는 경우는 가능하면 없애고, 불가피한 경우에는 눈의 초점이 모이는 두 지점 간의 거리를 짧게 한다.
- 손과 신체 동작은 작업을 원만하게 처리할 수 있는 범위 내에서 가장 낮은 동작 등급을 사용하도록 한다.

2) 작업장의 배치에 관한 원칙

- 모든 공구나 재료는 자기 위치에 있도록 한다.
- 공구, 재료 및 제어장치는 사용 위치에 가까이 두도록 한다.
- 중력 이송원리를 이용하여 부품을 제품 사용 위치에 가까이 보낼 수 있도록 한다.
- 가능하다면 낙하식 운반 방법을 사용한다.
- 공구나 재료는 작업 동작이 원활하게 수행되도록 위치를 정해준다.

- 작업자가 잘 보면서 작업할 수 있도록 적절한 조명을 한다.
- 작업자가 작업 중에 자세를 변경할 수 있도록, 즉 앉거나 서는 것을 임의로 할 수 있도록 작업대와 의자 높이가 조정되도록 한다.
- 작업자가 좋은 자세를 취할 수 있도록 의자는 높이뿐만 아니라 디자인도 좋아야 한다.

3) 공구 및 설비 디자인에 관한 원칙

- 치구나 족동 장치를 효과적으로 사용할 수 있는 작업에서는 이러한 장치를 활용하여 양손이 다른 일을 할 수 있도록 한다.
- 공구의 기능을 결합하여 사용하도록 한다.
- 공구와 자재는 사용하기 쉽도록 가능하면 미리 위치를 잡아 준다.
- 각 손가락이 서로 다른 작업을 할 때는 작업량을 각 손가락의 능력에 맞게 분배한다.
- 레버, 핸들, 제어장치는 작업자가 몸의 자세를 크게 바꾸지 않더라도 조작하기 쉽게 배열한다.

5. 손과 신체의 동작 등급 중 가장 낮은 등급과 가장 높은 등급

[2012년 1교시 10번] [2023년 1교시 5번]

동작 등급	축	동작 신체 부위
1	손가락 관절	손가락
2	손목	손가락, 손
3	팔꿈치	손가락, 손, 아래팔
4	어깨	손가락, 손, 아래팔, 위팔
5	허리	손가락, 손, 아래팔, 위팔, 몸통

- 가장 낮은 등급(1등급) : 손가락
- 가장 높은 등급(5등급) : 손가락, 손, 아래팔, 위팔, 몸통

[관련 기출 문제]

작업자가 작업대에 앉아 볼트에 록와셔, 강철와셔, 고무와셔의 세 가지 와셔를 조립하는 작업을 수행하고 있다. 먼저 왼손으로 작업자 정면에 있는 부품 상자에서 볼트를 작업자 앞 조립 위치로 가져와 잡고 있고, 동시에 오른손은 부품 상자에서 록와셔를 조립 위치로 가져와 조립하고, 이후 차례로 강철와셔, 고무와셔를 볼트에 조립한다. 조립품은 부품 상자의 제일 왼쪽에 넣는다.
작업대와 부품 상자는 다음 그림과 같다.

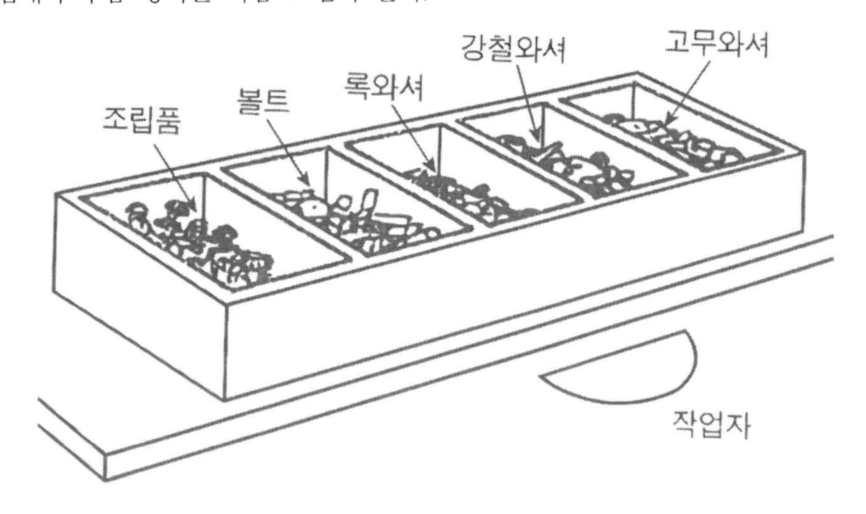

1) 작업을 분석하여 동작 경제원칙을 기준으로 문제점을 설명하시오.

① 작업분석

왼손	기호		오른손
조립품을 상자 1 로 운반	M	TE	록와셔로 손을 가져간다.
부품을 상자에 놓는다.	RL	G	록와셔를 집는다.
상자 2 의 볼트로 손을 가져간다.	TE	M	록와셔를 중앙으로 가져온다.
볼트를 잡는다	G		

왼손	기호		오른손
볼트를 중앙으로 가져온다.	M	P	록와셔를 바로 놓는다
		U	록와셔를 볼트에 조립시킨다
		TE	강철와셔로 손을 뻗는다
		G	강철와셔를 집는다
		M	강철와셔를 볼트로 가져온다
		P	강철와셔를 바로 놓는다
볼트를 잡고 있다.	H	U	강철와셔를 조립한다
		TE	고무와셔로 손을 뻗는다
		G	고무와셔를 집는다
		M	고무와셔를 볼트로 가져온다
		P	고무와셔를 바로 놓는다
		U	고무와셔를 조립한다
조립완제품을 상자 1 로 가져간다	M	RL	조립품에서 손을 뗀다

② 동작 경제원칙 기준 문제점

- 양손이 동시에 시작하고 끝마치지 않는다.
- 양팔은 각기 반대 방향에서 움직이지 않는다.
- 동작의 관성을 활용하지 않는다.
- 중력을 이용하여 부품을 사용 장소에 가까이 보내지 못한다.
- 치구 등을 이용하지 못하고 있다.

2) 설계 개선안을 그림으로 그리고, 개선방안을 5가지 설명하시오.

◇ 개선요령 (동작경제의 원칙)

- 제3류(정체적인 서블릭)의 동작을 없앨 것
- 제2류의 동작, 특히 정신적 서블릭인 '찾음', '선택', '계획'은 되도록 없애도록 연구할 것
- 제1류의 동작일지라도 특히 반정신적 서블릭인 '바로놓기', '검사'는 없앨 수 있다면 없애도록 할 것 ('정신적 및 반정신적' 서블릭은 비효율적인 서블릭으로서 제거)

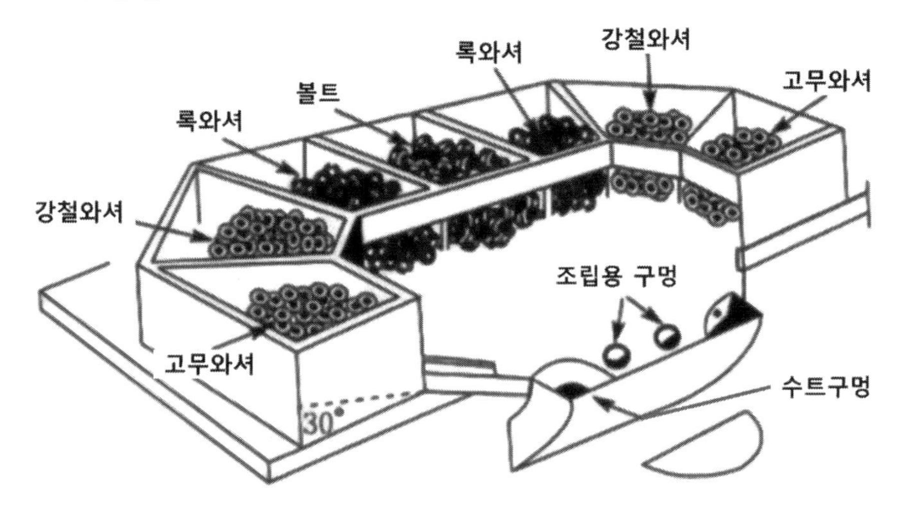

- 부품의 높이가 작은 부품을 먼저, 큰 부품을 나중에 삽입한다.
- 양손을 이용한 삽입 작업이 가능하도록 설계한다.
- 삽입 순서는 위에서 아래로, 바깥에서 안쪽으로 등의 흐름이 존재하도록 설계한다.
- 부품이 흘러내리도록 부품 용기를 기울여서 배치하여 부품을 잡기 쉽게 하고, 이동 거리를 적게 한다.
- 삽입 부품과 연계해서 부품 용기를 배치하여 기억하기 쉽고, 불필요한 이동이 적게 한다.

6. 파레토 차트

[2016년 2교시 6번] [2023년 3교시 2번]

◆ D 회사의 근골격계 증상에 대한 빈도분석

증상 종류	빈도
수근관증후군	2
팔꿉터널증후군	1
데퀘벵병	5
요통	75
견통	10
합계	93

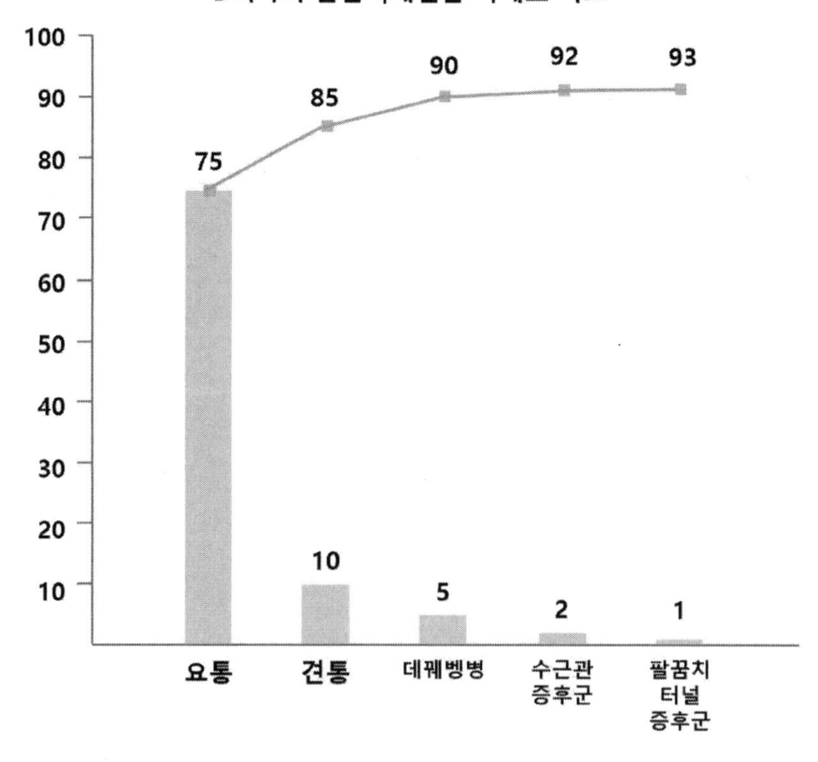

7. man-machine chart

[2010년 2교시 3번]

<table>
<tr><th>단위시간</th><th>인간</th><th>기계1</th><th>기계2</th></tr>
<tr><td>2분</td><td>unload (2 분)</td><td>unload (2 분)</td><td rowspan="4">자동가공 (5 분)</td></tr>
<tr><td>1분</td><td>load (1 분)</td><td>load (1 분)</td></tr>
<tr><td>1분</td><td>검사 (1 분)</td><td rowspan="7">자동가공 (9 분)</td></tr>
<tr><td>1분</td><td>이동 (1 분)</td></tr>
<tr><td>2분</td><td>unload (2 분)</td><td>unload (2 분)</td></tr>
<tr><td>1분</td><td>load (1 분)</td><td>load (1 분)</td></tr>
<tr><td>1분</td><td>검사 (1 분)</td><td rowspan="3">자동가공 (4 분)</td></tr>
<tr><td>1분</td><td>이동 (1 분)</td></tr>
<tr><td>2분</td><td>유휴 (2 분)</td></tr>
</table>

1) 작업자 1명이 기계 2대를 담당할 때의 주기시간

a : 작업자와 기계의 동시작업시간 = 3분

b : 독립적인 작업자 활동시간 = 2분

t : 기계가동시간 = 9분

주기시간 a+t = 12분

$$\text{이론적 기계대수 } n' = \frac{(a+t)}{(a+b)} = \frac{3+9}{3+2} = 2.4$$

2) 시간당 기계비용이 20,000원, 작업자 비용이 25,000원이라면 3대의 동일한 기계를 사용할 때 시간당 생산량과 시간당 비용

시간당 생산량 = 60분/12분 = 5개

시간당 비용 = 25,000원 + 3대×20,000원 = 85,000원

3) 최적 기계대수

구분	2대	3대
단위 제품 당 비용	$\dfrac{C_0 + n \times C_m}{\dfrac{1}{a+t} \times 60}$ $= \dfrac{25,000 + 2 \times 20,000}{\dfrac{2}{12} \times 60}$ $= 6,500$	$\dfrac{C_0 + (n+1) \times C_m}{\dfrac{1}{a+b} \times 60}$ $= \dfrac{25,000 + 3 \times 20,000}{\dfrac{2}{5} \times 60}$ $= 7083.33$

8. 이론적 기계대수

어느 핸드폰 조립공정에 대한 작업자와 기계의 요소작업 및 작업시간, 소요비용은 다음과 같다. 동시성을 달성하는 이론적 기계대수 n′을 구하시오.
[2006년 3교시 5번]

구분	요소작업	작업시간
작업자	핸드폰 본체에 덮개 부착 배터리 부착 전원 및 통화시험 성능시험 후 휴대폰 분류	1.2 분 0.5 분 0.9 분 0.6 분
기계	성능시험	8.5 분
작업자-기계 동시작업	성능시험을 위한 준비	1.3 분
비용	인건비 10,000 원/시간 기계비용 20,000 원/시간	

a : 작업자와 기계의 동시 작업시간 = 1.3

b : 독립적인 작업자 활동시간 = 1.2+0.5+0.9+0.6=3.2

t : 기계 가동시간 = 8.5

- 이론적 기계대수 $n' = \dfrac{(a+t)}{(a+b)} = \dfrac{1.3+8.5}{1.3+3.2} = 2.1$

기계대수	2대	3대
주기시간	a+t=1.3+8.5=9.8	n(a+b)=3(1.3+3.2)=13.5
시간 당 비용	10,000+2×20,000=50,000	10,000+3×20,000=70,000
시간 당 생산량	(60/9.8)×2 대=12.24	(60/13.5)×3 대=13.33
단위 제품당 비용	50,000/12.24=4,083 원	70,000/13.33=5,250 원

따라서 기계 2대를 배정하는 것이 가장 경제적이다.

Chapter

04 작업측정

1. 정미시간(Normal time)

[2006년 3교시 4번]

평균 관측시간에 레이팅 계수를 곱하여 구하며 여유시간 없이 순전히 일하는데 걸리는 시간을 말한다.

2. 수행도평가(Performance rating)

[2010년 2교시 6번] [2016년 1교시 5번] [2022년 4교시 5번]

1) 정의

관측 대상작업 작업자의 작업 페이스를 정상작업 페이스 혹은 표준 페이스와 비교하여 바로잡아주는 과정을 수행도 평가라 하며, 레이팅, 평준화, 정상화라 하기도 한다.

2) 수행도평가 훈련의 효과

- 관측자가 가지고 있는 나쁜 습성이나. 성향을 교정할 수 있다.
- 시간연구를 수행하는 회사 내 관측자가 일관성 있는 레이팅을 할 수 있게 한다.
- 오차를 줄여 레이팅 보다 정확히 하게 한다.

3) 수행도평가 결과의 평가

수행도평가 결과에 대한 평가는 정성적 방법과 정량적 방법으로 이루어진다.

- 정성적 평가

주어진 올바른 레이팅 계수와 관측자의 실제 레이팅 계수를 2차원 그래프에 나타내어 평가한다. 관측자의 레이팅 계수가 모두 45도 기울기의 직선상에 그려지면 관측자는 완전하게 평가한 경우이다. 일반적 평가결과는 후한 레이팅과 박한 레이팅 극단적 레이팅과 보수적 레이팅으로 분류된다.

◆ 정량적 평가

관측자의 실제 레이팅 계수가 올바른 레이팅 계수의 ±5%내에 존재할 확률을 계산하여 확률값의 크기에 따라 관측자의 레이팅 능력을 평가한다.

확률 계산 시에는 정규분포가 이용된다.

4) 조사방법

관측 대상작업 작업자의 작업 페이스를 정상작업 페이스 혹은 표준페이스와 비교하여 바로잡아주는 과정을 말한다. 수행도평가 방법으로는 속도평가법, 웨스팅하우스 시스템, 객관적 평가법, 합성평가법 등이 있다.

5) 수행도 평가(레이팅)

작업자가 수행한 작업속도를 표준속도와 비교하여 관측평균 시간치를 바로잡아주는 과정

◆ 속도평가법

- 속도라는 한가지 요소만 평가하기 때문에 간단하다.
- 기본 표준 작업(걷기, 벽돌 운반 등)을 설정하고 이것과 실제 작업 시간과의 비율을 적용하는 방법

$$\text{레이팅 계수(수행도 평가계수)} = \frac{\text{기준 작업 시간 (표준속도)}}{\text{실제 작업 시간 (작업자 속도)}}$$

정미시간 = 관측시간치의 평균 × 레이팅 계수

◆ Westinghouse 시스템

- 개개의 요소작업보다는 전체 작업을 평가할 때 주로 사용
- 작업의 수행도를 '숙련도, 노력, 작업환경, 작업 시간'의 일관성 네 가지 측면으로 각각 평가한 뒤 이를 합산하여 레이팅 계수를 구하는 방법
- 평가계수의 합(레이팅 계수) = 숙련도 + 노력 + 환경 + 일관성
  * 보통을 0, 보통보다 좋은+값, 나쁘면-값
- 정미시간 : 관측 시간치의 평균 × (1-평가계수의 합)

◆ 객관적 평가법

- 속도평가법이 단순히 속도만을 고려하는 단점을 보완하여, 속도와 작업의 난이도를 동시에 고려하는 방법
- 정미시간 = 속도평가계수(1차 조정계수) × (1+2차 조정계수)

  ※ 1차 조정계수 = 표준속도/실제 작업속도

  ※ 2차 조정계수(작업 난이도 계수(%))

  = 사용 신체 부위 + 족답 페달 + 양손 사용 여부 + 눈과 손의 조합 + 취급의 주의 정도 + 중량

◆ 합성평가법

- 관측자의 주관적 판단으로 인한 결함을 바로잡고 일관성을 높이기 위해 제안
- R = PTS 적용해 산정한 시간치 / 실제 관측 평균치

3. 작업 표준시간을 측정하는 방법 4 가지

[2007년 1교시 9번] [2010년 2교시 13번] [2012년 1교시 9번]

※ 표준시간

정해진 방법, 장비, 작업조건에서 해당 작업에 요구되는 숙련도를 가진 작업자가 그 일을 충분히 수행할 수 있는 상태에서 표준의 속도로 일할 때 한 단위의 작업량을 달성하는데 걸리는 시간

1) 직접측정법

◆ 시간 연구법

측정 대상의 작업의 시간적 경과를 Stop watch / 전자식 Timer 나 VTR Camera 등의 기록 장치를 이용하여 직접 관측하여 표준시간을 산출하는 방법

◆ 워크 샘플링법

간헐적으로 랜덤한 시점에서 연구대상을 순간적으로 관측하여 대상이 처한 상황을 파악하고, 이를 토대로 관측기간 동안에 나타난 항목별로 차지하는 비율을 추정하는 방법

2) 간접측정법

- 표준자료법
  작업 시간을 새로이 측정하기보다는 과거에 측정한 기록들을 기준으로 동작에 영향을 미치는 요인들을 검토하여 만든 함수식, 표, 그래프 등으로 동작 시각을 예측하는 방법
- PTS
  사람이 행하는 작업을 기본 동작으로 분류하고, 각 기본 동작들은 동작의 성질과 조건에 따라 이미 정해진 기준 시간치를 적용하여 전체 작업의 정미시간을 구하는 방법

4. 표준시간(Standard time)

부과된 작업을 수행하는데 필요한 숙련도를 지닌 작업자가 주어진 작업조건 아래에서 보통의 작업속도로 작업을 하고 정상적인 피로와 지연을 수반하면서 규정된 질과 양의 작업을 규정된 작업방법에 따라 행하는데 필요한 시간으로 정의된다. 정의에서 '필요한 숙련도', '보통의 작업 페이스', '규정된 질과 양' 등 기준이 모호한 표현이 많다. 이로부터 표준시간을 객관적 기준에 의해서 체계적으로 정하기가 어려움을 알 수 있다. 표준시간은 기업과 작업자가 처해 있는 사회적, 경제적 여건의 영향을 많이 받으며 작업자와 경영자 측에서 서로 공정하다고 양해되는 선에서 주관적으로 결정된다.

5. 시간연구(time study)_적용대상 및 이유

[2008년 1교시 12번] [2022년 1교시 12번]

측정 대상작업의 시간적 경과를 Stop watch/전자식 timer 또는 VTR camera 등의 기록 장치를 이용하여 직접 관측하여 표준시간을 산출하는 방법으로 잘 숙달된 작업자를 대상으로 하는 동작연구와 달리 시간연구에서는 실제시간의 측정에 합리성을 기하기 위해 평균 혹은 이를 약간 웃도는 작업자를 대상으로 연구를 수행함

6. 워크샘플링(Work Sampling)

[2020년 3교시 3번]

워크샘플링이란, 사람이나 기계의 가동상태 및 일의 종류 등을 순간적으로 관측하고 그 결과를 정리, 집계하여 각 관측 항목의 시간 구성이나 그 추이, 상황 등을 통계적으로 추측하는 기법

1) 워크샘플링의 종류

- 퍼포먼스 워크샘플링
  워크샘플링에 의해 관측과 동시에 레이팅 하는 것으로 사이클이 매우 긴 작업으로 수행되는 작업 등 표준시간 설정이 힘든 경우 적용
- 체계적 워크샘플링
  작업에 주기성이 없거나 작업에 주기성이 있어도 관측 간격이 작업요소 주기보다 짧은 경우나 작업시간의 산포가 큰 경우 적용
- 층별 워크샘플링
  각 작업 활동이 현저히 다른 경우 층별하여 연구를 실시한 후 가중평균치를 구하는 방법

2) 워크샘플링의 절차

① 준비와 예비관측

- 대상작업이 결정되면 분류된 가동상태를 파악할 수 있도록 관측 용지를 준비하여 관측횟수 100회 정도(종업원이 50명인 경우 한 사람을 2회 관측)의 예비관측을 한다.
- 그 결과로부터 비가동률을 계산하여 결과로 기대되는 정밀도(진짜 값을 중심으로 한 편차)와 신뢰도(신뢰도 95란 100회의 샘플링 중 95회는 사실을 나타내며, 5회는 그렇지 않을수도 있다는 것을 의미한다)를 결정한다.
- 일반적으로는 신뢰도 95, 절대 오차 3%를 이용해 계산한다.
- 현상 발생률에도 의거하는데, 1,000회 정도면 충분하며 '통칭 1,000의 법칙' 이라고도 한다.

② 본 관측과 정리

- 관측횟수가 결정되면 예비관측수를 뺀 수를 본 관측으로 한다.
  1회마다 관측수는 대상자 수에 맞게 1회마다 체크한다.
- 관측시간은 랜덤시각표를 사용하는 경우도 있는데, 관측시간의 간격을 15분 이상으로 두어 순회의 시작점과 종료가 무작위로 정해지면 독자적으로 결정해서 진행한다.
- 관측 샘플수가 필요횟수에 이르면 내용마다 집계를 시행하며 그 비율을 계산하여 원그래프로 정리하여 그 결과로부터 문제점을 정리해 개선활동으로 연결시킨다.

3) 워크샘플링의 장점, 단점

① 장점

- 내용이나 절차가 복잡하지 않기 때문에 시간관측법에서와 같이 관측자에 대한 고도의 훈련이 필요하지 않다.
- 비용 면에서 시간관측법에 비해서 저렴하다.
- 자료수집이나 분석에 필요한 순수시간이 다른 시간연구 방법에 비해 적다.
- 작업자에게 주는 심리적 압박을 배제할 수 있다.
  (스톱워치와 같은 측정기구를 사용하지 않고 순간적으로 측정하기 때문)
- 조사 기간을 길게하여 평상시의 작업상황을 그대로 반영시킬 수 있다.
- 연구결과의 정확도를 통계적으로 평가할 수 있다.

② 단점

- 관측 항목을 분류하는 데 한계가 있으므로 작업 현황을 세밀히 관찰할 수 없다.
- 작업요소별로 나눠서 관측할 수 없다.
- 순간적으로 관측하기 때문에 오차가 클 수 있다.
- 작업자 혹은 관측자에 의해 편의가 평가될 여지가 많다.

[관련 기출 문제]

표는 4시간 동안의 작업내용을 Work Sampling한 내용이다.
[2013년 3교시 4번]

작업	작업 횟수	팔을 어깨 위로 들고 작업하는 횟수	쪼그려 앉아 작업하는 횟수
작업 1	///// /////		
작업 2	///// ///// ///// /////	///	/////
작업 3	///// ///// ///// ///// ///// ///// ///// ///// ///// /////	///// ///// /////	///// /////
작업 4	///// /////	///// /////	/////
유휴기간	///// /////		
총계	100회	28회	20회

1) 각 작업에 대한 8시간 동안의 추정 작업 시간을 구하시오.

- $\text{작업 1} = \frac{10\text{회}}{100\text{회}} \times 8\text{시간} = 0.8\text{시간}$
- $\text{작업 2} = \frac{20\text{회}}{100\text{회}} \times 8\text{시간} = 1.6\text{시간}$
- $\text{작업 3} = \frac{50\text{회}}{100\text{회}} \times 8\text{시간} = 4.0\text{시간}$
- $\text{작업4} = \frac{10\text{회}}{100\text{회}} \times 8\text{시간} = 0.8\text{시간}$

2) 8시간 동안 팔을 어깨 위로 들고 하는 작업과 쪼그려 앉아서 하는 작업의 추정시간을 구하고, 각 작업의 근골격계 부담작업 해당 여부를 설명하시오.

- 팔을 어깨 위로 드는 작업
  (28회/100회)×8시간 = 2.24시간
  부담작업에 해당하는 시간이 2시간 이상이므로 부담작업으로 판단
- 쪼그려 앉는 작업
  (20회/100회)×8시간 = 1.6시간
  부담작업에 해당하는 시간이 2시간 미만이므로 부담작업 아님

7. MODAPTS, RWF

1) MODAPTS (MODular Arrangement of Predetermind Time Standard)

- 사람의 작업 동작을 신체 각 부분 동작에 따른 거리의 비로 나타내어 시간 Data Card에 따라 정미시간을 산출
- 어떠한 직무가 정해지면 보통의 사람이 수행할 때의 최적 시간을 정해주고, 그때의 생산량이 결정된다. 표준시간보다 시간이 많이 소요되면 대체방법을 개발해 주고, 능력을 평가하며, 낮은 능률을 높여준다.
  [직무부여→최적시간(보통사람기준)→생산량→수행여부 능력평가→개선방법]
- 대략의 신체동작부위, 대략의 무게, 대략의 거리만 알면 스톱워치나 촬영장비 없이도 작업자의 동작을 21가지 코드로 분류하고 그에 따른 8종의 시간치를 부여하여 작업표준시간을 산출하는 방법이다.
- MODAPTS는 동작의 최소 시간단위를 손가락 1인치 이동으로 정하고, 1/7초로 하여 이를 1MOD로 하고 타 동작은 이 동작의 배수로 표현한다.
- PTS법에서 가장 발전된 형태의 기법이라고 해서 PTS법의 4세대라고 한다.

2) RWF (Ready Work Factor)법

- 사람의 작업 동작을 8개의 기본요소로 분해, 요소마다 작업 동작을 수행할 때 그 난이도에 따라 Work Factor 수를 결정하여 Time Table에 의해 정미시간을 산출
- 신체 부위마다 이동 거리, 취급 중량, 동작 곤란성을 고려한 동작 시간 표준치를 정하여 실질시간을 구하는 방법
- 기본원리
  - 모든 작업 동작은 제한된 몇 가지 기본요소 동작으로 분해
  - 각각의 기본 요소 동작은 일정한 표준시간치를 가짐
  - 작업 동작의 총 소요시간은 기본요소 동작들의 표준시간의 합계시간이 됨

※ 4가지 주요 변수 (시간 변동 원인)
① 사용하는 신체 부위
② 이동 거리
③ 중량 또는 저항
④ 동작의 곤란성

8. 여유시간에 포함되어야 할 항목

[2012년 4교시 3번] [2013년 4교시 2번] [2014년 1교시 2번] [2016년 1교시 6번]

- 여유시간 (Allowance time)
  작업자가 하루에 8시간을 작업한다고 할 때, 작업자의 생리적 욕구나 불가피하게 발생하는 지연시간을 의미

일반여유	인적여유	물 마시기, 화장실 가기 등과 같이 작업자의 생리적, 심리적 요구 때문에 발생하는 지연시간을 보상하기 위한 것으로 작업환경이나 작업 난이도에 따라 달라질 수 있다. ※ 국제노동기구(ILO)가 제안한 인적여유 (personal allowance) ◆ 인간의 생리적 현상(물 마시기, 땀 닦기, 화장실 등)에 따른 지연시간의 보상 ◆ ILO는 남자 5%, 여자 7%로 할당할 것을 권고하고 있으며, 작업의 내용, 질, 강도에 따라 달리 적용해야 함
	피로 여유	정신적, 육체적 피로를 해소하기 위해 부여하는 여유시간 순수하게 인력으로 하는 작업과 관련하여 부여
	불가피한 지연 여유	설비의 보수 유지, 기계의 정지, 조장의 작업지시 등과 같이 작업자와 관계없이 발생하는 지연
특수여유	기계 간섭 여유	작업자 한 명이 동일한 기계를 여러 대 담당할 때 발생하는 기계 유휴에 의한 생산량 감소를 보상하기 위함
	조 여유	조 작업의 경우 작업자 상호 보조를 맞추기 위한 지연을 보상
	소로트 여유	작업능률이 100%에 도달하는데 필요한 물량보다도 미달하여 물량을 생산하는 경우에 부여

9. 외경법과 내경법

[2005년 4교시 6번] [2008년 4교시 2번] [2009년 3교시 6번] [2012년 3교시 6번] [2014년 4교시 4번] [2015년 2교시 3번]

1) 외경법(work allowances)

정미시간에 대한 비율을 여유율로 사용한다.

$$여유율(A) = \frac{여유시간의\ 총계}{정미시간의\ 총계} \times 100$$

$$\begin{aligned} 표준시간(ST) &= 정미시간 \times (1+여유율) \\ &= NT(1+A) \\ &= NT(1+\frac{AT}{BT}) \end{aligned}$$

NT : 정미시간, AT : 여유시간

2) 내경법(shift allowances)

근무시간에 대한 비율을 여유율로 사용한다.

$$\begin{aligned} 여유율(A) &= \frac{(일반)여유시간}{실동시간} \times 100 \\ &= \frac{여유시간}{정미시간+여유시간} \times 100 \\ &= \frac{AT}{NT+AT} \times 100 \end{aligned}$$

$$표준시간(ST) = 정미시간 \times (\frac{1}{1 - 여유율})$$

[관련 기출문제]

1. 어느 부품을 조립하는 컨베이어 라인의 요소작업 5개에 대한 사이클 타임을 각 10회 측정한 결과 다음과 같은 측정치를 얻었다.

요소작업	작업1	작업2	작업3	작업4	작업5
작업시간 (초)	45	23	20	15	27
	47	22	21	14	28
	46	52	19	16	27
	50	23	20	15	29
	51	21	22	14	30
	43	25	23	16	27
	47	24	22	15	26
	46	25	21	14	28
	52	26	23	14	28
	50	24	23	15	27

(1) 각 측정치가 정상적인 상태로 측정되었다고 가정할 때 각 작업별로 여유율 10%를 부여한 표준작업시간을 외경법으로 구하시오.
(단, 소수점 이하 첫 번째 자리에서 반올림하시오.)

표준시간(ST) = 정미시간×(1+여유율)

작업1 = 447초/10회×(1+0.1) = 49초

작업2 = 238초/10회×(1+0.1) = 26초

작업3 = 214초/10회×(1+0.1) = 23초

작업4 = 148초/10회×(1+0.1) = 16초

작업5 = 277초/10회×(1+0.1) = 30초

(2) 각 작업을 개별 공정으로 가정하고, 작업자를 5인 배치할 경우 이 라인의 주기 시간과 공정효율을 구하시오.

- 주기시간(Cycle time) : 작업 중 가장 긴 시간인 작업 1의 49

$$공정효율 = \frac{각\ 공정시간의\ 합}{주기시간 \times\ 작업자\ 수} \times 100$$

$$= \frac{49초+26초+23초+16초+30초}{49초 \times 5명} \times 100 \quad = 58.8\%$$

(3) 요소작업을 병합하여 작업자 수를 줄일 경우, 최적 공정효율을 보이는 작업자 수와 이때의 공정효율을 구하시오.

- 최적의 작업자 수 : 3명

$$공정효율 = \frac{각\ 공정시간의\ 합}{주기시간 \times 작업자\ 수} \times 100$$

$$= \frac{49초+26초+23초+16초+30초}{49초 \times 3명} \times 100 = 98\%$$

2. 작업자 A를 대상으로 하루(480분 작업)에 100회씩, 5일 동안 총 500번의 워크샘플링을 실시하였다. 관측일 별 유휴 회수와 생산량은 다음 표와 같다. 레이팅계수 90%, 여유율은 정미시간의 18%라고 할 경우, 표준시간을 구하시오.

작업일	1	2	3	4	5
유휴횟수	9	11	10	11	10
생산량(개)	100	90	110	120	100

$$유휴비율 = \frac{총\ 유휴횟수}{총\ 관측횟수} = \frac{9+11+10+11+10}{100 \times 5} = 0.102$$

실제작업시간 = 총 작업시간×가동율 = 2,400×0.898 = 2,155분

※ 가동율 = (1-유휴비율)

평균생산시간 = 실제 총 작업시간/총 생산량 = 2,155분/520개 = 4.14분/개

정미시간 = 평균생산시간×레이팅계수 = 4.14분/개×0.9 = 3.73분/개

표준시간 = 정미시간×(1+여유율) = 3.73분/개×(1+0.18) = 4.40분/개

Chapter

05 유해요인 조사 및 평가

1. 근골격계 유해요인 조사의 목적

[2019년 4교시 5번]

- 근골격계 유해요인 조사는 근골격계 부담작업이 있는 공정 및 부서의 유해요인을 제거하거나 감소시키기 위함이다.
- 유해요인조사 결과를 근골격계질환의 이환을 부정하는 자료로 사용할 수 없다.

2. 근골격계질환 관련 법령

[2010년 2교시 5번]

- 산업안전보건법 제39조 제1항 제5호 (보건조치)
  ①항. 5호. 단순반복작업 또는 인체에 과도한 부담을 주는 작업에 의한 건강장해
- 안전보건기준에관한규칙 제656조 제1항 (근골격계부담작업)
  1. "근골격계부담작업"이란 법 제39조 제1항 제5호에 따른 작업으로서 작업량 · 작업속도 · 작업강도 및 작업장 구조 등에 따라 고용노동부장관이 정하여 고시하는 작업을 말한다.
- 고용노동부고시 제 2020-12호 (근골격계부담작업)

3. 근골격계질환 관련 법령의 적용대상

근골격계 부담작업에 근로자를 종사하도록 하는 모든 작업이며, 산업안전보건법 39조는 모든 사업 또는 사업장에 적용되므로 규모, 업종에 따른 적용제외 규정은 없다.

4. 근골격계질환에 대한 사업주의 법적 의무 사항

[2013년 2교시 6번]

- 유해요인조사
- 작업환경개선
- 의학적 조치
- 유해성 주지 및 근골격계질환 예방관리프로그램의 수립 시행
- 중량물 취급작업에 대한 조치

5. 사업주가 근골격계 부담작업에 근로자를 종사하도록 하는 경우, 근로자에게 유해성을 주지시켜야 하는 사항 4 가지

[2015년 1교시 3번] [2022년 3교시 2번]

- 근골격계 부담작업의 유해요인
- 근골격계질환의 징후와 증상
- 근골격계 발생 시의 대처요령
- 올바른 작업 자세와 작업 도구, 작업시설의 올바른 사용 방법

6. 단위작업

[2017년 1교시 7번]

- 단위작업이란 “특정 작업이나 공정의 내용이 둘 이상의 동작이나 자세가 서로 연결되고, 하나 이상의 세부작업으로 구분이 가능할 때의 그 세부작업 각각”을 말함
- 작업 시간 : 근로자가 잔업을 포함하여 1일 동안 행하는 총 작업 시간
- 노출 시간 : 부담작업을 실제 수행하는 시간만을 합친 총 누적시간을 평가함

구분	부담작업 선정을 위한 기준	비 고
부담작업 실제 수행시간	▪ 단위작업 중 부담작업에 노출 시간 × 일일 생산실적(횟수) ▪ 중량물일 경우 중량물 무게 × 작업량 (횟수)	
단위작업의 구분	▪ 단위작업: 현장에서 쓰는 용어보다 학술적 의미의 용어 ▪ 단위작업을 어떻게 세분하느냐에 따라 부담작업 포함 여부 달라짐 - 세분화할수록 부담작업 가능성이 작고, - 세분화하지 않을수록 부담작업 가능성이 큼	
	▪ 단위작업으로 세분화 - 요소 동작의 합 - 작업자의 행위/동작이 합목적성을 가져야 함 (요소 동작의 합이 단위작업은 아님) - 작업의 시작과 끝이 구별되어야 함	요소 동작: "부품을 집는다" 등의 하나의 독립 동작

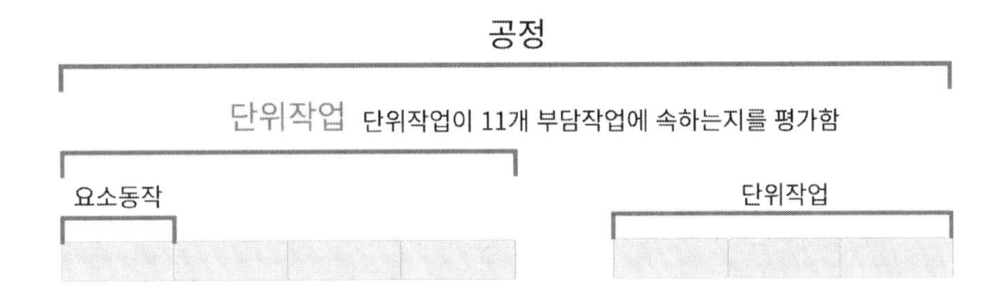

7. 동일작업

동일한 작업설비를 사용하거나 작업을 수행하는 동작이나 자세 등 작업방법이 같다고 객관적으로 인정되는 작업"을 말함

[예시] 동일사양의 프레스를 여러 대 사용하여 동일한 제품을 만드는 경우 각각의 프레스 작업은 동일작업에 해당

8. 근골격계 유해요인 조사 방법

[2013년 1교시 4번] [2014년 3교시 2번] [2015년 1교시 3번] [2017년 4교시 3번] [2019년 4교시 5번] [2021년 1교시 13번] [2022년 3교시 2번]

가. 유해요인조사를 하는 경우 조사 시기

1) 정기조사 : 3년마다 정기 실시, 신규 사업장은 1년 이내에 최초 실시

2) 수시조사

수시조사에 한 가지라도 해당하면 1개월 이내에 실시

- 임시건강진단 등에서 근골격계질환자가 발생하였거나 산업재해보상보험법에 의한 근골격계질환의 요양승인자가 발생한 경우
- 근골격계부담작업에 해당하는 새로운 작업·설비를 도입한 경우
- 근골격계부담작업에 해당하는 업무의 양과 작업공정 등 작업환경이 변경된 경우

나. 유해요인조사의 단계별 조사 내용

1) 작업장 상황조사

- 작업공정 변화, 작업설비 변화, 작업량 변화, 작업속도 및 최근 업무의 변화

2) 작업조건 조사

- 반복성, 부자연스러운 자세 또는 취하기 어려운 자세, 과도한 힘, 접촉스트레스 등

3) 근골격계질환 증상조사

- 증상과 징후, 직업력(근무력), 근무형태(교대제 여부), 취미 생활, 과거 질병 등

4) 유해요인 기본조사

- 작업장 상황 : 작업공정, 작업설비, 작업량, 작업속도 및 업무의 변화
- 작업조건조사 : 반복성, 부자연스러운 자세, 과도한 힘, 접촉스트레스, 진동

5) 근골격계질환 증상조사

- 증상과 징후/직업력(근무력)/근무형태(교대제 여부 등)/취미 생활/과거 질병력

6) 개선 우선순위 결정

- 다수의 작업자가 유해요인에 노출되고 있거나 증상 및 불편을 호소하는 작업
- 비용 편익효과가 큰 작업

7) 개선대책 수립 및 실시

- 사업주는 유해요인조사 결과 근골격계질환이 발생할 우려가 있는 경우에는 인간공학적으로 설계된 인력작업 보조설비 및 편의시설 설치 등 작업환경개선에 필요한 조치를 취하여야 함
- 이를 위한 작업환경개선계획은 유해요인조사 결과(유해요인수준 및 증상설문조사 등), 경제적 여건, 개선 효과 등을 종합적으로 고려하여 수립 이행
- 인간공학적 정밀평가도구를 활용하여 구체적인 개선 방향을 찾아야 하며, 자체 조사가 어려운 경우, 외부 전문가 등의 자문을 받는 것이 바람직함

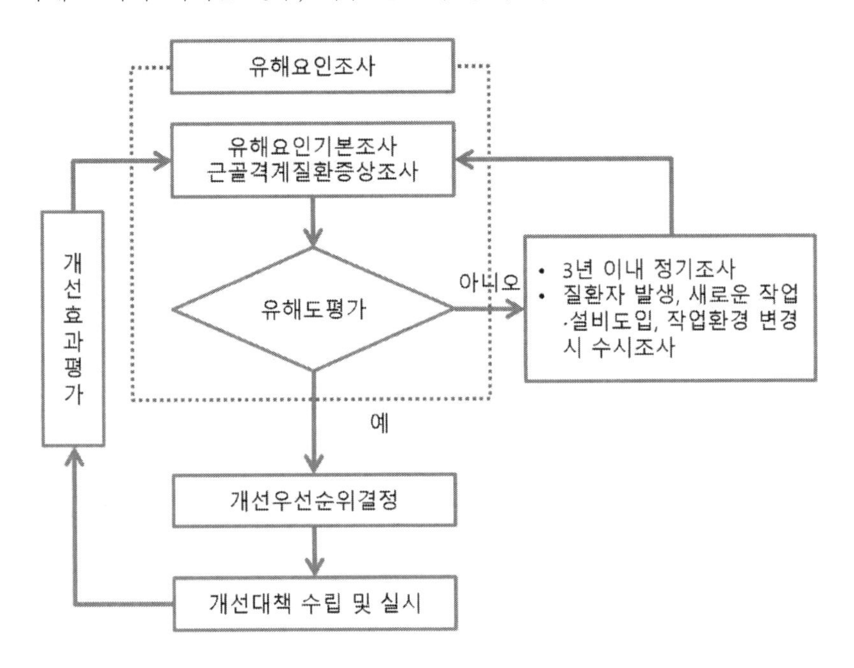

9. 근골격계 유해요인 조사 활용

[2019년 4교시 5번]

- 유해요인조사 결과를 근골격계질환의 이환을 부정하는 자료로 사용할 수 없다.
- 유해요인조사 결과에 따라 개선 우선순위 설정
- 유해요인 관리와 개선 효과 평가에 활용
- 근골격계질환 예방관리 프로그램의 정책 수립에 활용

[관련 기출문제]

어느 사업장에서 노동부 고시에 의한 근골격계 부담작업 판정을 한 결과 아래와 같은 4종류의 부담작업들이 발견되었다. 이들에 대해 다음 보기의 인간공학적 평가도구들을 사용해 정밀 평가를 실시하려고 한다.
부담작업별로 가장 적합한 평가방법 하나를 찾은 후, 선정된 평가방법의 어떤 요소들이 부담작업들과 관련이 있는지 평가요소를 적고 간단히 설명하시오.
[2007년 2교시 4번]

보기:
RULA, REBA, NLE, JSI (혹은 SI), Snook Table, Borg Scale, ACGIH 진동기준

평가 기법	근골격계부담작업	각 방법에 포함되어, 부담작업의 내용을 평가할 수 있는 평가요소
①	하루에 4 시간 이상 집중적으로 자료입력 등을 위해 키보드 또는 마우스를 조작하는 작업	▪ 컴퓨터 작업 시 주로 사용되는 신체부위인 어깨, 팔, 손목, 목 등 상지에 초점을 맞춘 작업 자세 평가 ▪ 반복성 평가(반복적인 키보드 및 마우스 작업의 평가)
②	하루에 총 2 시간 이상 쪼그리고 앉거나 무릎을 굽힌 자세에서 이루어지는 작업	▪ 하지의 작업 자세 평가
③	하루에 총 2 시간 이상 지지되지 않은 상태에서 4.5kg 이상의 물건을 한 손으로 들거나 동일한 힘으로 쥐는 작업	▪ 들기 빈도, 들기 작업 최대무게, 작업의 종류(내리기, 밀기, 당기기, 운반), 성별, 작업물 길이, 운반거리, 밀고/당기기 높이 평가
④	하루에 25 회 이상 10kg 이상의 물체를 무릎 아래에서 들거나, 팔을 뻗은 상태에서 드는 작업	▪ 취급중량 및 횟수, 중량물 취급 위치, 이동 거리, 신체의 비틀기, 손잡이 평가

[정답] ① RULA ② REBA ③ Snook Table ④ NLE

10. NLE(NOISH Lifting Equation)

[2005년 3교시 6번] [2008년 2교시 1번] [2010년 3교시 6번] [2011년 3교시 5번]
[2012년 4교시 1번] [2016년 3교시 4번] [2021년 3교시 4번] [2022년 4교시 5번]

1) 들기 작업과 관련된 작업 변수로부터 작업의 안전성 여부 평가
   ※ 들기 작업 : 특정 물건을 두 손으로 잡고 기계의 도움 없이 들어 수직으로 이동시키는 작업
2) 최초 1981년 정면에서 드는 작업에 대한 공식 제시
   1991년 개정(비틀림, 손잡이 추가)

1981년 기준	1991년 기준
▪ 두 손의 대칭형 들기 작업, 제한 조건이 없는 들기 자세 ▪ 좋은 커플링 상태, 쾌적한 주위 환경 등의 제약 조건	▪ 비대칭 작업 포함 ▪ 커플링 기준 (coupling factor) 추가
▪ 행동한계 (action limit, AL) ▪ 최대허용한계 (maximum permissible limit, MPL)	▪ 권장무게한계 (RWL) Recommended Weight Limit

3) NLE는 들기 작업에 대한 권장무게한계(RWL)를 쉽게 산출하도록 하여 작업의 위험성을 예측하고, 인간공학적인 작업방법의 개선을 통해 작업자의 직업성 요통을 예방하기 위해 개발
   - 취급 중량과 취급 횟수, 중량물 취급 위치, 드는 거리, 신체의 비틀기, 손잡이 등 여러 요인을 고려
   - 정밀한 작업 평가·작업 설계에 이용할 수 있게 되어있음
   - 중량물 취급에 관한 생리학·정신물리학·생체역학·병리학의 각 분야에서의 연구성과를 통합한 결과
   - 들기 작업의 위험성을 정량적으로 평가할 수 있는 Tool
   - 안전하게 작업할 수 있는 하중의 산출
   - 작업개선의 방향 제시

11. 1991 년 개정된 NIOSH 들기작업 공식을 개발하는데 적용된 기준

[2010년 4교시 3번] [2014년 1교시 3번]

1) 생체역학적 기준
- 설계기준 : 신체의 압축력
- 인체를 역학적 시스템으로 고려
- 관절 부위에 부과되는 힘과 모멘트 계산
- 최대치 초과하지 않도록 설계 (3,400N at L5/S1)
  * 요추5번, 천추1번

2) 생리학적 기준
- 작업 시 소모되는 에너지 요구량 기준 (인체의 심장 순환계 능력)
- 작업 시 스트레스 정도 평가
  - 산소소모량, 심박수, 혈압 등 이용 [2.2~4.7kcal/min]
- 반복적인 들기 작업의 에너지 소모 한계를 결정하기 위하여 최대 유기 들기 작업능력 (9.5kcal/min)을 기초 자료로 사용
- 손잡이 높이 75cm 이상인 작업은 최대 들기 작업능력의 70%로 함
- 작업 시간에 따라 최대 작업능력의 1시간(50%) 1~2시간(40%) 2~8시간 (33%)으로 조정

손잡이 높이 (cm)	Duration of lifting		
	< 1h	1-2h	2-8h
V≤75	4.7	3.7	3.1
V>75	3.3	2.7	2.2

3) 정신물리학적 기준
- 작업자 스스로 적합한 작업량 조절
- 생체학적, 생리학적 스트레스 공존할 때, 그 정도를 작업자가 심리적, 물리적으로 산정
- 남자 중 99%, 여자 중 75%가 이 조건에서 무리 없이 인력 운반 작업을 수행할 수 있어야 함

4) 임상학적 기준
- 작업조건에 따른 요통의 발생률, 심각성 정도를 통계학적으로 분석

12. 권장무게한계(RWL)

건강한 작업자가 그 작업조건에서 작업을 최대 8시간 계속해도 요통의 발생 위험이 증대되지 않는 취급물 중량의 한계 값

$$RWL = LC(23kg) \times HM \times VM \times DM \times FM \times AM \times CM$$

- 수평거리는 발의 위치에서 중량물을 들고 있는 손의 위치까지의 거리를 말한다.
- 수직거리는 바닥에서 물체를 잡은 손까지의 거리를 말한다.
- 이동거리는 중량물을 들어 올리는 수직 방향의 이동 거리를 말한다.
- 비틀림 각도는 중량물을 들어 올릴 때 발생하는 몸통 비틀림 각도를 말한다.
- 들기 빈도는 들기작업 15분을 기준으로 측정된 분당 드는 횟수를 말한다.
- 결합 타입은 들기작업을 할 때 손잡이의 상태를 말한다.
- 들기방정식 계수값이 작은 것을 기준으로 하여 개선에 참고한다.
- 들기 방정식의 각종 계수값는 1을 초과하지 못한다.
- 각 계수의 최대값은 1이기 때문에 최적의 조건에서 최대로 들 수 있는 무게는 23kg이다.

권장무게한계(RWL) 계수

기호	정의	수식
HM (수평계수)	발의 위치에서 중량물을 들고 있는 손의 위치까지의 수평거리	HM = 25/H(25~63cm) = 1 (H≤25cm) = 0 (H≥63cm)
VM (수직계수)	바닥에서 손까지의 거리(cm)로 들기 작업의 시작점과 종점의 두 군데서 측정한다.	VM = 1-(0.003×│V-75│) (0≤V≤175) = 0 (V>175cm)
DM (거리계수)	중량물을 들고 내리는 수직 방향의 이동거리의 절대값	DM = 0.82+4.5/D (25~175cm) = 1 (D≤25cm) = 0 (D≥175cm)
AM (비대칭계수)	중량물이 몸의 정면에서 몇 도 어긋난 위치에 있는지 나타내는 각도이다.	AM = 1-0.0032×A (0°≤A≤135°) = 0 (A≥135°)
FM (빈도계수)	분당 드는 횟수, 분당 0.2 회에서 분당 16 회까지이다.	표 참조
CM (결합계수)	결합타입과 수직위치 V 로부터 표를 이용해 구한다.	표 참조

1) 수평 계수(Horizontal Multiplier)

- 수평 계수는 수평거리(H)를 권장무게한계에 고려하기 위한 계수
- HM=25㎝/H로 나타내며 25㎝보다 작을 경우는 1, 63㎝를 초과할 경우 HM은 0
- 25㎝(10인치)는 작업자가 물체를 몸에 가장 가깝게 할 수 있는 최소 수평거리
- 63㎝(25인치)는 체구가 작은 사람이 물체를 최대한 멀리 잡고 들 수 있는 수평거리를 기준

2) 수직 계수(Vertical Multiplier)

- 작업자와 물체 사이의 수직거리(V)를 권장 무게 한계에 고려하기 위한 계수
- VM = 1-(0.003× | V-75 |)로 나타냄
- 역학적인 분석에 의하면 들기작업을 하는 동안 요추에 걸리는 스트레스는 물체를 바닥에서 들 때 증가하며 바닥에 있는 물체를 들 때 요통 발생 비율이 크기 때문에 V가 적으면 그만큼 무게를 줄여야 함
- 75㎝ 이상인 높이에서 물건을 들기 시작할 때에는 다시 정신물리학적 부하(Psychophysical Stress)가 감소하기 때문에 75㎝를 기준값 설정
- 수직거리가 175㎝를 초과하는 경우, VM=0

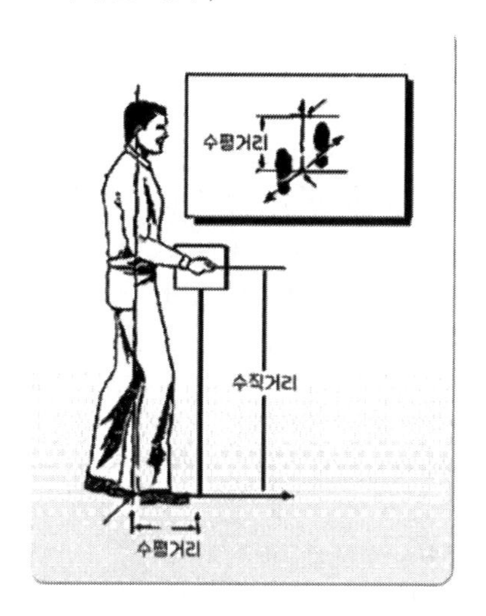

3) 거리 계수(Distance Multiplier)

- 물체를 이동시킨 수직거리(D)를 권장무게한계에 고려하기 위한 계수
- DM = 0.82 + (4.5/D)
- 25㎝보다 작을 때는 1, 175㎝보다 클 경우는 0

4) 비대칭 계수(Asymmetric Multiplier)

- 1981년 NIOSH 공식에서는 전혀 고려되지 않았던 요소
- 이전의 공식에서는 정중면에서 대칭적인 들기작업에 대한 평가만을 할 수 있었으며, 비대칭적으로 일어나는 들기작업에 대한 고려하지 않음
- 개정된 공식에서는 권장무게한계에 비대칭 계수를 고려
- AM = 1-0.0032A (A는 정중면과 비대칭 평면 사이의 각도)
- 135도가 넘을 경우는 AM이 0

5) 빈도 계수(Frequency Multiplier)

- 빈도 계수는 수학적인 식을 사용하지 않고, 표와 같이 분당 물체를 드는 횟수에 따라 값을 제공

빈도수(회/분)	작업 시간					
	1시간 이하		2시간 이하		8시간 이하	
	V<75	V>75	V<75	V>75	V<75	V>75
0.2	1.00	1.00	0.95	0.95	0.85	0.85
0.5	0.97	0.97	0.92	0.92	0.81	0.81
1	0.94	0.94	0.88	0.88	0.75	0.75
2	0.91	0.91	0.84	0.84	0.65	0.65
3	0.88	0.88	0.79	0.79	0.55	0.55
4	0.84	0.84	0.72	0.72	0.45	0.45
5	0.80	0.80	0.60	0.60	0.35	0.35
6	0.75	0.75	0.50	0.50	0.27	0.27
7	0.70	0.70	0.42	0.42	0.22	0.22
8	0.60	0.60	0.35	0.35	0.18	0.18
9	0.52	0.52	0.30	0.30	0.00	0.15
10	0.45	0.45	0.26	0.26	0.00	0.13
11	0.41	0.41	0.00	0.23	0.00	0.00
12	0.37	0.37	0.00	0.21	0.00	0.00
13	0.00	0.34	0.00	0.00	0.00	0.00
14	0.00	0.31	0.00	0.00	0.00	0.00
15	0.00	0.28	0.00	0.00	0.00	0.00
16 이상	0.00	0.00	0.00	0.00	0.00	0.00

6) 커플링 계수(Coupling Multiplier)

- 비대칭 계수와 마찬가지로 1981년 방정식에서는 고려되지 않았던 요소
- 커플링은 물체를 들 때 미끄러지거나 떨어뜨리지 않도록 손잡이 등이 좋은지를 권장 무게 한계에 반영한 것
- 물체가 다소 가볍더라도 손잡이가 없어서 자꾸 미끄러진다거나 드는 물체가 부정형이라서 손으로 들기 불편한 경우에는 커플링 계수가 1보다 작게 되어 권장 무게 한계도 작아지게 됨
- 커플링은 크게 '양호', '보통', '불량' 3가지로 구분

① 양호 : 손잡이가 들기 적당하게 위치한 경우
손잡이는 없지만, 들기 쉽고 편하게 들 수 있는 부분이 존재할 경우

② 보통 : 손잡이나 잡을 수 있는 부분이 있으며 적당하게 위치하지는 않았지만, 손목의 각도를 90도 정도 유지할 수 있는 경우

③ 불량 : 손잡이나 잡을 수 있는 부분이 없거나 불편한 경우, 끝부분이 날카로운 경우

결합 타입	수직 위치	
	V<75cm	V≥75cm
양호 (good)	1.00	1.00
보통 (fair)	0.95	1.00
불량 (poor)	0.90	0.90

13. 커플링 계수(coupling multiplier)의 적용 절차

[2015년 1교시 8번]

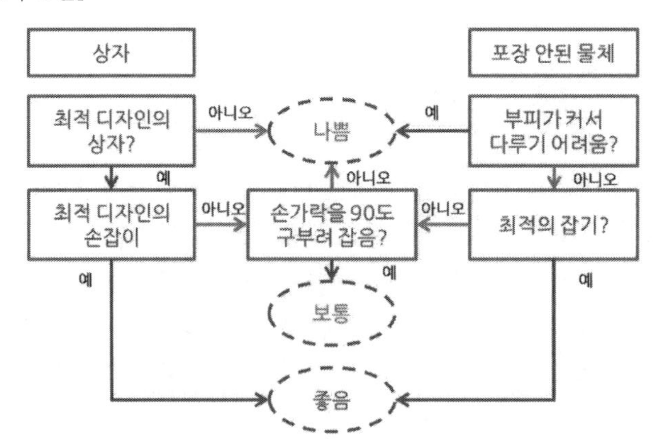

1) 최적 디자인의 상자

- 상자의 디자인이 사람이 잡기에 최적화
- 앞부분 길이 <40cm, 높이<30cm, 부드럽고 미끄럽지 않은 표면
- 가장자리가 날카롭지 않음
- 무게중심이 중앙에 위치, 내용물이 안정됨
- 장갑이 필요 없음

2) 최적 디자인의 손잡이

- 손잡이 혹은 상자의 구멍이 사람이 잡기에 최적화
- 지름이 1.9~3.8 cm, 길이 > 11.5cm, 여유 공간 : 5cm, 원형
- 부드럽고 미끄럽지 않은 표면

3) 최적의 hand-hold cut-out 디자인

- 손잡이나 손으로 잡기 편한 부분이 없거나 고정되어 있지 않거나 불규칙한 물체로 손가락을 90° 굽혀서 잡을 수 있는 형태
- 높이 > 3.8cm, 길이 : 11.5cm, 타원형 모양(semi-oval shape), 여유공간 : 5cm, 부드럽고 미끄럽지 않은 표면
- 상자 두께 > 0.60cm

14. 들기지수 (LI)

$$\text{Lifting Index (LI)} = \frac{\text{실제 중량물 무게}}{\text{권장무게한계 (RWL)}}$$

- 실제 작업물의 무게와 RWL의 비
- 특정 작업에서의 육체적 스트레스의 상대적인 양
- 1.0보다 크면 작업 부하가 권장기준보다 크다고 할 수 있음
  - LI≤1.0 : 요통 발병의 위험이 크지 않은 안전한 들기 작업
  - LI≤2.0 : physically stressful for some healthy workers
  - LI≥2.0 : physically stressful for many healthy workers
  - LI≥3.0 : physically stressful for nearly all(or majority of) workers. Elevated risk for workers

문제) 다음은 중량물 취급작업의 NIOSH Lifting Equation을 이용한 작업 분석표이다. [2005년 3교시 6번]

단계 1. 작업 변수 측정 및 기록

중량물 ^무게(kg)		손의 위치(cm)				수직거리	비대칭 각도(도)		빈도	지속시간	커플링
		시점		종점		(cm)	시점	종점	회수/분	(시간)	
L(평균)	L(최대)	H	V	H	V	D	A	A	F		C
12	12	30	60	54	130	90	0	0	4	0.75	Fair

단계 2. 계수 및 RWL 계산

	RWL	=	23	HM	VM	DM	AM	FM	CM		
시점	RWL	=	23	0.83	0.96	0.88	1.00	0.84	0.95	=	kg
종점	RWL	=	23	0.46	0.84	0.88	1.00	0.84	1.00	=	kg

1) 시점과 종점의 권장중량물한계(RWL)를 각각 순서대로 구하시오.

시점 : RWL=LC×HM×VM×DM×AM×FM×CM

=23kg×0.83×0.96×0.88×1.00×0.84×0.95 = 12.8695kg

종점 : RWL=LC×HM×VM×DM×AM×FM×CM

=23kg×0.46×0.84×0.88×1.00×0.84×1.00 = 6.5694kg

2) 시점과 종점의 들기작업 지수(LI)를 각각 순서대로 구하시오.

$$\text{시점 } LI = \frac{\text{작업물의 무게}}{RWL} = \frac{12kg}{12.8695kg} = 0.9324$$

$$\text{종점 } LI = \frac{\text{작업물의 무게}}{RWL} = \frac{12kg}{6.5694kg} = 1.8276$$

3) 시점과 종점 중 어디를 먼저 개선해야 되는가?

시점보다 종점의 LI값이 크기 때문에 종점을 먼저 개선해야 한다.

4) 3)의 답에서 가장 먼저 개선해야 할 요소는 HM, VM, DM, AM, FM, CM중 어느 것인가?

계수값이 가장 작은 것부터 개선, HM(수평계수)

15. NIOSH 들기작업수식 적용이 어려운 작업

[2007년 1교시 13번] [2020년 4교시 6번]] [2021년 3교시 4번] [2024년 3교시 2번]

- 한 손으로 중량물을 취급하는 경우
- 8시간 이상 중량물을 취급하는 작업을 계속하는 경우
- 앉거나 무릎을 굽힌 자세로 작업을 하는 경우
- 작업공간이 제약된 경우
- 균형이 맞지 않는 중량물을 취급하는 경우
- 운반이나 밀거나 당기는 작업에서의 중량물 취급
- 손수레나 운반 도구를 사용하는 작업
- 빠른 속도로 중량물을 취급하는 경우 (약 75cm/sec을 넘어가는 경우)
- 바닥 면이 좋지 않은 경우 (지면과의 마찰계수가 0.4 미만인 경우)
- 온도/습도 환경이 나쁜 경우 (온도 19~26℃, 습도 35~50%의 범위에 속하지 않는 경우)

16. NIOSH 들기 기준 들기 작업의 최적 조건

[2013년 1교시 13번] [2020년 4교시 6번] [2024년 3교시 2번]

- 수평거리 : 팔꿈치에서 주먹까지의 길이가 25cm 이내
- 수직높이 : 선 자세에서 어깨와 팔꿈치를 편 상태에서의 주먹 높이(75cm)
- 허리 비틀림 없음
- 수직이동거리는 팔꿈치 길이(25cm) 이내
- 중량물 손잡이 : 파워그립(Power Grip)으로 쥘 수 있어야 함
- 작업빈도 : 5분당 1회 빈도

17. 들기작업 개선방안

계수	개선 방안
HM<1.0	하중을 작업자에게 근접시킴 [수평방향 장애물을 제거, 물건의 크기 줄임]
VM<1.0	들기 시점을 높이거나 종점을 낮춤 바닥에서 들기나 어깨 위로 들기 회피
DM<1.0	들기 시점과 종점 사이의 수직거리 감소
AM<1.0	비틀림 각도를 줄임 [들기 시점과 도착점을 근접하게 이동] 시점과 종점을 더 멀게 위치 [작업자가 몸을 비틀기보다 발로 걸을 수 있도록 함]
FM<1.0	들기 빈도를 감소시킴 들기 기간을 감소시킴 회복 시간을 더 길게 줌
CM<1.0	상자, 손잡이 등의 개선
RWL[종점] > RWL[시점]	종점에서 취급 주의 요구 조건 제거 작업 재설계

- 개선 효과 큰 요소를 집중적으로 개선
- 모든 요인이 좋은 상태가 되도록 개선
  - 어느 한 요인만 좋으면 효과 떨어짐

18. OWAS (Ovako Working-posture Analysis System)

[2009년 4교시 1번] [2015년 3교시 6번] [2016년 3교시 4번] [2017년 2교시 1번] [2018년 3교시 1번]

- OWAS는 핀란드의 철강회사인 Ovako사와 핀란드 노동위생연구소가 1970년대 중반 육체 작업에 있어서 부적절한 작업 자세를 구별해 낼 목적으로 개발
- 작업자의 작업 자세를 일정 간격으로 관찰하여 분류 체계에 따라 기록
- Work sampling에 기본
- 장점
  - 특별한 기구 없이 관찰에 의해서만 작업 자세를 평가
  - 현장에서 기록 및 해석의 편리함 때문에 많은 작업장에서 작업 자세를 평가
  - 평가 기준을 완비하여 분명하고 간편하게 평가가 가능
  - 현장성이 강하면서도 상지와 하지의 작업분석이 가능하며, 작업대상물의 무게를 분석요인에 포함
- 단점
  - 작업 자세를 너무 단순화했기 때문에 세밀한 분석에 어려움이 있고, 분석 결과도 작업 자세 특성에 대한 정성적인 분석만 가능
- 평가대상 작업
  - 조선업 및 의료서비스업과 같이 비특이적인 작업자세가 문제되는 작업

※ OWAS 분석

분석은 크게 두 가지로 나뉜다.

1. 신체 부위별로 각 코드의 비율을 조사

   각 신체 부위별로 자세의 특성을 파악하기 위한 것이며, 이를 바탕으로 작업부하에 영향이 큰 신체 부위를 판단할 수 있음

2. 각 작업 자세를 4가지 작업수준으로 나눈 기준에 따라 분류
   - AC판정표를 이용하여 작업 자세 수준(Action category) 결정
   - OWAS는 전체 작업 자세를 근골격계에 미치는 영향에 따라 크게 네 수준으로 분류
   - 4가지 작업 자세 수준 중, 작업수준 3과 4는 근골격계에 나쁜 영향을 미치는 자세로 시급한 조정이 필요

OWAS 작업분석 SHEET

부서명		작업설명
공정명		
분석자		
날짜		

자료 입력 및 분석

신체부위	작업자세 (괄호안은 자세코드)			
허리	(1) 바로 섬	(2) 굽힘	(3) 비틈	(4) 굽히고 비틈
팔	(1) 양팔 어깨 아래	(2) 한팔 어깨 아래	(3) 양팔 어깨 위	
다리	(1) 앉음	(2) 두 다리로 섬	(3) 한 다리로 섬	(4) 두다리 구부림
	(5) 한다리 구부림	(6) 무릎 꿇음	(7) 걷기	-
				-
무게	(1) 10kg 이하	(2) 10~20kg	(3) 20kg 이상	

AC값

(허리 → 행, 팔 → 하위 행, 다리 → 열, 무게 → 하위 열)

허리	팔	다리 (1)			(2)			(3)			(4)			(5)			(6)			(7)		
AC값		(1)	(2)	(3)	(1)	(2)	(3)	(1)	(2)	(3)	(1)	(2)	(3)	(1)	(2)	(3)	(1)	(2)	(3)	(1)	(2)	[illegible]
(1)	(1)	1	1	1	1	1	1	1	1	1	2	2	2	2	2	2	1	1	1	1	1	1
	(2)	1	1	1	1	1	1	1	1	1	2	2	2	2	2	2	1	1	1	1	1	1
	(3)	1	1	1	1	1	1	1	1	1	2	2	3	2	2	3	1	1	1	1	1	2
(2)	(1)	2	2	3	2	2	3	2	2	3	3	3	3	3	3	3	2	2	2	2	3	3
	(2)	2	2	3	2	2	3	2	3	3	3	4	4	3	4	4	3	3	4	2	3	4
	(3)	3	3	4	2	2	3	3	3	3	3	4	4	4	4	4	4	4	4	2	3	4
(3)	(1)	1	1	1	1	1	1	1	1	2	3	3	3	4	4	4	1	1	1	1	1	1
	(2)	2	2	3	1	1	1	1	1	2	4	4	4	4	4	4	3	3	3	1	1	1
	(3)	2	2	3	1	1	1	2	3	3	4	4	4	4	4	4	4	4	4	1	1	1
(4)	(1)	2	3	3	2	2	3	2	2	3	4	4	4	4	4	4	4	4	4	2	3	4
	(2)	3	3	4	2	3	4	3	3	4	4	4	4	4	4	4	4	4	4	2	3	4
	(3)	4	4	4	2	3	4	3	3	4	4	4	4	4	4	4	4	4	4	2	3	4

최종 평가	AC 1,2	AC 3,4
	관망의 작업	재설계가 필요한 작업
개선 방향		

신체부위	코드	자세설명
허리	1	곧바로 편 자세 (서 있음)
	2	상체를 앞으로 굽힌 자세
	3	바로 서서 허리를 옆으로 비튼 자세
	4	상체를 앞으로 굽힌 채 옆으로 비튼 자세
팔	1	양손을 어깨 아래로 내린 자세
	2	한 손만 어깨 위로 올린 자세
	3	양손 모두 어깨 위로 올린 자세
다리	1	의자에 앉은 자세
	2	두 다리를 펴고 선 자세
	3	한 다리로 선 자세
	4	두 다리를 구부린 자세
	5	한 다리로 서서 구부린 자세
	6	무릎 꿇은 자세
	7	걷기
하중/힘	1	10kg 이하
	2	10~20kg
	3	20kg 이상

작업자세 수준	평가내용
Action category 1	이 자세에 의한 근골격계 부담은 문제없다. 개선 불필요하다.
Action category 2	이 자세는 근골격계에 유해하다. 가까운 시일 내 개선해야 한다.
Action category 3	이 자세는 근골격계에 유해하다. 가능한 빠른 사일 내에 개선해야 한다.
Action category 4	이 자세는 근골격계에 매우 유해하다. 즉시 개선해야 한다.

19. RULA(Rapid Upper Limb Assessment)

[2005년 1교시 7번] [2007년 1교시 12번] [2010년 3교시 6번] [2011년 3교시 5번] [2016년 3교시 4번] [2018년 3교시 1번] [2022년 2교시 5번]

- RULA는 어깨, 팔목, 손목, 목 등 상지에 초점을 맞추어서 작업 자세로 인한 작업 부하를 쉽고 빠르게 평가하기 위해 만들어진 기법
- RULA의 평가표는 크게 각 신체 부위별 작업 자세를 나타내는 3개의 배점표로 구성
- 평가대상이 되는 주요 작업요소로는 반복수, 정적작업, 힘, 작업자세, 연속작업시간 등이 고려
- 평가방법은 크게 신체 부위별로 A와 B그룹으로 나누어지며 A, B의 각 그룹별 작업 자세 그리고 근육과 힘에 대한 평가로 이루어 짐
- 평가결과는 1~7점으로 나타내어지며 점수에 따라 4개의 조치단계(Action level)로 분류
  ① 최종점수가 1~2점이면 : 수용 가능한 작업 (Acceptable job)
  ② 최종점수가 3~4점이면 : 계속적 추적관찰 필요함 (Investigate further)
  ③ 최종점수가 5~6점이면 : 계속적 관찰과 빠른 작업개선 필요함 (Investigate further and change soon)
  ④ 최종점수가 7점 이상이면 : 정밀조사와 즉각적인 개선이 요구됨
- 장점 : 특별한 장비가 필요 없이 단지 펜과 종이만 가지고도 쉽게 작업부하를 평가할 수 있음
- 평가 대상작업 : 조립작업, VDT작업, 기타 비특이적인 작업
- 분석 절차 부분(4개)

  근육사용, 무게나 힘, 비틀림, 다리와 발
- 평가에 사용하는 신체 부위

  그룹A : 위팔, 아래팔, 손목

  그룹B : 목, 몸통, 다리

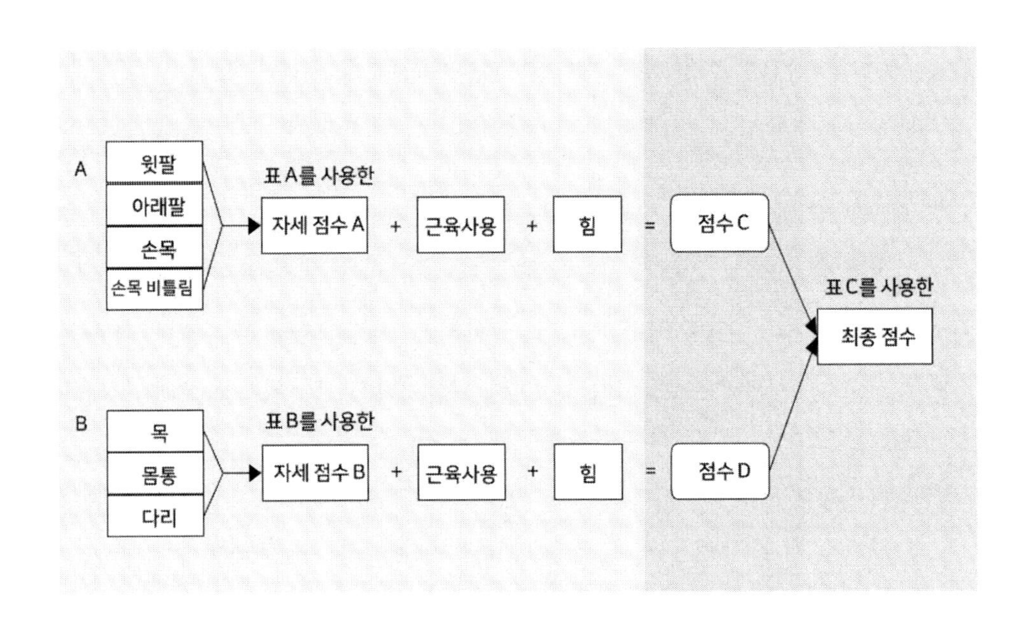

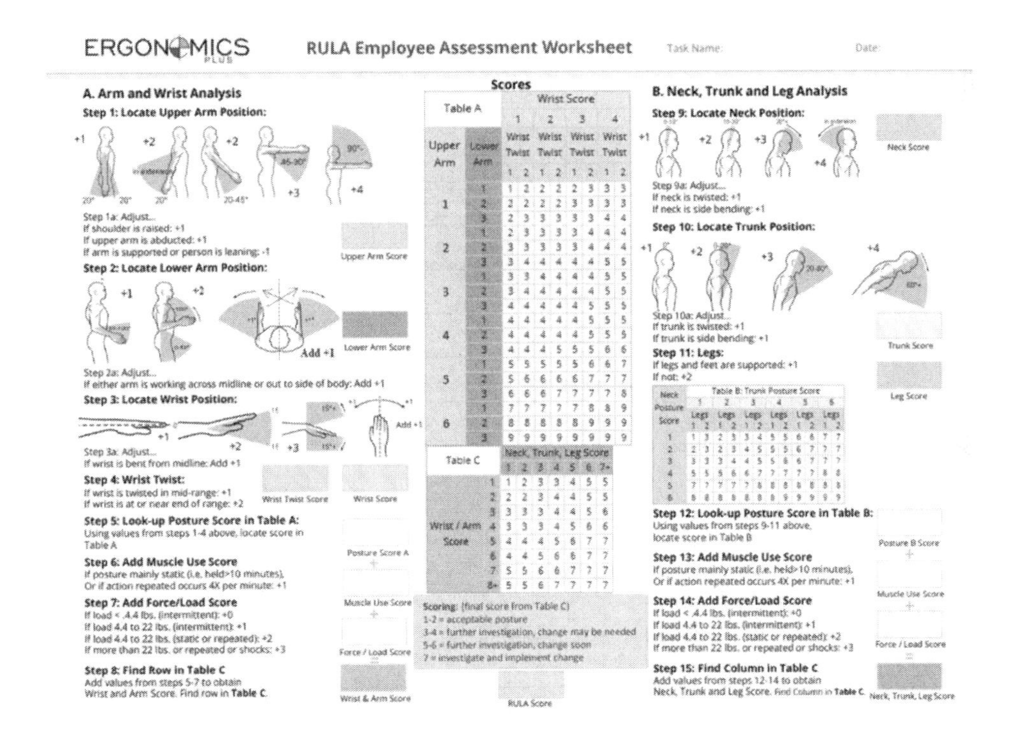

ERGONOMICS PLUS

RULA Employee Assessment Worksheet

Task Name:

Date:

A. Arm and Wrist Analysis

Step 1: Locate Upper Arm Position:

Step 1a: Adjust...
If shoulder is raised: +1
If upper arm is abducted: +1
If arm is supported or person is leaning: -1

Upper Arm Score

Step 2: Locate Lower Arm Position:

Step 2a: Adjust...
If either arm is working across midline or out to side of body: Add +1

Lower Arm Score

Step 3: Locate Wrist Position:

Step 3a: Adjust...
If wrist is bent from midline: Add +1

Step 4: Wrist Twist:
If wrist is twisted in mid-range: +1
If wrist is at or near end of range: +2

Wrist Twist Score

Wrist Score

Step 5: Look-up Posture Score in Table A:
Using values from steps 1-4 above, locate score in Table A

Posture Score A

Step 6: Add Muscle Use Score
If posture mainly static (i.e. held>10 minutes),
Or if action repeated occurs 4X per minute: +1

Muscle Use Score

Step 7: Add Force/Load Score
If load < 4.4 lbs. (intermittent): +0
If load 4.4 to 22 lbs. (intermittent): +1
If load 4.4 to 22 lbs. (static or repeated): +2
If more than 22 lbs. or repeated or shocks: +3

Force / Load Score

Step 8: Find Row in Table C
Add values from steps 5-7 to obtain Wrist and Arm Score. Find row in **Table C**.

Wrist & Arm Score

Scores

Table A		Wrist Score 1		Wrist Score 2		Wrist Score 3		Wrist Score 4	
Upper Arm	Lower Arm	Wrist Twist 1	Wrist Twist 2	Wrist Twist 1	Wrist Twist 2	Wrist Twist 1	Wrist Twist 2	Wrist Twist 1	Wrist Twist 2
1	1	1	2	2	2	2	3	3	3
	2	2	2	2	2	3	3	3	3
	3	2	3	3	3	3	3	4	4
2	1	2	3	3	3	3	4	4	4
	2	3	3	3	3	3	4	4	4
	3	3	4	4	4	4	4	5	5
3	1	3	3	4	4	4	4	5	5
	2	3	4	4	4	4	4	5	5
	3	4	4	4	4	4	5	5	5
4	1	4	4	4	4	4	5	5	5
	2	4	4	4	4	4	5	5	5
	3	4	4	4	5	5	5	6	6
5	1	5	5	5	5	5	6	6	7
	2	5	6	6	6	6	7	7	7
	3	6	6	6	7	7	7	7	8
6	1	7	7	7	7	7	8	8	9
	2	8	8	8	8	8	9	9	9
	3	9	9	9	9	9	9	9	9

Table C		Neck, Trunk, Leg Score 1	2	3	4	5	6	7+
Wrist / Arm Score	1	1	2	3	3	4	5	5
	2	2	2	3	4	4	5	5
	3	3	3	3	4	4	5	6
	4	3	3	3	4	5	6	6
	5	4	4	4	5	6	7	7
	6	4	4	5	6	6	7	7
	7	5	5	6	6	7	7	7
	8+	5	5	6	7	7	7	7

Scoring: (final score from Table C)
1-2 = acceptable posture
3-4 = further investigation, change may be needed
5-6 = further investigation, change soon
7 = investigate and implement change

RULA Score

B. Neck, Trunk and Leg Analysis

Step 9: Locate Neck Position:

Neck Score

Step 9a: Adjust...
If neck is twisted: +1
If neck is side bending: +1

Step 10: Locate Trunk Position:

Step 10a: Adjust...
If trunk is twisted: +1
If trunk is side bending: +1

Trunk Score

Step 11: Legs:
If legs and feet are supported: +1
If not: +2

Leg Score

Neck Posture Score	Table B: Trunk Posture Score 1		2		3		4		5		6	
	Legs 1	Legs 2	Legs 1	Legs 2	Legs 1	Legs 2	Legs 1	Legs 2	Legs 1	Legs 2	Legs 1	Legs 2
1	1	3	2	3	3	4	5	5	6	6	7	7
2	2	3	2	3	4	5	5	5	6	7	7	7
3	3	3	3	4	4	5	5	6	6	7	7	7
4	5	5	5	6	6	7	7	7	7	7	8	8
5	7	7	7	7	7	8	8	8	8	8	8	8
6	8	8	8	8	8	8	8	9	9	9	9	9

Step 12: Look-up Posture Score in Table B:
Using values from steps 9-11 above, locate score in Table B

Posture B Score

Step 13: Add Muscle Use Score
If posture mainly static (i.e. held>10 minutes),
Or if action repeated occurs 4X per minute: +1

Muscle Use Score

Step 14: Add Force/Load Score
If load < 4.4 lbs. (intermittent): +0
If load 4.4 to 22 lbs. (intermittent): +1
If load 4.4 to 22 lbs. (static or repeated): +2
If more than 22 lbs. or repeated or shocks: +3

Force / Load Score

Step 15: Find Column in Table C
Add values from steps 12-14 to obtain Neck, Trunk and Leg Score. Find Column in **Table C**.

Neck, Trunk, Leg Score

20. REBA(Rapid Entire Body Assessment)

[2007년 1교시 12번] [2016년 3교시 4번] [2017년 2교시 1번] [2018년 3교시 1번]

- 예측하기 힘든 다양한 자세에서 이루어지는 서비스업에서의 전체적인 신체에 대한 부담 정도와 유해인자에 노출된 정도를 분석하기 위해 개발됨
- 크게 각 신체 부위별 작업 자세를 나타내는 그림과 4개의 배점표로 구성
- 분석 가능한 유해요인 : 작업 자세, 반복성/정적 동작, 힘(하중), 손잡이 상태, 행동점수
- 평가방법은 크게 신체 부위별로 A와 B그룹으로 나누어지면, A, B의 각각 그룹별로 작업 자세 그리고 근육과 힘에 대한 평가로 이루어짐
- 적용 신체 부위 : 손/손목, 아래팔, 팔꿈치, 어깨, 목, 허리, 다리
- 평가 대상작업 : 병원 종사자 등과 같이 비특이적인 작업을 주로 하는 서비스업, VDT 작업
- 평가결과 : 1~15점 사이의 총점으로 점수에 따라 5개의 조치단계(Action level)로 분류

조치 단계	REBA score	위험 수준	조치 (추가 정보조사 포함)
0	1	무시해도 좋음	필요 없음
1	2~3	낮음	필요할지도 모름
2	4~7	보통	필요함
3	8~10	높음	곧 필요함
4	11~15	매우 높음	지금 즉시 필요함

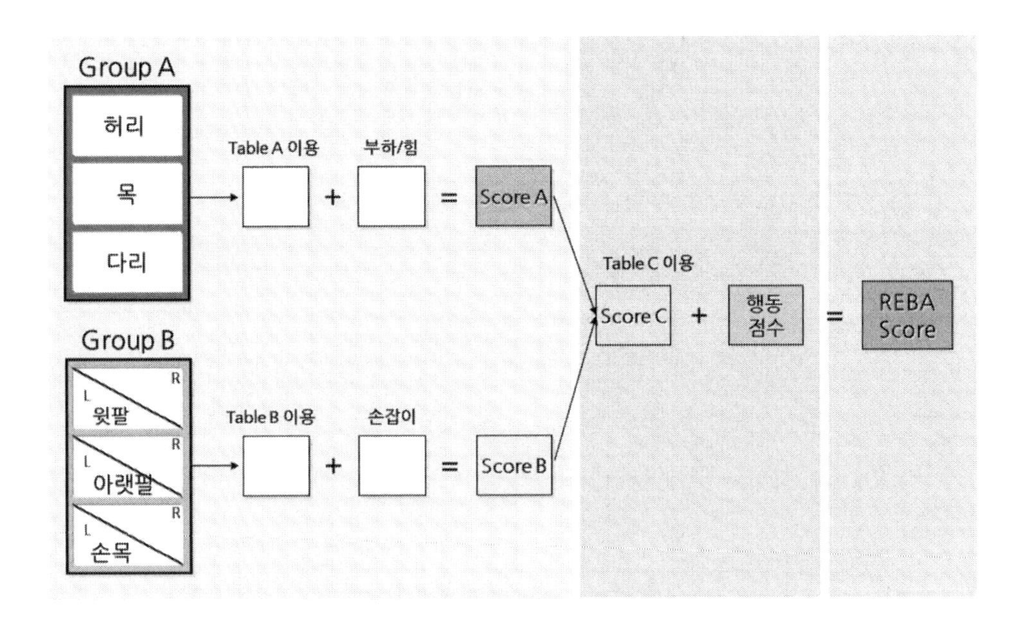

Group A
허리
목
다리
Table A 이용
부하/힘
Score A
Table C 이용
Score C
행동 점수
REBA Score
Group B
윗팔
아래팔
손목
Table B 이용
손잡이
Score B

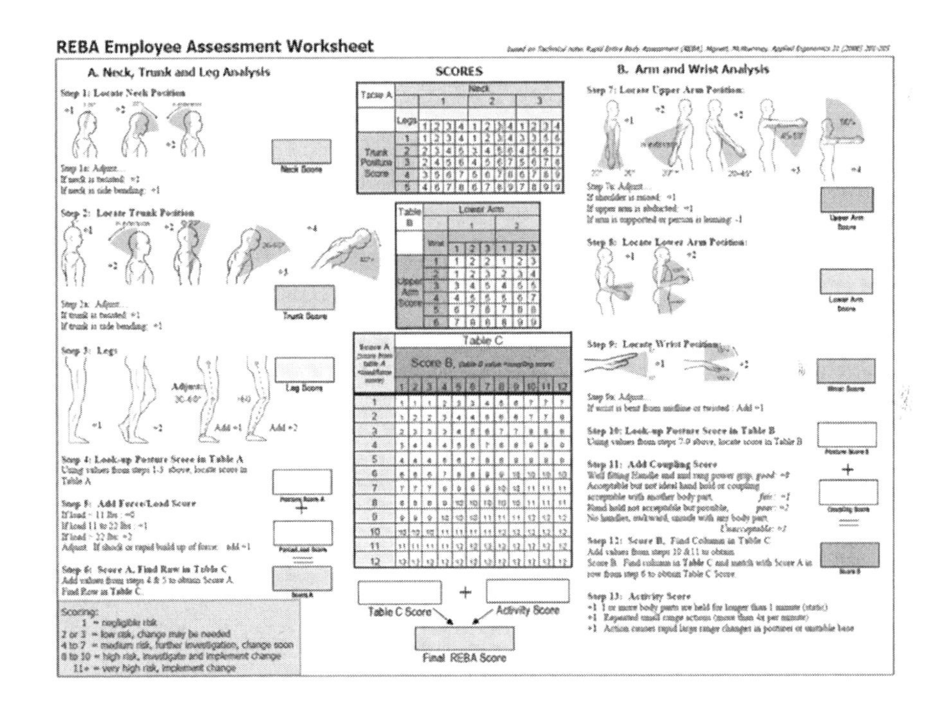

REBA Employee Assessment Worksheet
A. Neck, Trunk and Leg Analysis
SCORES
B. Arm and Wrist Analysis
Step 1: Locate Neck Position
Neck Score
Step 2: Locate Trunk Position
Trunk Score
Step 3: Legs
Leg Score
Step 4: Look-up Posture Score in Table A
Step 5: Add Force/Load Score
Step 6: Score A, Find Row in Table C
Table A
Table B
Table C
Score B
Table C Score
Activity Score
Final REBA Score
Step 7: Locate Upper Arm Position
Upper Arm Score
Step 8: Locate Lower Arm Position
Lower Arm Score
Step 9: Locate Wrist Position
Wrist Score
Step 10: Look-up Posture Score in Table B
Step 11: Add Coupling Score
Step 12: Score B, Find Column in Table C
Step 13: Activity Score
Scoring:
1 = negligible risk
2 or 3 = low risk, change may be needed
4 to 7 = medium risk, further investigation, change soon
8 to 10 = high risk, investigate and implement change
11+ = very high risk, implement change

21. JSI (Job Strain Index)

[2010년 3교시 6번] [2011년 3교시 5번] [2016년 3교시 4번] [2018년 3교시 1번]

- 생리학, 생체역학, 상지질환에 대한 병리학을 기초로 한 정량적 평가도구
- 상지질환에 대한 정량적 평가기법으로

근육사용, 힘(강도), 근육사용 기간, 빈도, 자세, 작업속도, 하루 작업 시간

6개의 위험요소로 구성되어 있으며 이를 곱한 값으로 위험성을 평가

- 적용 가능 작업 : 자료입력/처리, 검사작업, 손목의 움직임이 많은 작업, 포장작업, 재봉작업 등
- 장점 : 손, 손목, 팔꿈치를 주로 사용하는 작업의 자세와 노동량을 측정하기 좋은 평가도구, 다양한 변수 측정 가능
- 단점 : 평가가 상지에 국한, 평가방법이 다소 복잡, 관찰자의 주관적 의견이 포함될 수 있다는 점

STEP 1 자료수집	STEP 2 가중치에 따른 환산점수 결정	STEP 3 SI 점수 계산
SI 테이블 사용 ▪ 힘의 강도 ▪ 힘의 지속정도 ▪ 분당 힘의 빈도 ▪ 손/손목자세 ▪ 작업속도 ▪ 작업시간	SI 테이블 사용	결과 해석

JOB STRAIN INDEX 평가표

작업부서		작업자명	
작업내용			

평가	힘의 강도	힘의 지속 정도 (%)	분당 힘의 빈도 (횟수)	손/손목 자세	작업 속도	작업 시간 (일일)
1	가볍다	<10%	<4	매우 좋음	매우 느림	<1
	1	0.5	0.5	1.0	1.0	0.25
2	약간 힘들다	10~29%	4~8회	좋음	느림	1~2
	3	1.0	1.0	1.0	1.0	0.5
3	힘들다	30~49%	9~14회	보통	보통	2~4
	6	1.5	1.5	1.5	1.0	0.75
4	매우 힘들다	50~79%	15~19회	나쁨	빠름	4~8
	9	2.0	2.0	2.0	1.5	1.0
5	한계에 가깝다	>80%	>20회	매우 나쁨	매우 빠름	>8
	13	3.0	3.0	3.0	2.0	1.5

SI SCORE = 힘의 강도 계수 × 힘의 지속정도계수 × 분당 힘의 빈도 계수 × 손과 손목의 자세 계수 × 작업속도 계수 × 하루 작업시간 계수

SI SCORE =

SI SCORE < 3 : 안전함 (Safe)
3 ≤SI SCORE < 5 : 불확실한 작업 (Uncertain)
5 ≤ SI SCORE < 7 : 상지질환으로 발전할 가능성 있음 (Some risk)
SI SCORE ≥ 7 : 상체 부위의 근골격계질환의 발병가능성이 매우 높은 위험한 작업

22. QEC (Quick Exposure Checklist)

[2022년 2교시 5번]

1) 개발(자)

직업성 근골격계 질환을 유발하는 위험인자에 대한 특정 작업자의 노출 정도를 평가하기 위해 영국의 Guangyan Li(Univ. of Sunderland, UK)와 Peter Buckle (Univ. of Surrey, UK)에 의해 개발

2) 특징

- 평가자와 작업자가 같이 평가에 참여하는 점이 가장 큰 특징
- 다양한 위험인자를 평가하는 특징. 즉, 작업 자세, 작업 반복성, 취급 중량물 무게, 작업 수행시간, 손작업 시 발휘 힘, 진동, 시각적 정밀도, 스트레스 등을 포함
- 장점은 간단하고, 사용하기 쉽고, 신속(10~20분)한 평가, 다양한 위험인자를 평가, 다양한 작업장 환경에서 적용 가능, 보건안전 실무자와 작업자가 함께 평가에 참여하는 점

3) QEC 분석방법

- 먼저 작업 평가를 관찰자(분석자)와 작업을 직접수행하는 작업자가 평가
- 평가결과를 바탕으로 노출점수를 산정하는데 5가지 항목에 대해서 점수를 산출
- 5개 항목의 노출점수가 산출되면 노출 비율을 계산하고 조치수준을 결정

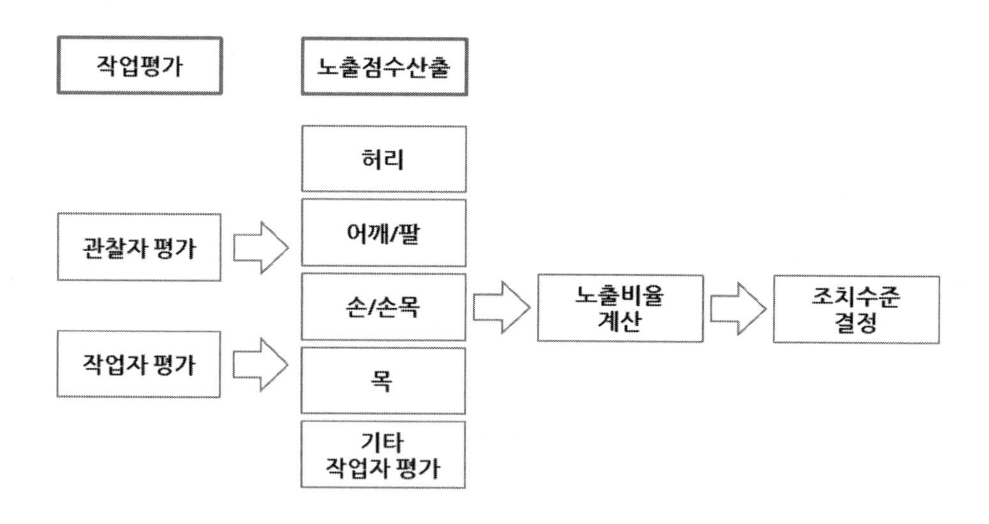

Chapter

06 근골격계질환 예방관리

1. 근골격계질환 예방관리 프로그램

[2013년 1교시 3번] [2015년 2교시 1번] [2017년 2교시 4번] [2021년 1교시 12번] [2022년 3교시 2번]

1) 정의

"근골격계질환 예방관리 프로그램"이란 유해요인 조사, 작업환경 개선, 의학적 관리, 교육 · 훈련, 평가에 관한 사항 등이 포함된 근골격계질환을 예방관리하기 위한 종합적인 계획을 말한다.

2) 시행시기

- 근골격계 질환으로 인해 업무상 질병으로 인정받은 근로자가 연간 10명 이상 발생한 사업장 또는 5명 이상 발생한 사업장으로서 발생 비율이 그 사업장 근로자 수의 10% 이상인 경우
- 근골격계질환 예방과 관련하여 노사 간 이견이 지속되는 사업장으로서 고용노동부장관이 필요하다고 인정하여 근골격계질환 예방 관리 프로그램을 수립하여 시행할 것을 명령한 경우

3) 주요 내용

- 근골격계 유해요인 조사
- 예방 · 관리 정책 수립
- 교육 및 훈련실시 (근로자 교육, 예방관리추진팀 교육)
- 초진증상자 및 유해요인 관리
- 작업환경 등 개선 활동 및 의학적 관리
- 프로그램 평가 (피드백)

2. 근골격계 질환 예방관리 프로그램 구성요소

[2008년 4교시 6번] [2017년 2교시 4번]

구성요소	세부내용
경영자의 지원, 노사의 공동 참여	경영자의 적극적인 지원 및 노사의 공동 참여하에 수립, 시행하여야 함
예방관리 추진팀의 구성	노사가 공동 참여한 형태의 추진팀을 구성하여 추진하여야 함
교육, 훈련 실시	근로자, 예방관리 추진팀 대상 전문 교육 및 훈련을 실시하여야 함
유해요인조사 및 작업환경 개선	작업의 유해요인조사 및 관리를 통한 작업환경 개선을 실시하여야 함
의학적 관리	통증을 호소하는 근로자에 대한 의학적 조치
유해성의 주지	근로자 대상 근골격계 질환에 대한 유해성의 충분한 주지가 필요
프로그램 평가 및 반영	지속적인 운영을 위한 자체 프로그램 평가 및 개선사항을 반영하여야 함

3. 근골격계질환 예방관리 프로그램의 적용을 위한 기본원칙

[2009년 4교시 2번]

1) 인식의 원칙

- 작업 특성상 근골격계질환자가 존재할 수밖에 없다는 현실을 노사 모두가 인정하는 것이 문제해결의 출발점
- 지속적인 관리를 통해서만 문제점을 최소화할 수 있다는 접근방법에 대한 인식이 필요
- 가장 중요한 것은 최고경영자의 의지

2) 노사 공동 참여의 원칙

- 예방관리의 대상은 작업설비도 포함되지만 결국 사람에 대한 관리가 핵심이어서 성공 여부는 노사의 신뢰성 확보 여부에 따라 달라지므로 반드시 공동 참여와 공동 운영이 필요
- 직무순환, 휴식 시간 조절 등과 같이 대책의 상당 부분이 노사 협의를 통해 결정되어야 할 사안임

3) 전사지원의 원칙

- 보건관리자와 관련된 특정 부서만의 활동으로는 소정의 목적을 달성할 수 없음
- 설비, 인사, 총무 등의 다양한 조직의 참여가 필요하며, 외국의 많은 사업장에서는 전사적 품질 관리의 차원에서 예방 활동을 하고 있음

4) 사업장 내 자율적 해결 원칙

- 질환의 조기 발견 및 조기 치료를 위하여 사업장 내에 일상적 자율 예방관리 시스템이 있어야 함
- 자율적 해결을 위해서는 사업장 내 인적 조직이 필요하고, 인적 조직에는 꼭 전문가가 있어야 하는 것은 아니나 시스템의 정착 과정에서는 일정 기간 외부 전문가와 연계가 필요할 수 있음

5) 시스템 접근의 원칙

- 중독성 질환처럼 작업설비, 특정 물질 등만을 대상으로 할 수 없으며, 발생원인이 작업의 고유 특성뿐 아니라 개인적 특성, 기타 사회·심리적인 요인 등 복합적인 특성을 가짐에 따라 시스템적 접근 필요

6) 지속성 및 사후평가의 원칙

- 질환의 특성상 예방사업의 효과가 단시간에 나타나지 않으므로 지속적인 관리 및 평가에 따른 보완 과정이 필요함

7) 문서화의 원칙

- 일상적인 예방관리를 위한 실행결과의 기록 보존 및 이에 대한 환류 시스템이 있어야만 정확한 평가와 수정 보완이 가능함
- 문서화를 통해서만이 일상적 관리가 제대로 수행되고 있는지에 대한 평가 가능함

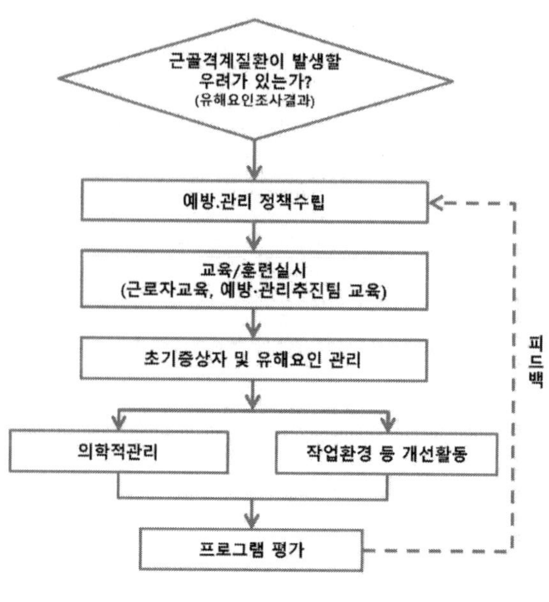

<예방관리프로그램 흐름도>

4. 의학적 조치 (안전보건 기준에 관한 규칙 제 660 조)

[2018년 2교시 1번]

◈ 안전보건 기준에 관한 규칙 제660조 (통지 및 사후조치)

> ① 근로자는 근골격계부담작업으로 인하여 운동범위의 축소, 쥐는 힘의 저하, 기능의 손실 등의 징후가 나타나는 경우 그 사실을 사업주에게 통지할 수 있다.
> ② 사업주는 근골격계부담작업으로 인하여 제1항에 따른 징후가 나타난 근로자에 대하여 의학적 조치를 하고 필요한 경우 제659조의 규정에 의한 작업환경개선 등 적절한 조치를 하여야 한다.

◇ 부담작업에 종사하는 근로자가 근골격계질환의 징후를 사업주에게 통지할 경우 [근골격계질환의 징후]

- "객관적으로 확인할 수 있는 운동 범위의 축소, 쥐는 힘의 저하, 기능의 손실 등 근골격계질환의 의심소견"을 말하며, 유해요인조사의 증상설문조사 결과는 그 자체를 근골격계질환 징후의 통지로 볼 수 없음을 유의

◆ 사업주는 근골격계질환의 징후가 확인된 근로자에 대하여는 그에 합당한 적절한 의학적 조치를 하고 필요한 경우 해당 부담작업에 대한 작업환경개선 등 적절한 조치를 실시하여야 함

◇ "적절한 의학적 조치"란 근골격계질환 징후 개선을 위한 스트레칭, 운동처방 및 테이핑(Tapping) 등 사업장 자체의 조치 또는 장비를 통한 부위 고정, 물리치료, 주사요법(근이완제, 국소마취제 등), 근무 중 치료 및 해당 신체 부위 휴식 (일시적 근로 금지·제한, 작업전환) 등 근골격계질환의 예방·관리를 위한 의사의 조치 등을 말함

* [참고] 사업장의 근골격계질환 예방을 위한 의학적 조치에 관한 지침 (KOSHA GUIDE H-68-2012) 참조

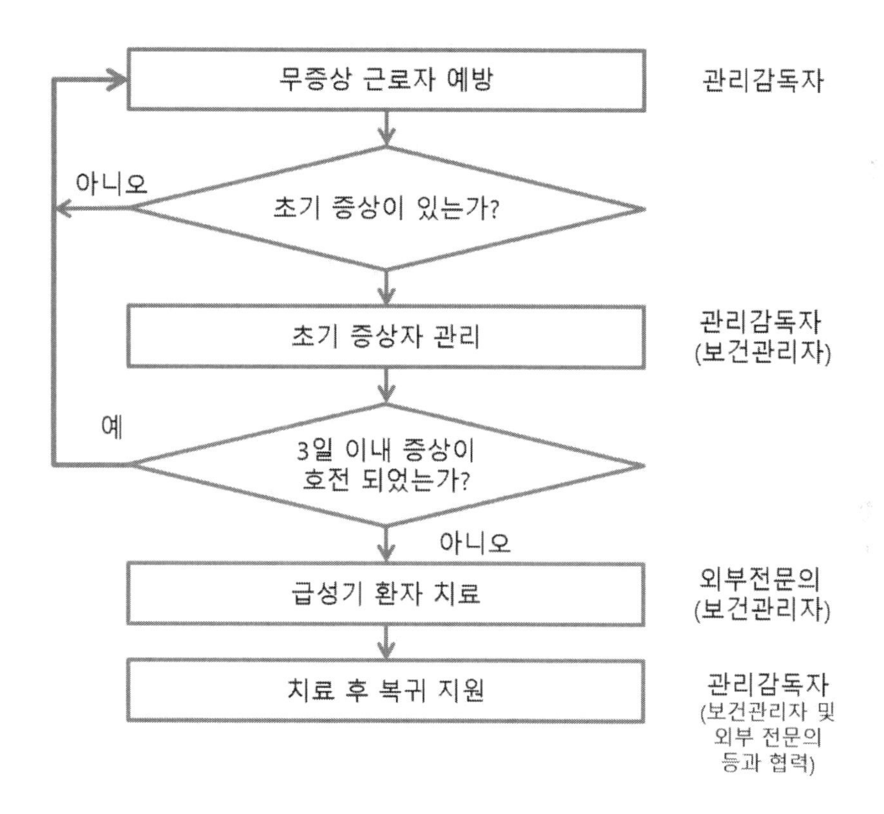

<사업장 내 의학적 조치 흐름도>

5. 개선 대상 공정을 선정할 때 고려해야 할 우선순위의 선정원칙

(미국 NIOSH, 1997)

- 현재 환자가 존재하는 작업공정
- 현재 환자는 없지만, 과거에 있었고 작업변화가 없는 공정
- 과거 및 현재에도 환자는 없지만, 작업자가 증상을 호소하는 공정
- 현재 및 과거에도 환자가 없고 증상 호소자도 없지만, 작업분석에서 잠재적 고위험요인이 발견된 공정

6. 인간공학적 작업장 개선방법

1) 작업장에서 지켜야 할 기본적인 사항을 먼저 이행
- 정리, 정돈, 청소, 청결 등

2) 작업 시 소요되는 힘을 최소화
- 무거운 것은 가볍게
- 조작이나 이동이 수월하도록
- 작업 시 신체의 일부 혹은 전부를 지지
- 물체의 이동 시 "롤러, 컨베이어, 에어밸런스"를 이용
- 자동화
- "지그"나 보조기구를 활용

3) 반복 횟수를 줄임
- 불량품 생산을 줄임
- 여러 번 해야 할 일을 한두 번으로 줄임
- 사용하던 근육을 쉬게 하고, 사용하지 않던 근육사용
- 좌, 우측을 교대로 사용하며 작업
- 서서 하는 작업과 앉아서 하는 작업을 교대
- 부품의 종류별로 색상을 달리하여 에러를 방지하고, 반복 횟수도 줄임

4) 좋은 자세로 작업
- 적절한 높이에서 작업
- 작업자와 근접한 지점에서 작업
- 팔꿈치 각도는 90도, 손목 각도는 180도 유지
- 허리, 손목, 팔의 비틀림 제거

5) 피로를 덜 받도록 하거나 휴식을 취함

- 좋은 휴식공간을 마련하고 피로를 풀 수 있는 설비를 갖춤
- 서서 일하는 작업지점에 피로 예방 매트를 깔아줌
- 작업 전후, 작업 도중에 스트레칭을 시행
- 물리치료실을 설치하거나 가까운 물리치료 시설을 활용
- 적정한 작업속도를 유지
- 부하가 많이 걸리는 작업의 시간 외 근무를 억제

6) 기타

- 손잡이를 개선
- 접촉스트레스를 제거
- 보호구를 사용
- 체력을 단련

7. 작업환경 개선 시 공학적 개선, 관리적 개선

[2005년 1교시 3번] [2010년 2교시 6번] [2016년 4교시 3번] [2017년 4교시 6번] [2018년 4교시 1번] [2023년 2교시 2번]

1) 공학적 개선(Engineering Controls)

장비의 재설계, 재배치, 대체(substitution)를 통하여 위험요소를 제거 또는 줄임으로써 개선하는 방법

- 자재, 부품, 제품의 이동 방법을 변경
- 작업공정 또는 제품을 변경하여 작업자가 위험에 노출되는 정도를 감소
- 작업 및 작업장 개선 : 작업대 높이를 조절식으로 설계
- 작업장의 배치(Workplace Layout) 변경
- 작업 자세 및 작업방법 개선
- 인력운반 작업개선
- 부품, 도구, 자재의 취급 또는 사용 방법의 변경
- 도구(수공구) 설계의 변경
- 자재와 조임장치를 변경
- 조립순서의 변경
- Automation, Mechanization

2) 관리적 개선(Administrative Controls)

작업절차, 작업 시간의 변경 또는 개인보호장구(PPE)의 사용을 통하여 작업자의 행동을 통제함으로써 위험에 노출되는 것을 줄여가는 개선방법

- 작업내용을 확대(Job Enlargement) 또는 변경
- 근골격계질환 위험을 인지할 수 있도록 교육(Hazard Awareness Training)
- 작업자의 훈련
  - 작업 위험을 감소시키는 작업방법을 찾아내어 작업자에게 훈련하는 과정을 지속하여야 한다.
- 작업속도의 조절 (Work Schedule)
  - 신규 등을 위해 신체가 적응할 수 있도록 작업 일정과 작업속도를 조절하여 점진적으로 늘려가야 한다.
- 교대시간을 짧게 하거나 잔업시간 또는 횟수를 줄인다.
- 작업순환 (Job Rotation)
- 휴식과 회복을 위해 휴식 시간을 더 많이 제공한다.
- 작업 전, 중, 후 스트레칭을 한다.
- Worker Selection, Functional Capacity Assessment, Physical Ability Testing, Behavior-based Safety, PPE

8. 공학적 개선원칙 중 작업방법 설계

[2020년 1교시 10번]

올바른 작업방법은 근육피로도 및 근력 부담을 줄이며 동시에 작업 효율 및 품질을 향상시킨다. 작업방법 설계 시 다음을 고려한다.

- 동작을 천천히 하여 최대 근력을 얻도록 한다.
- 동작의 중간범위에서 최대한의 근력을 얻도록 한다.
- 가능하다면 중력 방향으로 작업을 수행하도록 한다.
- 최대한 발휘하는 힘의 15% 이하로 유지한다.
- 힘을 요구하는 작업에는 큰 근육을 사용한다.
- 짧게, 자주, 간헐적인 작업/휴식 주기를 갖도록 한다.
- 근로자 대부분이 그 작업을 할 수 있도록 작업을 설계한다.
- 정확하고 세밀한 작업을 위해서는 적은 힘을 사용하도록 한다.
- 힘든 작업을 한 직후 정확하고 세밀한 작업을 하지 않도록 한다.
- 눈동자의 움직임을 최소화한다.

9. 관리적 개선책 중 하나인 작업자 선정의 목적과 방법

[2016년 4교시 3번]

1) 작업자 선정의 목적

- 해당 작업에 적합한 능력, 신체 치수, 체력 등을 가진 근로자를 배치함으로써 근골격계질환 예방뿐만 아니라 생산효율을 높이는 데 목적을 둔다.

2) 선정방법

- 근로자를 해당 업무에 배치하기 전 나이, 체중, 신장, 작업력 및 작업제한 경력, 과거 질병력, 당해 작업자의 체력 및 유연성, 기능 등 작업자의 특성이 작업의 특성과 잘 부합되는지를 종합적으로 평가 후 선정한다.

3) 문제점

- 근본적인 공학적인 개선이 이루어지지 않아 배치된 근로자가 근골격계질환이 발생할 잠재 위험성이 있다.
- 특정 근로자만 해당 공정에 배치됨에 따라 조직 내 갈등을 조성할 수 있다.

10. 근로자가 인력으로 중량물을 취급하는 경우 권고하는 작업방법

[2014년 1교시 6번]

- 중량물에 몸의 중심이 가깝게 한다.
- 발을 어깨너비 정도로 벌리고 몸은 정확하게 균형을 유지한다.
- 무릎을 굽힌다.
- 가능하면 중량물을 양손으로 잡는다.
- 목과 등이 거의 일직선이 되도록 한다.
- 등을 반듯이 유지하면서 무릎의 힘으로 일어난다.

11. 선 작업 자세에서 작업 특성에 따른 작업대의 높이 설계방식

[2007년 3교시 5번] [2012년 1교시 4번] [2022년 2교시 2번]

- 작업대의 높이나 의자의 높이는 가능하다면 다양한 신체 크기를 갖는 작업자들에게 맞도록 조절식으로 제공하는 것이 바람직하다.
- 작업대의 높이는 팔꿈치가 편안하게 놓일 수 있도록 팔꿈치를 기준으로 설계하는 것이 일반적이다.

1) 정밀작업

정밀작업은 미세한 조종작업이 필요하므로 최적의 시야 범위인 15°에 더 가깝게 하려면 작업면을 팔꿈치 높이보다 10~20cm 정도 높게 하는 것이 유리하다. 더 좋은 대안은 약 15° 정도 경사진 작업면을 사용하는 것이 좋다.

2) 일반작업

조립작업이나 기계적인 작업과 같은 일반작업(손을 자유롭게 움직여야 하는 작업)은 팔꿈치 높이보다 5~10cm 정도 낮게 한다.

3) 중(힘든)작업

많은 힘을 필요로 하는 중작업(무거운 물건을 다루는 작업)은 팔꿈치 높이보다 10~30cm 정도 낮게 한다.

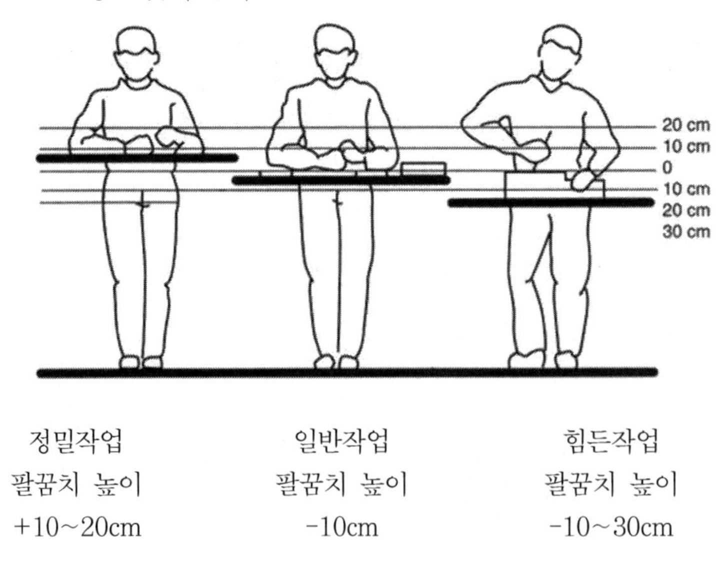

정밀작업	일반작업	힘든작업
팔꿈치 높이	팔꿈치 높이	팔꿈치 높이
+10~20cm	-10cm	-10~30cm

12. 입식 작업, 좌식작업, 입좌식 작업의 선정 기준

[2016년 2교시 4번] [2020년 4교시 5번]

- 작업 시 빈번하게 이동해야 하는 경우 서서 하는 작업형태가 좋다.
- 제한된 공간에서의 작업 중 힘을 쓰는 작업은 서서 하는 작업형태가 좋다. 이때, 발걸이 또는 발 받침대를 함께 사용한다.
- 제한된 공간에서의 가벼운 작업 중 빈번하게 일어나야 할 때는 입, 좌식 작업 형태가 좋다.
- 제한된 공간에서의 가벼운 작업 중 빈번하게 일어나는 일이 거의 없는 경우에는 앉아서 하는 작업형태가 좋다.

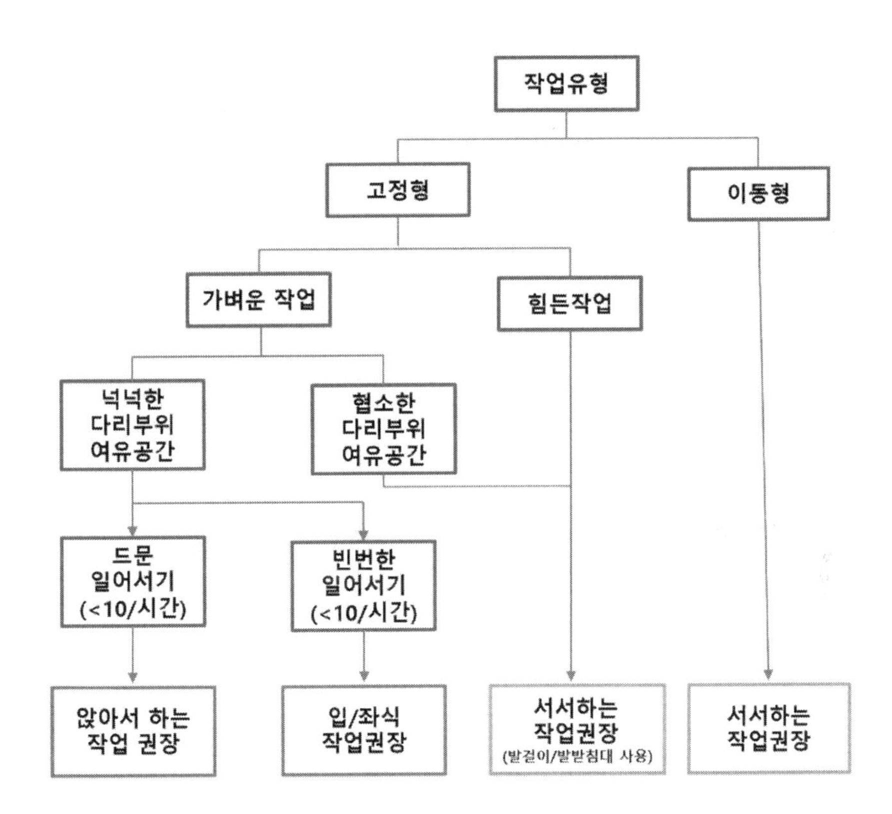

13. 영상표시단말기(VDT)취급 근로자 작업 관리 지침

[2006년 1교시 8번] [2006년 3교시 1번] [2007년 1교시 11번] [2010년 3교시 1번]
[2012년 3교시 3번] [2016년 2교시 2번] [2018년 3교시 2번] [2019년 4교시 6번]

(1) 작업시간 및 휴식시간

① VDT 작업의 지속적인 수행을 금하도록 하고 다른 작업을 병행하도록 하는 작업 확대 또는 작업순환을 하도록 한다.

② 1회 연속 작업시간이 1시간을 넘지 않도록 한다.

③ 연속 작업 1시간당 10~15분 휴식을 제공한다.

④ 한 번의 긴 휴식보다는 여러 번의 짧은 휴식이 더 효과적이다.

(2) VDT 기기, 의자 및 키보드 받침대의 사용 지침

① 영상표시단말기 취급근로자의 시선은 화면상단과 눈높이가 일치할 정도로 하고 작업 화면상의 시야는 수평선상으로부터 아래로 10° 이상 15° 이하에 오도록 하며 화면과 근로자의 눈과의 거리(시거리 : eye-screen distance)는 40cm 이상을 확보할 것 (그림 1)

작업자의 시선은 수평선상으로부터 아래로 10~15° 이내일 것

눈으로부터 화면까지의 시거리는 40cm 이상을 유지

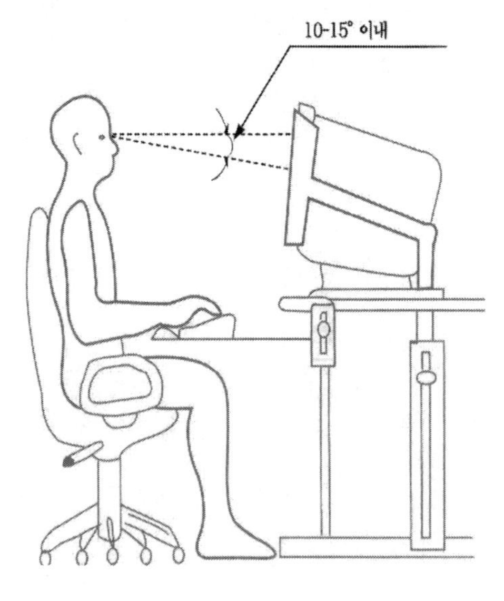

<그림1> 작업자의 시선범위

② 위팔(Upper Arm)은 자연스럽게 늘어뜨리고, 작업자의 어깨가 들리지 않아야 하며, 팔꿈치의 내각은 90° 이상이 되어야 하고, 아래팔은 손등과 수평을 유지하여 키보드를 조작할 것 (그림2, 3) 아래팔은 손등과 일직선을 유지하여 손목이 꺾이지 않도록 한다.

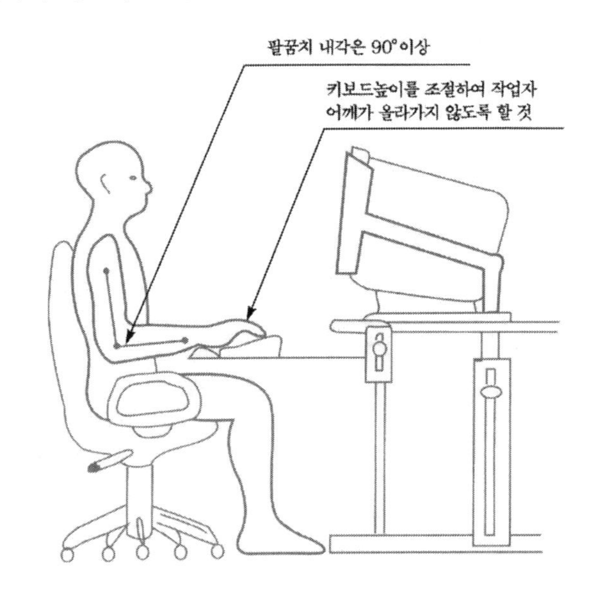

<그림 2> 팔꿈치 내각 및 키보드 높이

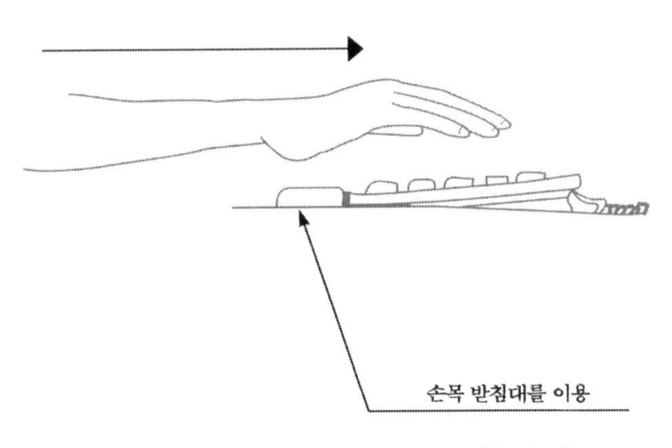

<그림 3> 아래팔과 손등은 수평을 유지

③ 연속적인 자료의 입력 작업 시에는 서류받침대를 사용하도록 하고, 서류받침대는 높이·거리·각도 등을 조절하여 화면과 동일한 높이 및 거리에 두어 작업할 것 (그림4)

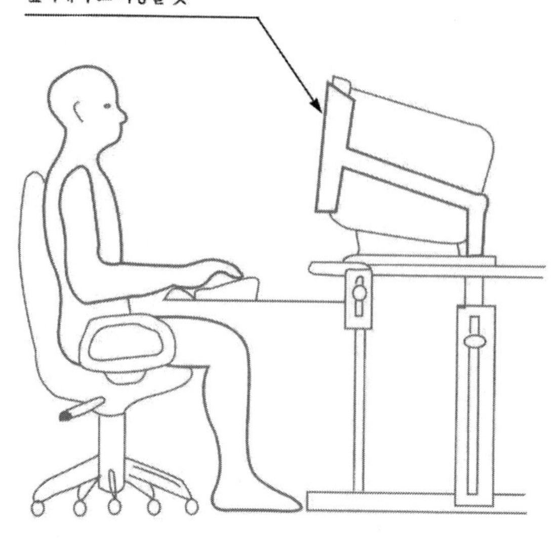
서류받침대는 거리,각도,높이조절이
용이한 것을사용하여 화면과 동일한
높이에 두고 사용할 것

<그림 4> 서류받침대 사용

④ 의자에 앉을 때는 의자 깊숙이 앉아 의자등받이에 등이 충분히 지지되도록 할 것 (그림 5)

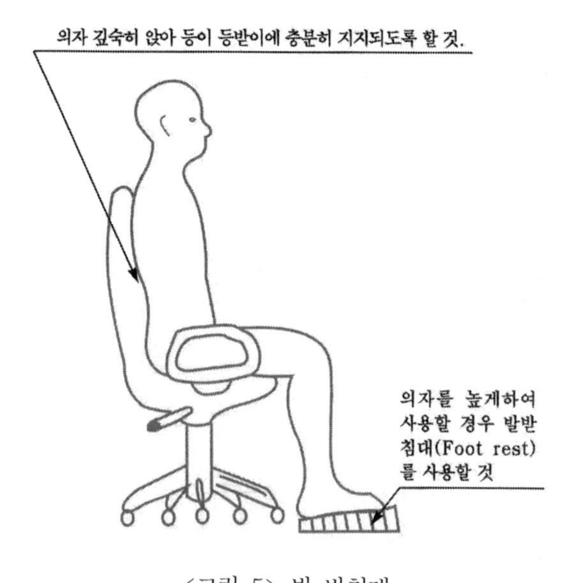
의자 깊숙히 앉아 등이 등받이에 충분히 지지되도록 할 것.
의자를 높게하여
사용할 경우 발받
침대(Foot rest)
를 사용할 것

<그림 5> 발 받침대

⑤ 영상표시단말기 취급근로자의 발바닥 전면이 바닥면에 닿는 자세를 기본으로 하되, 그러하지 못할 때에는 발 받침대를 조건에 맞는 높이와 각도로 설치할 것 (그림 5)

⑥ 무릎의 내각은 90° 전후가 되도록 하되, 의자의 앉는 면의 앞부분과 영상표시단말기 취급 근로자의 종아리 사이에는 손가락을 밀어 넣을 정도의 틈새가 있도록 하여 종아리와 대퇴부에 무리한 압력이 가해지지 않도록 할 것 (그림 6)

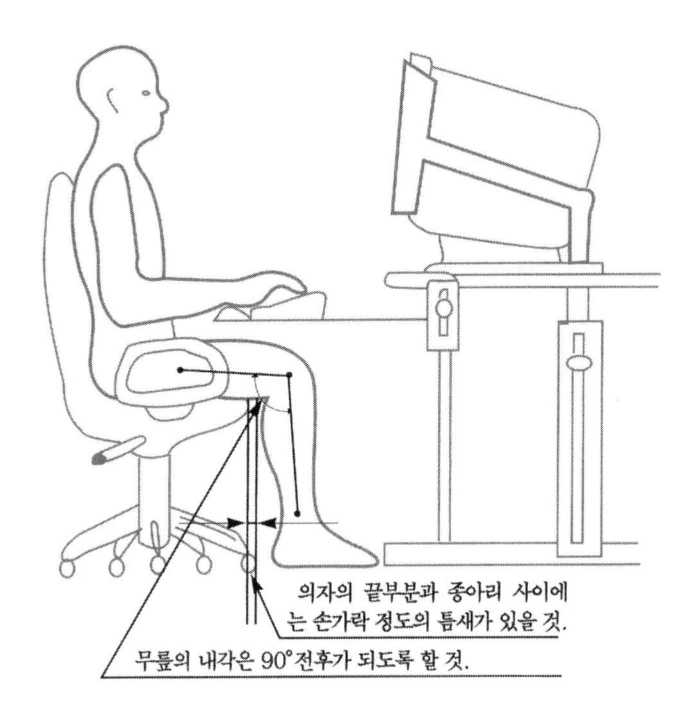
의자의 끝부분과 종아리 사이에
는 손가락 정도의 틈새가 있을 것.
무릎의 내각은 90°전후가 되도록 할 것.

<그림 6> 무릎내각

⑦ 키보드를 조작하여 자료를 입력할 때 양 손목을 바깥으로 꺾은 자세가 오래 지속되지 않도록 주의할 것

⑧ 빛이 작업화면에 도달하는 각도는 화면으로부터 45° 이내일 것

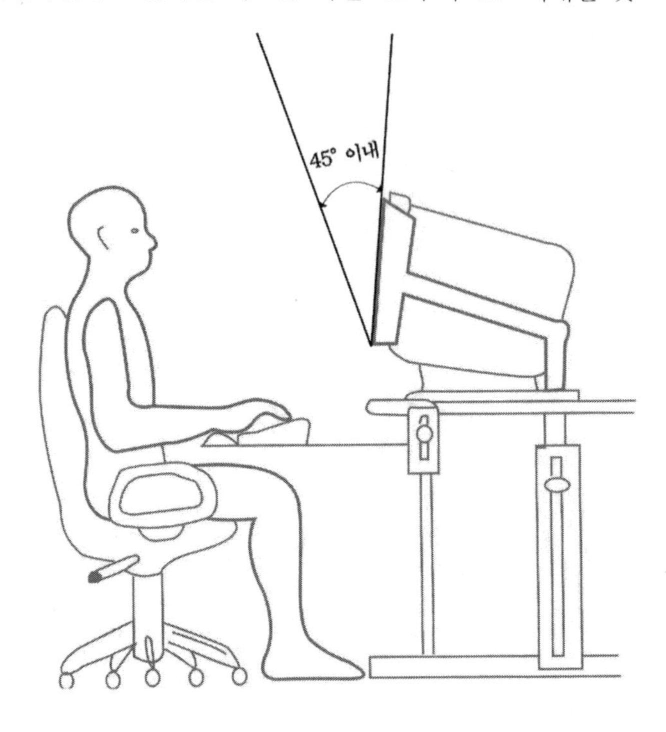

14. VDT 작업에서 발생 가능한 유해요인

1) 개인적 요인
   - 나이, 시력, 경력, 작업수행도
2) 작업환경 요인
   - 책상, 의자, 키보드 등에 의한 정적이거나 부자연스러운 작업 자세
   - 조명, 온도, 습도 등의 부적절한 실내(작업) 환경
   - 부적절한 조명과 눈부심, 소음
3) 작업조건 요인
   - 연속적이고 과도한 작업시간
   - 과도한 직무 스트레스
   - 반복적인 작업, 동작

Chapter

10

2024년 (133회) 인간공학기술사 기출문제 풀이

2024년(제133회) 인간공학기술사

기술사　제 133 회　　　　제 1 교시 (시험시간: 100분)

2024년도	분야	안전관리	자격종목	인간공학기술사	성명	

※ 다음 문제 중 10문제를 선택하여 설명하시오. (각 문제당 10점)

1. 휴먼에러(human error)의 정의와 스웨인(Swain)이 인간행위 관점에서 휴먼에러를 분류한 5가지에 대하여 설명하시오.

[2014년 4교시 6번] [2019년 1교시 5번] [2023년 1교시 9번] [2024년 1교시 1번]

1) 휴먼에러(human error)의 정의

인간-시스템의 역량(Capacity), 안전(Safety), 효과(Effectiveness) 수준을 감소시키면서 사고(Accident)나 부상(Injury)을 유발할 수 있는 인간의 부적절한 결정 또는 행위

2) 스웨인(Swain)의 휴먼에러 분류 5가지

◇ 행위적 관점에서 생략(부작위)오류, 실행(작위적)오류, 시간지연오류, 순서오류, 불필요한 수행오류로 구분

◇ 원자력 발전소 근무자들의 휴먼에러 유형을 조사하는 과정에서 휴먼에러를 인간 행위(Behavior) 관점에서 분류하는 방법을 제안

- 작업 완수에 필요한 행동을 하는 과정에서 나타나는 에러
- 작업 완수에 불필요한 행동을 하는 경우의 에러

◇ 행동(Behavior) 측면에서 분류

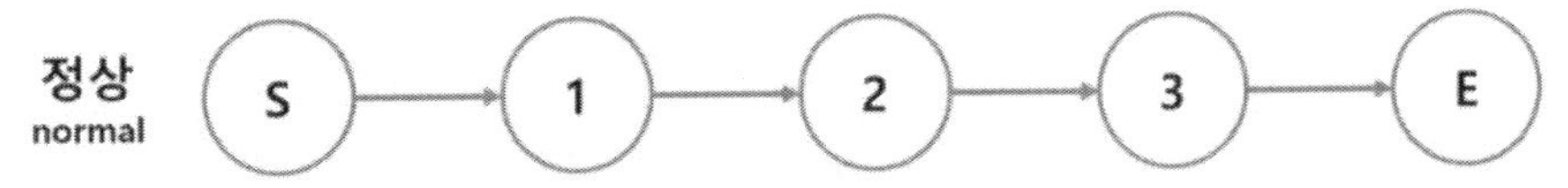

- 생략(부작위) 오류 (omission error)
  - 수행해야 할 작업을 빠트리는 에러
  - 자동차에서 하차 시 전조등을 끄는 것을 잊고 내려 방전되는 경우의 에러

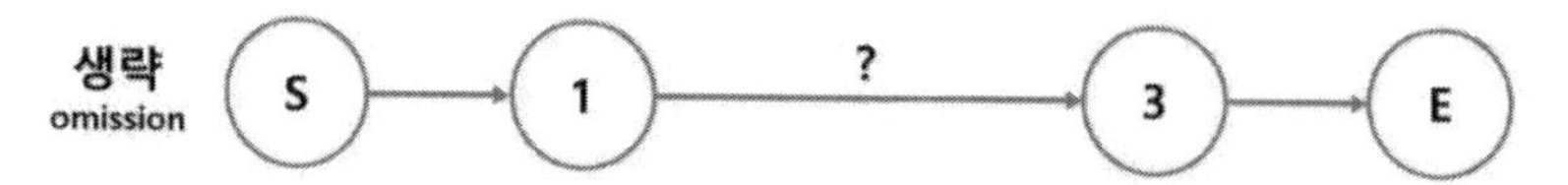

- 실행(작위적) 오류 (commission error)
  - 수행해야 할 작업을 부정확하게 수행하는 에러
  - 주차금지 구역에 주차를 하여 스티커를 발부받은 경우

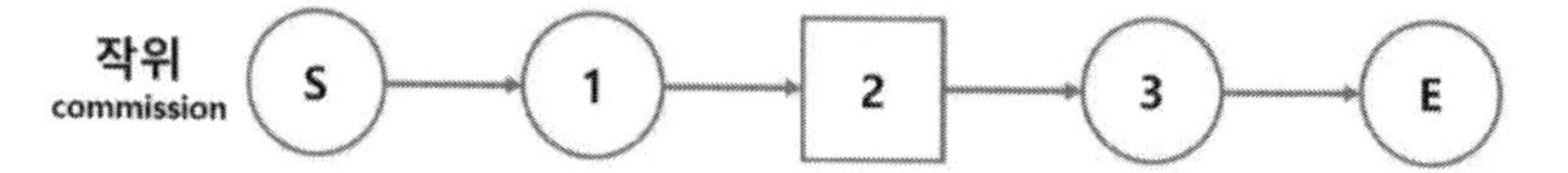

- 시간지연 오류 (time error)
  - 수행해야 할 작업을 정해진 시간 동안 완수하지 못하는 에러
  - 자동차로 학교에 도착은 하였으나 수업시간을 넘겨 도착해 지각으로 처리되는 경우

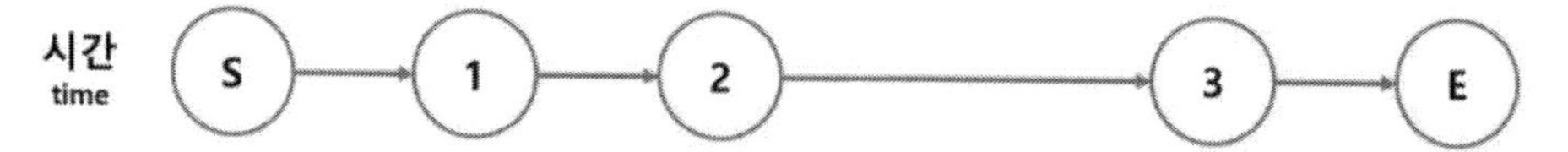

- 순서오류 (sequential error)
  - 수행해야 하는 작업의 순서를 틀리게 수행하는 오류
  - 자동차 출발 시 핸드브레이크를 내리지 않고 엑셀레이터를 밟는 것과 같이 순서를 바꾸어 수행한 경우

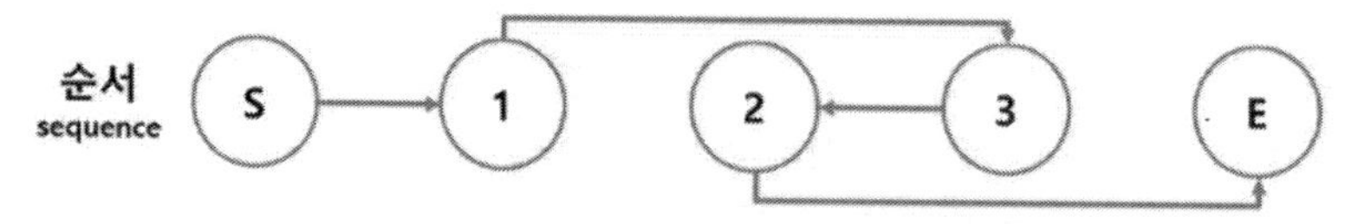

- 부적절한 수행 오류 (extraneous error)
  - 작업 완수에 불필요한 작업을 수행하는 오류
  - 자동차 운전 중 손을 창문 밖으로 내놓다가 다치는 경우의 에러

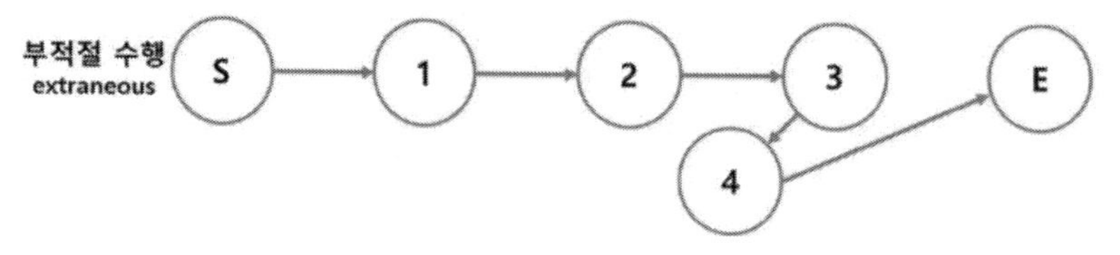

2. 휴먼에러(human error)의 원인별 단계에 의한 분류인 초기 단계 에러(primary error), 2차 단계 에러(secondary error), 수행단계 에러(command error)에 대하여 설명하시오.

[2024년 1교시 2번]

심리적 분류	원인 수준 분류	원인에 따른 분류
부작위/생략오류 (omission error) 작위적/행위 오류 (commission error) 시간지연 오류 (time error) 순서 오류 (sequential error) 부적절한 수행 오류 (extraneous error)	Primary error 작업 실행 중 발생하는 직접적인 에러 Secondary error 1차 오류를 수정하려고 시도하는 동안 발생한 에러 Command error 잘못된 계획이나 의사결정으로 인해 발생하는 에러	숙련기반 에러 (skill based error) 규칙기반 에러 (rule based error) 지식기반 에러 (knowledge based error) 부적절한 수행 오류 (extraneous error)

1) 초기 단계 에러(primary error)

◇ 발생단계: 실행

◇ 발생원인: 직접 조치

- 작업 실행 중에 주요 오류가 발생
- 일반적으로 개인이 잘못된 조치를 취한 결과
- 주의력 부족, 지식 부족, 업무에 대한 오해로 인한 실수나 실수로 인해 발생하는 경우가 많음

◇ 예시

- 작업자가 인쇄상의 오류로 인해 잘못된 데이터를 시스템에 입력
- 작업자가 지시 사항을 잘못 이해하여 잘못된 도구를 사용하여 수리

2) 2차 단계 에러(secondary error)

◇ 발생단계: 주요 오류에 대한 대응

◇ 발생원인: 주요 오류에 대한 반응

- 1차 오류에 대한 응답으로 2차 오류 발생
- 개인이 주요 오류를 수정하려고 시도했지만 결국 또 다른 실수를 범하게 될 때 발생
- 2차 오류는 성급한 결정, 스트레스 또는 부적절한 문제 해결 전략으로 인해 발생하는 경우가 많음

◇ 예시

- 데이터 입력 오류를 인지한 작업자는 이를 수정하려고 시도했으나 실수로 중요한 정보를 삭제함
- 운전자가 장애물을 피하기 위해 방향을 틀다가(1차 오류: 장애물을 제때 보지 못함) 다른 차량과 충돌(2차 오류)

3) 수행단계 에러(command error)

◇ 발생단계: 계획 또는 의사결정

◇ 발생원인: 잘못된 지시 또는 결정

- 수행단계 오류(명령 오류)는 계획 또는 의사결정 단계에서 발생
- 잘못된 결정을 내리거나 잘못된 지침을 제공하는 것이 포함되며, 이는 결국 부적절한 조치로 이어짐
- 명령 오류는 잘못된 판단, 정보 부족 또는 잘못된 가정으로 인해 발생하는 경우가 많음

◇ 예시

- 관리자는 오래되었거나 부정확하다는 사실을 깨닫지 못한 채 특정 프로세스를 사용하도록 팀에 지시
- 조종사는 잘못된 기상 데이터를 바탕으로 위험한 기상 조건에도 불구하고 이륙을 결정

3. 산업안전보건법령상 고객의 폭언 등으로 인한 건강장해 예방조치에 대하여 설명하시오.

[2024년 1교시 3번]

1) 업무와 관련하여 고객 등 제3자의 폭언 등으로 근로자에게 건강장해가 발생하는 경우 필요한 조치

산업안전보건법 시행령 제41조(제3자의 폭언 등으로 인한 건강장해 발생 등에 대한 조치)

법 제41조제2항에서 "업무의 일시적 중단 또는 전환 등 대통령령으로 정하는 필요한 조치"란 다음 각 호의 조치 중 필요한 조치를 말한다. <개정 2021.10.14.>

1. 업무의 일시적 중단 또는 전환
2. 「근로기준법」 제54조제1항에 따른 휴게시간의 연장
3. 법 제41조제2항에 따른 폭언등으로 인한 건강장해 관련 치료 및 상담 지원
4. 관할 수사기관 또는 법원에 증거물·증거서류를 제출하는 등 법 제41조제2항에 따른 폭언 등으로 인한 고소, 고발 또는 손해배상 청구 등을 하는데 필요한 지원

2) 폭언 등으로 건강장해를 예방하기 위한 조치

산업안전보건법 시행규칙 제41조(고객의 폭언등으로 인한 건강장해 예방조치)

사업주는 법 제41조제1항에 따라 건강장해를 예방하기 위하여 다음 각 호의 조치를 해야 한다.

1. 폭언 등을 하지 않도록 요청하는 문구 게시 또는 음성 안내
2. 고객과의 문제 상황 발생 시 대처방법 등을 포함하는 고객응대업무 매뉴얼 마련
3. 제2호에 따른 고객응대업무 매뉴얼의 내용 및 건강장해 예방 관련 교육 실시
4. 그 밖에 고객응대근로자의 건강장해 예방을 위하여 필요한 조치

4. 근로자가 근골격계부담작업을 하는 경우 사업주가 근로자에게 알려야 하는 유해성 등의 주지에 대하여 설명하시오.

[2023년 1교시 12번] [2024년 1교시 4번]

◈ 안전보건 기준에 관한 규칙 제661조(유해성 등의 주지)

<table><tr><td>
① 사업주는 근로자가 근골격계부담작업을 하는 경우에 다음 각 호의 사항을 근로자에게 알려야 한다.
1. 근골격계부담작업의 유해요인
2. 근골격계질환의 징후와 증상
3. 근골격계질환 발생 시의 대처요령
4. 올바른 작업자세와 작업도구, 작업시설의 올바른 사용방법
5. 그 밖에 근골격계질환 예방에 필요한 사항

② 사업주는 제657조제1항과 제2항에 따른 유해요인 조사 및 그 결과, 제658조에 따른 조사방법 등을 해당 근로자에게 알려야 한다.

③ 사업주는 근로자대표의 요구가 있으면 설명회를 개최하여 제657조 제2항 제1호에 따른 유해요인 조사 결과를 해당 근로자와 같은 방법으로 작업하는 근로자에게 알려야 한다. <신설 2017. 12. 28.>
</td></tr></table>

5. 과도한 작업으로 인하여 작업자의 체내에 피로 물질을 형성하는 무기성 대사과정을 설명하시오.

[2005년 1교시 2번] [2011년 1교시 8번] [2015년 4교시 5번] [2019년 1교시 12번] [2021년 1교시 8번] [2024년 1교시 5번]

◇ 대사 : 화학적으로 결합된 에너지를 기계적 에너지로 변환시키는 과정

◇ 근육이 움직이기 위해서는 에너지가 필요함. 즉 ATP 없이는 근수축을 위한 액틴 필라멘트가 미오신 필라멘트로 들어가는 작용을 할 수 없음

◇ 근육 내, 포도당이 분해되어 근육 수준에 필요한 에너지를 만드는 과정은 산소의 이용 여부에 따라 유기성 대사와 무기성 대사로 구분됨

- 유기성 대사 : 근육내 포도당 + 산소 → (CO_2) + (H_2O) + 열 + 에너지
- 무기성 대사 : 근육내 포도당 + 수소 → (젖산) + 열 + 에너지

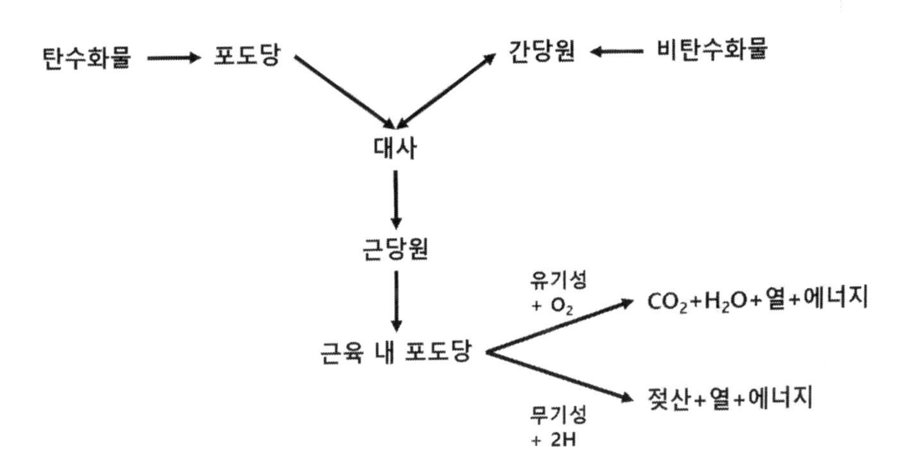

근육의 대사

무기성대사 과정

◇ 과도한 작업이나 운동으로 인해 작업자의 체내에서 피로 물질이 형성되는 주요 무기성 대사과정은 무산소 환원 반응(anaerobic glycolysis)

◇ 무산소 환원 반응은 산소 공급이 부족한 상태에서 에너지를 빠르게 생성하기 위해 주로 사용됨

◇ 무기성 대사 과정

1) 포도당의 분해

- 무산소 환원 과정은 세포질에서 포도당이 분해되는 과정
- 포도당 한 분자는 두 분자의 피루브산(puruvic acid)으로 분해

2) 젖산 형성

- 산소가 충분하지 않으면 피루브산은 산화적 인산화 과정을 거치지 못하고, 대신 젖산으로 전환됨
- 젖산 탈수소효소(Lactate dehydrogenase) 효소의 작용으로 피루브산은 젖산으로 변환됨
- 이 과정에서 NAD+[11]가 재생성되어 다시 해당 과정에 사용될 수 있음

3) 에너지 생성

- 포도당 한 분자의 분해를 통해 총 2분자의 ATP가 생성됨
- 이는 무산소 조건에서 세포가 신속하게 에너지를 얻을 수 있는 방법임

◇ 피로 물질의 형성

- 젖산 축적
  - 무기성 대사 과정의 결과로 생성된 젖산은 근육 세포 내에 축적
  - 젖산은 체내의 pH를 낮춰 근육의 산성도를 증가시키고, 이는 근육의 수축과 이완을 방해함
  - 젖산 축적으로 인해 근육 피로, 통증, 경련 등이 발생할 수 있음

◇ 피로 회복 과정

- 젖산의 제거와 대사
  - 젖산은 혈액을 통해 간으로 운반되어 글루코스 또는 글리코겐으로 다시 전환
  - 산소가 충분히 공급되면, 젖산은 다시 피루브산으로 전환되어 에너지를 생성하는 데 사용됨

---

11) NAD+ (니코틴아마이드 아데닌 다이뉴클레오타이드, Nicotinamide Adenine Dinucleotide)는 세포 내에서 중요한 역할을 하는 보조 인자(coenzyme)로, 주로 산화-환원 반응에서 전자 전달체로 기능

6. 국제표준화기구(ISO 9241-11:2018)에서 정의한 사용성과 제이콥 닐슨 (Jacob Nielson)이 정의한 사용성을 비교하여 설명하시오.
[2014년 1교시 10번] [2019년 2교시 4번] [2022년 1교시 8번] [2024년 1교시 6번]

◇ ISO 9241-11:2018과 제이콥 닐슨(Jakob Nielsen)이 정의한 사용성(usability)은 둘 다 사용자 경험과 인터페이스 디자인에서 중요한 개념이지만, 그 정의와 초점이 약간 다르다.

◇ ISO 9241-11:2018의 정의는 사용성을 보다 넓은 맥락에서, 특정 작업과 목표 달성에 초점을 맞추어 정의하며, 주로 효과성, 효율성, 만족도라는 세 가지 주요 측면에 중점을 두는 반면, 제이콥 닐슨의 정의는 사용성의 다섯 가지 세부 요소를 통해 사용자가 시스템을 처음 접할 때부터 숙련된 후, 그리고 일정 기간 사용하지 않은 후 다시 사용할 때의 경험까지 상세히 다룬다. 이러한 차이는 사용성 평가 시 서로 보완적인 관점을 제공하며, 사용자 경험을 더욱 종합적으로 이해하고 개선하는 데 도움을 준다.

◇ 두 정의의 공통점과 차이점

- 효율성
  - 공통점 : 두 정의 모두 효율성(작업을 얼마나 빠르고 정확하게 수행할 수 있는지)을 중요하게 다룸
  - 차이점 : ISO 9241-11:2018은 효율성을 달성하기 위해 필요한 자원의 양(시간, 노력)에 중점을 두는 반면, 닐슨은 시스템을 학습한 후 효율성을 강조
- 만족도
  - 공통점 : 두 정의 모두 사용자 만족도를 사용성의 중요한 요소로 포함
  - 차이점 : ISO 9241-11:2018은 만족도를 더 일반적인 사용자 경험의 일부로 다루는 반면, 닐슨은 만족도를 사용성과 직접적으로 연결된 요소로 구체화
- 추가 요소
  - ISO 9241-11:2018은 효과성(목표 달성의 정확성과 완전성)을 포함하여 사용자가 목표를 얼마나 잘 달성하는지를 강조
  - 닐슨은 학습 용이성, 기억 용이성, 오류 등의 추가 요소를 포함하여 사용자가 시스템을 처음 접했을 때와 다시 사용할 때의 경험, 그리고 사용 중 발생하는 오류와 그 회복 가능성까지 고려함

6-1 국제표준화기구(ISO 9241-11:2018) 정의

- 사용자가 특정한 사용 환경에서 의도한 목적을 달성하고자 어떤 제품을 이용할 때의 효과, 효율 및 만족의 정도
- 시스템이 배우기 쉽고, 사용하기 쉬우며, 효율적이고, 실수를 잘 범하게 하지 않을 뿐 아니라, 실수를 범했더라도 빨리 실수로부터 회복될 수 있으며, 사용하는 과정이 만족스러운 것을 의미

구분	정의	평가척도 예시
효과 (effectiveness)	의도한 목적을 얼마나 정확하고 완성도 있게 달성하였는가에 대한 정도	완성된 과제 비율 시간 내 과제 성공 비율 사용 목적에 대한 성공 비율
효율 (efficiency)	원하는 목적을 정확하게 완성하는 데 소모하는 자원의 효율 정도	초보자의 과제 완성 시간 숙련자의 과제 완성 시간 학습률
만족 (satisfaction)	사용자들이 느끼는 사용상의 편안함과 만족의 정도	사용상의 주관적 만족도 포함된 기능에 대한 만족도 도움말 지원에 대한 만족도

6-2 제이콥 닐슨(Jacob Nielson)의 정의

◇ 학습용이성 (Learnability)

시스템은 사용자가 몇몇 수행을 즉각 시행할 수 있도록 배우기 쉬워야 한다.
초보자가 제품의 사용법을 얼마나 배우기 쉬운가를 나타낸다.

◇ 효율성 (Efficiency)

시스템은 일단 사용자가 사용하는 것을 학습하면 고도의 생산성이 가능할 수 있도록 사용이 효율적이어야 한다.
숙련사용자가 원하는 일을 얼마나 빨리 수행하는지를 나타낸다.

◇ 기억용이성 (Memorability)

시스템은 사용자가 일정 기간 사용하지 않았을 때 모든 것을 전부 다시 배워야 할 필요 없이 다시 그 시스템을 사용할 수 있도록 기억하기 쉬워야 한다.
재사용자들이 사용방법 기억하기 쉬워야 하며, 재사용 시 얼마나 기억하는지를 척도로 한다.

◇ 에러 빈도 및 정도 (Error Frequency and Severity)
시스템은 사용자가 그 시스템을 사용하는 동안 에러를 범하지 않게 하는 낮은 에러율을 가져야 하고, 만일 에러를 범하는 경우에도 쉽게 에러로부터 회복될 수 있도록 해야 한다. 특히 치명적인 에러는 발생해서는 안 된다.
실수의 정도가 큰지 적은지, 자주하는지에 관한 정도로 나타낸다.

◇ 주관적 만족도 (Subjective Satisfaction)
시스템은 사용자가 그것을 사용할 때 주관적으로 만족할 수 있도록 사용하기 좋아야 한다.

7. 인식소음수준의 척도에는 PNdB(perceived noise level)와 PLdB (perceived level of noise)가 있다. 두 척도의 차이점을 설명하시오.

[2024년 1교시 7번]

◇ PNdB (Perceived Noise Level in decibels)와 PLdB (Perceived Level of Noise in decibels)는 둘 다 소음의 인식 수준을 나타내는 척도이지만, 서로 다른 방식으로 소음을 평가함

◇ 사용목적 및 적용범위

PNdB	PLdB
▪ 항공기 소음과 관련된 평가에 주로 사용되며, 항공소음을 정량화	▪ 도시 소음, 산업 소음 등 다양한 소음 환경에서 사용되며, 소음 공해를 폭넓게 평가
▪ 항공기 소음의 특성에 맞춘 특정 가중치와 보정 인자를 사용	▪ 일반적인 소음 평가를 위한 가중치를 사용하여 다양한 소음 환경에 적용

◇ PNdB와 PLdB는 둘 다 인간 청각의 특성을 반영하여 소음의 인지된 수준을 측정하는 단위

◇ PNdB는 주로 항공기 소음 평가에 특화되어 있으며, PLdB는 더 일반적인 소음 평가에 사용

◇ 두 단위는 각기 다른 가중치와 보정 방법을 사용하여 소음의 인지도를 정량화하며, 소음 관리와 환경 정책 수립에 중요한 역할을 수행

1) PNdB (Perceived Noise Level in decibels)

◇ 정의

- PNdB는 소음의 물리적 특성과 인간의 청각 특성을 종합적으로 고려하여 소음의 인지된 수준을 평가하는 단위
- 이는 특히 인간이 소음을 어떻게 느끼고 평가하는지를 정확하게 반영하기 위해 고안된 것으로, 소음 공해 평가나 소음 관리 정책 수립 시 유용하게 사용됨

◇ 측정방법

- 특정 주파수 대역에서의 소음 압력을 가중치 함수를 통해 변환하여 종합
- 인간의 청각이 주파수에 따라 소음을 다르게 인식하는 특성을 반영함
- 주파수 대역분석, 가중치 적용, 레벨 합산, 보정의 순으로 계산

◇ 특징

- 주관적 평가 : PNdB는 물리적 소음 레벨뿐만 아니라, 사람이 느끼는 소음의 불쾌감이나 자극 정도를 반영
- 주파수 감도 : 인간의 귀가 특정 주파수에 더 민감하게 반응하는 것을 고려하여, 고주파 소음이나 저주파 소음이 동일한 데시벨 레벨을 가질 때 다르게 평가될 수 있음
- 실용적 사용 : PNdB는 항공기 소음 평가, 도시 소음 평가 등 다양한 분야에서 사용되며, 사람의 소음 인지에 대한 보다 정확한 평가를 제공

2) PLdB (Perceived Level of Noise in decibels)

◇ 정의

- PLdB는 일반적인 소음의 인식 수준을 나타내는 척도로, 다양한 소음 환경에서의 소음을 평가하는 데 사용됨

◇ 측정 방법

- A 가중치를 적용한 소음 수준 측정
- 인간의 청각이 중간 주파수 소음에 더 민감하고 저주파 및 고주파 소음에는 덜 민감하다는 것을 반영함

◇ 특징

- 다양한 소음 환경에서 사용(환경 소음 평가, 산업 소음 평가 등 광범위하게 적용)
- 상대적으로 간단한 계산을 필요로 하며, A 가중치를 통해 측정된 소음 수준을 사용

8. 최소가분시력(minimum separable acuity)을 구하는 공식을 쓰고 설명하시오.

[2010년 1교시 2번] [2013년 3교시 1번] [2023년 1교시 1번] [2024년 1교시 8번]

인간의 시력을 측정하는 방법에는 여러 가지가 있으나 가장 보편적으로 사용되는 것은 최소가분시력(minimal separable acuity)으로, 이는 눈이 식별할 수 있는 표적의 최소공간을 말한다.
시각은 보는 물체에 의한 눈에서의 대각인데, 일반적으로 호의 분이나 초 단위로 나타낸다. (1°=60′=3600″). 시각에 대한 개념은 다음 그림과 같으며, 시각이 10°이하일 때는 다음 공식에 의해 계산된다.

$$\text{시각} = \frac{(57.3)(60)H}{D} \qquad \text{시력} = \frac{1}{\text{시각}}$$

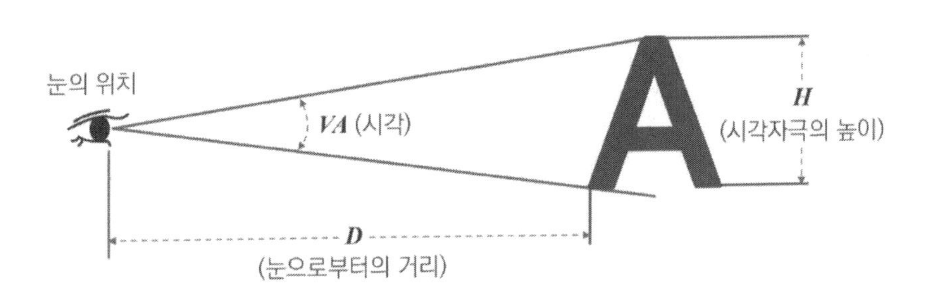

9. 개회로 시스템(open-loop system)과 폐회로 시스템(closed-loop system)에 대하여 설명하시오.

[2024년 1교시 9번]

◇ 시스템은 정보의 피드백 여부에 따라 개회로(Open-Loop) 시스템과 폐회로(Closed-Loop) 시스템으로 구분

◇ 시스템의 출력에 관한 정보가 다시 입력에 되돌려 주는 과정이 연속적으로 존재하느냐에 의해서 두 시스템은 구분

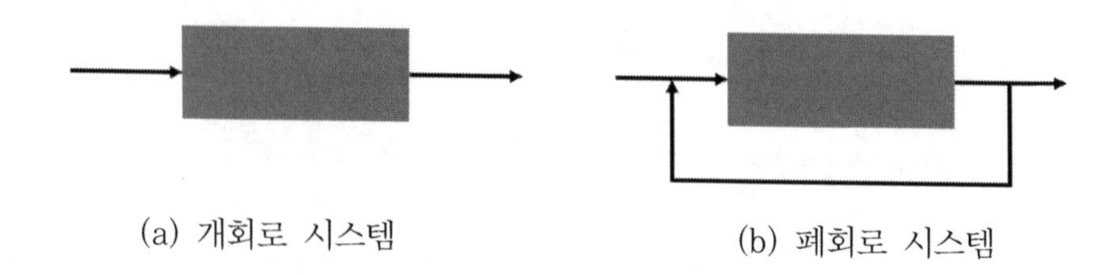

(a) 개회로 시스템　　　　(b) 폐회로 시스템

- 개회로 (Open-Loop) 시스템
  - 일단 작동되면 더는 제어가 안 되거나 제어할 필요가 없는 미리 정해진 절차에 의해 작업이 진행되는 시스템이다.
  - 사례 : 세탁기를 가동하는 것
- 폐회로 (Closed-Loop) 시스템
  - 현재 출력과 시스템 목표와의 오차를 연속적으로 또는 주기적으로 피드백 받아 시스템의 목적을 달성할 때까지 제어하는 시스템이다.
  - 사례 : 차량 운전과 같이 연속적인 제어가 필요한 것

10. 청각적 표시장치와 시각적 표시장치의 장·단점을 비교 설명하시오.

[2005년 1교시 5번] [2008년 1교시 3번] [2019년 3교시 6번] [2024년 1교시 10번]

청각 장치가 이로운 경우	시각 장치가 이로운 경우
1) 전달정보가 간단하고 짧을 때	1) 전달정보가 복잡하고 길 때
2) 전달정보가 후에 재참조 되지 않는 경우	2) 전달정보가 후에 재참조 되는 경우
3) 전달정보가 시각적인 이벤트를 다루는 경우	3) 전달정보가 공간적인 위치를 다루는 경우
4) 전달정보가 즉각적인 행동을 요구하는 경우	4) 전달정보가 즉각적인 행동을 요구하지 않을 때
5) 수신자의 시각 계통이 과부하 상태인 경우	5) 수신자의 청각 계통이 과부하 상태인 경우
6) 수신장소가 너무 밝거나 암조응 유지가 필요한 경우	6) 수신장소가 시끄러울 때
7) 직무상 수신자가 자주 움직이는 경우	7) 직무상 수신자가 한 곳에 머무르는 경우

11. 소음과 관련하여 은폐효과(masking effect)에 대하여 설명하시오.

[2005년 1교시 6번] [2024년 1교시 11번]

◇ 음의 한 성분이 다른 성분의 청각 감지를 방해하는 현상을 말한다.
즉, 은폐란 한 음(피은폐음)의 가청 역치가 다음 음(은폐음) 때문에 높아지는 것을 말한다.

◇ 산업 현장에서 소음(은폐음)이 발생할 경우에는 신호 검출의 역치가 상승하며 신호가 확실히 전달되기 위해서는 신호의 강도는 이 역치 상승분을 초과해야 한다.

◇ 은폐 효과는 은폐음과 피은폐음의 종류 즉, 순음, 복합음, 백색소음, 음성 등에 따라 달라진다.

◇ 은폐음이 소음인 경우

- 순음의 역치가 주파수에 따라 15~30dB 정도 증가
- 높은 진동수에서 더 큰 증가
- 피은폐음을 듣기 위해서는 피은폐음의 수준이 은폐효과만큼 높아야 함

◇ 은폐음이 순음인 경우

- 폐음과 그 배음들의 진동수 주위에서 은폐 효과가 강하게 나타남
- 은폐음과 그 배음들의 진동수와 가까운 곳에서는 맥놀이(beat) 현상으로 인하여 은폐효과가 현저히 감소 → 순음 신호가 잘 들림

◇ 낮은 수준(20~40dB)의 은폐음 경우에는 은폐효과가 은폐음의 주위에 한정되나, 높은 수준 (80~100dB)의 경우에는 은폐음보다 높은 진동수까지 은폐 효과가 일어난다.

12. 인지특성을 고려한 설계원리 중 안전설계원리 3가지를 설명하시오.

[2020년 1교시 6번] [2023년 1교시 10번] [2024년 1교시 12번]

◇ Fool Proof

- 바보(fool)와 같이 되는 경우를 방지(proof)한다는 의미로서, 사용자가 실수를 하더라도 사용자나 시스템에 피해가 발생하지 않도록 하는 설계 개념
- 예를 들어 전원 플러그를 사용하여야 하는 경우에 극성이 다르게 삽입되는 것을 방지하기 위하여 플러그의 모양을 극성이 올바른 경우에만 삽입될 수 있도록 설계하는 경우이다.

- 특히 초보자나 미숙련자가 사용법을 잘 모르고 제품을 사용하더라도 사고가 나지 않도록 하는데 적절한 설계 개념이다.
  - Affordance (행동 유도성 원칙)
  - Mental Model (좋은 개념모형의 원칙)
  - Mapping (대응의 원칙)
  - Visibility (가시성의 원칙)
  - Feedback (피드백의 원칙)
  - Consistency (일관성의 원칙)
  - Constraints (사용상 제약 원칙)

◇ Fail Safe

고장이나 오류가 발생하는 경우(fail)에도 안전한 상태(safe)를 유지하는 방식

- Redundant system (중복 시스템 설계, 병렬체계 방식)
  - 비행기 엔진을 2개 이상 장착하여 1개 엔진이 고장 나더라도 다른 엔진을 이용하여 당분간 운항한 뒤 착륙할 수 있도록 하는 병렬체계 방식
- Standby system (대기 시스템 설계, 대기체계 방식)
  - 평소에는 작동하지 않다가 주 장치에 고장이 나면 작동하는 방식
    예) 병원 수술실이나 엘리베이터의 자가 발전기
- Error recovery (에러 복구)
  - 오류가 발생하여도 이를 쉽게 복구할 수 있게 하는 방식
    예) 컴퓨터 바탕화면의 휴지통
- 고장이 발생하면 시스템이 작동을 멈추는 방식
  예) 과전압이 흐르면 전기가 차단되는 차단기, 넘어지면 작동이 되지 않는 전기히터 등

◇ Tamper Proof

고의로 안전장치를 제거하여도 안전한 상태를 유지 시킬 수 있게 하는 설계 개념

- 프레스 작업에서 작업자들은 작업 속도가 느려지고 불편하다는 이유로 고의로 안전장치를 제거하는 경우 프레스가 아예 작동하지 않도록 설계

13. 양립성 설계의 장점과 양립성 종류에 대하여 설명하시오.

[2005년 1교시 1번] [2008년 1교시 5번] [2009년 1교시 7번] [2011년 1교시 10번] [2014년 1교시 12번] [2015년 2교시 2번] [2017년 2교시 3번] [2019년 1교시 4번] [2021년 4교시 3번] [2022년 2교시 3번] [2023년 1교시 3번] [2024년 1교시 13번]

◇ 자극들 간의, 반응들 간의, 혹은 자극-반응 조합에 대하여 공간, 운동, 개념 혹은 양태(modality) 관계가 인간의 기대와 모순되지 않는 것

◇ 양립성의 생성
- 본질적(본능적)으로 습득 : 자동차 핸들을 오른쪽으로 돌리면 오른쪽으로 회전
- 문화적으로 습득 : 각 나라별로 자동차 통행 방법 (좌측, 우측 통행)

◇ 양립성의 정도가 높을수록
- 학습이 더 빨리 진행되고
- 반응시간이 더 짧아지며
- 오류가 줄어들고
- 정신적 부하가 감소

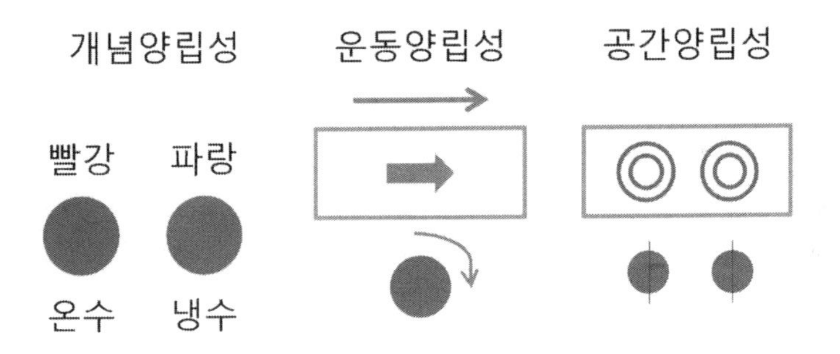

◇ 개념양립성 : 사람들이 가지고 있는 개념적 연상의 양립성
- 코드나 심벌의 의미가 인간이 가지고 있는 개념과 양립
- 냉수와 온수를 색깔로 구분한 정수기는 사용자가 가지고 있는 개념적 연상에 관한 기대와 일치하도록 하는 개념 양립성의 원리가 적용됨
  ex) 지도에서 비행기 모형 → 비행장

◇ 운동양립성 : 표시장치와 조종장치, 그리고 체계 반응의 운동 방향 간의 관련을 나타내는 것

- 조종기를 조작하거나 display 상의 정보가 움직일 때 반응 결과가 인간의 기대와 양립
- 자동차 핸들은 움직이는 방향에 따라 자동차가 움직이도록 하여 사용자가 기대하는 방향으로 움직이도록 하는 운동 양립성의 원리가 적용됨

  ex) 라디오의 음량을 줄일 때 조절장치를 반시계 방향으로 회전

◇ 공간양립성 : 특정한 사물, 특히 표시장치나 조종장치에서 물리적 형태나 공간적인 배치의 양립성

- 가스 버너에서 오른쪽 조리대는 오른쪽 조리장치로, 왼쪽 조리대는 왼쪽 조절장치로 조정하도록 배치하는 것은 물리적 형태나 공간적인 배치가 사용자의 기대와 일치하도록 하는 공간양립성이 적용된다.

  ex) button의 위치와 관련 display의 위치가 양립

국가기술 자격검정 시험문제

기술사　제 133 회　　　　　　　　　제 2 교시 (시험시간: 100분)

2024년도	분야	안전관리	자격 종목	인간공학기술사	성명	

※ 다음 문제 중 4문제를 선택하여 설명하시오. (각 문제당 25점)

1. 인간신뢰도 및 시스템 안전성 평가에 대하여 다음을 설명하시오.

1) 인간신뢰도 분석(HRA, human reliability analysis)

[2005년 3교시 1번] [2006년 4교시 1번] [2007년 3교시 3번] [2012년 3교시 4번] [2019년 1교시 1번] [2023년 1교시 13번] [2024년 2교시 1번]

◇ 인간신뢰도 분석 정의

- 신뢰도는 어떤 부품, 기계 등이 일정한 시간 동안 고장 나지 않고 작동할 확률을 의미
- 즉, 인간신뢰도는 인간이 어떠한 작업을 수행하는 동안 에러를 범하지 않고 작업을 수행하는 확률을 의미하며, 보통 인간-기계 시스템에서 기계신뢰도와 함께 전체 시스템의 신뢰도를 추정하기 위해 사용
- 이러한 인간신뢰도에 대한 정량적 분석을 인간신뢰도 분석이라고 함

◇ 인간신뢰도 분석 계산 형태

- 인간을 전체 시스템에서 하나의 부품으로 가정하고 분석을 하면 인간 신뢰도를 추정할 수 있음
- 기본적 연결 방식으로 직렬연결과 병렬연결 형태가 있음

1) 직렬연결
- 인간과 기계가 직렬로 연결된 구조에서는 기계나 인간 중 어느 하나라도 고장이나 에러를 발생시키게 될 경우 시스템이 정상 작동하지 못하게 됨
- 신뢰성 블록도는 다음과 같고, 전체 시스템의 신뢰도는 다음과 같이 계산됨

직렬작업 인간 신뢰도(Rs) = $R_1 \times R_2$

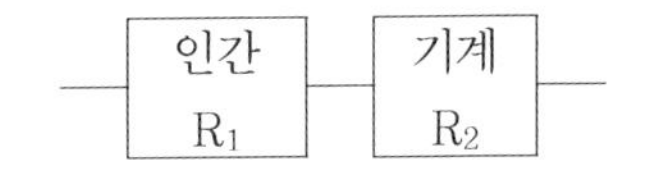

- 일정 시점까지 운전자의 운전 신뢰도가 0.8, 기계 신뢰도가 0.9라면, 전체 인간-기계 시스템 신뢰도는 0.8 × 0.9 = 0.72
- 직렬연결 시스템의 신뢰도는 어느 한 부품의 신뢰도보다도 낮아짐

2) 병렬연결

- 인간과 기계가 병렬로 연결된 구조에서는 기계나 인간 모두에 동시에 고장이 나거나 에러를 발생시켰을 때 시스템이 정상 작동하지 못하게 됨
- 신뢰성 블록도는 다음과 같고, 전체 시스템의 신뢰도는 다음과 같이 계산됨

$$\text{병렬작업 인간 신뢰도}(R_s) = 1-(1-R_1)\times(1-R_2)$$

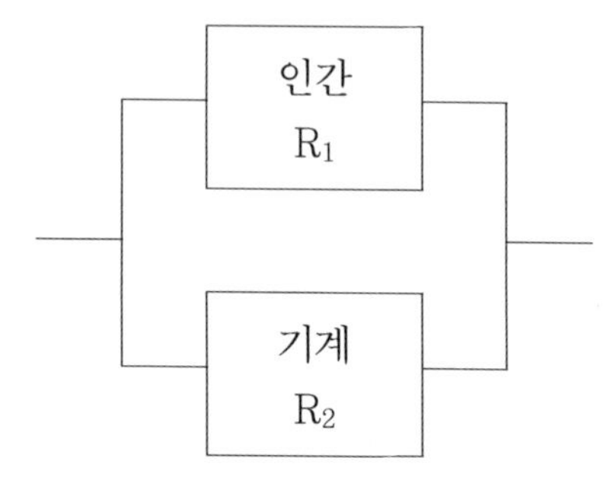

- 어느 빌딩 경비 시스템 신뢰도가 인간은 0.8, 경보 시스템 0.9라고 하면, 전체 신뢰도는 1-(1-0.8)×(1-0.9) = 0.98
- 병렬연결 시스템 신뢰도는 부품 중 가장 높은 신뢰도보다도 높아지게 되므로 병렬연결은 시스템 신뢰도를 높이기 위해 사용됨

2) ETA(event tree analysis)와 FTA(fault tree analysis)의 차이점과 장·단점

- ETA (Event Tree Analysis)와 FTA (Fault Tree Analysis)는 둘 다 시스템의 신뢰성 및 안전성을 평가하는 데 사용되는 분석 기법
- 두 기법은 각각 다른 접근 방식을 취하며, 장단점도 다름
- ETA와 FTA는 서로 상호보완적인 기법으로, 복잡한 시스템의 신뢰성 및 안전성 평가에서 두 방법을 함께 사용하는 것이 종종 효과적입니다. ETA는 가능한 시나리오를 예측하는 데 유용하며, FTA는 특정 실패의 근본 원인을 철저히 분석하는 데 강점이 있음

분석기법	접근방식	주요 목적	장점	단점
ETA	순차적 분석	사건의 발전 과정 예측	미리 예측 가능성, 시각적 명확성	초기 사건에 의존, 복잡성 증가
FTA	역방향적 분석	시스템 실패의 원인 도출	근본 원인 분석, 정확성, 포괄적 분석	복잡성, 시간소모, 초기 지식 필요

1) ETA (Event Tree Analysis)

◇ 정의

- ETA는 특정 사건(Initiating event)에서 시작하여 가능한 결과를 체계적으로 도출하는 분석 기법. 사건의 순차적 발전 과정을 나무 형태로 그려내어, 각 단계에서의 가능한 결과를 도출

◇ 특징

- 순차적 분석 : 특정 사건에서 시작하여 사건이 어떻게 발전할 수 있는지를 단계별로 분석
- 전방향적 접근 : 초기 사건에서 출발하여 가능한 모든 결과를 도출
- 확률적 평가 : 각 단계에서의 사건 발생 확률을 계산하여 전체 시나리오의 발생 확률을 평가

◇ 장점

- 사전 예측 가능성 : 사건의 진행 과정을 예측하고 대비책을 마련하는 데 유용
- 시각적 명확성 : 사건의 발전 과정을 나무 구조로 시각화하여 이해하기 쉬움
- 다양한 결과 탐색 : 하나의 초기 사건에서 발생할 수 있는 다양한 결과를 모두 분석

◇ 단점

- 초기 사건에 의존 : 초기 사건의 정의가 정확하지 않으면 분석 결과가 신뢰할 수 없게 됨
- 복잡성 증가 : 사건의 단계가 많아질수록 나무 구조가 복잡해짐
- 포괄적이지 않음 : 모든 가능한 초기 사건을 다루지 않으면 전체 시스템의 안전성을 완전히 평가하기 어려움

◇ ETA 절차

- 초기사건이 발생했다고 가정한 후 후속 사건이 성공했는지 혹은 실패했는지를 가정하고 이를 최종 결과가 나타날 때까지 계속 분지하는 방식으로 작성함

◇ 적용 예

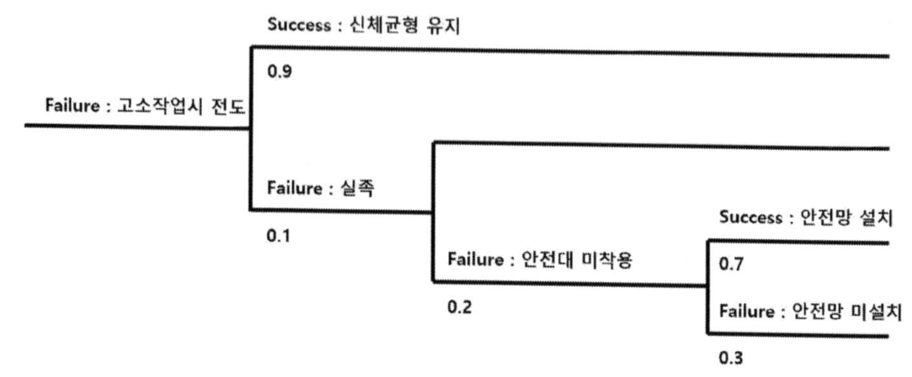

- P(사망) = P(실족)×P(안전대 미착용)×P(안전망 미설치) = 0.1×0.2×0.3 = 0.006
- P(부상) = P(실족)×P(안전대 미착용)×P(안전망 설치) = 0.1×0.2×0.7 = 0.014
- P(정상) = P(신체균형 유지)+P(실족)×P(안전대 착용) = 0.9+0.1×0.8 = 0.98

2) FTA (Fault Tree Analysis)

◇ 정의

- FTA는 시스템의 특정 실패(undesired event)를 최종 결과로 설정하고, 그 실패의 원인을 도출하는 분석 기법
- 각 원인들을 논리 게이트(AND, OR 등)로 연결하여 트리 형태로 표현

◇ 특징

- 역방향적 분석 : 특정 실패 사건에서 시작하여 원인을 추적
- 논리적 구조 : 논리 게이트를 사용하여 원인과 결과를 연결
- 정성적 및 정량적 분석 : 원인의 논리적 구조 분석과 함께 각 원인의 발생 확률을 계산

◇ 장점

- 근본 원인 분석 : 시스템 실패의 근본 원인을 파악하는 데 효과적
- 정확성 : 각 논리 게이트와 원인의 관계를 명확히 정의하여 정확한 분석 가능
- 포괄적 분석 : 모든 가능한 원인을 논리적으로 분석하여 포괄적인 평가 가능

◇ 단점

- 복잡성 : 복잡한 시스템일수록 트리 구조가 매우 복잡해질 수 있음
- 시간 소모 : 자세한 분석을 위해 많은 시간과 자원이 필요
- 초기 지식 필요 : 시스템의 구조와 동작에 대한 깊은 이해가 필요

3) ETA와 FTA의 차이점

- ETA는 FTA와 마찬가지로 확률적 분석이 가능한 정량적 분석 방법
- FTA가 결과로부터 원인을 찾아 나가는 연역적 방법인 반면,
  ETA는 원인으로부터 결과를 찾아 나가는 점에서 귀납적 분석 방법임

2. 스트레스(stress)에 대하여 다음을 설명하시오.

[2009년 1교시 5번] [2013년 3교시 3번] [2017년 1교시 13번] [2018년 4교시 2번]
[2019년 1교시 13번] [2024년 2교시 2번]

1) 스트레스(stress)에 반응하는 신체의 변화

◇ 스트레스 반응

- 심리적 반응 : 정서불안, 우울 등
- 생리적 반응 : 혈압, 두통, 수면 장애 등
- 행동적 반응 : 흡연, 음주, 약물복용, 대인관계 장애 등

2) 직무스트레스에 의한 건강장해예방 조치

◇ 개인적 예방대책

- 신체적, 기능적 능력을 고려하여 육체적 부담이 경감될 수 있도록 능력에 맞게 업무를 수행한다.
- 휴식시간을 충분히 활용하여 휴식(시각의 전환 및 심호흡 등)을 취하도록 한다.
- 규칙적이고 균형 잡힌 식사를 통해 충분한 영양분을 섭취한다.
- 고열 등 물리적 작업환경에 따른 수분, 염분, 당분 등을 섭취한다.
- 금연, 금주 및 규칙적인 유산소 운동, 적당한 수면 시간(성인 7~8시간) 유지 등 올바른 생활 습관을 통해 규칙적인 생활 리듬을 잃지 않도록 한다.
- 여가 활동을 통하여 심리적 스트레스를 해소할 수 있도록 한다.

3. 근골격계부담작업 11가지(고용노동부 고시)를 쓰시오.
(단, 단기간 작업 또는 간헐적인 작업은 제외한다.)

[2019년 1교시 10번] [2021년 3교시 5번] [2023년 2교시 2번] [2024년 2교시 3번]

◇ 근골격계부담작업의 범위

1호	하루에 4시간 이상 집중적으로 자료입력 등을 위해 키보드 또는 마우스를 조작하는 작업
2호	하루에 총 2시간 이상 목, 어깨, 팔꿈치, 손목 또는 손을 사용하여 같은 동작을 반복하는 작업
3호	하루에 총 2시간 이상 머리 위에 손이 있거나, 팔꿈치가 어깨 위에 있거나, 팔꿈치를 몸통으로부터 들거나, 팔꿈치를 몸통 뒤쪽에 위치하도록 하는 상태에서 이루어지는 작업
4호	지지되지않은 상태이거나 임의로 자세를 바꿀 수 없는 조건에서 하루에 총 2시간 이상 목이나 허리를 구부리거나 트는 상태에서 이루어지는 작업
5호	하루에 총 2시간 이상 쪼그리고 앉거나 무릎을 굽힌 자세에서 이루어지는 작업
6호	하루에 총 2시간 이상 지지되지 않은 상태에서 1kg 이상의 물건을 한 손의 손가락으로 집어 옮기거나, 2kg 이상에 상응하는 힘을 가하여 손가락으로 물건을 쥐는 작업
7호	하루에 총 2시간 이상 지지되지 않은 상태에서 4.5kg 이상의 물건을 한 손으로 들거나 동일한 힘으로 쥐는 작업
8호	하루에 10회 이상 25kg 이상의 물체를 드는 작업
9호	하루에 25회 이상 10kg 이상의 물체를 무릎 아래에서 들거나, 어깨 위에서 들거나, 팔을 뻗은 상태에서 드는 작업
10호	하루에 총 2시간 이상, 분당 2회 이상 4.5kg 이상의 물체를 드는 작업
11호	하루에 총 2시간 이상 시간당 10회 이상 손 또는 무릎을 사용하여 반복적으로 충격을 가하는 작업

4. 문자-숫자 표시장치에서 가독성(legibility)에 영향을 미치는 요인 6가지를 설명하시오.

[2012년 3교시 2번] [2017년 1교시 2번] [2019년 1교시 6번] [2023년 2교시 4번] [2024년 2교시 4번]

1) 가독성 (Readability)

- 얼마나 더 편리하게 읽을 수 있는가 하는 정도
- 활자 모양, 체, 크기, 행 간격, 자간 등

2) 영향을 미치는 요인

인쇄, 타자물의 가독성(읽힘성)은 활자모양, 활자체, 크기, 대비, 행 간격, 행의 길이, 주변 여백 등 여러 가지 인자의 영향을 받는다.

◇ 획폭비

- 문자-숫자의 획폭은 보통 문자나 숫자의 높이에 대한 획 굵기의 비율로 나타낸다.
- 회폭비는 높이에 대한 획 굵기의 비로 양각은 1:6~1:8, 음각은 1:8~1:10으로 한다. 투명한 유리창에 비치는 디지털 숫자의 경우 1:8~1:10으로 설계한다.

◇ 종횡비

- 문자-숫자의 폭 대 높이의 관계는 통상 종횡비로 표시된다.
- 숫자의 경우 약 3:5를 표준으로 권장하고 있다.
- 횡종비 = 횡길이 : 종길이
  - 영문 = 0.6:1 ~ 0.7:1
  - 한글, 대문자 = 1.1:1

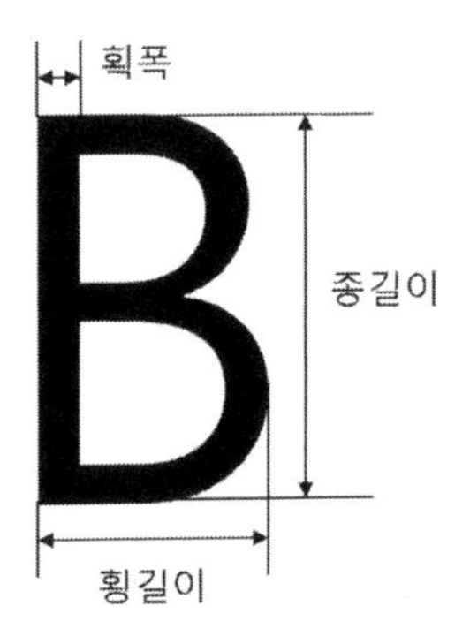

◇ 서체

- 가시도, 가독성과 이해도를 높이기 위해서 흘림체보다는 고딕체로 설계

◇ 글자크기

- 글자 크기는 전방화면을 가리지 않는 범위에서 가능한 큰 글자 크기로 설계

◇ 글자의 밀도

- 해당 차량속도가 세 자리와 속도 단위로만 나타나기 때문에 글자 밀도는 사용자가 한 눈에 볼 수 있는 정도로 설계

※ 명시성 : 두 색을 서로 대비시켰을 때 멀리서 또렷하게 보이는 정도를 말한다. 명도, 채도, 색상의 차이가 클 때 명시도가 높아진다. 특히, 노랑과 검정의 배색은 명시도가 높아 교통 표지판에 많이 쓰인다.

5. 더운 여름 야외에서 일하던 작업자가 열압박(heat stress)으로 쓰러졌다. 작업관리자가 근처의 그늘로 작업자를 급히 옮겨 눕히고 상체를 탈의하여 체열 복사(radiation)가 이루어지도록 하였다. 다음 물음에 답하시오.

[2006년 2교시 1번] [2017년 4교시 4번] [2019년 2교시 5번] [2024년 2교시 5번]

1) 아래의 조건으로 상체 탈의를 통한 복사로 이루어지는 작업자의 열손실(W)을 구하시오.

그늘의 온도: 27°C 작업자 상체의 피부온도: 30°C 작업자 상체의 피부면적: 1 m^2 피부방사율: 0.97 스테판-볼츠만(Stephan-Boltzmann) 상수: 5.67×10^{-8} $W/m^2 \cdot K^4$

스테판-볼츠만 법칙

$$Q = \epsilon\sigma A(T_s^4 - T_{env}^4)$$

- Q : 복사열 손실
- ϵ : 피부의 방사율
- σ : 스테판-볼츠만 상수
- A : 피부면적
- T_s : 피부온도(K)
- T_{env} : 환경온도(K)

$$Q = \epsilon\sigma A(T_s^4 - T_{env}^4)$$

$$= 0.97 \times 0.57 \times 10^{-8} W/m^2K^4 \times 1m^2 \times (303.15K)^4 - (300.15K)^4$$

$$= 17.35\,W$$

2) 작업자의 열압박(heat stress)을 줄일 수 있는 방법을 설명하시오.

◇ 작업자의 열압박 상황

- 신체가 많은 열을 흡수하거나 발생하게 되면 신체 내부 온도가 상승하여 사망할 수 있음
- 고온 허용 기준은 습구흑구온도지수 사용
  - 옥외/옥내 계산 방법 다름
  - 옥내 : 0.7×자연습구온도+0.3×흑구온도

◇ 작업자의 열압박을 줄일 수 있는 방법

- 방열보호구(방열복, 방열 장갑) 지급 및 주기적 휴식 제공
- 안전한 장소에 휴게시설 설치
- 시원하고 깨끗한 물 규칙적으로 제공
- 시원한 바람, 근로자 충분 수용 가능한 의자 등 비품
- 폭염특보 발령 시 1시간 주기로 10~15분 이상 휴식
- 같은 온도라도 습도 높은 경우 휴식시간 늘려야 함
- 휴식이 작업 중단, 쉬는 것만 아님, 무더운 시간 실내 안전보건교육 / 경미한 작업으로 생산적 시간 활용 가능

6. A회사는 소비자제품을 생산하고 있다. 제품개발부장은 현행 제품개발 프로세스에 KS A ISO 9241-210:2010에서 제시하는 인간중심 디자인 활동을 접목하여 사용자 친화적인 제품을 개발하고자 한다.
인간중심 디자인 계획 수립 이후 수행해야 할 인간중심 디자인 활동을 도식화하여 설명하시오.

[2020년 1교시 12번] [2024년 2교시 6번]

◇ 인간 중심 디자인 프로세스 (HCDP: human-centered design process)

- ISO 9241-210(2010)에서는 인간 중심 디자인 프로세스를 4단계로 표현하고 있으며, 사용자의 요구사항을 만족하는 디자인 해결안을 얻을 때까지 적절한 단계에서부터 반복적인 과정을 수행하게 됨

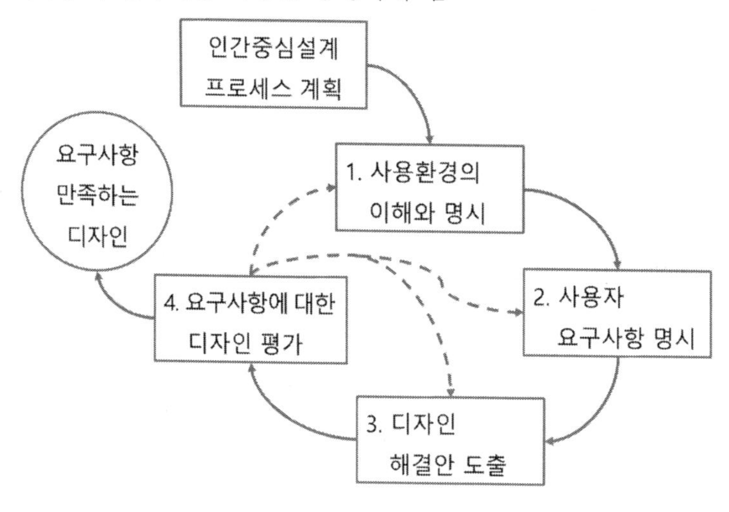

<인간중심 디자인 프로세스>

1) 1단계 : 사용 환경의 이해와 명시
   - 어떤 사용자를 대상으로 무엇을 제공하는 제품(또는 서비스)을 개발하려는가를 명확하게 구체화하는 단계
   - 사용자의 특성(성별, 연령, 경험 등) 및 수준(교육 수준, 숙련도, 사용 경험)과 제품을 사용하려는 사용 환경을 규정하고, 제품의 개발 목표, 제공하는 기능 등을 구체적으로 파악하여 정의하는 단계

2) 사용자 요구사항 명시

- 제품에 대한 사용자의 필요성, 이용 상황, 문제점, 사용자의 취향 등에 관한 사용자의 요구사항을 조사하여 구체적으로 기술하는 단계
- 사용자는 어떤 상황에서 어떤 작업을 어떤 순서로 수행하는지, 작업의 목적은 무엇인지, 현재 제품의 사용상의 문제점은 무엇인지, 어떻게 변하기를 기대하는가를 조사
- 작업 분석이나 인터뷰, 현장 조사, 설문 조사 등을 이용

3) 디자인 해결안 도출

- 사용자 요구사항을 고려하여 구체적인 디자인 대안들을 도출하고 최적 대안을 선택
- 사용자 요구사항을 기초로 디자인 설계요소를 도출하고, 각각의 설계요소에 대하여 검토 중인 디자인 안들을 평가하여 최적 해결안을 도출

4) 요구사항에 대한 디자인 평가

- 디자인 해결안이 의도한 원래 목표와 사용자들의 요구 사항을 달성하였는가를 평가
- 사용자의 요구 사항이 만족되지 않으면 사용자의 요구사항이 만족되는 수준까지 지속적으로 개선을 수행

◇ 인간중심 디자인의 6가지 원칙

- 디자인은 사용자, 업무, 사용 환경의 명확한 이해를 바탕으로 한다.
- 디자인에서 평가까지 사용자를 참여시킨다.
- 디자인은 사용자 중심의 평가에 의해 추진되고 수정된다.
- 디자인 프로세스는 반복적이다.
- 디자인은 사용자 경험을 중요시한다.
- 디자인 팀은 다양한 기술과 시각으로 구성한다.

인간 중심 디자인은 사용자와 업무, 사용 환경의 이해를 바탕으로 전체적인 디자인 프로세스에서 사용자의 참여를 강조하고 있다. 즉, 사용자의 경험과 사용자의 평가를 반영하여 디자인을 추진하고 수정하는 반복적인 과정으로 이해할 수 있다.

국가기술 자격검정 시험문제

기술사 제 133 회 제 3 교시 (시험시간: 100분)

2024년도	분야	안전관리	자격종목	인간공학기술사	성명	

※ 다음 문제 중 4문제를 선택하여 설명하시오. (각 문제당 25점)

1. 아래 그림은 관리 그리드(managerial grid) 행동 유형을 나타내고 있다. 다음에 대하여 설명하시오.

[2024년 3교시 1번]

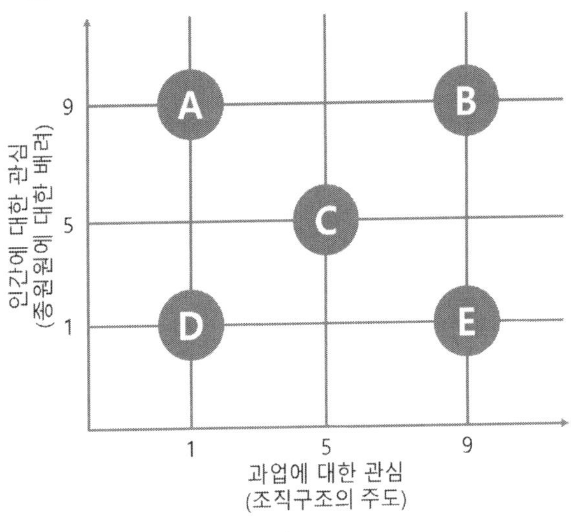

1) 관리 그리드 이론(managerial grid theory)

- 로버트 블레이크(Robert R. Blake)와 제인 모턴(Jane S. Mouton)에 의해 개발된 리더십 스타일을 분석하는 도구
- 리더십 스타일을 생산에 대한 관심(Concern for Production)과 사람에 대한 관심(Concern for People)으로 나누어 평가함
- 두 가지 리더십을 기준으로 총 5가지의 리더십 스타일을 제시함

2) A, B, C, D, E 리더십 유형

블레이크와 모턴은 조직 구성원의 기본적인 관심을 직무(업적)와 인간에 두고 관리스타일을 측정하는 격자(Grid)이론을 전개

구분	리더십 유형	관리스타일
A	컨트리클럽형 (1.9)	인간 중심 지향적으로 업적에 관한 관심이 낮음
B	팀형 (9.9)	업적과 인간의 쌍방에 대하여 높은 관심을 갖는 이상형
C	중도형 (5.5)	업적 및 인간에 대한 관심도에 있어서 중간값을 유지하려는 리더형
D	무기력형 (1.1)	인간과 업적에 모두 최소의 관심을 가지고 있는 무기력형
E	과업형 (9.1)	업적에 대하여 최대의 관심을 갖고, 인간에 대하여 무관심

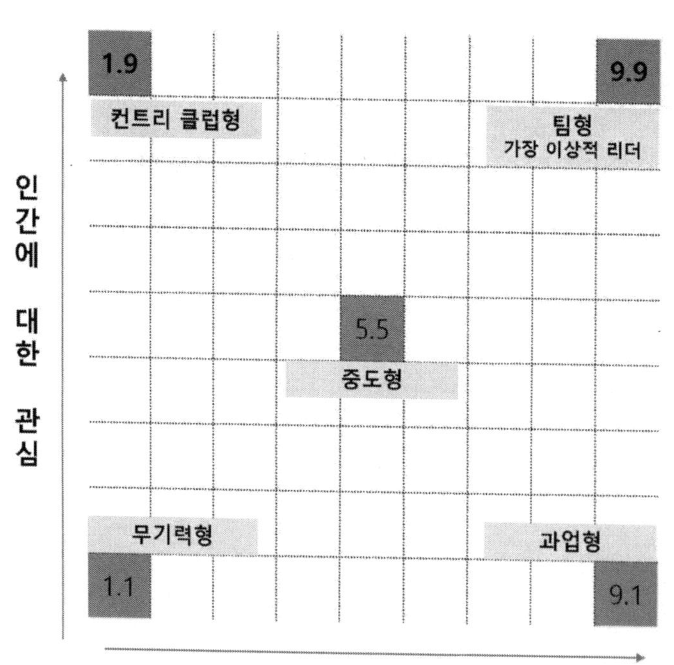

2. NIOSH(national institute for occupational safety and health) 들기작업 지침에 대하여 다음 물음에 답하시오.

1) RWL(recommended weight limit)로 정해진 들기작업의 최적 조건에 대하여 설명하시오.

[2013년 1교시 13번] [2020년 4교시 6번] [2024년 3교시 2번]

- 수평거리 : 팔꿈치에서 주먹까지의 길이가 25cm 이내
- 수직높이 : 선 자세에서 어깨와 팔꿈치를 편 상태에서의 주먹 높이(75cm)
- 허리 비틀림 없음
- 수직이동거리는 팔꿈치 길이(25cm) 이내
- 중량물 손잡이 : 주먹쥐기(Power Grip)으로 쥘 수 있어야 함
- 작업빈도 : 5분당 1회 빈도

2) 위 지침을 적용할 수 없는 작업에 대하여 설명하시오.

[2007년 1교시 13번] [2020년 4교시 6번]] [2021년 3교시 4번] [2024년 3교시 2번]

- 한 손으로 중량물을 취급하는 경우
- 8시간 이상 중량물을 취급하는 작업을 계속하는 경우
- 앉거나 무릎을 굽힌 자세로 작업을 하는 경우
- 작업공간이 제약된 경우
- 균형이 맞지 않는 중량물을 취급하는 경우
- 운반이나 밀거나 당기는 작업에서의 중량물 취급
- 손수레나 운반도구를 사용하는 작업
- 빠른 속도로 중량물을 취급하는 경우 (약75cm/sec를 넘어가는 경우)
- 바닥 면이 좋지 않은 경우 (지면과의 마찰계수가 0.4 미만인 경우)
- 온도/습도 환경이 나쁜 경우 (온도 19~26℃, 습도 35~50%의 범위에 속하지 않는 경우)

3. 수공구 설계에 대하여 아래의 그림을 보고 다음 물음에 답하시오.

[2013년 4교시 5번] [2014년 4교시 5번] [2018년 2교시 3번] [2019년 1교시 3번] [2024년 3교시 3번]

1) 수공구 작업의 개선방안을 수공구 설계 원칙에 근거하여 설명하시오.

◇ 권총 모양의 손잡이는 힘이 수평으로(수직면에) 사용하도록 하고, 일자형 손잡이는 힘이 수직으로 가하도록(수평면에 사용) 해야 한다.

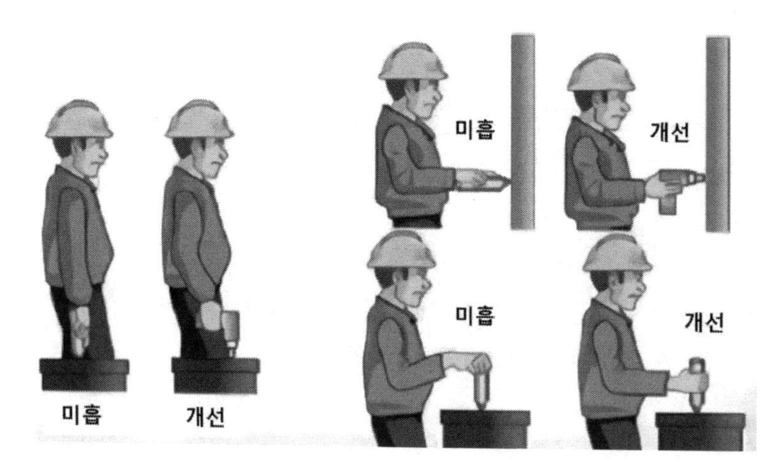

2) 위의 그림 이외의 수공구에 대한 설계 원칙을 설명하시오.

◇ 수공구의 무게

공구는 사용자가 한 손으로 쉽게 공구를 취급할 수 있어야 한다. 무게는 연속해서 반복적으로 사용하는 공구 무게는 1kg 이하이어야 하며, 대부분의 공구 무게는 2.3kg 이하로 설계되어야 한다.

◇ 수공구의 손잡이

수공구의 손잡이는 사용자가 최대 힘을 내기 위해서 파워그립 형태의 지름이 32~45mm가 적당하고, 손잡이 길이는 100mm 이상이 좋다.

◇ 수공구 손잡이 간의 간격

작업하기 좋은 수공구 손잡이 간의 간격은 50~65mm를 권장하고 있다.

◇ 동력공구의 방아쇠(제동장치)

한 손가락만을 사용하는 방아쇠가 아닌 적어도 세 손가락 또는 네 손가락을 사용하는 것으로 선택 또는 설계해야 한다.

◇ 손잡이 재질 및 질감

작업장 상황에 의해 불가능할 경우는 고무 재질 등으로 표면처리 하여 미끄러지거나 놓치는 현상 등을 방지하여야 하고, 비전도성의 손잡이 재질을 사용하도록 해야 한다.

◇ 진동

동력 공구를 사용하는 작업에서는 진동이 적게 발생하도록 설계된 동력 공구를 구매하여 사용하도록 해야 하며, 또는 진동 방지 장갑을 착용하여 진동에 대한 노출을 최소화해야 한다.

4. D회사는 마우스를 제조하는 회사이다. 신모델에서 마우스휠(mouse wheel)의 사용감을 높이기 위해 여러 가지 실험을 진행 중이다. 다음 물음에 답하시오.

1) 한 실험조건에서 반경이 1cm인 마우스휠을 10도 움직였을 때 화면의 커서가 2cm 이동하였다. 이 마우스휠을 회전운동을 하는 조종구(操縱球: ball control)로 간주할 때, 조종-반응비(C/R비)를 구하시오.

[2005년 2교시 1번] [2007년 4교시 2번] [2010년 3교시 6번] [2013년 1교시 9번] [2015년 2교시 6번] [2017년 4교시 1번] [2021년 3교시 6번] [2024년 3교시 4번]

◇ 조종구를 고려한 C/R비 계산

- $C/R\text{비} = \dfrac{(\frac{a}{360}) \times 2\pi L}{\text{표시장치 이동거리}}$ (L: 지레의 길이, a: 조종장치가 움직인 각도)

  a : 10°, L: 1cm, 표시장치 이동거리: 2cm

  $$C/R\text{비} = \frac{(\frac{10}{360}) \times 2\pi 1}{2} = 0.087$$

◇ 조종-반응비(C/R비) 개요

- 조종-표시장치 이동비율(C/D비: control-display ratio)의 확장 개념
  예) 컴퓨터의 마우스 감도비 조정 등
- 최적 C/R비를 구하는 공식은 없음
  → 상황 및 조건에 맞는 실험을 통해 최적 C/R비 도출

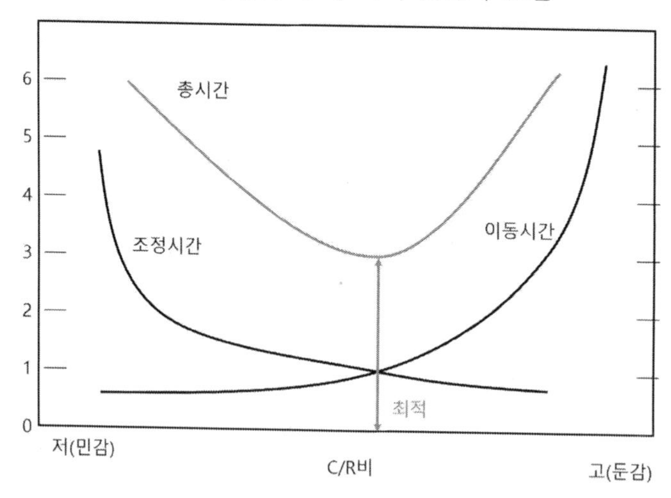

◇ C/R비 계산 공식 및 노브 / 레버 최적 C/R비

- 노브의 최적 C/R비는 0.2~0.8이다.

$$C/R\text{비} = \frac{\text{조종장치 이동거리}}{\text{표시장치 이동거리}} = \frac{\text{노브 회전수}}{\text{표시장치 이동거리}}$$

- 레버의 최적 C/R비는 2.5~4.0이다.

$$C/R\text{비} = \frac{\text{조종장치 이동거리}}{\text{표시장치 이동거리}} = \frac{(\frac{a}{360}) \times 2\pi L}{\text{표시장치 이동거리}}$$

(L : 지레의 길이, a : 조종장치가 움직인 각도)

◇ 특징 및 고려사항

구분	C/R비 작음	C/R비 큼
민감도	높음(민감)	낮음(둔감)
표시장치 지침	많이 움직임	적게 움직임
이동시간	감소	증가
조종시간	증가	감소

◇ 영향 미치는 매개변수

- 제어장치 종류
- 표시장치의 크기
- 제어 허용오차 및 지연시간 등

2) 손가락으로 마우스휠을 움직일 때의 느낌을 측정하는데 적합한 척도를 설명하시오.

◇ 손가락으로 마우스 휠을 움직이는 주관적인 느낌을 측정하기 위해서는 Likert 척도가 적합

◇ 리커트 척도는 태도나 감정을 측정하기 위한 설문지에 널리 사용되며, 마우스 휠에 대한 사용자의 경험을 측정하는데 효과적으로 적용될 수 있음

◇ 마우스 휠을 움직이는 느낌을 측정하는 리커트 척도

- 예: "손가락으로 마우스 휠을 움직이는 것에 대한 귀하의 경험과 느낌을 이해하기 위해 설문조사를 실시하고 있습니다. 귀하의 개인적인 경험을 바탕으로 다음 설명을 평가해 주십시오."

- 다양한 응답을 허용하기 위해 5점 리커트 척도를 사용

1	2	3	4	5
전혀 동의하지 않음	동의하지 않음	보통	동의함	전적으로 동의함

- 마우스 휠의 느낌과 유용성과 관련된 문항 예시
  "스크롤할 때 마우스 휠이 부드럽게 느껴집니다."
  "마우스 휠의 저항이 손가락에 편해요."
  "마우스 휠로 스크롤 속도를 쉽게 조절할 수 있어요."
  "마우스 휠의 피드백은 만족스럽습니다."
  "마우스 휠의 촉감이 전반적인 사용자 경험을 향상시킵니다."
  "마우스 휠이 오버슛 없이 정확하게 스크롤됩니다."
  "마우스 휠의 질감이 촉감이 좋습니다."
  "마우스 휠의 성능은 만족스럽습니다."

3) 최적 조종-반응비 구하는 실험에서 독립변수와 종속변수를 설명하시오.

◇ 독립 변수

독립변수는 실험자가 종속변수에 미치는 영향을 관찰하기 위해 조작하는 변수
이 실험에서의 독립변수

- 제어-응답(C/R) 비율
  - 화면 커서의 결과적인 움직임에 대한 마우스 휠의 물리적 움직임의 비율
  - 0.05, 0.1, 0.2 등과 같은 C/R 비율을 테스트할 수 있음

◇ 종속변수

종속변수는 독립변수의 변화 효과를 평가하기 위해 실험에서 측정되는 변수
이 실험에서 종속변수

- 정확도 : 사용자가 목록에서 항목을 선택하거나 문서를 탐색하는 등 스크롤이 필요한 작업을 얼마나 정확하게 수행할 수 있는지를 측정
- 오류율 : 마우스 휠 사용과 관련된 작업을 수행하는 동안 사용자가 저지르는 실수의 수
- 유용성 : 마우스 휠을 사용하는 것이 얼마나 쉽고 효율적인지에 대한 주관적인 평가
- 만족도 : 마우스 휠에 대한 전반적인 사용자 만족도는 일반적으로 Likert 등급을 통해 측정

5. K관리자는 H공정에서 수행되는 반복적 들기작업의 에너지 소비량을 측정하였다. 더글러스백(douglas bag)과 가스미터(gas meter)를 사용하여 L작업자로부터 총 10분 작업 중 200리터의 배기가 수집된 것을 확인하였다. 가스분석기를 통해 배기 중 산소 (O2) 비율=14%, 이산화탄소(CO2) 비율=3%임을 확인하였다. 다음 물음에 답하시오.

1) 반복적 들기작업의 분당 산소소비량(L/min) 및 분당 에너지가(kcal/min)를 구하시오. (단, 공기 중 질소 79%, 산소 21%)

[2022년 4교시 1번] [2024년 3교시 5번]

◇ 에너지소비량

79%×흡기량 = N_2%×배기량

→ 질소는 체내에서 대사하지 않고, 그대로 배출

$$흡기량 = \frac{배기량\times(100-O_2\%-CO_2\%)}{79\%}$$

산소소비량 = 21%×흡기량-O_2%×배기량

에너지소비량 (kcal/min) = 분당 산소소비량(ℓ)×5kcal

위의 식을 통해 계산을 하면,

$$흡기량 = \frac{200\times(1-0.14-0.03)}{0.79} = 210.13L$$

- 산소소비량 = (210.13L×0.21)-(200L×0.14) = 16.13L

$$분당산소소비량 = \frac{16.13L}{10min} = 1.613L/min$$

- 분당 에너지소비량 = 1.613L/min×5kcal/L = 8.065kcal/min

2) 육체노동의 분당 에너지가에 따른 크리스텐센(Christensen)의 노동급 (노동강도분류)에 따라 H공정에서 수행되는 반복적 들기작업을 분류하시오.

[2006년 1교시 6번] [2013년 4교시 4번] [2024년 3교시 5번]

노동급(노동강도분류)					
극초중(極超重) (unduly heavy)	초중(超重) (very heavy)	중(重) (heavy)	중간(中間) (moderate)	경(輕) (light)	초경(極輕) (very light)

◇ 에너지소비량에 따른 작업 등급

- 성인 남자를 기준으로 심박수와 산소 소비량, 분당 에너지소비량을 나타냄

노동급	심박수 (beat/min)	산소 소비량 (L/min)	에너지소비량 (kcal/min)
초경	65~75	0.3~0.5	1.6~2.5
경	75~100	0.5~1.0	2.5~5.0
중간	100~125	1.0~1.5	5.0~7.5
중	125~150	1.5~2.0	7.5~10.0
초중	150~180	2.0~2.5	10.0~12.5
극초중	> 180	> 2.5	> 12.5

- 노동급에 따른 H공정에서 수행되는 반복적 들기작업 분류

  분당 산소소비량은 1.613L/min,

  분당 에너지소비량은 8.065kcal/min 이므로, 중(heavy) 작업에 해당함

3) 반복적 들기작업의 총 작업시간 60분 중 포함되어야 할 휴식시간(분)을 구하시오.

[2008년 2교시 5번] [2016년 2교시 1번] [2022년 4교시 1번] [2024년 3교시 5번]

◇ 휴식시간 산출 방법

- 다양한 휴식시간 산출 방법 중에서 Murrell 휴식시간 산출방법이 가장 대표적이며, 공식은 다음과 같음

$$\text{휴식시간}(R) = \frac{T(E-S)}{E-1.5}$$

T : 총 작업시간

E : 해당 작업 중 평균 에너지 소비량(kcal/min)

S : 권장 평균 에너지 소비량(남성:5kcal/min, 여성:3.5kcal/min)

※ 위의 공식으로 휴식시간을 적절히 배분하여야 하나, 공식은 단지 생리적인 부담만 고려하였기 때문에, 실제 휴식시간 배분 시 정신적 권태감 등의 고려가 필요함

◇ 작업에 대한 남성/여성 휴식시간 산출

- L 작업자가 남성의 경우,

$$\text{휴식시간}(R) = \frac{T(E-S)}{E-1.5} = \frac{60\text{min}(8.065kcal/\text{min} - 5kcal/\text{min})}{(8.065kcal/\text{min} - 1.5kcal/\text{min})} = 28.01\text{min}$$

즉, 총 60분 중 28분 정도는 휴식을 취해야 함

- L 작업자가 여성의 경우,

$$\text{휴식시간}(R) = \frac{T(E-S)}{E-1.5} = \frac{60\text{min}(8.065kcal/\text{min} - 3.5kcal/\text{min})}{(8.065kcal/\text{min} - 1.5kcal/\text{min})} = 41.72\text{min}$$

즉, 총 60분 중 42분 정도는 휴식을 취해야 함

6. 다음 사례를 참조하여 각 물음에 답하시오.

N 관리감독자는 가압펌프실의 B가압펌프로부터 1m 떨어진 곳에서 최근에 심해진 B가압펌프의 소음 원인을 찾고 있다. 지시소음계로 측정해보니 100dB이 나왔다. 여러가지를 점검하다 B가압펌프로부터 10m 떨어진 곳에 있는 당일 일용직으로 고용된 보조작업자에게 B스위치를 내리라고 소리쳤다. 보조작업자는 B스위치를 D스위치로 알아듣고 스위치 제어반에서 D스위치를 신중하게 찾아서 내렸다. 정상 작동 중인 D가압펌프가 정지되었다.

1) 보조작업자 위치에서 B가압펌프의 소음 음압 수준(dB)을 구하시오. (단, B가압펌프와 보조작업자 사이의 장애물은 무시한다.)

[2013년 1교시 8번] [2024년 3교시 6번]

- 압력펌프 B에서 1m 떨어진 곳에서 측정한 소음 수준: 100dB
- 압력펌프 B에서 보조작업자까지의 거리 : 10m

$$SPL_2 = SPL_1 + 20\log_{10}(\frac{d_1}{d_2}) = 100 + 20\log_{10}(\frac{1}{10}) = 80dB$$

따라서 보조작업자 위치의 B가압펌프의 소음음압레벨은 80dB이다.

2) 착오(mistake)와 실수(slip) 중 보조작업자의 인적오류가 어디에 해당하는지와 그 이유를 설명하시오.

[2011년 1교시 4번] [2013년 2교시 3번] [2023년 2교시 1번] [2024년 3교시 6번]

- 보조작업자가 저지른 인적오류는 착오(mistake)의 범주에 해당
- 착오는 특정 작업을 수행하려는 의도가 있지만, 상황해석을 잘못하거나 목표를 잘못 이해하고 착각하여 행하는 오류
- 이 경우 보조작업자는 B스위치를 D스위치로 알아듣고 스위치 제어반에서 D스위치를 신중하게 찾아서 내렸음
- 주어진 정보가 불완전하거나 오해하는 경우에 주로 발생하는데, 주변 소음으로 인하여 B스위치를 중단하라는 지시를 오해하여 D스위치를 가동중단 함

◇ Slip(실수)

- 상황이나 목표의 해석을 제대로 하였으나 의도와는 다른 행동을 하는 경우에 발생하는 오류
- 목표와 결과의 불일치로 쉽게 발견되나 피드백이 있어야 오류의 발견이 가능함
- 주의 산만이나 주의 결핍에 의해 발생할 수 있으며, 잘못된 디자인이 원인이 됨

◇ Mistake(착오)

- 상황해석을 잘못하거나 목표를 잘못 이해하고 착각하여 행하는 오류
- 주어진 정보가 불완전하거나 오해하는 경우에 주로 발생하며, 틀린 줄 모르고 발생하기 때문에 중대한 사건이 될 수 있을 뿐만 아니라 오류를 찾아내기도 어려움
- 주어진 정보가 불완전하거나 오해하는 경우에 주로 발생

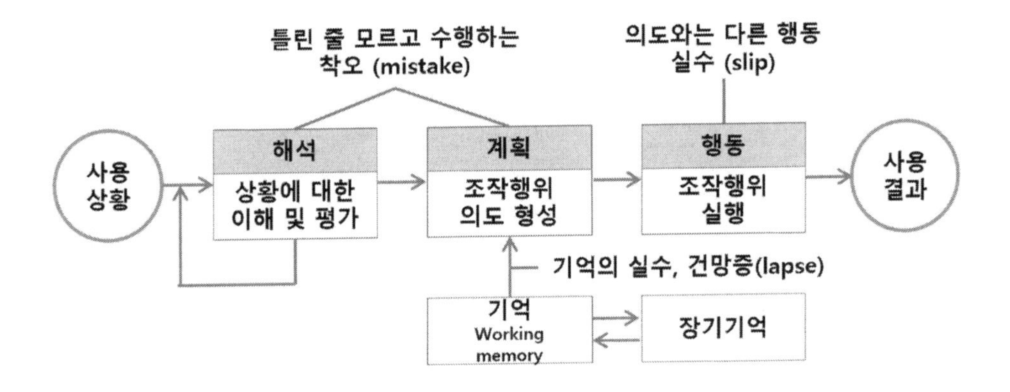

3) 라스무센(Rasmussen)의 SRK(skill, rule, knowledge) 모델에서 보조작업자의 의사결정은 어떤 수준에서 이루어졌는지 설명하시오.

[2018년 1교시 7번] [2022년 3교시 1번] [2023년 1교시 7번] [2024년 3교시 6번]

◇ Rasmussen의 SRK(Skill-Rule-Knowledge) 모델에서는 업무의 성격과 개인의 전문 지식 수준에 따라 다양한 수준에서 의사결정이 이루어짐

◇ 이 시나리오에서 보조 작업자의 의사 결정은 Rasmussen 모델의 틀 내에서 다음과 같이 이해될 수 있음

(1) 기술 기반 행동(S)

- 기술 기반 행동에는 자동으로 수행되고 최소한의 의식적 노력이 필요한 작업이 포함됨
- 이러한 행동은 잘 학습된 운동 패턴을 기반으로 하며 일반적으로 의식적인 생각없이 실행됨
- 스위치 제어판에 손을 뻗어 스위치 제어판과 상호 작용하는 보조작업자의 초기 동작은 기술 기반 동작에 속할 수 있음. 이 작업은 습관적일 가능성이 높으며 의식적인 의사결정이 필요하지 않음

(2) 규칙 기반 행동(R)

- 규칙 기반 행동에는 미리 결정된 규칙이나 절차에 따른 의사결정이 포함됨
- 개인은 특정 상황에서 자신의 행동을 안내하기 위해 이러한 규칙을 적용
- 감독자가 보조작업자에게 "B 스위치를 끄십시오"라고 지시했을 때 보조작업자는 규칙 기반 행동에 의존하여 지시를 해석하고 취할 적절한 조치를 결정함
- 다만, 보조근로자가 D스위치를 B스위치로 잘못 식별하는 착오를 범함

(3) 지식 기반 행동(K)

- 지식 기반 행동에는 표준 규칙이나 절차가 적용되지 않을 수 있는 새롭고 복잡한 상황에서의 의사 결정이 포함됨
- 개인은 업무에 대한 이해와 관련 지식을 바탕으로 의사결정을 진행함
- 보조작업자는 B 스위치 대신 D 스위치를 끄는 착오를 범했음을 깨달은 후 상황을 해결하고 오류를 수정하기 위해 지식 기반 행동을 할 수 있음
- 여기에는 스위치 제어판의 레이아웃에 대한 정보를 기억하고, 잘못된 스위치를 끈 결과를 이해하고, 감독자의 지시를 처리하기 위한 올바른 조치 과정을 결정하는 것이 포함될 수 있음

국가기술 자격검정 시험문제

기술사　제 133 회　　　　　　　　　　　　제 4 교시　(시험시간: 100분)

2024년도	분야	안전관리	자격종목	인간공학기술사	성명	

※ 다음 문제 중 4문제를 선택하여 설명하시오. (각 문제당 25점)

1. A사무원은 시간당 10,000자를 타이핑 할 때, 평균 30자의 오타가 발생한다. B사무원은 1,000자로 구성된 원고에 대해 평균 4자를 잘못 읽는다. B사무원이 불러주고 A사무원이 받아서 타이핑하는 작업의 인간 신뢰도를 구하시오.

[2005년 3교시 1번] [2006년 4교시 1번] [2007년 3교시 3번] [2012년 3교시 4번]
[2019년 1교시 1번] [2023년 1교시 13번] [2024년 2교시 1번] [2024년 4교시 1번]

휴먼에러 확률(HEP) $p = \dfrac{\text{실제 인간의 에러 횟수}}{\text{전체 에러 기회의 횟수}}$

인간신뢰도(R) = (1-HEP)

직렬작업 인간 신뢰도(Rs) = $R_1 \times R_2$

- A사무원 인간신뢰도

  $HEP = \dfrac{30}{10,000} = 0.003$

  $R_1 = (1 - 0.003) = 0.997$

- B사무원 인간신뢰도

  $HEP = \dfrac{4}{1,000} = 0.004$

  $R_2 = (1 - 0.004) = 0.996$

- B사무원이 불러주고 A사무원이 받아서 타이핑하는 작업의 인간신뢰도

  $R_3 = R_1 \times R_2 = (0.997 \times 0.996) = 0.993$

2. 주의(attention)에 대하여 다음 물음에 답하시오.

1) 주의력의 특성에 대하여 설명하시오.

[2012년 3교시 5번] [2017년 1교시 12번] [2021년 2교시 1번] [2022년 1교시 4번] [2024년 4교시 2번]

1) 주의 : 선택성, 변동성, 방향성, 1점 집중성

◇ 선택성

- 사람은 한 번에 여러 종류의 자극을 지각하거나 수용하지 못하며, 소수의 특정한 것으로 한정해서 선택하는 기능을 말함
- 주의력에 한계가 있어 주의력을 선택적으로 배분
- 주의력의 중복 집중의 곤란
  - 주의는 동시에 두 개 이상의 방향을 잡지 못함
  - 주의력의 한계가 있어 주의력을 선택적으로 배분

◇ 변동성

- 주의력의 단속성 (고도의 주의는 장시간 지속할 수 없음)
- 주의는 리듬이 있어 언제나 일정한 수준을 지키지는 못함
- 주의력 수준의 고저가 주기(40~50분)적으로 변동

◇ 방향성

- 한 지점에 주의를 하면 다른 곳의 주의는 약해짐
- 주의의 초점이 존재해 그곳에는 주의 수준이 높으나 주변으로는 거리가 멀어질수록 저하
- 주의의 외향과 내향(개인의 내부 심리상태에 집중)
- 주의를 집중한다는 것은 좋은 태도라고 볼 수 있으나 반드시 최상이라고 할 수는 없음
- 공간적으로 보면 시선의 초점에 맞았을 때는 쉽게 인지되지만 시선에서 벗어난 부분은 무시되기 쉬움

◇ 일점집중성

사람은 돌발사태에 직면하면 공포를 느끼게 되고 주의가 일점(주시점)에 집중되어 판단정지 및 멍한 상태에 빠지게 되어 유효한 대응을 못하게 됨

2) 주의의 넓이와 깊이에 대하여 그림을 그리고 설명하시오.

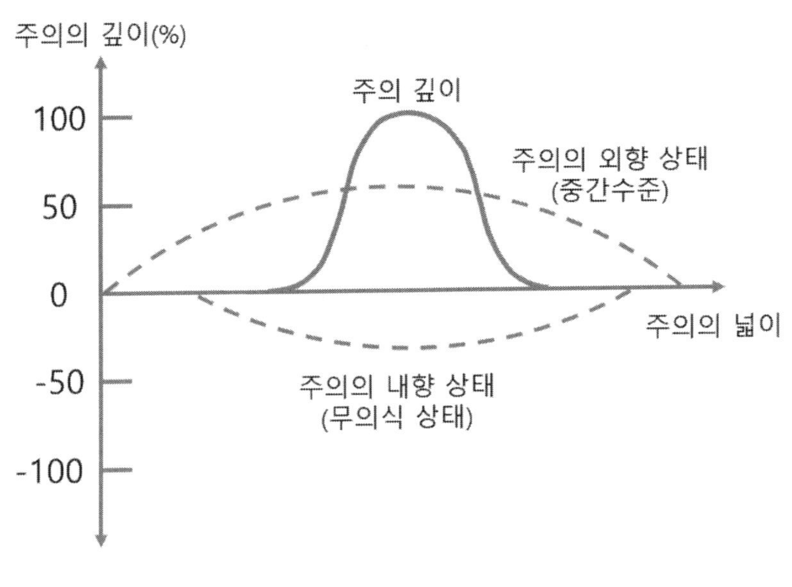

<주의의 집중과 배분>

- 주의를 강하게, 넓게하면 주의의 범위가 좁아지고 약해짐
- 세로축에서 0이하로 내려가면 주의의 깊이가 낮아지고, 가로축에서 우측으로 가면 갈수록 주의가 분산됨
- 중요한 일을 할 때는 그림과 같이 주의의 깊이가 깊어져야 함

3. 근육의 종류에 대하여 다음 물음에 답하시오.

[2008년 3교시 3번] [2024년 4교시 3번] [2024년 4교시 3번]

1) 신경자극에 반응하는 특성에 따른 분류를 설명하시오.

◇ 신경 자극에 반응하는 특성에 따른 분류

- 골격근
  - 형태 : 가로무늬근, 원주형 세포
  - 특징 : 뼈에 부착되어 전신의 관절운동에 관여하며 뜻대로 움직여지는 수의근
- 심장근
  - 형태 : 가로무늬근, 단핵세포로서 원주상이지만 전체적으로 그물조직
  - 특징 : 심장벽에서만 볼 수 있는 근으로 가로무늬가 있으나 불수의근
- 내장근(평활근)
  - 형태 : 민무늬근, 간 방추형으로 근섬유에 가로무늬가 없고 중앙에 1개의 핵이 존재
  - 특징 : 소화관, 요관, 난관 등의 관벽이나 혈관벽, 방광, 자궁 등을 형성하는 근이다, 뜻대로 움직여지지 않는 불수의근으로 자율신경이 지배함

2) 신경지배에 따른 분류를 설명하시오.

◇ 신경지배에 따른 분류

- 수의근 (voluntary muscle)

  뇌와 척수신경의 지배를 받는 근육으로 의사에 따라서 움직임. 골격근이 해당
- 불수의근

  자율신경의 지배를 받으며 스스로 움직임. 내장근과 심장근이 이에 속함

3) 근육의 무늬에 따른 분류를 설명하시오.

◇ 근육의 무늬에 따른 분류

- 횡문근 (가로무늬근)
  - 근섬유에 가로무늬가 있음
  - 골격근, 심장근이 이에 속하며, 골격근의 무늬가 심장근의 무늬보다 뚜렷함
- 평활근(민무늬근)
  - 근섬유에 무늬가 없음. 내장근이 이에 속함
  - 근육의 세포는 가늘고 긴 방추형. 드물게는 다핵인 것도 있으나 보통 중앙부에 타원형의 핵이 1개 있음

4. 64종류의 미세먼지농도와 32종류의 초미세먼지농도를 함께 측정할 수 있는 측정기가 있다. 미세먼지농도는 30초 주기로 측정되고, 초미세먼지농도는 20초 주기로 측정될 경우 측정기로부터 수집된 정보를 전달하기 위한 경로의 초당 경로용량(bit/sec)을 구하시오.

[2013년 2교시 3번] [2016년 1교시 3번] [2024년 4교시 4번]

◇ 미세먼지농도와 초미세먼지농도를 측정하는 데 필요한 정보의 양

- 미세먼지농도는 64종류이므로 이진법으로 표현하면 $\log_2(64) = 6$비트
- 초미세먼지농도는 32종류이므로 이진법으로 표현하면 $\log_2(32) = 5$비트

◇ 초당 정보의 양

- 미세먼지농도는 30초에 한 번 측정되므로 초당 정보의 양은
  6비트/30초 = 0.2비트/초
- 초미세먼지농도는 20초에 한 번 측정되므로 초당 정보의 양은
  5비트/20초 = 0.25비트/초

◇ 초당 경로용량

- 측정기로부터 수집된 정보를 전달하기 위한 초당 경로용량
  0.2비트/초 + 0.25비트/초 = 0.45비트/초

5. A회사의 주 제어실에는 SRO(발전부장), RO(원자로과장), TO(터빈과장), EO(전기과장) 및 STA(안전과장)가 1조가 되어 3교대 방식으로 근무하고 있다. 각 운전원의 인화(人和)관계는 발전소 안전에 중대한 영향을 미칠 수 있다. 하나의 표본 운전조를 대상으로 인화정도를 조사하여 다음과 같은 소시오그램(sociogram)을 작성하였다. 다음 물음에 답하시오.

[2007년 4교시 1번] [2014년 2교시 2번] [2024년 4교시 5번]

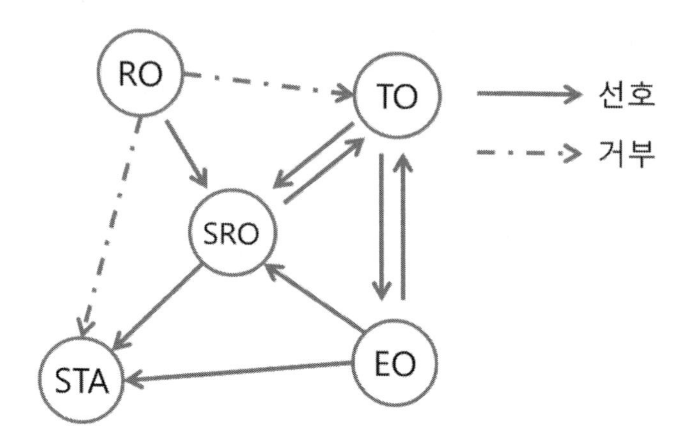

1) 소시오그램을 바탕으로 각 운전원의 선호신분지수를 구하고, 표본 운전조의 실질적인 리더 (leader)를 찾아 쓰시오.

구성원	SRO (발전부장)	RO (원자로과장)	TO (터빈과장)	EO (전기과장)	STA (안전과장)
선호총계	3	0	1	1	1
선호신분지수	0.75	0	0.25	0.25	0.25

$$신호선분지수 = \frac{선호도\ 총\ 수}{총\ 인원\ -\ 1} = \frac{3}{5-1} = \frac{3}{4}$$

SRO(발전부장)이 가장 높은 선호신분지수 값을 얻어 발전소의 실질적리더이며, SRO(발전부장)의 선호신분지수는 0.75이다.

2) 표본 운전조 집단의 응집성지수를 구하시오.

$$\text{응집성지수} = \frac{\text{실제 상호관계의 수}}{\text{가능 선호관계의 총 수 }(={}_nC_2)} = \frac{2}{10} = 0.2$$

3) 표본 운전조의 인화(人和)관계를 평가하고, 문제점을 설명하시오.

- 터빈과장(TO)과 전기과장(EO), 발전부장(SRO)과 터빈과장(TO)은 상호선호 관계를 갖지만 응집성 지수는 0.2로 평가되어 이 운전조의 인화관계는 낮은 편이다.
- 특히 원자로과장(RO)은 선호도 거부도 아닌 무시를 당하고 있어 가장 문제가 되고 있다.
- 안전과장(STA)는 아무에게도 관심을 가지지 않았다. 사회적 관계보다는 자기 일에만 관심을 가지는 내성적인 사람일 수 있으므로, 무리하게 사회적 참여를 요구하기보다는 개인의 성향에 잘 맞는 환경을 마련해 주는 것도 좋다.
- 이 표본 운전조는 구성원 상호 간 친밀감이 부족하고, 규범적 동조행위가 약하다.

6. A연구팀에서 키오스크 설계요소를 한국인 고령자, 어린이, 휠체어 장애자의 인체 치수를 기반으로 분석하고 개선하였다. 다음 각 개선안과 관련된 유니버설디자인 원칙을 설명하시오.

1) 휠체어 사용자가 통행하기 위해서는 키오스크가 있는 장소로 이동하는 과정에 있는 방해물(예: 계단, 문턱 등)을 회피할 수 있는 수단(예: 엘리베이터, 경사로 등)을 제공한다. 2) 휠체어 장애인, 어린이, 고령자, 성인이 모두 사용할 수 있도록 하기 위해 디스플레이의 수직 높이를 하단에서부터 640~1,450 mm 범위로 한다. 3) 휠체어 사용자가 키오스크에 다가가도록 하기위해 본체 하단에 깊이 300mm, 높이 685mm 정도의 하부 공간을 제공한다. 4) 저시력 사용자도 문자를 쉽게 인지할 수 있도록 하고, 디스플레이에 시각적인 정보를 음성 정보와 함께 제공한다. 5) 간결한 문장을 사용하고, 사용자가 그 의미를 직관적으로 인지할 수 있도록 잘 알려진 심벌(symbol)을 사용한다.

[2021년 4교시 4번] [2022년 1교시 9번] [2023년 2교시 3번] [2024년 4교시 6번]

1) 휠체어 사용자를 위한 접근성 기능 제공

◇ 유니버설디자인 원칙: 공평한 사용

- 계단이나 문지방과 같은 장애물을 우회할 수 있는 엘리베이터나 경사로와 같은 수단을 제공함으로써 휠체어 사용자의 공평한 접근을 보장하도록 설계
- 디자인이 개조나 전문적인 디자인 없이도 다양한 능력과 특성을 가진 사람들이 사용할 수 있어야 함을 강조

2) 다양한 사용자를 위한 디스플레이 높이 조정

◇ 유니버설디자인 원칙: 사용의 유연성

- 디스플레이의 수직 높이 조절 가능(640~1,450mm)은 휠체어를 탄 장애인, 어린이, 노인, 성인을 포함하여 다양한 키의 사용자를 수용할 수 있음
- 디자인이 다양한 개인의 취향과 능력을 수용해야 한다는 점을 강조

3) 휠체어 사용자를 위한 접근 가능한 공간 제공

◇ 유니버설디자인 원칙: 간단하고 직관적인 사용

- 키오스크 본체 하단에 특정 규격(깊이 300mm, 높이 685mm)의 공간을 마련하여 휠체어 사용자가 키오스크에 쉽게 접근할 수 있도록 설정
- 복잡한 지침이나 지원 없이도 쉽게 이해하고 사용할 수 있는 디자인의 중요성을 강조

4) 저시력 사용자의 정보 접근성 보장

◇ 유니버설디자인 원칙: 인지 가능한 정보

- 디스플레이에 시각 정보와 청각 정보를 모두 제공함으로써 저시력 사용자가 정보에 효과적으로 접근할 수 있도록 디자인
- 다양한 사용자 요구를 수용하기 위해 다양한 감각 양식으로 정보를 제공하는 것의 중요성을 강조

5) 명확하고 알아보기 쉬운 의사소통 사용

◇ 유니버설디자인 원칙: 오류에 대한 허용

- 간결한 문장과 잘 알려진 기호를 사용하여 사용자가 표시되는 정보의 의미를 직관적으로 이해할 수 있도록 디자인
- 오류와 오해의 가능성을 최소화하여 사용자가 제품이나 환경과 더 쉽게 상호작용할 수 있도록 하는 디자인의 중요성을 강조

유니버설디자인 원칙을 키오스크 디자인 개선에 통합함으로써 노인, 어린이, 휠체어를 탄 장애인을 포함한 다양한 사용자가 키오스크에 접근하고 사용할 수 있도록 하여 포용성을 촉진하고 사용자 경험을 향상

인간공학기술사 응시 인원 및 합격률 | Probability Of Acceptance

연도	필기			실기		
	응시	합격	합격률	응시	합격	합격률
소계	551	220	39.93%	320	150	46.88%
2005	49	14	28.57%	14	8	57.14%
2006	38	19	50.00%	25	12	48.00%
2007	27	9	33.33%	22	8	36.36%
2008	15	5	33.33%	16	8	50.00%
2009	20	9	45.00%	11	5	45.45%
2010	18	1	5.56%	7	4	57.14%
2011	18	9	50.00%	11	6	54.55%
2012	14	1	7.14%	4	1	25.00%
2013	17	5	29.41%	9	5	55.56%
2014	21	4	19.05%	6	4	66.67%
2015	32	14	43.75%	16	7	43.75%
2016	30	9	30.00%	18	14	77.78%
2017	34	18	52.94%	20	9	45.00%
2018	35	23	65.71%	33	14	42.42%
2019	37	21	56.76%	9	5	55.56%
2020	44	15	34.09%	31	10	32.26%
2021	54	18	33.33%	35	17	48.57%
2022	48	26	54.17%	33	13	39.39%
2023	64	22	34.38%	40	15	37.50%

인간공학 자료 | Site

선배기술사들이 이곳에서 여러분을 기다리고 있습니다.

❖ 네이버블로그 “안전한 일상여행” https://blog.naver.com/ergonomist_c

❖ 네이버 밴드 “인간공학&안전보건” https://band.us/band/68685183

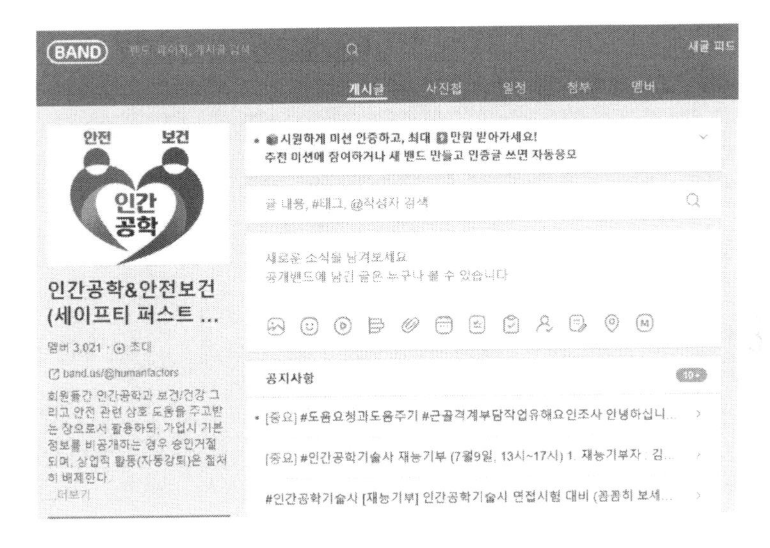

❖ “세이프티퍼스트 닷 뉴스” https://www.safety1st.news/

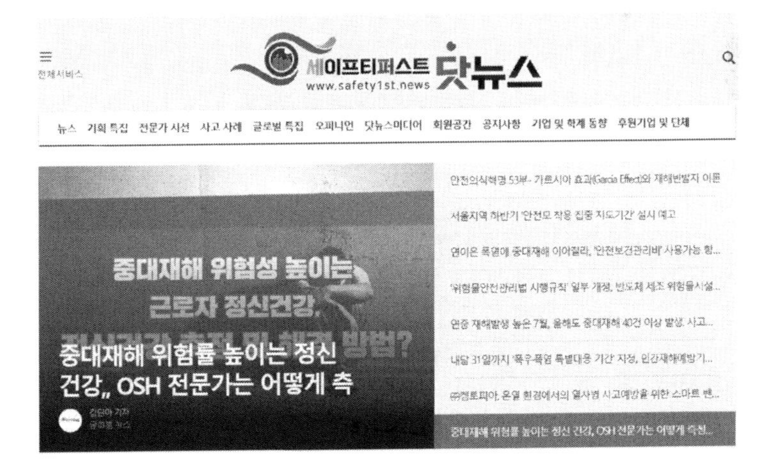

맺음말 | Epilogue

이 책의 특징을 보면...

1

인간공학기술사 핵심정리

문제의 출제의도를 정확히 파악하고, 알맞은 내용을 기술사 수준으로 정리하여 답변을 제공하였습니다.

2

기출문제 분석

기출문제 출제 빈도분석을 통해 항목별로 유사문제가 언제 출제되었는지를 정확히 분석하여 기재하였습니다.

3

선배 기술사의 재능기부

인간공학밴드, 세이프티닷뉴스 등의 매체를 통해 선배기술사의 재능기부 프로그램을 운영하여 합격의 길로 안내합니다.

인간공학기술사를 꿈꾸는 여러분!

기회는 시작하는 것에서부터 존재합니다.
부정하면 할 수 없는 것이 있으나, 긍정하면 할 수 있는 일이 수없이 많이 존재합니다.

이 책의 첫 장을 넘기는 순간부터 기회는 시작되는 것이며, 한 단계씩 인간공학의 개념을 공부해나간다면 인간공학기술사로서의 기본소양 함양과 함께 기술사 합격은 여러분의 눈앞에 쉽게 다가설 것입니다.

여러분의 여정이 항상 즐겁고 의미있게 이어지길 기원합니다.
실패와 어려움을 만나더라도 포기하지 않고 계속해서 도전하는 자세를 갖추고, 자신의 비전을 실현해 나가길 희망합니다. 인간공학은 끊임없는 탐구와 성장의 과정이니, 지금부터 시작하여 꼭 원하는 목표에 도달하시기를 응원하겠습니다.

"실패는 괜찮지만, 포기는 안 됩니다. 여러분의 미래가 밝고, 창조적이기를 바랍니다."

참고문헌 | Text & Book

- 고용노동부 고시 제2020-12호, 근골격계부담작업의 범위 및 유해요인조사 방법에 관한 고시
- 공정안전보고서의 제출·심사·확인 및 이행상태평가 등에 관한 규정 [시행 2023. 5. 30.]
- 근골격계질환 예방 업무편람, 한국산업안전보건공단
- 결함수 분석에 관한 기술지침(2021.12.) [KOSHA GUIDE P-84-2021]
- 근골격계부담작업 유해요인조사 지침, [KOSHA GUIDE H-9-2018]
- 근골격계질환 예방을 위한 작업환경개선 지침, [KOSHA GUIDE H-66-2012]
- 사업장의 근골격계질환 예방을 위한 의학적 조치에 관한 지침, [KOSHA GUIDE H-68-2012]
- 사업장 근골격계질환 예방관리 프로그램, [KOSHA GUIDE H-65-2012]
- 사고분석에 관한 지침, [KOSHA GUIDE Z-29-2022]
- 사고피해 예측기법 [(KOSHA Code P-31-2001)
- 인력운반 작업에 관한 안전가이드, [KOSHA GUIDE G-119-2015]
- 영상표시단말기를 사용하는 사무환경 관리에 관한 기술지침, [KOSHA GUIDE H-174-2015]
- 앉아서 일하는 작업의 건강장해 예방에 관한 기술지침, [KOSHA GUIDE G-30-2011]
- 업무상 사고조사에 관한 기술지침, [KOSHA GUIDE G-5-2017]
- 인적에러 방지를 위한 안전가이드, [KOSHA GUIDE G-120-2015]
- 야간작업 및 교대작업 직업건강 가이드라인, 2013
- 제어실 운전원 휴먼에러 확률예측기법(THERP)에 관한 기술지침 [KOSHA GUIDE X-69-2016]
- 작업자 실수분석 기법에 관한 기술지침 [KOSHA GUIDE P-90-2012]
- 안전보건공단 안전검사 매뉴얼_크레인
- 산업안전보건연구원 연구보고서_정량적 위험성평가 방법 도입 방안 마련 연구
- 체크리스트를 이용한 사업장의 리스크 평가 기술지침(2014.11.) [KOSHA GUIDE X-38-2014]

- 화학안전분야 안전보건기술지침(KOSHA Guide) 정비(안) 21건에 대한 의견수렴
- 중대재해처벌법 시행령 제정안 주요내용 설명자료, 고용노동부(2021)
- 위험성평가_지침해설서(2021)_고용노동부 안전보건공단
- 새로운 위험성평가 안내서(2023)
- 근골격계질병_업무상_질병_조사_및_판정지침(2021)
- 스위스 치즈 모델을 적용한 철도 감전사고 발생 형태에 관한 연구, 유기성, 김재문, 2018
- 도널드 노먼의 디자인과 인간심리, Donald A. Norman, 학지사
- 디자인과 인간공학, 정병용, 민영사
- 디자인 인간공학, 김재형 외, 세이프티퍼스트닷뉴스
- 산업보건학, 박동욱, 백남원 외, 한국방송통신대학교 출판문화원
- 산업안전, 권혁면, 김기식 외, 한국방송통신대학교 출판문화원
- 산업안전보건관리자를 위한 인간공학, 기도형, 박재희, 이경태 한경사
- 새로운 안전문화 이론과 실행과제, 양정모, 박영사, 2023
- 시스템적 산업안전관리론, 기도형, 한경사, 2021
- 인간공학, 박희석, 한경사
- 인간공학, 이관석, 장성록 외, 형설출판사
- 인간공학, Wickens, 시그마프레스
- 인간공학기사 : 필기편, 세이프티넷 인간공학기사 기술사 연구회, 청문각
- 인간공학기사 : 실기편, 세이프티넷 인간공학기사 기술사 연구회, 청문각
- 인지공학심리학, 박창호, 시그마프레스
- 중대재해처벌법, PSM에 기반한 위험성평가 및 분석기법, 송지태, 이준원, 성안당, 2023
- 참사는 이제 그만 인적오류 조사를 위한 실무 지침서(The Field Guide to Understanding Human Error Summary), 시드니 데커 저/백주현, 송진호 역, GS인터비전, 2023
- 최신산업인간공학, 김대식, 형설출판사
- 최신인간공학, 양성환, 박범 외 6명, 형설출판사
- 현대인간공학, 정병용, 이동경, 민영사
- 현대인간공학 응용문제, 한성대학교 인간공학 연구실, 민영사
- Niebel의 작업관리, Andris Freivalds, 한경사

참고문헌 | Site

<website>

- 안전보건공단 https://www.kosha.or.kr/kosha/index.do
- 네이버 카페 세이프티넷 https://cafe.naver.com/safetynet
- 모두를 위한 열린 강좌 KOCW http://www.kocw.net/home/index.do

  1) 계명대학교 기도형 교수님

     - 작업생리학
     - 의료기기인터페이스 디자인

  2) 한경대학교 박재희 교수님

     - 인간공학

- https://www.kosha.or.kr/kosha/report/notice.do?mode=view&articleNo=442757&article.offset=0&articleLimit=10

<아이콘 제작자>

"https://www.flaticon.com/kr/authors/itim2101“

"https://www.freepik.com“

<이미지>

https://pixabay.com/

찾아보기 | Index